O Sistema Único de Assistência Social no Brasil:

uma realidade em movimento

Dados Internacionais de Catalogação na Publicação (CIP)
(Câmara Brasileira do Livro, SP, Brasil)

O Sistema Único de Assistência Social no Brasil : uma realidade em movimento / Berenice Rojas Couto (Orgs.)... [et al.]. — 5. ed. rev. e atual. — São Paulo : Cortez, 2017.

Outras organizadoras: Maria Carmelita Yazbek, Maria Ozanira Silva e Silva, Raquel Raichelis
Vários autores.
Bibliografia.
ISBN: 978-85-249-2524-5

1. Assistência social - Brasil 2. Assistentes sociais - Educação profissional 3. Sistema Único de Assistência Social - SUAS (Brasil) I. Couto, Berenice Rojas. II. Yazbek, Maria Carmelita. III. Silva e Silva, Maria Ozanira. IV. Raichelis, Raquel.

17-03034 CDD-361.30981

Índices para catálogo sistemático:

1. SUAS : Sistema Único de Assistência Social : Brasil 361.30981

Berenice Rojas Couto • Maria Carmelita Yazbek •
Maria Ozanira da Silva e Silva • Raquel Raichelis
(Orgs.)

O Sistema Único de Assistência Social no Brasil:

uma realidade em movimento

5ª edição revisada e atualizada

O SISTEMA ÚNICO DE ASSISTÊNCIA SOCIAL NO BRASIL: uma realidade em movimento
Berenice Rojas Couto • Maria Carmelita Yazbek • Maria Ozanira da Silva e Silva •
Raquel Raichelis (Orgs.)

Capa: Andre Degenszajn
Revisão: Maria de Lourdes de Almeida
Composição: Linea Editora Ltda.
Assessoria editorial: Maria Liduína de Oliveira e Silva
Editora-assistente: Priscila F. Augusto
Coordenação editorial: Danilo A. Q. Morales

Direitos para esta edição
CORTEZ EDITORA
Rua Monte Alegre, 1074 – Perdizes
05014-001 – São Paulo – SP
Tels. (55 11) 3864-0111 / 3611-9616
cortez@cortezeditora.com.br
www.cortezeditora.com.br

Impresso no Brasil – junho de 2017

Sumário

Gráficos

Tabelas

Quadro

Prefácio à 5ª edição

Esta 5ª edição do livro *O Sistema Único de Assistência Social: uma realidade em movimento* atesta a acolhida generosa que esta obra vem recebendo entre pesquisadores, estudantes, trabalhadores, gestores, conselheiros, usuários e o público em geral interessado em acompanhar os avanços e as contradições que cercam a implementação da PNAS (2004) e especificamente do SUAS (2005) em nosso país.

O livro, ao apresentar os resultados de uma pesquisa empírica sobre a implantação e os primeiros anos de implementação do SUAS no Brasil, voltou-se para expor mudanças substantivas que vinham ocorrendo nas concepções e nas práticas da Política de Assistência Social em nosso país, notadamente a partir da Constituição de 1988. Essa é a Constituição Federal brasileira que institui a Seguridade Social, elevando a Assistência Social ao *status* de Política Pública, juntamente com a Previdência Social e a Política de Saúde. A inserção da Assistência Social na Seguridade Social aponta também para seu caráter de Política de Proteção Social, voltada ao enfrentamento da pobreza e articulada a outras políticas do campo social comprometidas com a garantia de direitos e de condições dignas de vida.

Neste contexto inicia-se a construção de uma nova matriz para a Assistência Social no país, em um longo processo que tem como perspectiva torná-la visível como política pública e direito dos que dela necessitarem. Como política social pública começa seu percurso para o campo dos direitos, da universalização dos acessos e da responsabilidade estatal.

Sem dúvida, nessa nova matriz estão colocadas mudanças substantivas na concepção da Assistência Social, um avanço que se propõe a permitir sua passagem do assistencialismo e de sua tradição de não política para o campo da política pública.

Em 1993, com a instituição da LOAS, tem-se o segundo marco nesta direção, apontando a necessária integração entre o econômico e o social; apresentando novo desenho institucional; propondo também a participação da população e o exercício do controle da sociedade na gestão e execução da Política de Assistência Social.

Em 2005, a instituição do SUAS, em cumprimento a deliberações da IV Conferência Nacional de Assistência Social (2004), representa o ponto mais elevado da consolidação da Assistência Social enquanto Política Pública no campo dos direitos não contributivos. Tem-se, então, a construção do SUAS enquanto requisito essencial da LOAS para dar efetividade e organicidade à Política Nacional de Assistência Social.

De forma pioneira, uma equipe de docentes pesquisadores da Universidade Federal do Maranhão (UFMA), da Pontifícia Universidade Católica de São Paulo (PUCSP) e da Pontifícia Universidade Católica do Rio Grande do Sul (PUCRS) assumiu o desenvolvimento de uma pesquisa nacional que se desenvolveu no período de 2006 a 2009, cujo produto é relatado, problematizado e analisado nesse livro, que chega a sua 5ª edição, além de várias reimpressões, lido e aceito por cursos de graduação, de pós-graduação e por profissionais de Serviço Social e de áreas afins.

Entendemos que o mérito desse livro é ter tomado como objeto de pesquisa e análise os primeiros anos do SUAS no Brasil. Ou seja, sua implantação, conceituando o processo inicial de implementação desse Sistema, dinâmica que envolveu providências iniciais necessárias, e, diga-se de passagem, frequentemente não garantidas, à dotação de condições financeiras, humanas, materiais e de equipamentos que permitissem o bom funcionamento das unidades operativas. O tempo para a implantação do SUAS nos municípios, entendemos, não pode ser predeterminado por depender do porte dos municípios e das condições necessárias ao desenvolvimento do Sistema em cada localidade, o que significa dizer que é um movimento sempre inconcluso. Por conseguinte, podemos afirmar que o termo implantação se refere ao momento inicial de implementação do SUAS nos municípios brasileiros, mas também se constitui um processo contínuo. Foi exatamente esse momento inicial que configurou o objeto da pesquisa nacional relatada no presente livro, embora o entendimento fosse de que, mesmo antes do SUAS, uma Política de Assistência Social já se fazia em movimento.

Por conseguinte, o livro, originalmente lançado em 2010, teve como foco a implantação do SUAS, onde se destacavam os primeiros CRAS que começavam a ser criados e que nos anos seguintes se espalhariam pelo território nacional, expressando a grande novidade que viria materializar serviços e benefícios socioassistenciais territorializados nos municípios brasileiros para um amplo segmento populacional que carecia, e ainda carece, de ações sistemáticas e continuadas no campo da Assistência Social.

O SUAS, estruturado com base nas proteções sociais básica e especial, inaugura uma nova institucionalidade na Política de Assistência Social, podendo-se afirmar que esta última década foi palco de avanços inimagináveis em uma área que historicamente foi concebida como o avesso de uma política de direitos, sempre sujeita a manipulações clientelistas e patrimonialistas.

A pesquisa que deu base ao livro captou o momento inaugural do SUAS. Na conclusão geral assim nos referimos:

> Os achados da pesquisa indicam que o SUAS é uma realidade e vem sendo implantado em todo o Brasil, e que o ideário que move a maioria dos entrevistados é que sua consolidação deve ser efetiva impondo um novo paradigma nessa área, e que essa tarefa exige vigilância, pois o terreno no qual se move está eivado de contradições quanto a sua materialização. (p. 282)

A interlocução que a equipe de pesquisadores estabeleceu com trabalhadores, gestores e conselheiros de vários estados e municípios constantes da amostra testemunhou de fato uma ebulição na área em todo o país. Constatou-se o engajamento de inúmeros sujeitos individuais e coletivos comprometidos com sua efetivação, bem como o papel protagonista dos CRAS na dinâmica de efetivação do SUAS nos municípios.

O que não quer dizer que este processo venha se desenvolvendo sem dificuldades e desafios. Ao contrário, a persistência de entraves históricos que caracterizam a gestão das políticas sociais em nosso país se amplificava em uma área que dava os primeiros passos para se constituir como campo de afirmação de direitos (não contributivos) de seguridade social inscritos na agenda estatal como expressão da responsabilidade pública.

Os dois governos do presidente Lula e o primeiro governo da presidente Dilma (2004 a 2014) foram indubitavelmente grandes impulsionadores da Política de Assistência Social, principalmente por meio do compromisso e do investimento técnico, político e institucional de equipes profissionais que se sucederam à frente do então Ministério de Desenvolvimento Social e Combate à Fome (MDS) e que apostaram na criação das bases legais e políticas que conferiram sustentabilidade federativa à PNAS e ao SUAS. A aprovação da Lei n. 12.435 de julho de 2011 pelo governo Dilma Rousseff, alterando a LOAS para introduzir o SUAS como estratégia de gestão das ações na área de Assistência Social sob a forma de um sistema descentralizado e participativo, expressou o acolhimento governamental de uma bandeira política protagonizada por um amplo movimento organizado pelo país, composto por uma miríade de organizações e sujeitos atuantes na Política de Assistência Social, que pressionavam para que fosse conferido estatuto de legalidade institucional a um processo que se adensava sem garantias de continuidade.

A demanda por contínuas reedições e reimpressões deste livro sinaliza que novas gerações de trabalhadores, gestores públicos e privados, pesquisadores, estudantes permanecem interessadas nesse registro histórico que capta o movimento inaugural do processo de implementação do SUAS, fundamental para compreender e problematizar seus desdobramentos posteriores. Como pesquisadoras da Política de Assistência Social move-nos a convicção de que esta obra coletiva, escrita a muitas *mãos e cabeças* por pesquisadores experientes e jovens iniciantes nos caminhos da investigação, representa uma importante contribuição para todos aqueles que na linha de frente do SUAS se confrontam com a difícil tarefa de sua operacionalização — crítica e criativa —, num cotidiano pleno de desafios.

Nesse sentido disponibilizamos aos leitores e leitoras esta nova edição, com algumas atualizações nos dados de estados e municípios, sem alterar, naturalmente, os resultados da pesquisa empírica que é datada e representa o movimento de um período da operação do SUAS em diversos municípios brasileiros, tomados como amostra representativa da realidade nacional da implantação e dos passos iniciais da implementação desse Sistema.

Contudo passada mais de uma década de implantação do SUAS, considerando o estágio de consolidação em que se encontra, seria preciso revisitar essa *realidade em movimento* para continuar acompanhando o seu desenvolvimento, avanços e desafios e, principalmente, fornecer novos elementos para permanecermos vigilantes em um terreno eivado de contradições, como advertimos.

Nessa perspectiva, a *rede de cooperação acadêmica* constituída por ocasião da investigação que deu base a este livro, integrada pelos grupos de pesquisa da UFMA, PUCSP e PUCRS, ampliada com a participação de pesquisadores da Universidade Federal do Ceará, (UFCE), Universidade Estadual do Ceará (UECE) e Universidade Federal do Pará (UFPA), vem conduzindo desde 2015 novas pesquisas, financiadas pelo CNPQ e pela Fundação de Amparo à Pesquisa e ao Desenvolvimento Tecnológico do Maranhão (FAPEMA), com o objetivo de realizar estudos avaliativos da implementação do SUAS no Brasil na última década, na perspectiva de não apenas atualizar dados colhidos na pesquisa anterior, mas também ampliar seu escopo. Assim, além da ênfase na proteção social básica materializada pelos CRAS, estamos focalizando nos novos estudos a proteção social especial no âmbito do CREAS e incorporando também os Centros POP como unidade empírica de análise, considerando que estes não existiam na primeira pesquisa. Também introduzimos novos sujeitos no processo de investigação. Além de trabalhadores e gestores, os usuários do SUAS constituem interlocutores privilegiados que certamente enriquecerão os olhares da equipe para novos e significativos ângulos da realidade na qual se move o SUAS.

Mas não podemos deixar de considerar que estamos desenvolvendo essas novas pesquisas em meio a uma realidade complexa marcada por uma conjuntura política que se aprofunda e se agrava desde o início do segundo governo da presidente Dilma Rousseff. Mais uma vez em nosso país as forças conservadoras impetraram um golpe político-institucional atrelado aos interesses do grande capital, agora com a legitimação do poder judiciário e da grande mídia, levando ao *impeachment* de uma presidente democraticamente eleita com mais de 54,5 milhões de votos.

O contexto que se desencadeou a partir daí é de profunda regressão de direitos e desconstrução do pacto constitucional de 1988. Estamos assistindo a um ataque sem precedentes às políticas sociais, especialmente à Seguridade Social, o que coloca em risco a continuidade da Política de Assistência Social e do SUAS.

As primeiras medidas do ilegítimo governo Temer apontam para um verdadeiro desmanche da Política de Assistência Social, maior do que o operado em 1995 com a criação da Comunidade Solidária pelo governo neoliberal de FHC, cujo Conselho do mesmo nome buscou anular o Conselho Nacional de Assistência Social (CNAS) como espaço de controle social da Política Pública de Assistência Social.

Todavia, a realidade hoje é outra. Temos uma Política Nacional de Assistência Social e temos o SUAS, com mais de 10 mil unidades públicas de referência e especializadas espalhadas por todo o País e cerca de 300 mil trabalhadores atuando na área. Embora, os avanços no SUAS sejam uma realidade incontestável, não podemos nos iludir, esses avanços expressam um movimento permeado de contradições, de continuidades e rupturas, de tendências conservadoras e progressistas que disputam espaços de hegemonia num campo fértil para regressões moralizantes e meritocráticas. Aprofunda-se o ataque ao fundo público e aos direitos sociais arduamente conquistados. Processo este que deve ser apreendido como um movimento contraditório, onde sempre estão em disputa os sentidos e os rumos da sociedade. Assim sendo, a politização desse processo é que permitirá que o SUAS se coloque (ou não) na perspectiva de forjar formas de resistência e defesa da cidadania de seus usuários, ou apenas reiterar práticas conservadoras e assistencialistas, agora fortemente sustentadas pelas contrarreformas nas esferas política e econômica de nosso país.

Nesse campo de regressão de direitos e de ameaça às políticas sociais, em especial às conquistas da Seguridade Social e nesse âmbito da Política de Assistência Social, a pesquisa e a produção de conhecimento crítico sobre a realidade brasileira e sobre o SUAS podem ser uma contribuição relevante na luta coletiva a ser empreendida contra a sua desconstrução. Esse é o nosso compromisso com a realização dos estudos e pesquisas que já iniciamos, que certamente produzirão novas publicações que serão disponibilizadas ao amplo público interessado e envolvido com a Política de Assistência Social, nessa conjuntura profundamente antissocial que toma de assalto a classe trabalhadora brasileira, principalmente suas camadas sociais mais subalternizadas.

Berenice Rojas Couto
Maria Carmelita Yazbek
Maria Ozanira da Silva e Silva
Raquel Raichelis
Coordenadoras

Prefácio à 3ª edição

Este é um livro que, indubitavelmente, acrescenta um *plus* qualitativo ao já razoável acervo de reflexões sobre a política de assistência social brasileira. Organizado por quatro professoras de notória experiência intelectual e política na área, e também coautoras da maioria de seus bem articulados capítulos, ele destaca-se por uma feliz particularidade: expressa a sabedoria retrospectiva de um grupo que, há muito envolvido no assunto, já o conhece desde a sua gênese; e, por isso, mostra-se capaz de avaliá-lo com conhecimento de causa e de fornecer consistentes pistas prospectivas.

Isso ganha maior importância quando se considera a conturbada história de avanços e retrocessos da assistência social no Brasil e a secular persistência de sua mecânica identificação com o assistencialismo, agora revivida. Assim, muito do que se apresenta hoje como novidade nas ações assistenciais, sob a forma de medidas focais de transferência de renda e de ativação de seus demandantes para o trabalho, tem antigas raízes no solo capitalista. Logo, tais medidas se investem de um significado complexo que estudos fenomênicos, pontuais e tardios são incapazes de desvendar.

A identificação revivida da política de assistência social brasileira com o assistencialismo, de triste memória, merece explicações de fundo. Isso porque, só estas, por empreenderem análises que mergulham no âmago complexo e contraditório do problema, poderão obter a resposta precisa para o fato estrutural de que, no capitalismo, não há lugar para a *política social como direito.* E sendo a assistência a mais nova pleiteante desse *status*, em momento histórico hostil a essa pretensão, ela tem sido a política mais propensa a arcar com o ônus do desmonte contemporâneo dos direitos sociais, inclusive em seu seio. É ela, por conseguinte, a política na qual se observam os retrocessos mais dramáticos das conquistas sociais previstas na Constituição Federal brasileira vigente, promulgada em 1988; e a mais instada a se submeter às regras do *workfare*[1] imperante em escala planetária sob o comando triunfalista do neoliberalismo desde meados dos anos 1970. Não admira, portanto, a prevalência de uma falsa supervalorização da assistência no contexto atual da proteção social neoliberal. Prevalência esta devida à constante e crescente utilização dessa política de forma desvirtuada; isto é, seja como um estrito *alívio* da pobreza mundialmente aumentada, seja como um *trampolim* estratégico, que deverá lançar os pobres para fora de seu âmbito, ou mais precisamente, para o colo inóspito do trabalho precário, desprotegido e mal pago — ou para a completa *desassistência.* Portanto, é o mau uso político da assistência social que, nos dias de hoje, constitui a ponta do *iceberg* negador de direitos sociais que, por não serem autoaplicáveis, deveriam ser concretizados por políticas públicas, incluindo a assistência. Mas, dada a invisibilidade do que está na base desse processo regressivo, este prospera incólume sob a percepção superficial de que a política de assistência galgou posição de prestígio, transitando de sua antiga condição de *gata borralheira* para a de *cinderela*, em detrimento das demais políticas.

Embora este livro não tematize diretamente essa problemática, é notória a sua preocupação em indicar os percalços sofridos pela política de assistência social prevista na Constituição da República Federativa do Brasil, de 1988, como parte integral e endógena do Sistema de Seguridade Social, também inaugurado por essa Carta Magna. E nessa preocupação fica evidente o propósito de seus autores de revelar não só as *marchas* do processo de edificação conceitual e política da assistência à condição

1. Bem-estar obtido por meio de trabalho ou em troca de trabalho. Trata-se de uma política concebida nos Estados Unidos, nos anos 1980, sob a égide do governo Reagan, a qual, em vez de promover o direito ao trabalho, exigia dos beneficiários da assistência social o dever de se inserirem no mercado laboral como o preço a ser pago pelos subsídios públicos recebidos.

de direito de cidadania, mas, também, as *contramarchas* que, majoritária e eficientemente, se impõem como oponentes de peso às conquistas democráticas obtidas naquela caminhada.

Como resultado promissor das *marchas* mencionadas, o livro relembra — como não poderia deixar de proceder — a superação da prática assistencial arcaica e anticívica, que vigorou durante séculos no país, em reforço à cultura arraigada do servilismo da pobreza, por um padrão de assistência que, referenciado na cidadania, procuraria contribuir para o ingresso do país nos circuitos civilizatórios arduamente construídos em várias partes do mundo pelos movimentos democráticos, no interior do próprio capitalismo.

Isso por si só constitui um fato revolucionário, que foi gestado no contexto das lutas travadas contra a ditadura militar no país, entre 1964 e 1985, e que, em 1987, compôs as teses progressistas na Assembleia Nacional Constituinte; pois foi nessa arena de conflitos de interesses que a concepção pioneira de um sistema de Seguridade Social a ser inscrito, pela primeira vez, numa Constituição Federal brasileira, foi forjada, contemplando a assistência como o seu principal eixo *não contributivo*. Ou seja, como um eixo cuja presença nesse Sistema representaria uma proposta transgressora da tendência neoliberal de voltar a reduzir a Seguridade Social ao um mero seguro, tal como funcionou na Alemanha, no século XIX, sob o governo conservador de Otto Von Bismarck. Portanto, em 1988, ao fazer parte da Constituição Federal, como um direito devido pelo Estado, a assistência social passou a encarnar um tento revolucionário, único no mundo, que, pelo menos do ponto de vista institucional e jurídico, não pode ser minimizado. E, como tal, deve merecer o reconhecimento de que reflete — como salienta o livro — um ato de resistência política à onda neoliberal que, em nome de uma liberdade negadora da ação protetora do Estado (a famosa *liberdade negativa,* de extração liberal), aposta na autorresponsabilização dos indivíduos, especialmente dos mais pobres, pelo seu próprio bem-estar. E, eu acrescentaria, deve ser considerado um contraponto legal e legítimo ao trabalho vil ou escravo, ainda existente no Brasil, e a outras formas congêneres de espoliação da mão de obra barata, bastante utilizadas no país. É por essa perspectiva que cabe perfeitamente reconhecer, no contexto nacional, a inauguração de uma inusitada mudança nos termos da convencional relação de confronto valorativo entre trabalho e assistência: agora, não mais seria o trabalho em seu sentido genérico e abstrato que dignificaria o beneficiário da assistência, mas seria a assistência que constituiria uma alternativa mais digna ao trabalhador quando este se visse obrigado a se submeter a qualquer trabalho.

Este era e continua sendo, em tese, uma das atribuições protetoras da assistência social brasileira que, não obstante singela, a aproxima dos postulados básicos da cidadania. Contudo, paradoxalmente, é essa atribuição que a indispõe, sobremaneira, com a opinião pública majoritariamente contaminada pelo ideário mistificador do *workfare*, ou da pouco percebida tendência dominante de *laborarização* e *monetização* precárias da política pública de assistência social. E esse fato, vale salientar, mais do que configurar um mero assistencialismo social, constitui um dos muitos expedientes para satisfazer as necessidades de lucro do capital.

Tal tendência explica, no atual contexto das *contramarchas* dessa política, a sua sucumbência aos ditames neoliberais, que lhe impuseram as seguintes dificuldades, dentre várias, indicadas no livro:

a) a assimetria prevalecente entre os avanços institucionais e regulatórios, conquistados nessa arena política, e a efetiva materialização destes. É o que se pode depreender da clara referência à lentidão do processo de regulamentação e institucionalização da Política Nacional de Assistência Social (PNAS) e de seu Sistema Único (SUAS) — articulador de serviços, benefícios, programas e projetos —, bem como das Normas Operacionais Básicas (NOBs) que devem orientá-lo;

b) a incompatibilidade dos avanços sociais constitucionais com os ajustes estruturais da economia neoclássica que, sob a batuta do ideário neoliberal hegemônico, tornaram e tornam esses avanços anacrônicos;

c) os *contras*, ao lado dos *prós*, da ênfase conferida aos conceitos de *intersetorialidade* e *territorialidade* constante na fundamentação teórica subjacente ao texto normativo do SUAS e da centralidade da família como a instituição social por excelência de atenção e de aposta do Sistema numa possível relação de parceria com esta;

d) as limitações, contradições e possíveis efeitos não desejados, ou viciosos, advindos da crescente ampliação do número dos usuários dos benefícios da assistência social e da aplicação de suas diretrizes e estratégias de gestão num contexto geográfico e cultural diverso e desigual. Neste último caso, são levantadas questões referentes à redefinição real do perfil do usuário do SUAS, devido ao aumento do desemprego e da redução das proteções sociais associadas ao trabalho formal, e à ausência de categorias teóricas importantes no conteúdo normativo da política, como a de *classe social*, a qual deveria embasar a identificação da gênese e da natureza das necessidades vivenciadas pelo público-alvo da assistência no Brasil.

Além disso, pesquisa de campo realizada por uma equipe de autores desta publicação permitiu a estes detectar fatores inibidores do processo de implantação e implementação do SUAS nos diferentes municípios brasileiros, traduzidos, principalmente, em:

a) dificuldade na estruturação e na institucionalidade do SUAS, o que propicia improvisações e adaptações intuitivas na implantação e funcionamento das suas unidades de atendimento — CRAS e CREAS — e, consequentemente, reforça a tradicional informalidade no campo assistencial;

b) falta de recursos municipais para o financiamento das ações, uma vez que o aporte financeiro para a política, procedente tanto das instâncias estaduais quanto da própria esfera municipal, privilegia a capacitação e treinamento de pessoal e a manutenção do funcionamento da gestão. Em decorrência, as ações substantivas e atividades fins da política passam a depender, quase que exclusivamente, de recursos federais, pondo assim em xeque uma das grandes conquistas constitucionais, inscritas na ideia de pacto federativo: a transformação do município em ente federado autônomo que, no caso da assistência, se realizaria plenamente no tocante aos benefícios eventuais, ainda hoje carentes de regulamentação efetiva;

c) limitada capacidade de atendimento dos CRAS e CREAS a demandas assistenciais que extrapolem a simples distribuição de benefícios, particularmente o do Programa Bolsa Família — que representa a incumbência central dessas unidades. Enquanto isso, as iniciativas associadas à prestação de serviços assistenciais ficam relegadas ao segundo plano, quando não inexistem, ou são substituídas por ações rotineiras e espontâneas. Isso confirma, segundo a pesquisa, a persistência da cultura arraigada do assistencialismo que vem, errônea e apressadamente, sendo identificado com a política pública de assistência social.

Enfim, o livro procura dar conta de uma realidade *em movimento*, como ressaltam os autores. Porém, cabe qualificar de um movimento cuja dinâmica desafia prescrições legais e formais, embora estas tenham sido ditadas por anseios emanados do fato real de que o assistencialismo profundo da história política brasileira não mais combina com as conquistas democráticas do final dos anos 1980 — já que estas clamavam por direitos em todas as áreas da vida social. E para retratar o mais fielmente possível essa dinâmica, tais autores não fizeram concessões analíticas, assim como também não deixaram, criticamente, de dar a *César o que é de César*.

É esta postura intelectual e politicamente madura que torna o livro merecedor do apoio institucional da CAPES/MEC, por meio de seu Programa de Cooperação Acadêmica entre diferentes Universidades do país (PROCAD), e do interesse de leitores ávidos por conhecimentos que deem novas e objetivas proporções à realidade contraditória da assistência social na recente história brasileira da proteção social.

Potyara Amazoneida P. Pereira

Península Norte/Brasília, 25 maio de 2012.

Prefácio

Escrever este prefácio me investe de honra e de responsabilidade, dada a envergadura das autoras e a relevância teórica, social e política que este texto representa por sua interpretação privilegiada sobre o processo de implantação e implementação do Sistema Único de Assistência Social no Brasil.

Os temas apresentados neste livro, além de refletir o engajamento político de suas autoras desde os primórdios da instalação da Loas, traduzem o compromisso que tem marcado a trajetória de Maria Carmelita Yazbek, Raquel Raichelis, Maria Berenice Rojas Couto e Maria Ozanira Silva e Silva, fazendo com que toda uma geração de assistentes sociais usufruísse do conhecimento por elas produzido. Dificilmente algum assistente social formado no Brasil não se debruçou sobre suas obras e delas retirou rumos e nortes para sua vida profissional. Mais uma vez, podemos apreender uma reflexão crítica, séria e prospectiva com respostas para milhares de profissionais que atuam na gestão da política de assistência social. O Sistema Único de Assistência Social não teria crescido com este vigor se seus sujeitos não tivessem obtido a orientação precisa e clara dos professores e dos pesquisadores engendrados nesta luta.

Os núcleos de pesquisa que conceberam este estudo, vinculados aos programas de Pós-graduação da Pontifícia Universidade Católica de São Paulo, da Universidade Federal do Maranhão e da Pontifícia Universidade Católica do Rio Grande do Sul, destacam-se por sua qualidade e profundidade na investigação sobre as políticas sociais no Brasil. As autoras deste livro são reconhecidamente protagonistas nas incursões teórico-práticas sobre o Suas e, mais uma vez, oferecem aos pesquisadores, aos alunos e aos trabalhadores da política de assistência social uma análise de denso aprofundamento, demonstrando aspectos estruturais e conjunturais que determinam o objeto estudado.

O conteúdo aqui exposto articula o cotidiano da implementação do Suas no Brasil e o substrato teórico que permite avaliar seus avanços e seus desafios sob a ótica da trajetória histórica da assistência social, da formação econômica, social e política deste país e da organização administrativa do Estado brasileiro. Temas como a capacidade de gestão do Suas em municípios de portes diferentes foram tratados, não apenas sob a ótica da constatação de suas deficiências mas, sobretudo, a partir de considerações de caráter explicativo, cujo aprofundamento serve para demarcar, de forma mais precisa, os caminhos das mudanças a serem adotadas.

Além das lições que trazem luz sobre o desenho e os arranjos da gestão da política de assistência social em todos os níveis de governo, pois direcionam seu olhar à capacidade de gestão, aspecto considerado crucial para o estágio no qual se encontra a estruturação do Suas, podemos também apreender a capacidade e a destreza metodológica no importante diálogo estabelecido entre os constructos teóricos e a dinâmica da realidade do cotidiano.

Havia premência da análise aqui contida em função da atual capacidade instalada do Suas. Passados apenas cinco anos da sua implantação, este sistema já figura em 99,3% dos municípios e 100% das instâncias estaduais, que aderiram a esta lógica. Dados quantitativos, colhidos a partir de institutos de pesquisa e dos sistemas de informação do MDS, demonstram o crescimento desse sistema. Atualmente estão instalados 6.763 Centros de Referência de Assistência Social — Cras e, com a ampliação em curso neste ano de 2010, estarão em todos os 5.565 municípios brasileiros com aproximadamente 7.734 unidades. No âmbito da proteção especial, especificamente na instalação dos Centros de Referência Especializados, a partir da atual expansão, todos os municípios, cuja densidade populacional atinge mais de vinte mil habitantes, passarão a contar com pelo menos um Creas, perfazendo o total de 2.036 em todo o Brasil.

Esse panorama traçado em números corrobora a necessidade de participação da esfera acadêmica com a crítica, a análise e a sustentação conceitual, na medida em que atualmente já somam 182.436 trabalhadores atuando no âmbito da política de assistência social.

Essa realidade indica a consubstanciação de uma ideia força materializada, de forma contínua e incessante, em sua operacionalização e pode caminhar para a consolidação de um sistema moderno, integrado, padronizado e organicamente instituído em todo território nacional.

Consta, de forma bastante pertinente, entre as preocupações das autoras, o convívio dos novos paradigmas com os antigos pressupostos e, ainda, as mudanças próprias e necessárias pela transposição primaz dos serviços sociais, anteriormente atribuídos à esfera privada, para a esfera pública de forma pertinaz e determinante.

Esse convívio do velho e do novo na política de assistência social foi uma constante em todas as regiões estudadas nessa pesquisa. A herança do assistencialismo, associada à dificuldade de apropriação imediata de novos preceitos, constituem-se pontos cruciais para os gestores e para os trabalhadores que comungam com a primazia do Estado, com a descentralização participativa e com a adoção de práticas direcionadas à concretude dos direitos propostos pelo Suas. O texto destaca, ainda, o papel dos profissionais que atuam no âmbito desse sistema, como protagonistas da mudança em curso, cujo compromisso político tem impulsionado sua implantação em todo o Brasil.

Além da primazia da perspectiva governamental e da descentralização, o livro traz a análise de dois pontos especialmente caros para todos os seus idealizadores: a participação e o controle social. Neste campo, as considerações nos remetem à reflexão sobre as dificuldades criadas pelo modo subalterno como os usuários foram tratados ao longo da história da assistência social, à escassa presença desta política na esfera pública e à equivocada compreensão do seu caráter de direito. Estes temas têm sido apresentados a todos nós, pelas autoras, ao longo destes anos, constituindo-se em respostas aos profissionais das políticas sociais, tanto em termos teóricos como práticos. As autoras, igualmente, reforçam quão árduo tem sido o caminho da construção de processos democráticos e decisórios no Brasil, determinantes neste período inicial de construção do Suas.

A leitura dos assuntos aqui postos expressa a dimensão do quanto ainda temos por caminhar, chama a atenção sobre a premência de aprofundamento de temas que compõem o escopo da atual política pública de assistência social e alerta para a efetiva necessidade de soluções precisas e novas para fenômenos tão complexos como vulnerabilidade, risco social, centralidade na família, dentre muitos outros. Questões relacionadas à efetiva capacidade de gerir um sistema público que equaciona organicidade, padronização com o reconhecimento da diversidade, frente à estrutura pública ainda fincada sobre os marcos da tecnoburocracia, figuram como desafio do Suas hoje, assim como em sua trajetória vindoura.

Destaca-se a forma competente das autoras em abordar temas como a rede de serviços, a qualificação da gestão, os processos participativos à luz das responsabilidades do Estado e o papel da sociedade civil, as atribuições das políticas sociais, expressando o diálogo entre o cotidiano e a construção teórica, sem perder de vista as determinações e limites históricos do modelo econômico e social postos para o Brasil.

Em razão da importância estratégica que esta obra assume, no atual momento da política pública de assistência social, tenho imensa alegria em escrever este preâmbulo. Tive a oportunidade de, mesmo ao largo, acompanhar sua feitura e, agora, de apreender lições que dela emanam e merecem ser adotadas em âmbito nacional. Para além das preciosas contribuições no campo do conhecimento exposto nos riscados deste livro, reitero a trajetória profissional e pessoal das autoras, que nos deixaram marcas profundas de compromisso aguerrido com a ampliação da proteção social no Brasil. Influenciaram profissionais e estudiosos cunhados na crença de que o conhecimento tem outro sentido e outro significado ao se fazer transformador.

Maria Luiza Rizzotti

Doutora em Serviço Social, professora da Universidade Estadual de Londrina, coordenadora do Núcleo de Estudo e Pesquisa em Gestão de Política Social da mesma universidade.

CAPÍTULO 1

A Pesquisa Suas: apresentando o contexto, a proposta metodológica e o conteúdo do livro

*Maria Ozanira da Silva e Silva**

1.1 O contexto da pesquisa

O livro, *O Sistema Único de Assistência Social no Brasil: uma realidade em movimento*, que apresentamos à comunidade acadêmica, aos profissionais das políticas sociais, aos usuários e interessados nas questões da proteção social no Brasil e ao público em geral, é produto de uma pesquisa desenvolvida no âmbito de uma proposta de cooperação acadêmica aprovada e financiada pela Coordenação de Aperfeiçoamento de Pessoal de Nível Superior (Capes) e pelo Conselho Nacional de Desenvolvimento Científico e Tecnológico (CNPq),[1] envolvendo o Programa de Pós-Gra-

* Doutora em Serviço Social. Professora do Programa de Pós-Graduação em Políticas Públicas da Universidade Federal do Maranhão. Coordenadora do Grupo de Avaliação e Estudo da Pobreza e de Políticas Direcionadas à Pobreza (GAEPP www.gaepp.ufma.br) e pesquisadora nível IA do CNPq. e-mail: maria.ozanira@gmail.com.

1. Trata-se, por parte da Capes, do Programa Nacional de Cooperação Acadêmica — Procad, desenvolvido em nível nacional e, pelo CNPq, foi obtido financiamento mediante a concorrência ao Edital MCT/CNPq n. 3/2008 — Ciências Humanas, Sociais e Sociais Aplicadas.

duação em Políticas Públicas da Universidade Federal do Maranhão (UFMA); o Programa de Pós-Graduação em Serviço Social da Pontifícia Universidade Católica de São Paulo (PUC-SP) e o Programa de Pós-Graduação em Serviço Social da Pontifícia Universidade Católica do Rio Grande do Sul (PUC-RS), sob a coordenação geral do primeiro.

A proposta de intercâmbio agrupou atividades de pesquisa, de ensino e de formação de recursos humanos em nível de pós-graduação, tendo como um dos eixos temáticos a Política de Assistência Social, com destaque ao Sistema Único de Assistência Social em implantação no país.

A Política de Assistência Social é concebida como Política Pública no Brasil a partir da Constituição Federal de 1988, compondo, com a Política de Saúde e a Previdência Social, a Seguridade Social brasileira.

A Política de Assistência Social, de caráter não contributivo e direcionada para quem dela necessitar, tem, na Política Nacional de Assistência Social (PNAS), aprovada pelo Conselho Nacional de Assistência Social (CNAS) em 2004, e no Sistema Único de Assistência Social (Suas), em implantação no Brasil desde 2005, os dois instrumentos políticos e normativos mais recentes. Ambos objetivam o avanço da Assistência Social enquanto Política Pública. Nesse sentido, desenvolvemos investigações sobre a implantação e o desenvolvimento desses instrumentos tendo em vista dimensionar possíveis contribuições, entraves e dificuldades para o avanço da Política de Assistência Social no Brasil, direcionada para permitir acesso aos direitos sociais da população.

Entendemos que a temática proposta para estudo é atual e de extrema relevância para o Serviço Social, em particular, para as Ciências Sociais e, sobretudo, para os profissionais e gestores que investigam e implementam a Política e, em especial, para seu público usuário.

Para o desenvolvimento da pesquisa, os professores pesquisadores e os alunos de pós-graduação e graduação membros das equipes dos três Programas[2] constituíram uma *rede de cooperação acadêmica* entre Programas

2. A relação nominal dos integrantes das três equipes que participaram diretamente da pesquisa *O Sistema Único de Assistência Social no Brasil: um estudo avaliativo de sua implantação* é a seguinte: Equipe UFMA: professoras Maria Ozanira da Silva e Silva (coordenadora-geral e da equipe da

de Pós-Graduação consolidados, integrantes de diferentes regiões geográficas do país, para produzir conhecimento sobre a Política de Assistência Social, objetivando contribuir para efetivação do processo de implantação do Suas no Brasil a partir do levantamento, sistematização e publicização de informações, considerando a amplitude geográfica e a diversidade da realidade nacional. Essa cooperação acadêmica possibilitou a mobilização de docentes, pesquisadores e de estudantes de pós-graduação entre grupos de pesquisa envolvidos no Projeto, contribuindo para a ampliação da formação de mestres e doutores no país e da produção científico-acadêmica no âmbito dos Programas de Pós-Graduação envolvidos. Poderá também possibilitar a realização de estudos complementares e comparativos, para identificação de possibilidades e dificuldades na implantação e implementação[3] dos Centros de Referência da Assistência Social (Cras) e dos Centros de Referência Especializados da

UFMA); Cleonice Correia Araújo; Maria Eunice Ferreira Damasceno Pereira; Maria Virgínia Moreira Guilhon; Salviana de Maria Pastor Santos Sousa; Ângela Maria da Silva Lopes (assistente social e mestre). Doutoranda Andréa Cristina Santos de Jesus. Mestrandas em Serviço Social da UFPA: Fábia Jaqueline Miranda, Antonia Cardoso dos Santos; Maria Cristina Rodrigues de Sousa. Graduação em Serviço Social da UFMA: Jozeth Marya de Andrade Silva; Equipe PUC-SP: professoras Maria Carmelita Yazbek (coordenadora); Raquel Raichelis (vice-coordenadora). Pesquisadoras Rosangela Paz; Maria Luiza Mestriner (Cedpe); Maria Virginia Righetti F. Camilo (Unicamp); Ana Maria A. Camargo (Unicamp); Ana Paula Roland Medeiros; Rosana Cardoso (Unicamp). Doutorandas: Sonia Nozabielli; Vania Nery; Gisela Barahona; Maria Helena Cariaga; Neiri Bruno Chiachio. Mestrandas: Marilene F. Sant'Anna; Rosemeire dos Santos; Equipe PUC-RS. Professoras Berenice Rojas Couto (coordenadora PUC-RS). Pesquisadoras Jane Cruz Prates; Jussara Maria Rosa Mendes; doutorandos Tiago Martinelli; Iraci de Andrade; Marta Borba Silva; Maria Luiza Lajús; Eunice Viccari; Erica Scheeren Soares. Mestrandos Loiva Mara de Oliveira Machado; Manoela Carvalho de Albuquerque.

3. No contexto deste livro, o conceito de implantação do Suas é compreendido como o processo inicial de implementação desse Sistema, caracterizado pela especificidade desse momento que se reveste de importância significativa para o desenvolvimento do Suas no país. Consiste das providências iniciais para permitir o bom funcionamento do Suas, como escolha do local, formação e capacitação da equipe de trabalho, estabelecimento de parcerias, organização inicial e divulgação das unidades operativas (Cras e Creas) nas comunidades, levantamento e interlocução inicial com as unidades prestadoras de serviços (rede socioassistencial), providências necessárias à dotação de condições financeiras, materiais e de equipamento para funcionamento das unidades operativas, entre outras. O tempo para o momento de implantação do Suas nos municípios não pode ser predeterminado e é diversificado por depender do porte dos municípios e das condições necessárias ao desenvolvimento do Sistema em cada localidade. Por conseguinte, podemos dizer que o termo implantação se refere ao momento inicial de implementação do Suas nos municípios brasileiros.

Assistência Social (Creas), em diferentes regiões do país, de modo a socializar alternativas para o aprimoramento dos processos de monitoria e avaliação de programas sociais. O estudo pode ainda contribuir para o estreitamento de parcerias com organismos governamentais e a rede de serviços sociais, nos diferentes Estados e municípios sedes dos Programas de Pós-Graduação que compõem a cooperação, no intuito de aportar subsídios para a qualificação dos serviços realizados.

Cabe igualmente destacar que as parcerias interinstitucionais, articulando o conhecimento produzido na Universidade e a experiência concreta de instituições e organizações que prestam serviços à população, podem enriquecer as práticas sociais. Para a Universidade, é fundamental alimentar-se da vivência cotidiana e das novas demandas que são postas pela sociedade, para que se mantenha atualizada, respondendo e formando profissionais propositivos e capacitados para atuar na realidade concreta. Para as instituições ou organizações parceiras dessa cooperação acadêmica, os conhecimentos socializados subsidiam ações e avaliações logrando maior alcance e efetividade nos processos realizados, beneficiando o público usuário.

Partindo desses pressupostos, o estudo voltou-se para o desenvolvimento de uma análise do conteúdo e dos fundamentos da Política Nacional de Assistência Social e para uma investigação empírica do processo de implantação e implementação inicial do Suas em nível nacional, contemplando reflexões sobre a gestão estadual e municipal e priorizando os Centros de Referência de Assistência Social (Cras). Foi desenvolvido no período de 2006 a 2009.

1.2 Apresentando a proposta metodológica da pesquisa e o conteúdo do livro

A proposta metodológica da investigação desenvolvida sobre a Política Nacional de Assistência de Social — implantação e implementação do Suas — teve seu objeto de estudo configurado por três dimensões:

— Análise do conteúdo e dos fundamentos da Política Nacional de Assistência Social;

— Análise da gestão estadual e municipal da Política de Assistência Social, na ótica dos gestores e técnicos;

— Estudo do processo de implantação e implementação do Suas em nível nacional, priorizando os Cras.

Para a elaboração da análise do conteúdo e dos fundamentos da Política Nacional de Assistência Social foi desenvolvida ampla revisão bibliográfica e documental sobre a Política de Assistência Social no Brasil, cujos resultados são apresentados no segundo capítulo deste livro, também referenciados na realidade empírica, analisando e problematizando a construção da Assistência Social enquanto Política Pública, situando-a no contexto histórico da sociedade brasileira. São também analisados e problematizados eixos centrais da Política Nacional de Assistência Social em vigor.

Além da análise da Política de Assistência Social, com destaque para alguns dos seus fundamentos e conceitos, foi realizada pesquisa de campo considerando dois aspectos: a) análise da gestão estadual e municipal da Política de Assistência Social, realizada mediante entrevistas semiestruturadas com os gestores dos Estados e municípios selecionados para o estudo de campo, bem como técnicos mais diretamente relacionados com a referida Política no respectivo nível de governo: estadual e municipal; b) estudo do processo de implantação e implementação do Suas em nível nacional desenvolvido mediante pesquisa empírica em 7 Estados, sendo os Estados selecionados intencionalmente[4] em diferentes regiões geográficas do país: um Estado da Região Norte (Pará); dois Estados da Região Nordeste (Pernambuco e Maranhão); dois Estados da Região Sudeste (São Paulo e Minas Gerais) e dois Estados da Região Sul (Rio

4. Os Estados indicados foram selecionados considerando aqueles onde residiam pesquisadores da equipe do Procad ou onde os pesquisadores tivessem facilidade de contato, tendo, porém, contemplado as 5 regiões.

Grande do Sul e Paraná). Apresentamos a seguir uma breve caracterização dos Estados onde se desenvolveu a pesquisa:

Pará

O Estado do Pará é o segundo mais extenso da Região Norte. Possui 143 municípios. Sua área total é de 1.247.689,515 km^2 e a população, segundo o Censo 2010, é de 7.581.051 habitantes, sendo a média de pessoas por domicílio 4,05. De acordo com o IBGE, em 2014, o PIB era de R$ 124.585 milhões, e o PIB *per capita*, de R$ 15.430,53. (INSTITUTO BRASILEIRO DE GEOGRAFIA E ESTATÍSTICA, 2015). Seu IDH é de 0,646 (PROGRAMA DAS NAÇÕES UNIDAS PARA O DESENVOLVIMENTO; INSTITUTO DE PESQUISA ECONÔMICA APLICADA; FUNDAÇÃO JOÃO PINHEIRO, 2013). Segundo o Censo de 2010, o quadro de pobreza no Estado se expressava pelos seguintes percentuais em relação à população geral: 14,4% ganhava até R$ 70,00 por mês; 32,3% até ¼ do salário mínimo; e 60,5% até meio salário mínimo, o que demonstra a elevada situação de pobreza da população.

A economia do Pará baseia-se no extrativismo mineral (ferro, bauxita, manganês, calcário, ouro, estanho) e vegetal (madeira), na agricultura, na pecuária, na indústria e no turismo. O Pará está entre os primeiros na produção de coco e banana. São Félix do Xingu é o município com maior produção de banana do país. Pela característica natural da região, destaca-se também como forte ramo da economia a indústria madeireira.

A Política de Assistência Social tem como órgão gestor a Secretaria de Estado de Assistência Social, Trabalho Emprego e Renda.

Dados acessados em 24/1/2017 no site do Ministério do Desenvolvimento Social e Agrário (MDSA) indicaram que, em dezembro de 2016, eram 898.914 famílias incluídas no Bolsa Família, com cobertura de 108,4% da estimativa de famílias pobres no Estado, sendo o valor médio do benefício de R$ 202,80 e o valor total transferido pelo governo federal em benefícios às famílias atendidas de R$ 182.304.072,00 no mês, enquanto o valor repassado ao Estado para gestão do Bolsa Família em decorrência do Índice de Gestão Descentralizada (IGD)[5], em outubro de 2016, foi de R$ 54.240,30. (BRASIL, 2017c). O total de atendimento pelo Benefício de Prestação Continuada foi de 204.533, incluindo pessoas idosas e com deficiência, sendo repassados, em 2016, R$ 179.854.701,97; as ações de Proteção Social Básica são realizadas em 251 CRAS cadastrados, com cofinanciamento para 235, destes 16 próprios. Nos CRAS foram desenvolvidas as seguintes ações de Proteção Social Básica: Serviços de Proteção Social Básica à Família (PAIF) — capacidade de atendimento das famílias (beneficiários/metas) 187.850, com um repasse acumulado de 2016 de R$ 18.989.100,00; Serviço de Convivência ao Idoso e/ou Crianças e suas famílias foi de 38.465 atendimentos, com repasse acumulado de 2016 de R$ 29.157.768,83; o Serviço de Equipe Volante cofinanciadas foram 82, com repasse acumulado de 2016 de R$ 3.285.000,00; ProJovem Adolescente — coletivos 1.449, com repasse acumulado em 2013 de R$ 17.012.277,00, sendo o total repassado para a Proteção Social Básica da ordem de R$ R$ 73.274.368,21. As ações de Proteção Social Especial são desenvolvidas em 105 CREAS, todos cofinanciados, destacando-se: Serviço de Proteção Social Especial para Pessoas com Deficiência, Idosos e suas Famílias (crianças ou idosos e suas famílias), com repasse acumulado em 2016 de R$ 635.308,65; Serviço de Acolhimento para Crianças e Adolescentes ou Idosos — 1.450 atendimentos; Serviço de Acolhimento Institucional para Adultos e Famílias — 200 atendimentos; Serviço de

5. O Índice de Gestão Descentralizada (IGD) foi instituído por meio da Portaria GM/MDS n. 148/06, de 27 de abril de 2006. É utilizado para verificar a qualidade da gestão municipal do Bolsa Família e do CADÚNICO (Cadastro Único), além de refletir os compromissos assumidos pelos municípios no Termo de Adesão ao Programa, conforme Portaria GM/MDS n. 246/05. Assim, o IGD considera o desempenho dos municípios no acompanhamento das condicionalidades de saúde e educação e a atualização do CADÚNICO, sendo utilizado para o cálculo dos recursos financeiros repassados mensalmente pelo Ministério de Desenvolvimento Social e Combate à Fome (MDS) aos Estados e Municípios para apoiar a gestão descentralizada do Bolsa Família. Foi regulamentado pela Lei n. 12.058, de 13 de outubro de 2009, expresso por um número indicador que varia de 0 a 1, refletindo a qualidade da gestão do BF no município e servindo de base para repasse de recursos do MDS para que os municípios façam a gestão do Programa, de modo que, quanto maior o valor do IGD, maior será o valor do recurso transferido para o município que refletirá no recebimento do aporte de recursos pelo Estado. Assim, com a instituição do IGD, o MDS objetiva incentivar o aprimoramento da qualidade da gestão do BF em âmbito local e contribuir para que os municípios e Estados implementem as ações que estão sob sua responsabilidade.

Acolhimento para Jovens e Adultos — Residência inclusiva — 10 atendimentos e repasse acumulado em 2016 de R$ 3.728.444,00; Programa de Erradicação de Trabalho Infantil/Serviço Socioeducativo/Serviço de Convivência e Fortalecimento de Vínculo com transferência acumulada em 2016 de R$ 2.985.600,00; foram atendidos pelo Serviço Especializado para Pessoas em Situação de Rua 800 crianças e/ou idosos e suas famílias, pelo Serviço de Proteção ao atendimento Especializado a Famílias e Indivíduos (PAEFI) 5.680 crianças e/ou idosos e suas famílias, e Serviço de Abordagem Social com 12 equipes, pelo Serviço de Proteção ao Adolescente em Cumprimento de Medida Socioeducativa de Liberdade Assistida e de Prestação de Serviço à Comunidade (MSE) 1.360 crianças e/ou adolescentes e suas famílias. O total acumulado transferido para o desenvolvimento da Proteção Social Especial no Estado, em 2016, foi de R$ 25.628.483,75, sendo a transferência total acumulada de 2016 para ações da Proteção Social Básica e Proteção Social Especial de R$ 98.902.851,96. (BRASIL, 2017b).

Com a instituição do Índice de Gestão descentralizada (IGD SUAS), foram transferidos para apoio à gestão para o Estado do Pará até dezembro de 2016 R$ 301.204,44 e para os municípios do Estado foram transferidos até dezembro de 2016, R$ 1.949.907,36. (BRASIL, 2017a).

Maranhão

O Estado do Maranhão possui uma área total de 331.983.293 km^2 e a população, segundo o Censo 2010, era de 6.574.789 habitantes, sendo a média de pessoas por domicílio 3,97. De acordo com o IBGE, em 2014, o PIB do Estado era de R$ 76.842 milhões, o PIB *per capita* era de R$ 11.216,37, e o IDH do Estado é de 0,639. (INSTITUTO BRASILEIRO DE GEOGRAFIA E ESTATÍSTICA, 2015; PROGRAMA DAS NAÇÕES UNIDAS PARA O DESENVOLVIMENTO; INSTITUTO DE PESQUISA ECONÔMICA APLICADA; FUNDAÇÃO JOÃO PINHEIRO, 2013). Segundo o Censo de 2010, o quadro de pobreza no Estado se expressava pelos seguintes percentuais em relação à população geral: 20,6% ganhava até R$ 70,00 reais por mês; 39,0% até ¼ do salário mínimo; e 67,2% até meio salário mínimo, o que demonstra a elevada situação de pobreza da população.

O Estado está dividido em 5 mesorregiões: Centro, Leste, Norte, Oeste, Sul. Possui 217 municípios. A economia estadual contava até 2010 com a estrutura de um pequeno setor industrial na área de transformação de alumínio, de alimentos e de madeira. Mantém também o extrativismo de babaçu, o setor de agricultura através do cultivo da soja, mandioca, arroz e milho, a pecuária e, sobretudo, a expansão do agronegócio. A área dos serviços vem se desenvolvendo, incentivada com a *descoberta* do turismo, especialmente com a valorização dos Lençóis Maranhenses, que é uma formação geológica de dunas e lagoas de água doce localizada no nordeste do Estado, numa área de 155 mil hectares. Em termos de perspectivas futuras, há uma expectativa de continuidade da tendência de crescimento da economia, devendo ser alavancada por um novo ciclo de investimentos, alguns já em andamento e outros anunciados para o período compreendido entre 2010 e 2016. Tais investimentos se concentram, sobretudo, no ramo de petróleo e gás, com destaque para a construção da Refinaria Premium I da Petrobras, no Município de Bacabeira, orçada em US$ 19,8 bilhões, com a previsão de geração de 132.000 empregos diretos e indiretos. Em segundo lugar, se destaca o ramo de geração e distribuição de energia elétrica, com a construção de uma Hidrelétrica e mais três Termelétricas, cujo montante de recursos empregados representou 23,7% do total investido no Estado no segundo semestre de 2011. Em terceiro lugar, situa-se o ramo de logística, representando 16% do total de investimentos realizados também no segundo semestre de 2011, sobressaindo, dentre outros, a ampliação do Porto do Itaqui e a expansão da Vale-Logística Norte, no município de São Luís.

A Política de Assistência Social tem como órgão gestor no Estado a Secretaria de Desenvolvimento Social.

Dados acessados em 24/1/2017 no site do Ministério do Desenvolvimento Social e Agrário (MDSA) indicaram que em dezembro de 2016, 951.942 famílias eram incluídas no Bolsa Família, com cobertura de 110,8% da estimativa de famílias pobres no Estado, sendo o valor médio do benefício de R$ 212,63 e o valor total transferido pelo governo federal em benefícios às famílias atendidas de R$ 202.413.886,00 no referido mês, enquanto o valor repassado ao Estado para gestão do Bolsa Família em decorrência do Índice de Gestão Descentralizada (IGD), em outubro de 2016, foi de R$ 40.314,89. (BRASIL, 2017c). O total de atendimento pelo Benefício de Prestação Continuada foi de 195.318, incluindo pessoas idosas e com deficiência, sendo repassados, em 2016, R$ 1.721.342.600,90; as ações de Proteção Social Básica são realizadas em 318 Cras cadastrados, sendo 307 cofinanciado e 11 próprios. Nos Cras foram desenvolvidas as seguintes ações de Proteção Social Básica: PAIF — capacidade de atendimento das famílias (beneficiários/metas) 213.925, com um repasse acumulado em 2016 de R$ 23.705.100,00; Serviço de Convivência ao Idoso e/ou Crianças e suas famílias foi de 49.850 atendimentos, com repasse acumulado em 2016 de R$ 42.701.567,67; o Serviço de Equipe Volante cofinanciadas foram 114, com repasse acumulado em 2016 de R$ 4.747.500,00; ProJovem Adolescente — coletivos 2.042 com 51.050 vagas, com repasse acumulado em 2013 de R$ 23.897.266,50, sendo o total acumulado repassado para a Proteção Social Básica da ordem de R$ 95.038.280,39. As ações de Proteção Social Especial são desenvolvidas em 123 Creas, sendo 122 cofinanciados, destacando-se: Serviço de Proteção Social Especial para Pessoas com Deficiência, Idosos e Suas Famílias (crianças ou idosos e suas família) com repasse acumulado em 2016 de R$ 179.029,68; Serviço de Acolhimento para Crianças e Adolescentes ou Idosos — 980 atendimento; Serviço de Acolhimento Institucional para Adultos e Famílias — 275 atendimento; Serviço de Acolhimento para Jovens e Adultos — Residência inclusiva — 100 atendimentos e repasse acumulado de 2016 de R$ 3.580.200,00; Programa de Erradicação de Trabalho Infantil/Serviço Socioeducativo/Serviço de Convivência e Fortalecimento de Vínculo com transferência acumulada de 2016 de R$ 2.859.900,00; foram atendidos pelo Serviço Especializado para Pessoas em Situação de Rua 1.000 crianças e/ou idosos e suas famílias, pelo Serviço de Proteção ao atendimento Especializado a Famílias e Indivíduos — PAEFI 6.410 crianças e/ou idosos e suas famílias e Serviço de Abordagem Social 10 equipes, pelo Serviço de Proteção ao Adolescente em Cumprimento de Medida Socioeducativa de Liberdade Assistida e de Prestação de Serviço à Comunidade (MSE) 1.060 crianças e/ou adolescentes e suas famílias. O total acumulado transferido para o desenvolvimento da Proteção Social Especial no Estado, em 2016, foi de R$ 23.515.094,52, sendo a transferência total acumulada em 2016 para ações da Proteção Social Básica e Proteção Social Especial de R$ 118.553.374,91. (BRASIL, 2017b).

Com a instituição do Índice de Gestão descentralizada (IGD SUAS), foram transferidos para apoio à gestão para o Estado do Maranhão até dezembro de 2016 R$ 257.661,40 e para os municípios do Estado foram transferidos até dezembro de 2016 R$ 2.384.251,84. (BRASIL, 2017a).

Pernambuco

O Estado de Pernambuco possui uma área de 98.311,616 km² localizada no centro-leste da região Nordeste, com uma população, segundo o Censo 2010, de 8.796.448 habitantes, com uma média de 3,44 pessoas por domicílio. O Estado é dividido em 185 municípios. Também faz parte do seu território o arquipélago de Fernando de Noronha.

De acordo com o IBGE, em 2014, o PIB do Estado foi de R$ 155.143 milhões e o PIB *per capita* de R$ 16.722,05. (INSTITUTO BRASILEIRO DE GEOGRAFIA E ESTATÍSTICA, 2015). O IDH do Estado, em 2013, é de 0,673 (PROGRAMA DAS NAÇÕES UNIDAS PARA O DESENVOLVIMENTO; INSTITUTO DE PESQUISA ECONÔMICA APLICADA; FUNDAÇÃO JOÃO PINHEIRO, 2013). Segundo o Censo de 2010, o quadro de pobreza no Estado se expressava pelos seguintes percentuais em relação à população geral: 12,5% ganhava até R$ 70,00 reais por mês; 28,4% até ¼ do salário mínimo e 59,9% até meio salário mínimo, o que demonstra a elevada situação de pobreza da população.

Pernambuco possui dois importantes portos: o do Recife e de Suape, os dois localizados na Região Metropolitana. As principais atividades econômicas do Estado estão concentradas na agricultura (cana-de-açúcar, mandioca), pecuária e criações, bem como na indústria (alimentícia, química, metalúrgica, eletrônica, têxtil). O Estado tem a segunda maior produção industrial do Nordeste, ficando atrás apenas da Bahia. Na mineração, destacam-se a argila, calcário, ferro, gipsita, granito, ouro e quartzo.

A Política de Assistência Social tem como órgão gestor em Pernambuco a Secretaria de Desenvolvimento Social e Juventude.

Dados acessados em 24/1/2017 no site do Ministério do Desenvolvimento Social e Agrário (MDSA) indicaram que em dezembro de 2016, 1.096.314 famílias eram incluídas no Bolsa Família, com cobertura de 107,5 % da estimativa de famílias pobres no Estado, sendo o valor médio do benefício de R$ 179,42 e o valor total transferido pelo governo federal em benefícios às famílias atendidas de R$ 196.698.714,00 no mesmo mês, enquanto o valor repassado ao Estado para gestão do Bolsa Família em decorrência do Índice de Gestão Descentralizada (IGD), em outubro de 2016, foi de R$ 40.496,51. (BRASIL, 2017c). O total de atendimento pelo Benefício de Prestação Continuada foi de 298.139, incluindo pessoas idosas e com deficiência, sendo repassados, em 2016, R$ 2.580.812.884,25; as ações de Proteção Social Básica são realizadas em 323 Cras cadastrados, com cofinanciamento para 303, sendo 20 próprios. Nos Cras foram desenvolvidas as seguintes ações de Proteção Social Básica: PAIF — capacidade de atendimento das famílias (beneficiários/metas) 227.725, com um repasse acumulado em 2016 de R$ 23.369.400,00; Serviço de Convivência ao Idoso e/ou Crianças e suas famílias foi de 46.010 atendimentos, com repasse acumulado em 2016 de R$ 32.515.167,10; o Serviço de Equipe Volante cofinanciadas foram 30, com repasse acumulado em 2016 de R$ 1.183.500,00; ProJovem Adolescente — coletivos 1.300, com repasse acumulado em 2013 de R$ 15.357.576,00, sendo o total repassado para a Proteção Social Básica da ordem de R$ 85.759.474,90. As ações de Proteção Social Especial são desenvolvidas em 131 Creas, todos cofinanciados, destacando-se: Serviço de Proteção Social Especial para Pessoas com Deficiência, Idosos e suas Famílias (crianças ou idosos e suas família) com repasse acumulado em 2016 de R$ 2.492.383,14; Serviço de Acolhimento para Crianças e Adolescentes ou Idosos — 1.690 atendimento; Serviço de Acolhimento Institucional para Adultos e Famílias — 350 atendimento; Serviço de Acolhimento para Jovens e Adultos — Residência inclusiva — 40 atendimento e repasse acumulado de 2016 de R$ 4.738.665,90; Programa de Erradicação de Trabalho Infantil/Serviço Socioeducativo/ Serviço de Convivência e Fortalecimento de Vínculo com transferência acumulada de 2016 de R$ 2.177.200,00; foram atendidos pelo Serviço Especializado para Pessoas em Situação de Rua 1.300 crianças e/ou idosos e suas famílias, pelo Serviço de Proteção ao atendimento Especializado a Famílias e Indivíduos (PAEFI) 6.990 crianças e/ou idosos e suas famílias e Serviço de Abordagem Social 21 equipes, pelo Serviço de Proteção ao Adolescente em Cumprimento de Medida Socioeducativa de Liberdade Assistida e de Prestação de Serviço à Comunidade (MSE) 1820 crianças e/ou adolescentes e suas famílias. O total acumulado transferido para o desenvolvimento da Proteção Social Especial no Estado, em 2016, foi de R$ 33.273.257,96, sendo a transferência total acumulada em 2016 para ações da Proteção Social Básica e Proteção Social Especial de R$ 119.032.732,86. (BRASIL, 2017b).

Com a instituição do Índice de Gestão descentralizada (IGD SUAS), foram transferidos para apoio à gestão para o Estado de Pernambuco até dezembro de 2016 R$ 238.186,88 e para os municípios do Estado foram transferidos até dezembro de 2016 R$ 2.036.705,32. (BRASIL, 2017a).

São Paulo

O Estado de São Paulo é dividido em 645 municípios, ocupando uma área de 248.808,8 km². A população total, conforme Censo 2010 é 41.262.199 habitantes, com uma média de 3,20 pessoas por domicílio.

De acordo com o IBGE, em 2014, o PIB da cidade de São Paulo foi de R$ 1.858.196 milhões e o PIB *per capita* de R$ 42.197,87. (INSTITUTO BRASILEIRO DE GEOGRAFIA E ESTATÍSTICA, 2015). A cidade de São Paulo apresenta-se como o principal centro financeiro, corporativo e mercantil da América Latina. Apesar do coeficiente de riqueza do Estado, parcela significativa de sua população vive em condições de pobreza e vulnerabilidade. Conforme o Índice Paulista de Vulnerabilidade Social (IPV), o Estado concentra, simultaneamente, áreas com padrão de vida próximo ao de países desenvolvidos e outras em situação de pobreza extrema, comparáveis às regiões mais pobres do Brasil. Já nos pequenos municípios, apesar da pobreza estar presente, principalmente no meio rural, esses contrastes, reveladores da grande desigualdade social que caracteriza o país, são menos expressivos. O IDH do Estado, em 2013, foi de 0,783 (PROGRAMA DAS NAÇÕES UNIDAS PARA O DESENVOLVIMENTO; INSTITUTO DE PESQUISA ECONÔMICA APLICADA; FUNDAÇÃO JOÃO PINHEIRO, 2013). Segundo o Censo de 2010, o quadro de pobreza no Estado se expressava pelos seguintes percentuais em relação à população geral: 1,1% ganhava até R$ 70,00 reais por mês; 5,2% até ¼ do salário mínimo e 20,3% até meio salário mínimo, o que demonstra uma situação de pobreza bem mais atenuada do que nos Estados do Nordeste.

No Estado de São Paulo a Política de Assistência Social é de competência de Secretaria de Desenvolvimento Social.

Dados acessados em 24/1/2017 no site do Ministério do Desenvolvimento Social e Agrário (MDSA) indicaram que em dezembro de 2016, 1.466.681 famílias eram incluídas no Bolsa Família, com cobertura de 88,8% da estimativa de famílias pobres no Estado, sendo o valor médio do benefício de R$ 160,75 e o valor total transferido pelo governo federal em benefícios às famílias atendidas de R$ 235.764.120,00 no mesmo mês, enquanto o valor repassado ao Estado para gestão do Bolsa Família em decorrência do Índice de Gestão Descentralizada (IGD), em outubro de 2016, foi de R$ 75.329,97. (BRASIL, 2017c). O total de atendimento pelo Benefício de Prestação Continuada foi de 706.252, incluindo pessoas idosas e com deficiência, sendo repassados, em 2016, R$ 6.101.357.418,02; as ações de Proteção Social Básica são realizadas em 1.106 Cras cadastrados, com cofinanciamento para 895, sendo 211 próprios. Nos Cras foram desenvolvidas as seguintes ações de Proteção Social Básica: PAIF — capacidade de atendimento das famílias (beneficiários/metas) 642.975, com um repasse acumulado em 2016 de R$ 52.708.200,00; Serviço de Convivência ao Idoso e/ou Crianças e suas famílias foi de 82.175 atendimentos, com repasse acumulado em 2016 de R$ 44.381.974,49; o Serviço de Equipe Volante cofinanciadas foram 27, com repasse acumulado em 2016 de R$ 1.084.500,00; ProJovem Adolescente — coletivos 716, com repasse acumulado em 2013 de R$ 9.090.017,25, sendo o total repassado para a Proteção Social Básica da ordem de R$ 163.178.275,52. As ações de Proteção Social Especial são desenvolvidas em 288 Creas, sendo 266 cofinanciados, destacando-se: Serviço de Proteção Social Especial para Pessoas com Deficiência, Idosos e suas Famílias (crianças ou idosos e suas família) com repasse acumulado em 2016 de R$ 8.330.876,00; Serviços de Acolhimento (crianças e/ou idosos e suas famílias) com Serviço de Acolhimento para Crianças e Adolescentes ou Idosos — 18.010 atendimento; Serviço de Acolhimento Institucional para Adultos e Famílias — 7.650 atendimento; Serviço de Acolhimento para Jovens e Adultos — Residência inclusiva — 340 atendimento e repasse acumulado de 2016 de R$ 54.500.034,10; Programa de Erradicação de Trabalho Infantil/Serviço Socioeducativo/Serviço de Convivência e Fortalecimento de Vínculo com transferência acumulada de 2016 de R$ 1.816.900,00; foram atendidos pelo Serviço Especializado para Pessoas em Situação de Rua 6.600 crianças e/ou idosos e suas famílias, pelo Serviço de Proteção ao atendimento Especializado a Famílias e Indivíduos (PAEFI) 16.640 crianças e/ou idosos e suas famílias e Serviço de Abordagem Social 114 equipes, pelo Serviço de Proteção ao Adolescente em Cumprimento de Medida Socioeducativa de Liberdade Assistida e de Prestação de Serviço à Comunidade (MSE) 7.560 crianças e/ou adolescentes e suas famílias. O total acumulado transferido para o desenvolvimento da Proteção Social Especial no Estado, em 2016, foi de R$ 151.370.639,40, sendo a transferência total acumulada em 2016 para ações da Proteção Social Básica e Proteção Social Especial de R$ 314.548.914,92. (BRASIL, 2017b).

Com a instituição do Índice de Gestão Descentralizada (IGD SUAS), foram transferidos para apoio à gestão para o Estado de São Paulo até dezembro de 2016 R$ 344.155,64 e para os municípios do Estado foram transferidos até dezembro de 2016 R$ 3.448.938,44. (BRASIL, 2017a).

Minas Gerais

O Estado de Minas Gerais possui 853 municípios. O crescimento demográfico e a extensão territorial explicam o número elevado de municípios — o maior em todo o país. Sua área total é de 586.528.293 km^2 e a população, segundo o Censo de 2010, é de 19.597.330 habitantes, com uma distribuição média de 3,23 habitantes por domicílio. Minas Gerais é o segundo Estado mais populoso do Brasil e o terceiro estado mais rico da Federação, atrás de São Paulo e Rio de Janeiro, com um PIB de 516.634 milhões de reais e o PIB *per capita* de R$ 24.917,12. (INSTITUTO BRASILEIRO DE GEOGRAFIA E ESTATÍSTICA, 2015). A estrutura econômica do Estado apresenta um equilíbrio entre os setores industrial e de serviços, responsáveis respectivamente por 45,4% e 46,3% do PIB de Minas Gerais, enquanto a agropecuária contribui com apenas 8,3%.

Segundo o Censo de 2010, o quadro de pobreza no Estado se expressava pelos seguintes percentuais em relação à população geral: 3,3% ganhavam até R$ 70,00 reais por mês; 11,7%, até ¼ do salário mínimo, e 33,4%, até meio salário mínimo, o que demonstra uma situação de pobreza um pouco mais acentuada do que foi indicado em São Paulo, mas bem mais atenuada do que nos estados do Nordeste.

A Secretaria de Estado de Trabalho e Desenvolvimento Social é responsável pela implementação do Suas em Minas Gerais.

Dados acessados em 24/01/2017 no site do Ministério do Desenvolvimento Social e Agrário (MDSA) indicaram que em dezembro de 2016, 1.061.912 famílias eram incluídas no Bolsa Família, com cobertura de 89,2% da estimativa de famílias pobres no Estado, sendo o valor médio do benefício de R$ 167,08 e o valor total transferido pelo governo federal em benefícios às famílias atendidas de R$ 177.423.204,00 no mês, enquanto o valor repassado ao Estado para gestão do Bolsa Família em decorrência do Índice de Gestão Descentralizada (IGD), em outubro de 2016, foi de R$ 634.151,45. (BRASIL, 2017c). O total de atendimento pelo Benefício de Prestação Continuada foi de 436.923, incluindo pessoas idosas e com deficiência, sendo repassados, em 2016, R$ 3.759.602.660,67; as ações de Proteção Social Básica são realizadas em 1.148 Cras cadastrados, com cofinanciamento para 1.043, sendo 105 próprios. Nos Cras foram desenvolvidas as seguintes ações de Proteção Social Básica: PAIF — capacidade de atendimento das famílias (beneficiários/metas) 660.250, com um repasse acumulado em 2016 de R$ 58.527.900,00; Serviço de Convivência ao Idoso e/ou Crianças e suas famílias foi de 88.685 atendimentos, com repasse acumulado em 2016 de R$ 48.645.041,28; o Serviço de Equipe Volante cofinanciadas foram 180, com repasse acumulado em 2016 de R$ 6.300.000,00; ProJovem Adolescente — coletivos 1.563, com repasse acumulado em 2013 de R$ 18.974.837,25, sendo o total repassado para a Proteção Social Básica da ordem de R$ 189.256.808,75. As ações de Proteção Social Especial são desenvolvidas em 246 Creas, sendo 233 cofinanciados, destacando-se: Serviço de Proteção Social Especial para Pessoas com Deficiência, Idosos e suas Famílias (crianças ou idosos e suas família) com repasse acumulado de 2016 de R$ 7.135.760,74; Serviço de Acolhimento para Crianças e Adolescentes ou Idosos — 7.800 atendimento; Serviço de Acolhimento Institucional para Adultos e Famílias — 1.925 atendimento; Serviço de Acolhimento para Jovens e Adultos — Residência inclusiva — 180 atendimento e repasse acumulado em 2016 de R$ 15.846.070,35; Programa de Erradicação de Trabalho Infantil/Serviço Socioeducativo/Serviço de Convivência e Fortalecimento de Vínculo com transferência acumulada em 2016 de R$ 1.779.300,00; foram atendidos pelo Serviço Especializado para Pessoas em Situação de Rua 3.000 crianças e/ou idosos e suas famílias, pelo Serviço de Proteção ao atendimento Especializado a Famílias e Indivíduos — PAEFI 13.030 crianças e/ou idosos e suas famílias e Serviço de Abordagem Social 56 equipes, pelo Serviço de Proteção ao Adolescente em Cumprimento de Medida Socioeducativa de Liberdade Assistida e de Prestação de Serviço à Comunidade (MSE) 4.940 crianças e/ou adolescentes e suas famílias. O total acumulado transferido para o desenvolvimento da Proteção Social Especial no Estado, em 2016, foi de R$ 80.481.506,84, sendo a transferência total acumulada de 2016 para ações da Proteção Social Básica e Proteção Social Especial de R$ 269.738.315,59. (BRASIL, 2017b).

Com a instituição do Índice de Gestão Descentralizada (IGD SUAS), foram transferidos para apoio à gestão para o Estado de Minas Gerais até dezembro de 2017 R$ 367.912,08 e para os municípios do Estado foram transferidos até dezembro de 2017 R$ 4.202.768,36. (BRASIL, 2017a).

Paraná

O Estado do Paraná possui 399 municípios. Sua área total é de 199.314.850 km^2 e a população, segundo o Censo de 2010 é de 10.444.526 habitantes, com uma média de 3,15 pessoas por domicílio. De acordo com o IBGE, em 2014, o PIB era de R$ 348.084 milhões, e o PIB *per capita* de R$ 31.410,74. (INSTITUTO BRASILEIRO DE GEOGRAFIA E ESTATÍSTICA, 2015). O IDH em 2013 é de 0,749 (PROGRAMA DAS NAÇÕES UNIDAS PARA O DESENVOLVIMENTO; INSTITUTO DE PESQUISA ECONÔMICA APLICADA; FUNDAÇÃO JOÃO PINHEIRO, 2013). Segundo o Censo de 2010, o quadro de pobreza no Estado se expressava pelos seguintes percentuais em relação à população geral: 1,8% ganhava até R$ 70,00 reais por mês; 7,0% até ¼ do salário mínimo e 23,9% até meio salário mínimo, o que demonstra uma situação de pobreza bem mais atenuada do que os Estados do Nordeste e similar aos Estados do Sudeste.

O Paraná é o mais novo Estado da Região Sul do Brasil, logo depois do Rio Grande do Sul (1807) e de Santa Catarina (1738). O nome do Estado é derivado do rio que delimita a fronteira oeste de seu território, onde ficava o Salto de Sete Quedas (hoje submerso pela represa da Usina Hidrelétrica de Itaipu), na divisa com Mato Grosso do Sul, já na Região Centro-Oeste, e com o Paraguai.

Do ponto de vista da economia, o Estado tem um setor agropecuário bastante diversificado e altamente produtivo, além de um setor industrial crescente. É o maior Estado produtor nacional de milho e o segundo de cana-de-açúcar e de soja.

A Política de Assistência Social no Estado do Paraná é de competência da Secretaria da Família e Desenvolvimento Social.

Dados acessados em 24/1/2017 no site do Ministério do Desenvolvimento Social e Agrário (MDSA) indicaram que em dezembro de 2016, 370.796 famílias eram incluídas no Bolsa Família, com cobertura de 81,3% da estimativa de famílias pobres no Estado, sendo o valor médio do benefício de R$ 152,17 e o valor total transferido pelo governo federal em benefícios às famílias atendidas foi de R$ 56.425.329,00 no mesmo mês, enquanto o valor repassado ao Estado para gestão do Bolsa Família em decorrência do Índice de Gestão Descentralizada (IGD), em outubro de 2016, foi de R$ 39.959,44. (BRASIL, 2017c). O total de atendimento pelo Benefício de Prestação Continuada foi de 201.280, incluindo pessoas idosas e com deficiência, sendo repassados, em 2016, R$ 1.744.498.581,20. As ações de Proteção Social Básica são realizadas em 565 Cras cadastrados, com cofinanciamento para 503, sendo 62 próprios. Nos Cras foram desenvolvidas as seguintes ações de Proteção Social Básica: PAIF — capacidade de atendimento das famílias (beneficiários/metas) 326.625, com um repasse acumulado em 2016 de R$ 23.754.000,00; Serviço de Convivência ao Idoso e/ou Crianças e suas famílias foi de 45.945 atendimentos, com repasse acumulado em 2016 de R$ 24.020.726,76; os Serviços foram prestados por 38 Equipes Volantes cofinanciadas, com repasse acumulado em 2016 de R$ 1.269.000,00; ProJovem Adolescente — coletivos 510, com repasse acumulado em 2013 de R$ 6.142.799,25, sendo o total repassado para a Proteção Social Básica da ordem de R$ 92.342.966,98. As ações de Proteção Social Especial são desenvolvidas em 178 Creas, sendo 132 cofinanciados, destacando-se: Serviço de Proteção Social Especial para Pessoas com Deficiência, Idosos e suas Famílias (crianças ou idosos e suas família) com repasse acumulado em 2016 de R$ 3.988.228,27; Serviço de Acolhimento para Crianças e Adolescentes ou Idosos — 4.780 atendimento; Serviço de Acolhimento Institucional para Adultos e Famílias — 1.725 atendimentos; Serviço de Acolhimento para Jovens e Adultos — Residência inclusiva — 80 atendimentos, com repasse acumulado em 2016 de R$ 9.774.865,20; Programa de Erradicação de Trabalho Infantil/Serviço Socioeducativo/Serviço de Convivência e Fortalecimento de Vínculo com transferência acumulada em 2016 de R$ 1.610.700,00; foram atendidos pelo Serviço Especializado para Pessoas em Situação de Rua 2.800 crianças e/ou idosos e suas famílias, pelo Serviço de Proteção ao atendimento Especializado a Famílias e Indivíduos — PAEFI 8.420 crianças e/ou idosos e suas famílias e Serviço de Abordagem Social 36 equipes, pelo Serviço de Proteção ao Adolescente em Cumprimento de Medida Socioeducativa de Liberdade Assistida e de Prestação de Serviço à Comunidade (MSE) 3.960 crianças e/ou adolescentes e suas famílias. O total acumulado transferido para o desenvolvimento da Proteção Social Especial no Estado, em 2016, foi de R$ 50.082.969,05, sendo a transferência total acumulada em 2016 para ações da Proteção Social Básica e Proteção Social Especial de R$ 142.425.936,03. (BRASIL, 2017b).

Com a instituição do Índice de Gestão descentralizada (IGD SUAS), foram transferidos para apoio à gestão para o Estado do Paraná até dezembro de 2016 R$ 152.424,28 e para os municípios do Estado foram transferidos até dezembro de 2016 R$ 1.841.559,04. (BRASIL, 2017a).

Rio Grande do Sul

O Estado do Rio Grande do Sul possui uma área geográfica de 281.748.538 km² localizada no sul do país, com uma população, segundo o Censo do IBGE, de 10.693.929 habitantes, com média de 2,95 pessoas por domicílio. O Estado é dividido em 496 municípios.

De acordo com o IBGE, em 2014, o PIB do Estado era de R$ 357.816 milhões, e o PIB *per capita*, de R$ 31.927,16 (INSTITUTO BRASILEIRO DE GEOGRAFIA E ESTATÍSTICA, 2015). Trata-se do quarto maior PIB do país, superado apenas por São Paulo, Rio de Janeiro e Minas Gerais. O IDH do Estado em 2013 é de 0,746 (PROGRAMA DAS NAÇÕES UNIDAS PARA O DESENVOLVIMENTO; INSTITUTO DE PESQUISA ECONÔMICA APLICADA; FUNDAÇÃO JOÃO PINHEIRO, 2013). Segundo o Censo de 2010, o quadro de pobreza no Estado se expressava pelos seguintes percentuais em relação à população geral: 1,9% ganhava até R$ 70,00 reais por mês; 6,9% até ¼ do salário mínimo e 22,3% até meio salário mínimo, o que demonstra uma situação de pobreza bem mais atenuada do que os Estados do Nordeste e similar aos Estados do Sudeste.

Do ponto de vista econômico destacam-se no Estado a agricultura, a pecuária e a indústria. Entre os principais produtos agrícolas gaúchos encontram-se o arroz, a soja, o milho, a mandioca, a cana-de-açúcar, a laranja e o alho. No Rio Grande do Sul, destacam-se ainda os rebanhos bovino, ovino, suíno e aves. O Estado abriga grandes reservas de carvão mineral e de calcário e sua indústria está em expansão, envolvendo o campo petroquímico, a indústria calçadista, a construção civil e o setor automobilístico.

A Política de Assistência Social no Estado é de competência da Secretaria de Trabalho e Desenvolvimento Social.

Dados acessados em 24/1/2017 no site do Ministério do Desenvolvimento Social e Agrário (MDSA) indicaram que em dezembro de 2016,

379.234 famílias eram incluídas no Bolsa Família, com cobertura de 82,3% da estimativa de famílias pobres no Estado, sendo o valor médio do benefício de R$ 162,88 e o valor total transferido pelo governo federal em benefícios às famílias atendidas de R$ 61.770.264,00 no mesmo mês, enquanto o valor repassado ao Estado para gestão do Bolsa Família em decorrência do Índice de Gestão Descentralizada (IGD), em outubro de 2016, foi de R$ 39.462,07. (BRASIL, 2017c). O total de atendimento pelo Benefício de Prestação Continuada foi de 194.289, incluindo pessoas idosas e com deficiência, sendo repassados, em 2016, R$ 1.679.785.680,32; as ações de Proteção Social Básica são realizadas em 589 Cras cadastrados, com cofinanciamento para 558, sendo 31 próprios. Nos Cras foram desenvolvidas as seguintes ações de Proteção Social Básica: PAIF — capacidade de atendimento das famílias (beneficiários/metas) 344.550, com um repasse acumulado em 2016 de R$ 29.628.900,00; Serviço de Convivência ao Idoso e/ou Crianças e suas famílias foi de 44.665 atendimentos, com repasse acumulado em 2016 de R$ 21.744.120,01; os Serviços de Equipes Volantes cofinanciadas foram 44, com repasse acumulado em 2016 de R$ 1.341.000,00; ProJovem Adolescente — coletivos 315, com repasse acumulado em 2013 de R$ 4.290.956,25, sendo o total repassado para a Proteção Social Básica da ordem de R$ 89.738.636,72. As ações de Proteção Social Especial são desenvolvidas em 125 Creas, sendo 112 cofinanciados, destacando-se: Serviço de Proteção Social Especial para Pessoas com Deficiência, Idosos e Suas Famílias (crianças ou idosos e suas família) com repasse acumulado de 2016 de R$ 4.715.451,57; Serviço de Acolhimento para Crianças e Adolescentes ou Idosos — 4.480 atendimento; Serviço de Acolhimento Institucional para Adultos e Famílias — 925 atendimento; Serviço de Acolhimento para Jovens e Adultos — Residência inclusiva — 30 atendimentos e repasse acumulado em 2016 de R$ 9.469.112,45; Programa de Erradicação de Trabalho Infantil/Serviço Socioeducativo/Serviço de Convivência e Fortalecimento de Vínculo com transferência acumulada em 2016 de R$ 1.193.400,00; foram atendidos pelo Serviço Especializado para Pessoas em Situação de Rua 1.500 crianças e/ou idosos e suas famílias, pelo Serviço de Proteção ao Atendimento Especializado a Famílias e Indivíduos (PAEFI) 6.630 crianças e/ou idosos e suas famílias e Serviço de Abordagem Social equipes, pelo Serviço de Proteção ao Adolescente em Cumprimento de Medida Socioeducativa de Liberdade Assistida e de Prestação de Serviço à Comunidade (MSE) 2.560 crianças e/ou adolescentes e suas famílias. O total acumulado transferido para o desenvolvimento da Proteção Social Especial no Estado, em 2016, foi de R$ 46.453.791,36, sendo a transferência total acumulada em 2016 para ações da Proteção Social Básica e Proteção Social Especial de R$ 136.192.428,08. (BRASIL, 2017b).

Com a instituição do Índice de Gestão Descentralizada (IGD SUAS), foram transferidos para apoio à gestão para o Estado do Rio Grande do Sul até dezembro de 2016 R$ 168.101,60 e para os municípios do Estado foram transferidos até dezembro de 2016 R$ 2.030.089,80. (BRASIL, 2017a).

Em cada um dos 7 Estados, foram selecionados, intencionalmente, pelos pesquisadores responsáveis pelo estudo, com a participação dos gestores estaduais e de técnicos assessores, os municípios onde a pesquisa foi desenvolvida em profundidade, cuja seleção considerou: a capital do Estado; 1 município de porte grande;[6] 1 município de porte médio; 2 municípios de porte pequeno nível 1; e 1 município de porte pequeno nível 2,[7] totalizando 41 municípios nos 7 Estados,[8] os quais se encontram representados pelo Gráfico 1 e Tabela 1 a seguir.

---

6. Com exceção do Estado de São Paulo, onde foi acrescentado mais um município de grande porte (Santo André), considerando a dimensão e as características da Região Metropolitana de São Paulo.

7. Conforme adotado pela Política Nacional de Assistência Social de 2004, são considerados municípios de pequeno porte nível 1: até 20.000 habitantes; municípios pequenos nível 2: de 20.001 a 50.000 habitantes; municípios de porte médio: 50.001 a 100.000; municípios grandes: entre 100.001 a 900.000 habitantes e as metrópoles, cidades com população de mais de 900.000.

8. Os municípios selecionados foram os seguintes: *Região Norte* — no Estado do Pará: Belém, Castanhal, Paragominas, São João de Pirabas, Tomé-Açu e Ulianópolis; *Região Nordeste* — no Estado do Maranhão: São Luís, Caxias, Chapadinha, Morros, Poção de Pedras e Vargem Grande; em Pernambuco: Recife, Caruaru, Carpina, São Caetano, Tamandaré e Tracunhaém; *Região Sudeste* — em Minas Gerais: Belo Horizonte, Carbonita, Congonhas, Coronel Fabriciano, Janaúba e Limeira do Oeste; em São Paulo: São Paulo, Batatais, Guareí, Mongaguá, Nova Canaã Paulista, Santo André, Sumaré; na *Região Sul* — no Paraná: Curitiba, Arapongas, Cerro Azul, Ibiporã e Londrina; no Rio Grande do Sul: Porto Alegre, Bento Gonçalves, Butiá e Sananduva.

GRÁFICO 1 ■ Distribuição da amostra por porte populacional dos municípios pesquisados (%)

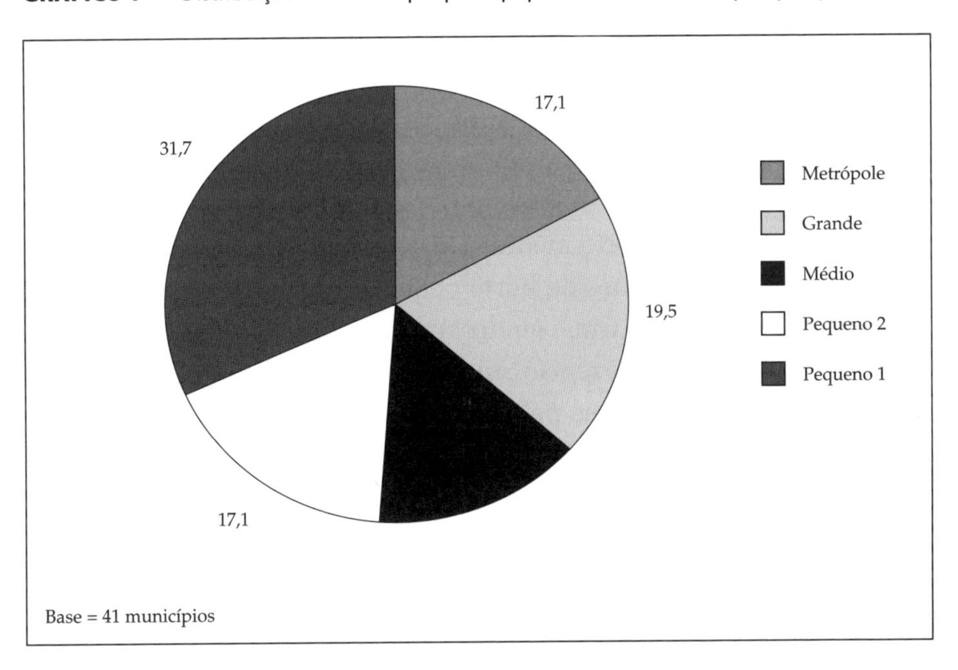

TABELA 1 ■ Distribuição da amostra por porte populacional dos municípios pesquisados segundo região

	Região Norte	Região Nordeste	Região Sudeste	Região Sul
Metrópole	1	2	2	2
Grande	1	2	3	2
Médio	1	2	2	1
Pequeno 2	2	2	2	1
Pequeno 1	1	4	4	4
TOTAL	**6**	**12**	**14**	**10**

Também participaram da escolha intencional dos municípios pesquisadores de Universidades dos estados respectivos com os quais a equipe de pesquisadores do projeto desenvolvia algum tipo de intercâmbio. Foram inicialmente selecionados para compor a amostra do estudo empírico um total de 61 Cras, sendo 2 Cras para as metrópoles, no caso as capitais dos Estados selecionados; 2 para as cidades de porte grande; 2 para as cidades de porte médio; 1 para as cidades de porte pequeno nível 1 e 1 para as cidades de porte pequeno nível 2. Todavia, o estudo empírico ocorreu em 56 Cras, sendo 31 das Regiões Norte e Nordeste, 15 da Região Sudeste e 10 da região Sul. Esses Cras foram selecionados pelos pesquisadores responsáveis pelo estudo em cada Estado com a participação dos gestores municipais e técnicos assessores da Política de Assistência Social no respectivo município.

A amostra intencional dos Cras e Creas nos municípios dos Estados selecionados foi realizada com base nos seguintes critérios:

- Cras financiados pela União há pelo menos 1 (um) ano da data de sua escolha;
- Cras em funcionamento, segundo confirmação prévia do pesquisador;
- Incorporação de Cras que contemplasse a diversidade de cada Estado, em termos de populações urbanas e rurais, além de comunidades tradicionais, sempre que possível;
- Cras sugeridos pelos gestores municipais ou estaduais, desde que atendessem aos critérios da pesquisa.

Para escolha dos municípios foi levada em consideração a diversidade do desenvolvimento da Política de Assistência Social sendo, por conseguinte, considerado critério qualitativo na seleção dos municípios dos diferentes portes, o nível de estruturação maior ou menor da Política de Assistência Social nos municípios dos Estados selecionados. Nesse aspecto, foram selecionados municípios com diferentes níveis de gestão (de preferência gestão básica e gestão plena). Para seleção dos Cras em cada município foi considerado ainda como critério ter o Cras pelo menos um ano de funcionamento.

Para a pesquisa de campo foi realizado o estudo de 11 Creas que compuseram a amostra intencional, sendo 2 no Pará, 3 no Maranhão, 2 em Pernambuco, 1 em São Paulo, 1 em Minas Gerais, 1 no Paraná e 1 no Rio Grande do Sul. Todavia, como o foco do estudo não foi o Creas, essa modalidade de proteção social especial, tratada aqui de modo apenas introdutório, deve ser objeto de estudos posteriores mais aprofundados.

Os procedimentos metodológicos utilizados na pesquisa de campo para estudo da Política de Assistência Social, mediado pelos Cras e Creas, foram: a Observação Sistemática *in loco*; a Entrevista semiestruturada; e o Grupo Focal, entendido como um procedimento de pesquisa qualitativa que congrega pessoas com alguma vivência sobre o tema central em estudo, para, num processo de interação sob a coordenação de um pesquisador moderador, possibilitar o afloramento de uma multiplicidade de ideias e de pontos de vista. Esses instrumentos foram orientados por roteiros indicativos comuns a todas as equipes e previamente definidos, considerando o objeto e os objetivos da pesquisa.

Os Grupos Focais foram compostos por até 12 membros entre os quais foram incluídos técnicos executores de programas e serviços de Assistência Social nos respectivos Cras e Creas e membros dos Conselhos Municipais de Assistência Social em cada município.

A Observação Sistemática *in loco* seguiu o mesmo roteiro construído para o estudo dos Cras, desenvolvida mediante visitas aos Cras durante o expediente de seu funcionamento, de modo a possibilitar certa convivência com o cotidiano desses espaços, inclusive desenvolvendo contato informal com usuários que foram encontrados durante a visita. As observações sistemáticas foram realizadas em pelo menos um expediente completo de quatro horas. Nesse processo, procurou-se identificar, entre outros aspectos, a identidade dos Cras (como são vistos na sua inserção territorial) e o nível de conhecimento e utilização dos serviços ofertados pela população do território de abrangência dos respectivos Cras, assim como suas condições de espaço físico, de equipamentos e de pessoal para desenvolvimento das atividades.

O estudo empírico antes qualificado deu origem ao *quarto* capítulo deste livro, que apresenta os resultados e problematizações da pesquisa de campo realizada nos Estados e municípios que compuseram a amostra. Nesse aspecto, num esforço para alcançar certa unidade, a elaboração dos conteúdos regionais foi orientada por um quadro composto dos seguintes indicadores: entendimento dos gestores estaduais, municipais e dos técnicos sobre o Suas como Sistema e sobre o processo de implantação; infraestrutura física dos Cras/Creas; recursos humanos e implantação dos Cras/Creas, participação dos usuários e controle social. Para configurar o conteúdo referente a cada um dos indicadores selecionados foi considerado um conjunto de variáveis pertinentes a cada indicador.

O estudo de campo sobre o Suas, mediado pelos Cras e Creas, e o processo de gestão da Política de Assistência Social, de natureza qualitativa, foi complementado com informações levantadas mediante a aplicação de um questionário pela internet[9], com perguntas fechadas, abertas e semiabertas numa amostra representativa da realidade nacional, sendo selecionado, em cada região, o Estado de maior e de menor IDH e um total inicial de 625 municípios brasileiros, sorteados considerando seu porte, mais o Distrito Federal.

Na configuração da amostra do estudo realizado pela internet, verificou-se que a necessidade do levantamento de muitas informações, dadas as inúmeras indagações da pesquisa, levou a equipe à elaboração de um questionário razoavelmente longo. Nesse sentido, possivelmente a preparação de respostas ao grande número de informações solicitadas demandou tempo de organização, podendo ter suscitado por parte dos informantes dificuldades no preenchimento e envio dos questionários. Por outro lado, a dificuldade, ainda existente no interior do Brasil, notadamente nas pequenas e médias cidades, com o trato do envio de informações por internet, comprovada nesta pesquisa, com certeza prejudicou o retorno de questionários.

---

9. O cálculo e a descrição das amostras; a elaboração final do questionário e a aplicação do Programa Sphinx em todo o processo da pesquisa ficou sob a responsabilidade do Prof. Edson Diniz Ferreira Filho, do Departamento de Matemática da Universidade Federal do Maranhão, a quem agradecemos.

O planejamento da pesquisa não ignorou essas possíveis ocorrências, criando um procedimento que gerou um grande tamanho de amostra, suficiente para compensar as prováveis perdas de informação pelo não retorno do questionário respondido.

No que se refere à amostra por região, todas foram mantidas como planejado, isto é, todas as regiões foram representadas na amostra realizada, embora o Estado do Amapá e o Distrito Federal não tenham retornado seus questionários, o que não descaracterizou a amostra por região. Os Estados com menor e maior IDH continuaram representados nos casos de regiões com até sete Estados e no caso da Região Nordeste, que tem mais de sete Estados, continuaram também representados aqueles com menor, intermediário e maior IDH.

No segundo estágio de constituição da amostra, os municípios dos Estados selecionados foram distribuídos em cinco estratos, de acordo com o porte populacional. Nos quatro primeiros estratos foram planejados e selecionados, de forma probabilística, 30% dos municípios. Em todos os outros Estados houve retorno de questionários por parte dos municípios, embora em quantidade inferior à planejada, o que já era esperado. O último estrato da amostra foi composto de metrópoles (cidades com mais de 900.000 habitantes). Das seis metrópoles existentes nos Estados selecionados: São Paulo, Campinas, Guarulhos, Curitiba, Distrito Federal e São Luís, apenas São Paulo e São Luís retornaram seus questionários respondidos.

Em síntese, de todos os estratos pesquisados, 208 municípios retornaram seus questionários, passando a compor a amostra realizada, que, depois de criticados, foram trabalhados pelo programa Sphinx[10] de pesquisa, gerando as informações finais.

---

10. O *software* de pesquisa e de análise de dados Sphinx® é fabricado pela empresa francesa Le Sphinx Développement (com sede em Annecy), e distribuído com exclusividade no Brasil e na América Latina pela Sphinx Brasil — Reg. MCT/INPI: 95002038. O *software* permite a concepção de um instrumento, sua edição, elaboração de formulários, diferentes recursos para coleta, digitação, consulta, importação ou exportação de dados, *n* recursos para análises uni, bi ou multivariadas (ou seja, toda parte de processamento e geração de tabelas simples e cruzadas), recursos para análise de dados textuais (análise léxica, análise de conteúdo), recursos para transformação e combinação de dados, riqueza gráfica e de elaboração de relatórios.

Como houve variabilidade razoável de número de questionários retornados, em relação ao previamente estabelecido e enviados, em diferentes estratos populacionais, passou-se à determinação dos erros amostrais cometidos. Os municípios, em cada estrato foram selecionados pelo processo aleatório simples, razão pela qual o mesmo procedimento foi utilizado na determinação dos erros amostrais. Em função disso, usou-se a seguinte expressão estatística para determinação dos erros amostrais:

$$n = \frac{z^2pqN}{(N-1)e^2 + z^2pq}$$

Onde: n = 208, tamanho final da amostra; p = proporção relativa a cada resposta, de todas as perguntas realizadas; q = 1— p, proporção contrária; N = 5.564, número total de municípios à época do levantamento — IBGE; z = 1,64, valor padronizado da curva normal correspondente à confiança de *90% nos resultados apresentados pela pesquisa* e, *e = erro de amostragem, calculado através dessa expressão.*

A determinação do erro de cada proporção utilizando a expressão citada foi realizada através do programa Sphinx, juntamente com o programa Excel. Para a representação geral do erro amostral usou-se a média aritmética que, calculada, gerou um erro médio de *2,5%*, considerado, estatisticamente, satisfatório pela comunidade científica internacional.

Os resultados da pesquisa realizada mediante a aplicação de questionário pela internet permitiram a elaboração do *terceiro capítulo* deste livro no qual são apresentados e analisados conteúdos levantados em relação aos seguintes aspectos: caracterização da Política no município; gestão e condições concretas para o desenvolvimento dos programas, projetos e ações; financiamento da Política; ações de proteção social básica e especial desenvolvidas; canais utilizados para divulgação dos Cras/Creas; relação Cras/Creas com o Bolsa Família e com o Benefício de Prestação Continuada; participação das instâncias locais; controle social, monitoramento e avaliação da Política; levantamento de fatores que facilitam e dificultam o trabalho da Política no município e de críticas e sugestões.

TABELA 2 ■ Distribuição do número total de municípios, da amostra planejada e da amostra realizada por região — Suas

Região/UF	Número de municípios				
	Total (A)	Da amostra planejada (B)	(B/A) %	Da amostra realizada (C)	(C/A) %
Região Norte	449	14	3	3	0,7
Acre	22	8	36	3	13,6
Amapá	16	6	38	—	—
Região Nordeste	1793	140	8	33	1,8
Maranhão	217	67	31	14	6,5
Rio Grande do Norte	167	50	30	17	10,2
Sergipe	75	23	31	2	2,7
Região Sudeste	1668	220	13	97	5,8
Espírito Santo	78	24	31	12	15,4
São Paulo	645	196	30	85	13,2
Região Sul	1188	208	18	67	5,6
Paraná	339	120	30	33	8,3
Santa Catarina	293	88	30	34	11,6
Região Centro-Oeste	466	44	9	8	1,7
Mato Grosso	141	43	30	8	5,7
Distrito Federal	1	1	100	—	—
TOTAL	5564	626	11	208	3,7

Como última parte do livro, de caráter conclusivo, as autoras procuram salientar convergências, divergências e especificidades identificadas na ampla pesquisa desenvolvida, destacando a necessidade da realização de estudos complementares e de aprofundamentos em relação a determinados aspectos reveladores da complexidade da Política de Assistência Social num país de grande extensão territorial como o Brasil, de realidades complexas ainda marcadas fortemente por orientações políticas conservadoras, que continuam dificultando a consolidação da Política de Assistência Social enquanto uma Política Pública de direção universal e garantidora de direitos, embora sejam identificados avanços nessa direção.

Referências

BRASIL. Ministério do Desenvolvimento Social e Agrário. *Matriz de Informação Social — Assistência Social.* Brasília, DF, 2017a. Disponível em: <http://aplicacoes.mds.gov.br/sagi-data/misocial/tabelas/mi_social.php>. Acesso em: 24 jan. 2017.

BRASIL. Ministério do Desenvolvimento Social e Agrário. *Relatório de Informações Sociais:* Principais programas e ações do MDSA. Brasília, DF, 2017b. Disponível em: <http://aplicacoes.mds.gov.br/sagi-data/misocial/tabelas/mi_social.php>. Acesso em: 24 jan. 2017.

BRASIL. Ministério do Desenvolvimento Social e Agrário. *Relatório de Informações Sociais:* RI Bolsa Família e Cadastro Único. Brasília, DF, 2017c. Disponível em: <http://aplicacoes.mds.gov.br/sagi-data/misocial/tabelas/mi_social.php>. Acesso em: 24 jan. 2017.

INSTITUTO BRASILEIRO DE GEOGRAFIA E ESTATÍSTICA. *Estados@:* contas regionais do Brasil 2014. Rio de Janeiro, 2015

PROGRAMA DAS NAÇÕES UNIDAS PARA O DESENVOLVIMENTO; INSTITUTO DE PESQUISA ECONÔMICA APLICADA; FUNDAÇÃO JOÃO PINHEIRO. *Índice do Desenvolvimento Humano Brasileiro.* Brasília, DF, 2013. (Atlas do Desenvolvimento Humano no Brasil 2013). Disponível em: <www.pnud.org.br>. Acesso em: 19 nov. 2013.

CAPÍTULO 2

A Política Nacional de Assistência Social e o Suas: apresentando e problematizando fundamentos e conceitos

*Berenice Rojas Couto**

*Maria Carmelita Yazbek***

*Raquel Raichelis****

Introdução

A literatura especializada sobre políticas sociais no Brasil evidencia que historicamente, estas políticas se caracterizaram por sua pouca efetividade social e por sua subordinação a interesses econômicos dominantes, revelando incapacidade de interferir no perfil de desigualdade e pobreza que caracteriza a sociedade brasileira. No caso da Assistência Social, o

* Assistente social, doutora em Serviço Social pela PUC-RS. Professora do curso de Graduação e Pós-graduação em Serviço Social da PUC-RS. Coordenadora do Núcleo de Pesquisa em Política e Economia Social — Nepes e coordenadora da pesquisa na Região Sul.

** Assistente social, doutora em Serviço Social pela PUC-SP. Professora do Programa de Estudos Pós-graduados em Serviço Social da PUC-SP. Pesquisadora do CNPq. Coordenadora da Pesquisa na Região Sudeste.

*** Assistente social, doutora em Serviço Social pela PUC-SP. Atual coordenadora do Programa de Estudos Pós-graduados em Serviço Social da PUC-SP. Coordenadora do Núcleo de Estudos e Pesquisa Trabalho e Profissão e vice-coordenadora da Pesquisa na Região Sudeste.

quadro é ainda mais grave. Apoiada por décadas na matriz do favor, do clientelismo, do apadrinhamento e do mando, que configurou um padrão arcaico de relações, enraizado na cultura política brasileira, esta área de intervenção do Estado caracterizou-se historicamente como *não política*, renegada como secundária e marginal no conjunto das políticas públicas.

A Constituição Federal em vigência no país desde 1988 (Capítulo II, artigos 194 a 204) e a Lei Orgânica da Assistência Social (LOAS) (BRASIL, 1993), trouxeram a questão para um campo novo: o campo da Seguridade Social[1] e da Proteção Social pública,[2]

> [...] campo dos direitos, da universalização dos acessos e da responsabilidade estatal, iniciando um processo que tem como horizonte torná-la visível como política pública e direito dos que dela necessitarem. Sem dúvida um avanço, ao permitir que a assistência social, assim posta, transite do assistencialismo clientelista para o campo da Política Social. Como política de Estado, passa a ser um campo de defesa e atenção dos interesses dos segmentos mais empobrecidos da sociedade (YAZBEK, 1995, p. 10).

Marcada, portanto, pelo cunho civilizatório presente na consagração de direitos sociais, o que vai exigir que as provisões assistenciais

---

1. Em seu artigo 194, a Seguridade Social define-se como um "conjunto integrado de ações de iniciativa dos poderes públicos e da sociedade, destinadas a assegurar os direitos relativos à saúde, à previdência e à assistência social".

A noção de seguridade supõe que os cidadãos tenham acesso a um conjunto de direitos e seguranças que cubram, reduzam ou previnam situações de risco e de vulnerabilidades sociais. Assim sendo, a Seguridade brasileira emerge como um sistema de cobertura de diferentes contingências sociais que podem alcançar a população em seu ciclo de vida, sua trajetória laboral e em situações de renda insuficiente. Trata-se de uma cobertura social que não depende do custeio individual direto. São objetivos da seguridade social: "a universalidade de cobertura e de atendimento; uniformidade e equivalência dos benefícios e dos serviços às populações urbanas e rurais; seletividade e distributividade na prestação dos benefícios e serviços; irredutibilidade do valor dos benefícios; equidade na forma de participação no custeio; diversidade da base de financiamento; caráter democrático e descentralizado da administração, mediante gestão quadripartite, com a participação dos trabalhadores, dos empregadores, dos aposentados e do governo nos órgãos colegiados" (parágrafo único do artigo 194 da Constituição Federal).

2. "A proteção social pode ser definida como um conjunto de iniciativas públicas ou estatalmente reguladas para a provisão de serviços e benefícios sociais visando a enfrentar situações de risco social ou de privações sociais" (Jaccoud, 2009, p. 58).

sejam prioritariamente pensadas no âmbito das garantias de cidadania sob vigilância do Estado, a LOAS inovou ao apresentar novo desenho institucional para a assistência social, ao afirmar seu caráter de direito não contributivo, (portanto, não vinculado a qualquer tipo de contribuição prévia), ao apontar a necessária integração entre o econômico e o social, a centralidade do Estado na universalização e garantia de direitos e de acessos a serviços sociais e com a participação da população. Inovou também ao propor o controle da sociedade na formulação, gestão e execução das políticas assistenciais e indicar caminhos alternativos para a instituição de outros parâmetros de negociação de interesses e direitos de seus usuários. Parâmetros que trazem a marca do debate ampliado e da deliberação pública, ou seja, da cidadania e da democracia.

Da Carta Constitucional à aprovação da Loas passaram-se cinco anos; para o pagamento do único benefício previsto na lei (e já na Constituição em seu artigo 203), para idosos e portadores de deficiência, passaram-se mais dois anos e com severas restrições do ponto de vista do vínculo do benefício (um salário mínimo mensal) a um baixíssimo corte de renda *per capita* dos beneficiários.

As explicações para essa lentidão são encontradas no fato de que seu processo de implantação vai ocorrer em uma conjuntura adversa e paradoxal, na qual se evidencia a profunda incompatibilidade entre ajustes estruturais da economia e investimentos sociais do Estado. Incompatibilidade esta legitimada pelo discurso e pela sociabilidade engendrados no âmbito do ideário neoliberal, que reconhecendo o dever moral do socorro aos pobres não reconhece seus direitos.

Pois, se por um lado, os avanços constitucionais apontam para o reconhecimento de direitos e permitem trazer para a esfera pública a questão da pobreza e da desigualdade social, transformando constitucionalmente essa política social em campo de exercício de participação política, por outro, a inserção do Estado brasileiro na contraditória dinâmica e impacto das políticas econômicas neoliberais coloca em andamento processos desarticuladores, de desmontagem e retração de direitos e investimentos no campo social.

Trata-se de uma conjuntura dramática, dominada pelo crescimento da pobreza e da desigualdade social no país, que se insere em um momento histórico de ruptura do *pacto keynesiano*,[3] que vai permitir grande liberdade aos processos de reestruturação produtiva, no contexto de um movimento global de reordenamento das relações capitalistas entre centro e periferia do sistema.

A pressão do Consenso de Washington,[4] com sua proposição de que é preciso limitar a intervenção do Estado e realizar as reformas neoliberais, a presença dos organismos de Washington (FMI, Banco Mundial) responsáveis por estabelecer as estratégias para o enfrentamento da crise por parte dos países periféricos, e a redução da autonomia nacional, ao lado da adoção de medidas econômicas e do ajuste fiscal são características desse contexto que, no campo da Proteção Social, vai se enfrentar com o crescimento dos índices de desemprego, pobreza e indigência. Ou seja, é na *contra mão* das transformações que ocorrem na ordem econômica internacional, tensionado pela consolidação do modelo neoliberal, pelas estratégias de mundialização e financeirização do capital, com a sua direção privatizadora e focalizadora das políticas sociais, enfrentando a *rearticulação do bloco conservador* com a eleição de Fernando Collor que busca de diversas formas obstruir a realização dos novos direitos constitucionais que devemos situar o início do difícil processo de construção da Seguridade Social brasileira.

A primeira Política Nacional de Assistência Social só foi aprovada em 1998, cinco anos após a regulamentação da Loas e ainda assim

---

3. Modalidade de intervenção do Estado na vida econômica baseada nas ideias do economista John Maynard Keynes (1883-1946), que propõe "solucionar o problema do desemprego pela intervenção estatal, desencorajando o entesouramento em proveito de despesas produtivas, por meio da redução da taxa de juros e do incremento dos investimentos públicos. [a partir daí] Surgiu a convicção de que o capitalismo poderia ser salvo, desde que os governos soubessem fazer uso de seu poder de cobrar impostos, reduzir juros, contrair empréstimos e gastar dinheiro" (Sandroni, 2000, p. 324).

4. Reunião realizada em novembro de 1989 entre os presidentes eleitos da América Latina e os representantes do Banco Mundial, Fundo Monetário Internacional e Banco Interamericano de Desenvolvimento, que entre as reformas de cunho neoliberal prevê a realização de reformas estruturais para a estabilização da economia como as privatizações, a desregulamentação dos mercados, a descentralização e a retomada do desenvolvimento.

apresentou-se insuficiente e confrontada pelo paralelismo do Programa Comunidade Solidária instituído pela Medida Provisória n. 813, em 1º/1/1995, no dia mesmo em que tomou posse, em seu primeiro mandato, o presidente Fernando Henrique Cardoso.

Nesta Medida Provisória, que é proposta à *margem* da Loas, o governo apresenta o Programa como a principal estratégia de enfrentamento da pobreza no país e

> reitera a tradição nesta área que é a fragmentação e superposição de ações. Esta pulverização mantém a Assistência Social sem clara definição como política pública e é funcional ao caráter focalista que o neoliberalismo impõe às políticas sociais na contemporaneidade. Ao repartir e obscurecer em vários Ministérios as atribuições constitucionais previstas para a Assistência Social, a MP contribui para fragilizá-la como direito de cidadania e dever do Estado (YAZBEK, 1995, p. 14).

Efetivamente, o Programa Comunidade Solidária caracterizou-se por grande apelo simbólico, com ênfase em ações pontuais, focalizadas em *bolsões de pobreza*, direcionadas apenas aos indigentes, aos mais pobres entre os pobres,

Telles (1998, p. 19), assim se refere ao Programa:

> Longe de ser fato episódico ou perfumaria de primeira dama, opera como uma espécie de alicate que desmonta as possibilidades de formulação da Assistência Social como política pública regida pelos princípios universais dos direitos e da cidadania: implode prescrições constitucionais que viabilizariam integrar a Assistência Social em um sistema de Seguridade Social, passa por cima dos instrumentos previstos na Loas, desconsidera direitos conquistados e esvazia as mediações democráticas construídas.

Nos anos de 1990, a somatória de perdas dos trabalhadores, que vão configurar um novo perfil para a questão social brasileira, particularmente pela via da vulnerabilização do trabalho, confronta-se com a erosão do sistema de garantias e proteções sociais e com a emergência de *modernas* e focalizadas práticas filantrópicas que descaracterizam direitos, despolitizam os conflitos sociais e desmontam a universalidade das políticas sociais públicas. É importante assinalar que essas ações emergem no país em um contexto de profundas transformações societárias, que interferem tanto na questão social, que assume novas configurações, como nas Políticas Sociais voltadas a seu enfrentamento. Na raiz dessas modificações está a indagação sobre a compatibilidade (ou não) entre direitos, políticas sociais e as relações que se estabelecem entre Estado, sociedade e mercado nos novos marcos da acumulação capitalista.

Nestes anos em que se aprofundaram desigualdades e exclusões, a análise do desempenho concreto da assistência social como política de seguridade aponta para desacertos e adequações ao ambiente neoliberal. Movimento que não se faz sem resistências, encontradas, sobretudo na articulação permanente de fóruns de assistência social em todo o país, revelando capilaridade e expressão política do controle social no encaminhamento de uma agenda que assegure direção social que se contraponha à hegemonia neoliberal.

2.1 Contextualizando a Política Nacional de Assistência Social — PNAS

Passadas quase duas décadas da aprovação da Loas, analisar o processo de implantação dessa nova matriz para a Assistência Social, com suas *virtudes* e *vicissitudes*, não é tarefa simples. Isso porque as possibilidades contidas nessa matriz, assim como as saídas que aponta e os avanços que alcançou, particularmente após a aprovação da PNAS e do Suas em 2004, vem enfrentando conjunturas adversas, perante as quais os sujeitos comprometidos com sua feição pública buscam construir um projeto de resistência e de ruptura frente à implosão de direitos alimentada pelo ideário neoliberal, afirmando por sua vez os direitos sociais dos usuários da assistência social.

Efetivamente, a Política Nacional de Assistência Social de 2004 (aprovada pela Resolução n. 145, de 15 de outubro de 2004, do Conselho Nacional de Assistência Social (CNAS) e publicada no *DOU* de 28/10/2004), como resultado de intenso e amplo debate nacional, é uma manifestação dessa resistência.

Expressa as deliberações da IV Conferência Nacional de Assistência Social, realizada em Brasília em dezembro de 2003 e se coloca na perspectiva da materialização das diretrizes da Loas e dos princípios enunciados na Constituição Federal de 1988, entendendo a Assistência Social como uma Política Social inserida no Sistema de Proteção Social Brasileiro, no campo da Seguridade Social.

A PNAS-2004 vai explicitar e tornar claras as diretrizes para efetivação da Assistência Social como direito de cidadania e responsabilidade do Estado, apoiada em um modelo de gestão compartilhada pautada no pacto federativo, no qual são detalhadas as atribuições e competências dos três níveis de governo na provisão de atenções socioassistenciais, em consonância com o preconizado na Loas e nas Normas Operacionais (NOBs) editadas a partir das indicações e deliberações das Conferências, dos Conselhos e das Comissões de Gestão Compartilhada (Comissões Intergestores Tripartite e Bipartites (CIT) e CIBs). À PNAS seguiu-se o processo de construção e normatização nacional do Sistema Único de Assistência Social (Suas), aprovado em julho de 2005 pelo CNAS (por meio da NOB n. 130, de 15 de julho de 2005). O Suas está voltado à articulação em todo o território nacional das responsabilidades, vínculos e hierarquia, do sistema de serviços, benefícios e ações de assistência social, de caráter permanente ou eventual, executados e providos por pessoas jurídicas de direito público sob critério de universalidade e de ação em rede hierarquizada e em articulação com iniciativas da sociedade civil.

Tendo como fundamento a visão de que o Estado é o garantidor do cumprimento dos direitos, responsável pela formulação das políticas públicas como expressão das relações de forças presentes no seu interior e fora dele, Evaldo Vieira afirma: "[...] sem justiça e sem direitos, a política social não passa de ação técnica, de medida burocrática, de mobilização controlada ou de controle da política quando consegue traduzir-se nisto" (VIEIRA, 2004, p. 59).

Nesse sentido, pode-se afirmar que a implantação da PNAS e do Suas tem liberado, em todo o território nacional, forças políticas que, não sem resistências, disputam a direção social da assistência social na perspectiva da justiça e dos direitos que ela deve consagrar, a partir das profundas alterações que propõe nas referências conceituais, na estrutura organizativa e na lógica de gestão e controle das ações na área.

Reafirmando a necessidade de articulação com outras políticas e indicando que as ações públicas devem ser múltiplas e integradas no enfrentamento das expressões da questão social, a PNAS apresenta como objetivos:

> — Prover serviços, programas, projetos e benefícios de proteção social básica e/ou especial para famílias, indivíduos e grupos que dela necessitem;
>
> — Contribuir com a inclusão e a equidade dos usuários e grupos específicos, ampliando o acesso aos bens e serviços socioassistenciais básicos e especiais, em áreas urbana e rural;
>
> — Assegurar que as ações no âmbito da Assistência Social tenham centralidade na família, e que garantam a convivência familiar e comunitária (BRASIL, 2004, p. 27).

Frente a estes objetivos ganham relevância algumas dimensões apostadas pela PNAS e que representam, ao menos potencialmente, indicações frutíferas para as mudanças preconizadas.

A primeira diz respeito ao desenvolvimento de estratégias de articulação e de gestão que viabilizem abordagens intersetoriais, certamente o caminho necessário para enfrentar situações geradas por condições multicausais.

A *intersetorialidade* deve expressar a articulação entre as políticas públicas, por meio do desenvolvimento de ações conjuntas destinadas à proteção social básica ou especial e ao enfrentamento das desigualdades sociais identificadas nas distintas áreas. Supõe a implementação de programas e serviços integrados e a superação da fragmentação da atenção pública às necessidades sociais da população. Envolve a agregação de diferentes políticas sociais em torno de objetivos comuns e deve ser princípio orientador da construção das redes municipais.

Nesse sentido, transcende o caráter específico de cada política e potencializa as ações por elas desenvolvidas, ampliando a possibilidade de um atendimento menos compartimentado aos cidadãos que dela se utilizam.

A intersetorialidade supõe também a articulação entre sujeitos que atuam em áreas que, partindo de suas especificidades e experiências particulares, possam criar propostas e estratégias conjuntas de intervenção pública para enfrentar problemas complexos impossíveis de serem equacionados de modo isolado. É uma forma de gestão de políticas públicas que está necessariamente relacionada ao enfrentamento de situações concretas vividas pela população trabalhadora, que não pode ficar à mercê do mercado, mas depende do acesso a serviços sociais públicos para o seu enfrentamento. A intersetorialidade supõe vontade e decisão políticas dos agentes públicos, e tem como ponto de partida o respeito à diversidade e às particularidades de cada setor, que não deveria se sobrepor, contudo, aos processos pactuados entre as políticas setoriais no espaço institucional.

Outra dimensão que cabe destacar é que a PNAS e o Suas ampliam os *usuários* da política, na perspectiva de superar a fragmentação contida na abordagem por segmentos (como o idoso, o adolescente, a população em situação de rua, entre outros), e de trabalhar com

> [...] cidadãos e grupos que se encontram em situações de vulnerabilidade e riscos, tais como: famílias e indivíduos com perda ou fragilidade de vínculos de afetividade, pertencimento e sociabilidade; ciclos de vida; identidades estigmatizadas em termos étnico, cultural e sexual; desvantagem pessoal resultante de deficiências; exclusão pela pobreza e/ou, no acesso às demais políticas públicas; uso de substâncias psicoativas; diferentes formas de violência advinda do núcleo familiar, grupos e indivíduos; inserção precária ou não inserção no mercado de trabalho formal e informal; estratégias e alternativas diferenciadas de sobrevivência que podem representar risco pessoal e social (BRASIL, 2004, p. 27).

Nesta concepção, evidenciam-se condições de pobreza e vulnerabilidade associadas a um quadro de necessidades objetivas e subjetivas, onde se somam dificuldades materiais, relacionais, culturais que interferem na reprodução social dos trabalhadores e de suas famílias. Trata-se de uma concepção multidimensional de pobreza, que não se reduz às privações materiais, alcançando diferentes planos e dimensões da vida do cidadão.

Uma ausência nesse conjunto de necessidades apontadas pela PNAS é a *condição de classe* que está na gênese da experiência da pobreza, da exclusão e da subalternidade que marca a vida dos usuários da Assistência Social. Ou seja, é preciso situar os riscos e vulnerabilidades como indicadores que ocultam/revelam o lugar social que ocupam na teia constitutiva das relações sociais que caracterizam a sociedade capitalista contemporânea.

Outro aspecto que merece ser evidenciado é a incorporação da *abordagem territorial*, que implica no tratamento da cidade e de seus territórios como base de organização do sistema de proteção social básica ou especial, próximo ao cidadão.

Trata-se de uma dimensão potencialmente inovadora, pelo entendimento do território:

- Como *espaço usado* (SANTOS, 2007), fruto de interações entre os homens, síntese de relações sociais;[5]
- Como possibilidade de superação da fragmentação das ações e serviços, organizados na lógica da territorialidade;
- Como espaço onde se evidenciam as carências e necessidades sociais mas também onde se forjam dialeticamente as resistências e as lutas coletivas.

A PNAS situa a Assistência Social como Proteção Social não contributiva, apontando para a realização de ações direcionadas para proteger os cidadãos contra riscos sociais inerentes aos ciclos de vida e para o atendimento de necessidades individuais ou sociais.

Um terceiro aspecto refere-se à lógica de estruturação da Proteção Social a ser ofertada pela Assistência Social, e apresentada em dois níveis de atenção: Proteção Social Básica e Proteção Social Especial (de alta e média complexidade). A desigualdade social e a pobreza, inerentes à sociedade capitalista contemporânea, engendram diferentes modalidades

5. Para aprofundamento desta noção de "território usado" no âmbito de um estudo de caso do município de Hortolândia (São Paulo), com base em incorporação rigorosa das elaborações de Milton Santos, consultar a tese de doutorado de Anita B. Kurka (2008), defendida no Programa de Estudos Pós-graduados em Serviço Social da PUC-SP.

de *desproteção social* que exigem atenção estatal diferenciada para o seu enfrentamento.

A *Proteção Social Básica* apresenta caráter preventivo e processador da inclusão social. Tem como objetivos

> [...] prevenir situações de risco através do desenvolvimento de potencialidades e aquisições, e o fortalecimento de vínculos familares e comunitários. Destina-se à população que vive em situação de vulnerabilidade social decorrente da pobreza, privação (ausência de renda, precário ou nulo acesso aos serviços públicos, dentre outros) e/ou, fragilização de vínculos afetivos — relacionais e de pertencimento social (discriminações etárias, étnicas, de gênero ou por deficiências, entre outras)" (BRASIL, 2004, p. 27).

Os serviços de Proteção Social Básica (PSB) deverão ser executados de forma direta nos Cras — Centros de Referência da Assistência Social, ou de forma indireta pelas entidades e organizações de assistência social da área de abrangência dos Cras, sempre sob coordenação do órgão gestor da política de assistência social por se tratar de unidade pública estatal.

Os serviços de *Proteção Social Especial (PSE)* voltam-se a indivíduos e grupos que se encontram em situação de alta vulnerabilidade pessoal e social, decorrentes do abandono, privação, perda de vínculos, exploração, violência, entre outras. Destinam-se ao enfrentamento de situações de risco em famílias e indivíduos cujos direitos tenham sido violados e/ou em situações nas quais já tenha ocorrido o rompimento dos laços familiares e comunitários.

Os serviços de proteção especial podem ser:

- — de média complexidade: famílias e indivíduos com seus direitos violados, mas cujos vínculos familiares e comunitários não foram rompidos.
- — de alta complexidade: são aquelas que "[...] garantem proteção integral — moradia, alimentação, higienização e trabalho protegido para famílias e indivíduos com seus direitos violados, que se encontram sem referência, e/ou, em situação de ameaça, necessitando ser retirados de seu núcleo familiar e/ou, comunitário." (BRASIL, 2004, p. 32).

Os Serviços de Proteção Social devem prover um conjunto de *seguranças* que cubram, reduzam ou previnam riscos e vulnerabilidades sociais (SPOSATI, 2006), bem como necessidades emergentes ou permanentes decorrentes de problemas pessoais ou sociais de seus usuários. Nesse sentido, o seu conteúdo e diretrizes são reveladores da extensão e das particularidades da Proteção Social adotada pelo Estado e expressa pela Política de Assistência Social. Na PNAS 2004, as seguranças, a serem garantidas são:

— *segurança de acolhida*: provida por meio da oferta pública de espaços e serviços adequados para a realização de ações de recepção, escuta profissional qualificada, informação, referência, concessão de benefícios, aquisições materiais, sociais e educativas. Supõe abordagem em territórios de incidência de situações de risco, bem como a oferta de uma rede de serviços e de locais de permanência de indivíduos e famílias sob curta, média ou longa duração.

— *segurança social de renda*: é complementar à política de emprego e renda e se efetiva mediante a concessão de bolsas-auxílios financeiros sob determinadas condicionalidades, com presença ou não de contrato de compromissos; e por meio da concessão de benefícios continuados para cidadãos não incluídos no sistema contributivo de proteção social, que apresentem vulnerabilidades decorrentes do ciclo de vida e/ou incapacidade para a vida independente e para o trabalho.

— *segurança de convívio*: se realiza por meio da oferta pública de serviços continuados e de trabalho socioeducativo que garantam a construção, restauração e fortalecimento de laços de pertencimento e vínculos sociais de natureza geracional, intergeracional, familiar, de vizinhança, societários. A defesa do direito à convivência familiar, que deve ser apoiada para que possa se concretizar, não restringe o estímulo a sociabilidades grupais e coletivas que ampliem as formas de participação social e o exercício da cidadania. Ao contrário, a segurança de convívio busca romper com a polaridade individual/coletivo, fazendo com que os atendimentos possam transitar do pessoal ao social, estimulando indivíduos e famílias a se inserirem em redes sociais que fortaleçam o reconhecimento de pautas comuns e a luta em torno de direitos coletivos.

— *a segurança de desenvolvimento da autonomia*: exige ações profissionais que visem o desenvolvimento de capacidades e habilidades para que indivíduos e grupos possam ter condições de exercitar escolhas, conquistar maiores possibilidades de independência pessoal, possam superar vicissitudes e contingências que impedem seu protagonismo social e político. O mais adequado seria referir-se a *processos de autonomização*, considerando a complexidade e a processualidade das dinâmicas que interferem nas aquisições e conquistas de graus de responsabilidade e liberdade dos cidadãos, que só se concretizam se apoiadas nas certezas de provisões estatais, proteção social pública e direitos assegurados.

— *a segurança de benefícios materiais ou em pecúnia*: garantia de acesso à provisão estatal, em caráter provisório, de benefícios eventuais para indivíduos e famílias em situação de riscos e vulnerabilidades circunstanciais, de emergência ou calamidade pública (RAICHELIS, 2008, v. 1. p. 46-47).

A *matricialidade sociofamiliar* é outro aspecto a ser destacado na Política de Assistência Social, pois se desloca a abordagem do indivíduo isolado para o núcleo familiar, entendendo-o como mediação fundamental na relação entre sujeitos e sociedade. Aspecto polêmico, pois envolve desde a concepção de família (*de que família está se falando?*) até ao tipo de atenção que lhe deve ser oferecida.

O reforço da abordagem familiar no contexto das políticas sociais, tendência que se observa não apenas na assistência social, requer, portanto, cuidados redobrados para que não se produzam regressões conservadoras no trato com as famílias, nem se ampliem ainda mais as pressões sobre as inúmeras responsabilizações que devem assumir, especialmente no caso das famílias pobres (RAICHELIS, 2008, v. 1. p. 59).

Cabe assinalar ainda as mudanças que a PNAS apresenta em relação ao financiamento e à gestão da informação, eixos fundamentais de sustentação da nova direção a ser assumida.

Quanto ao *financiamento*, a principal inovação é a ruptura com a lógica convenial e a instalação do cofinanciamento pautado em pisos de proteção social básica e especial e em repasses fundo a fundo, a partir de planos de ação. Em consonância com os princípios democráticos de participação e as prerrogativas legais da Política de Assistência Social, que deve primar pela participação, transparência, descentralização político-administrativa e controle social, os fundos de Assistência Social são o *lócus* privilegiado para a gestão do financiamento da política pública nas três esferas de governo. Cabendo ao órgão gestor da Política, em seu respectivo âmbito, responsabilidade pela administração do fundo, sob orientação, controle e fiscalização dos respectivos Conselhos.

Quanto à *informação*, a PNAS aponta para a necessidade de estruturação de um sistema de monitoramento, avaliação e informação da política pública de assistência social. Esta tarefa deve ser empreendida de forma coletiva e federada, envolvendo os gestores da Assistência Social nas respectivas esferas de governo. O Sistema Nacional de Informação da Assistência Social, a Rede-Suas, já é uma realidade por iniciativa da Secretaria Nacional de Assistência Social (SNAS) do Ministério de Desenvolvimento Social e Combate à Fome, que objetiva proporcionar condições para o atendimento dos objetivos da PNAS/2004, no que se refere a prover o Suas com bases de dados e informações requeridos para a sua operação em todos os municípios e estados brasileiros.

Finalmente, merece destaque a questão da política de recursos humanos e gestão do trabalho, previstas na PNAS tendo como perspectiva a formação de quadros para a operacionalização da PNAS e do Suas. Para isso, é fundamental a "[...] *ressignificação da identidade de trabalhador da assistência social*, referenciada em princípios éticos, políticos e técnicos, qualificada para assumir o protagonismo que a implantação do Suas requer." (RAICHELIS, 2008, v. 1. p. 33).

2.2 Introduzindo questões para o debate

2.2.1 Os usuários da Política de Assistência Social

Os usuários da assistência social são definidos pela Loas como *aqueles que dela necessitarem*, o que no caso da realidade brasileira pode ser traduzido por todos os cidadãos que se encontram fora dos canais correntes de proteção pública: o trabalho, os serviços sociais públicos e as redes sociorrelacionais.

Diante do desemprego estrutural e da redução das proteções sociais decorrentes do trabalho, a tendência é a ampliação dos que demandam o acesso a serviços e benefícios de assistência social. São trabalhadores e suas famílias que, mesmo exercendo atividades laborativas, têm suas relações de trabalho marcadas pela informalidade e pela baixa renda. Em uma conjuntura social adversa, é relevante analisar o significado que os serviços e benefícios sociais passam a ter para os trabalhadores precarizados. Também são conhecidos os impactos dos benefícios sociais como o Bolsa-Família ou a aposentadoria rural nas economias locais, especialmente nos pequenos municípios dependentes da agricultura, que em muitos casos constituem as mais significativas fontes de renda a movimentar o mercado interno de bens e serviços essenciais.

Diante desse quadro, observa-se que está em curso um processo complexo de redefinição do perfil dos usuários da assistência social, determinado pelas transformações estruturais do capitalismo contemporâneo, que reconfiguram as relações entre trabalho e reprodução social, pressionando o Estado a ampliar suas políticas sociais para incorporar novos contingentes populacionais nos serviços e benefícios públicos.

Tendo como marco a Loas, observa-se que a PNAS, em vigor a partir de 2004, alargou o conceito de usuário da assistência social. O que significa incorporar, para além dos seus sujeitos históricos tradicionais — a população pobre considerada *inapta para o trabalho* que depende diretamente dos serviços sociais públicos — grupos crescentes de desempregados, subempregados e precarizados nos seus vínculos laborais que, embora *aptos para o trabalho*, são expulsos pelo cada vez mais reduzido e competitivo mercado formal de trabalho.

E mesmo nos setores em que o emprego tem crescido desde 2002 (comércio e serviços), a sua qualidade piorou, segundo pesquisa do Centro de Estudos Sindicais e de Economia do Trabalho — Cesit, da Unicamp, que considerou o rendimento, a estabilidade e a jornada semanal do trabalhador brasileiro em seis regiões metropolitanas.[6] Seus resultados apontam que os trabalhadores têm menor estabilidade no emprego, trabalham mais do que a jornada legal e ganham menos.

Essas transformações que afetam o trabalho contemporâneo colocam múltiplas questões novas a serem aprofundadas. Entre elas, as configurações que assumem as classes sociais na sociedade brasileira contemporânea, especialmente a *classe-que-vive-do-trabalho*, nos termos de Antunes (1995), e seu rebatimento no campo de ação das políticas sociais, especialmente da assistência social, desencadeando novas articulações entre pobreza, trabalho e desigualdade social.

As relações historicamente tensas entre assistência social e trabalho tendem a se aprofundar na atual conjuntura — é conhecido o processo de transformação do pobre em trabalhador na transição para o capitalismo liberal, que impunha a renúncia da condição de cidadania aos indivíduos que dependiam da assistência social pública, fazendo uma dualização entre *pobre* e trabalhador.[7]

Desde a *Poor Law* (1834), a assistência social aos pobres não era reconhecida como direito de cidadania; ao contrário, era uma alternativa à condição de cidadão que, para acessar alguma modalidade de proteção social pública, tinha que renunciar ao estatuto da cidadania.

Para Marshall (1967, p. 72), em sua análise clássica sobre a cidadania, "[...] o estigma associado à assistência aos pobres exprimia os sentimentos profundos de um povo que entendia que aqueles que aceitavam a assis-

---

6. Conforme matéria com o título Qualidade do emprego piora no país, no jornal *Folha de S. Paulo*, 16 mar. 2007, caderno Dinheiro, B1.

7. Para apreender esta dinâmica societária, Sonia Fleury (1989) cunhou o termo "cidadania invertida" em contraponto à "cidadania regulada", formulada por Wanderley G. dos Santos (1988).

tência deviam cruzar a estrada que separava a comunidade de cidadãos da companhia dos indigentes".

Estas marcas de origem da assistência social são persistentes, se atualizam e se renovam especialmente em momentos de crise social, pois estão na base da estruturação liberal das relações sociais capitalistas, na qual o trabalho assalariado exerce a função integradora do trabalhador à ordem social.

Contudo, esta questão precisa ser problematizada sob diferentes ângulos. O paradigma liberal ou neoliberal considera a pobreza uma imprevidência do indivíduo diante dos riscos que a vida oferece, das intempéries da natureza ou dos azares do destino. A causalidade dos acontecimentos obedece a um imperativo moral, uma vez que a insegurança, o risco, o acidente são condições *naturais* de existência a que todas as sociedades e todos os homens, ricos ou pobres, estão sujeitos (EWALD, 1986).

O paradigma liberal suprime as causalidades propriamente sociais, os nexos econômicos e as determinações sociais da pobreza e, portanto, a responsabilidade pública pelos encargos do seu equacionamento.

O movimento que instituiu a assistência social como política pública tensiona este modo de compreender a pobreza, contrapondo-se às ações assistenciais que historicamente plasmaram a representação social construída sobre o público para o qual se destinam.

Ao mesmo tempo é necessário aprofundar as reflexões da assistência social como política não contributiva e seu papel no âmbito da seguridade social. Discutir as relações entre trabalho e assistência social na sociedade capitalista contemporânea nos leva a problematizar o arcabouço sobre o qual se ergueu historicamente o sistema de proteção social que dá base ao *Welfare State*, cuja mediação central é o emprego do tipo fordista. No caso da assistência social, como política não contributiva, sua especificidade recai no atendimento daqueles segmentos pauperizados.

Uma das questões a ser problematizada, portanto, diz respeito ao papel que cabe à assistência social na atual conjuntura, a partir da sua definição como política não contributiva de seguridade social.

Um equívoco seria atribuir à política de assistência social tarefas que não lhe cabem, assim como situá-la como "[...] solução para combater a pobreza e nela imprimir o selo do enfrentamento 'moral' da desigualdade. [...]" (MOTA, 2006, p. 8).

Em relação aos usuários, coloca-se como central o debate das seguintes questões:

Em primeiro lugar, a herança conservadora da identidade dos usuários das políticas assistenciais. Várias denominações têm sido incorporadas à população que acessa esses serviços. Quase sempre o adjetivo tem como princípio desvalorizar, subalternizar os sujeitos, destituindo-o da condição de cidadão. O acesso às políticas assistenciais pautava-se pela qualidade de destituído, pela negação da condição de sujeito de direitos. A incorporação desse conceito de subalternidade (YAZBEK, 2010) constitui-se em parâmetro quase universal, exigindo uma difícil quebra de paradigma.

Em segundo lugar, a ausência do debate da classe social na política de Assistência Social. Quem é esse usuário do ponto de vista de sua inserção à sociedade de classes? Sua condição de sujeito pertencente à *classe que vive do trabalho* é pouco problematizada. Supõe-se que a certeza produzida por longo tempo na sociedade capitalista sobre a proteção social derivada do trabalho protegido como a única forma *digna* de proteção social tem contribuído para que esse debate permaneça inconcluso. A nova fase de acumulação capitalista tem demonstrado que o trabalho protegido tem sido destituído desse lugar protetivo, os salários ofertados aos trabalhadores têm perdido potência e cada vez mais se constitui como central o debate sobre a proteção social como direito universal e desmercadorizável. A Assistência Social não mais se constitui no lugar de proteção em contraponto ao trabalho formal. Cada vez mais trabalhadores assalariados necessitam da proteção social das políticas sociais, devido à perda da qualidade do emprego e do rebaixamento dos níveis salariais. Reconhecer esse movimento é incorporar ao debate a necessidade de disputar o fundo público como classe social para que as políticas sociais e em especial a Assistência Social possa ser também um instrumento da socialização da riqueza socialmente produzida.

Em terceiro lugar, o Suas deve proporcionar condições objetivas para que a população usuária da Assistência Social rompa com o estigma de desorganizada, despolitizada e disponível para manobras eleitorais, como comumente é apresentada à população que tradicionalmente aciona os atendimentos da política. O trabalho com os usuários deve partir da compreensão de que esse sujeito é portador de direitos e que esses direitos para serem garantidos exigem um movimento coletivo, de classe social e de suas frações e segmentos. Para trabalhar nessa perspectiva, é preciso construir novos parâmetros, devolvendo a esses sujeitos as condições políticas e sociais de pensar a sociedade e seu lugar nela, disputando a reversão do modelo hegemônico construído.

Em quarto lugar, os conceitos de vulnerabilidade e risco social devem ser problematizados. Eles não são adjetivos da condição do usuário. A produção da desigualdade é inerente ao sistema capitalista, ao (re)produzi-la produz e reproduz vulnerabilidades e riscos sociais. Essas vulnerabilidades e riscos devem ser enfrentados como produtos dessa desigualdade, e, portanto, requerem uma intervenção para além do campo das políticas sociais. Não se resolve desigualdade com desenvolvimento de potencialidades individuais ou familiares. Não se trata de *equipar* os sujeitos, nem de descobrir suas *potencialidades* como trabalham alguns autores. Trata-se de reconhecer essa desigualdade, de identificar que há um campo de atuação importante que atende a necessidades sociais da população e que trabalhá-las como direitos da cidadania rompe com a lógica de responsabilizar o sujeito pelas vicissitudes e mazelas que o capitalismo produz.

2.2.2 A incorporação da abordagem territorial na Política de Assistência Social

A perspectiva territorial incorporada pelo Suas representa uma mudança importante a ser destacada. Também a PNAS propõe que as ações públicas da área da Assistência Social devem ser planejadas territorialmente, tendo em vista a superação da fragmentação, o alcance da universalidade de cobertura, a possibilidade de planejar e monitorar a rede de serviços, realizar a vigilância social das exclusões e de estigmatizações presentes nos territórios de maior incidência de vulnerabilidade e riscos sociais (BRASIL, 2004).

O território é também o terreno das políticas públicas, onde se concretizam as manifestações da *questão social* e se criam os tensionamentos e as possibilidades para seu enfrentamento.

A compreensão que incorpora a dimensão territorial das políticas públicas reconhece os condicionamentos de múltiplos fatores sociais, econômicos, políticos, culturais, nos diversos territórios, que levam segmentos sociais e famílias a situações de vulnerabilidade e risco social.

A perspectiva adotada pelo Suas para a organização de serviços e programas tem como base o princípio da territorialização, a partir da *lógica da proximidade do cidadão*, e baseia-se na necessidade de sua oferta capilar nos *territórios vulneráveis* a serem priorizados.

Assim, a dimensão territorial, como um dos eixos da política de Assistência Social, representa um avanço potencialmente inovador, ainda mais porque incorpora uma noção ampliada de território, para além da dimensão geográfica, concebendo-o como *espaço habitado*, fruto da interação entre os homens, síntese de relações sociais.

O processo de implementação do Suas tem alertado para questões que se colocam no centro do debate em relação à territorialização. Essas questões continuam sendo pautadas como centrais para que a inovação não represente uma armadilha, e os territórios potencializem direitos, representem um espaço de disputa pelo uso da cidade e sejam lugares de reconhecimento da cidadania.

Assim, em relação a essa categoria é preciso elencar algumas questões:

Uma primeira questão relaciona-se às ações que reforçam *territórios homogêneos de pobreza*, que podem fomentar estigmas e imagens negativas por parte da sociedade e da própria população moradora em relação aos denominados *territórios vulneráveis*.

É sabido que a concentração territorial das camadas pobres participa ativamente do seu processo de destituição como sujeitos sociais e políticos na cidade. Caldeira (2000) analisa a forma pela qual o crime, o medo à violência e o desrespeito aos direitos de cidadania têm se combinado com as transformações urbanas para produzir um novo padrão de segregação espacial nas duas últimas décadas.

Para a autora, a segregação — tanto espacial quanto social — é uma característica importante das cidades, pois as regras que organizam o espaço urbano são apoiadas basicamente em padrões de diferenciação social e de separação. Trata-se de regras que variam cultural e historicamente, revelam os princípios que estruturam a vida pública em cada sociedade e indicam como os grupos sociais se inter-relacionam no espaço da cidade.

As transformações recentes nos territórios das cidades estão gerando espaços nos quais os diferentes grupos sociais estão muitas vezes próximos, mas separados por muros e tecnologias de segurança, e tendem a não circular e ou interagir em áreas comuns.

Esta nova *cartografia social* da cidade expressa a emergência de um novo padrão de organização das diferenças no espaço urbano, que redefine os processos de interação social e de sociabilidade coletiva, promove acessos diferenciados à informação, à diversidade de oportunidades e aos equipamentos e bens públicos, transformando as concepções de público e os parâmetros de convivência pública (RAICHELIS, 2006).

São conhecidos os efeitos sociais da segregação e da *guetificação* dos territórios, que impedem a convivência entre grupos e classes sociais heterogêneos e os diferentes usos e *contra-usos* da cidade. São processos que contradizem os valores de universalidade, heterogeneidade, acessibilidade e igualdade que fundamentam a construção de espaços públicos democráticos. Nesse sentido, também a participação popular pode assumir um caráter restrito, pontual e instrumental se ficar circunscrita aos territórios de proximidade dos serviços socioassistenciais, podendo levar à despolitização e isolamento dos indivíduos e grupos sociais, distantes da inserção crítica e ativa que devem ter na esfera pública da cidade e nas relações societárias mais amplas.

Uma segunda questão a ser salientada é que grande parte das *vulnerabilidades sociais* dos usuários da política de assistência social não tem origem na dinâmica local, mas em processos estruturais. Entre outros, mencionam-se aqueles decorrentes dos rumos da política econômica e de sua desvinculação da política social, da precarização e da insegurança do trabalho, do enfraquecimento das instituições de proteção social, do retraimento do Estado e das políticas públicas, da incerteza e insuficiência do orçamento para a proteção social, da baixa cobertura dos programas, serviços e benefícios etc.

A dimensão territorial da política de assistência social precisa considerar, portanto, as diferentes escalas territoriais, que podem estar referidas tanto aos microterritórios quanto ao macroterritório nacional, passando pelas diferentes configurações territoriais regionais.

Uma terceira questão refere-se às noções de risco e vulnerabilidade social remetidos aos territórios nos quais se inserem os Cras e Creas e se organizam os programas, serviços e benefícios.

É importante refletir sobre a noção de risco social e diferenciá-la das teses que intitulam a sociedade moderna como *sociedade do risco*, em função do alto grau de incerteza que comanda o futuro da civilização.

Para Castel (2005, p. 61), "[...] um risco no sentido próprio da palavra é um acontecimento previsível, cujas chances de que ele possa acontecer e o custo dos prejuízos que trará podem ser previamente avaliados".

Não se trata, portanto, de uma imprevisibilidade a que todos os cidadãos de uma sociedade estão sujeitos, que gera um sentimento de impotência e uma "[...] inflação atual da sensibilidade aos riscos [que] faz da segurança uma busca sem fim e sempre frustrada" (CASTEL, 2005, p. 60).

Trata-se dos riscos a que estão expostos indivíduos, famílias, classes sociais, coletividades que se encontram fora do alcance da *rede de segurança* propiciada pela proteção social pública e que, por isso, se encontram em situações de *vulnerabilidade e risco social* gerados por uma cadeia complexa de fatores.

Mas há uma pluralidade de abordagens dessas categorias e é preciso considerar que algumas reforçam a perspectiva da responsabilização individual para enfrentar riscos que são societários, e fortalecem políticas de proteção social focalizadas nos mais pobres ao invés de políticas universais.

Como observado anteriormente, é preciso lembrar que muitas situações de *vulnerabilidade e risco social* são determinadas pelos processos de produção e reprodução social, sendo uma condição social coletiva vivenciada por amplo conjunto de trabalhadores, a partir das clivagens da classe social a que pertencem.

Uma quarta questão refere-se à necessidade de considerar que o processo de territorialização pode reforçar o estigma dos territórios *vulneráveis*, cercar e cercear a mobilidade dos sujeitos na cidade. A territorialização é um elemento-chave para que os serviços sejam ofertados próximos à população, para que o território seja provido de recursos que melhorem as condições de vida da população e principalmente para que esse território pertença à cidade. Os sujeitos ao serem referenciados ganham dimensão de citadinos, reconhecem a cidade como seu território, e o seu território como cidade e como seu país. Nesse movimento é possível pensar a territorialização como categoria importante para a disputa dos bens socialmente produzidos e consequentemente como elemento-chave no debate do uso do fundo público na perspectiva de responder as necessidades sociais da população.

2.3 A matricialidade sociofamiliar

A presença e a importância da família no âmbito da Política Social não é uma característica nova das políticas sociais brasileiras. No entanto, nos últimos anos, o debate sobre a família — e, sobretudo sobre as famílias pobres, vem adquirindo centralidade no contexto das políticas públicas. Isso porque a família tem sido colocada no centro dessas políticas enfocadas sob a ótica da garantia de direitos. Crescem programas, projetos e serviços dirigidos ao atendimento de famílias. Essas iniciativas vêm sendo desenvolvidas tendo em vista o fortalecimento e apoio a essas famílias para o enfrentamento das necessidades sociais, e tanto podem se constituir em ações protetivas que favoreçam a melhoria de suas condições sociais como em ações que acabem por sobrecarregar e pressionar ainda mais essas famílias, exigindo que assumam novas responsabilidades diante do Estado e da sociedade.

Na PNAS, a matricialidade familiar significa que o foco da proteção social está na família, princípio ordenador das ações a serem desenvolvidas no âmbito do Suas. Mas, como afirma a NOB-Suas, "[...] não existe família enquanto modelo idealizado e sim famílias resultantes de uma pluralidade de arranjos e rearranjos estabelecidos pelos integrantes dessas famílias." (BRASIL, 2005; 2006).

As reflexões de Mioto (2004, p. 47) nos auxiliam a problematizar o fato de que o "[...] consenso existente sobre as transformações da família concentra-se apenas nos aspectos referentes à sua estrutura e composição, pois as expectativas sociais sobre suas tarefas e obrigações continuam preservadas".

Ou seja, apesar das grandes transformações e seus impactos nos arranjos e composições familiares contemporâneas, observa-se a permanência de velhos padrões e expectativas da família burguesa quanto ao seu funcionamento e desempenho de papéis paterno e materno, independente do lugar social que ocupam na estrutura de classes sociais.

Mais ainda, a ambiência pós-moderna que caracteriza o capitalismo neoliberal na cena contemporânea alimenta a tendência de deslocamento dos conflitos e contradições que têm fortes raízes societárias, como os de classe, gênero ou etnia, para os âmbitos privados da esfera doméstica, das relações intrafamiliares e comunitárias.

O *intimismo privatizado* ou a *privacidade intimista* emergem como um dos traços da pós-modernidade, dissolvendo as fronteiras entre o público e o privado e reforçando a importância da vida doméstica e familiar, "[...] tecida por micropoderes capilares e disciplinadores do mundo privado [...]", nos termos de Chaui (2007, p. 490).

Declara-se assim:

> [...] o fim da separação moderna entre o público e o privado, em benefício do segundo termo contra o primeiro, fazendo-se o elogio da intimidade e criticando-se os pequenos poderes na família, na escola e nas organizações burocráticas; nega-se a possibilidade de teorias científicas e sociais de caráter globalizante, pois não possuiriam objeto a ser totalizado num universo físico e histórico fragmentado, descentrado, relativo e fugaz. Prevalece a sensação do efêmero, do acidental, do volátil, num mundo onde "tudo o que é sólido desmancha no ar" [...] (CHAUI, 2007, p. 490).

Embora não seja este o lugar para aprofundar os desdobramentos de tão complexas questões, cabe assinalar que isto é particularmente relevante no contexto das políticas sociais que, como a assistência social, buscam fazer o trânsito da abordagem do indivíduo para a família. Contudo, se por um lado este movimento pode representar um avanço no sentido de romper com a perspectiva de tomar o indivíduo isolado de suas relações sociais, por outro impõe-se a necessidade de outras definições e explicitações que decorrem da concepção da família como sujeito social e de direitos, sob pena de reforço da *culpabilização* das famílias e de despolitização quando se reproduz o discurso das "[...] famílias desestruturadas e incapazes de aproveitar as oportunidades que lhe são oferecidas pela sociedade (e também pelo Estado) para resolverem seus problemas com seus próprios recursos".

Considerando a matricialidade sociofamiliar no âmbito do Suas, estas questões ganham relevância, pois não basta constatar as transformações por que passam as famílias, se persistirem abordagens conservadoras e disciplinadoras no trabalho profissional que se realiza. Mais ainda em se tratando da política de assistência social, com forte herança moralizadora no trato das famílias pobres e as inúmeras responsabilizações que elas devem assumir para fazer jus às ofertas e provisões públicas.

Ao colocar como uma das categorias centrais a matricialidade sociofamiliar, o Suas impõe que se atente para as seguintes questões, aqui apenas pontuadas:

Primeira questão: arranjos familiares diversos sempre foram características das famílias pobres. Essas características foram tratadas, ao longo dos tempos, como distorções que deveriam ser corrigidas pelos trabalhadores sociais nos atendimentos às famílias. Assim, temos construído um elenco de *modelos* de intervenção no âmbito da família que dialogam com esses arranjos como se eles fossem indevidos. Romper com esses *pré-conceitos* é tarefa fundamental!

Segunda questão: a família é retomada como grupo afetivo básico, capaz de oferecer a seus membros as condições fundamentais para seu desenvolvimento pleno. Para que isso se realize é preciso que a família seja protegida. O exercício da função protetiva da família exige condições materiais e espirituais, exige capacidade de ter esperança restaurada. E a família só poderá oferecer essas condições se estiver atendida nas suas necessidades sociais básicas.

Terceira questão: as metodologias de atendimento às famílias precisam ser revistas. Apesar dos avanços teóricos na compreensão dessa temática, o padrão burguês de funcionamento familiar continua a pautar a forma de compreender a tarefa de atender as famílias. Há um forte caráter moralista e disciplinador que intervém nas formas de pensar as famílias que deve ser eliminado do trabalho do Suas. Mas isso não se faz apenas pelo enunciado teórico, uma vez que reiteradamente aparece essa característica, que se enraizou no ideário do debate sobre o trabalho com famílias nas políticas sociais. E por fim,

Quarta questão: a necessidade de compreender essas famílias com suas singularidades, mas com seu pertencimento a uma classe social. O trabalho com as famílias que pode ser considerado um avanço, pois retira a condição individual do atendimento da política, pode repetir o mesmo equívoco, quando particulariza cada família como se fosse um universo único, destituído de sua identidade coletiva e de sua universalidade. Preservar sua singularidade, trabalhar suas particularidades só tem sentido quando elas materializam a condição dessas famílias enxergarem-se como um coletivo que deve buscar, conjuntamente, a resolução para suas questões no espaço de disputa do fundo público e do projeto societário emancipatório, como anuncia o Suas.

2.4 A questão dos trabalhadores e da gestão do trabalho no Suas

Os novos marcos regulatórios da assistência social, como vimos, introduziram significativas inflexões neste campo, entre elas a exigência de novos modos de organização e gestão do trabalho.

A questão dos recursos humanos é um desafio para toda a administração pública, mas assume características específicas na assistência social, pela sua tradição de *não-política*, sustentada em estruturas institucionais improvisadas e reduzido investimento na formação de equipes profissionais permanentes e qualificadas para efetivar ações que rompam com a subalternidade que historicamente marcou o trabalho dessa área.

Acresce-se a isso a realidade da maioria dos municípios brasileiros que, sendo de pequeno porte, contam com frágeis estruturas institucionais de gestão, rotinas técnicas e administrativas incipientes e recursos humanos reduzidos e pouco qualificados.

Do ponto de vista da constituição dos quadros profissionais da área, destaca-se ainda o universo heterogêneo de trabalhadores, compostos por profissionais da rede estatal, em suas três esferas, e da extensa rede privada de entidades de assistência social, com uma diversidade de áreas de formação e de vínculos de trabalho. Tais quadros se disseminam com grande discrepância pela realidade heterogênea de estados e municípios, sendo frequente a existência de poucos profissionais, em geral com grandes defasagens técnicas, atendendo simultaneamente a diferentes políticas e programas, e até mesmo vários municípios.

Por ser uma área de prestação de serviços, cuja mediação principal é o próprio profissional, o trabalho da assistência social está estrategicamente apoiado no conhecimento e na formação teórica, técnica e política do seu quadro de pessoal, e nas condições institucionais de que dispõe para efetivar sua intervenção.

A implantação do Suas exige novas formas de regulação e gestão do trabalho e, certamente, a ampliação do número de trabalhadores com estabilidade funcional é condição essencial, ao lado de processos continuados de formação e qualificação, a partir do ingresso via concurso público, definição de carreiras e de processos de avaliação e progressão, caracterização de perfis das equipes e dos serviços, além da remuneração compatível e segurança no trabalho.

Nesses termos, a NOB/Suas-RH (BRASIL, 2006) representou um esforço político significativo de pactuação federativa nos espaços intergestores estaduais e federal, consideradas as resistências e dificuldades políticas que tiveram que ser aparadas para viabilizar sua aprovação. Nesse sentido, pode-se afirmar que a NOB-RH não é a definição ideal e acabada frente às necessidades de recursos humanos para o funcionamento adequado do Suas, mas é resultado do *viável histórico*, dentro da correlação de forças políticas que participaram do processo de negociação.

Com todas as insuficiências que contém, e que passados 4 anos de sua implementação podem ser mais bem avaliadas, permanece o desafio maior que é o de sua efetivação!

A título de exemplo, dados da MUNIC/IBGE-2005 revelavam que 25% dos trabalhadores da área de assistência social nas administrações municipais de todo o país não possuíam vínculos permanentes, sendo 20% comissionados e apenas 38% estatutários (INSTITUTO BRASILEIRO DE GEOGRAFIA E ESTATÍSTICA, 2006). Mais reveladores ainda são os dados extraídos da ficha de monitoramento dos Cras (MDS, nov./2007), que revelam que 48% dos trabalhadores dos Cras não têm vínculos permanentes, sendo 26% estatutários, 14% CLT e 12% comissionados.

Comparando-se esses dados com os apresentados pela Munic-IBGE de 2009, verificamos que apesar da elevação em 30,7% do total de pessoas ocupadas na administração municipal da assistência social em todo o país, no período 2005-2009, a política de assistência social continuava sendo responsável por apenas 3,2% de todo pessoal ocupado nas administrações públicas municipais (INSTITUTO BRASILEIRO DE GEOGRAFIA E ESTATÍSTICA, 2010).

Contudo, significativos também são os dados relativos à estrutura trabalhista por vínculo empregatício: apesar de não serem identificadas grandes mudanças em relação aos dados de 2005 (a maioria continua sendo composta por servidores estatutários), a maior elevação foi detectada entre os trabalhadores sem vínculo permanente, quem em 2005 totalizavam 34.057 pessoas, ampliando para 60.514 em 2009, ou seja, um aumento de 73,1%; também o grupo de celetistas sofreu um decréscimo de 12,8% 2 em 2005 para 8,5% em 2009.

Portanto, uma questão importante a ser destacada, e que de certa forma amplia o escopo da análise, é que não se trata apenas de questões relacionadas à *gestão do trabalho*, mas também e fundamentalmente das *formas e modos de organização e das condições em que este trabalho se realiza*.

E, embora não se trate de aprofundar aqui, é preciso destacar que a desregulamentação e a precarização das relações de trabalho no Brasil a partir da década de 1990, tem sido um fenômeno amplamente estudado e debatido por vários autores, merecendo extensa literatura sob os seus mais diferentes ângulos e dimensões.[8]

As condições atuais do capitalismo contemporâneo, com a globalização financeirizada dos capitais e sistemas de produção, apoiados fortemente no desenvolvimento tecnológico e de informação, promovem intensas mudanças nos processos de organização e nas relações e vínculos de trabalho. São contextos que geram processos continuados de informalização e flexibilização expressos por trabalhos terceirizados, subcontratados, temporários, domésticos, em tempo parcial ou por projeto, para citar apenas algumas das diferentes formas de precarização a que estão submetidos os trabalhadores no mundo do trabalho. São transformações que atingem duramente o trabalho assalariado, sua realização concreta e as formas de subjetivação, levando a redefinições dos sistemas de proteção social.

A reforma neoliberal do Estado trouxe agregada intensa campanha ideológica de desconstrução do Estado e de *tudo que é estatal*, em seus diferentes níveis de poder, atingindo diretamente as condições e relações de trabalho na esfera estatal. Essa ambiência neoliberal afetou também a imagem do servidor público junto à população e à opinião pública, instalando um clima desfavorável à recomposição e expansão da força de trabalho na administração pública.

Em função deste quadro, a análise da gestão do trabalho e das possibilidades de sua ampliação e qualificação no âmbito da PNAS e do Suas não pode ser desvinculada dessa dinâmica macrossocietária, nem pode ser tratada como uma responsabilidade individual do trabalhador, embora seja possível constatar diariamente a difusão de argumentos que proliferam nessa direção, ampliando a competição entre os próprios trabalhadores.

A assistência social é um setor intensivo de uso de força de trabalho humana, o que representa um desafio para a criação de condições adequa-

8. Para aprofundamento consultar, entre outros: Antunes (1999, 2005); Mattoso (1995); Pochmann (1999; 2001); Alves (2000).

das de trabalho e de sua gestão cotidiana. Considerando as definições da NOB-RH em relação às equipes de referência para os Cras e Creas, estas envolvem um conjunto diversificado de profissões, atribuições e competências, instalando-se nova divisão sociotécnica do trabalho no âmbito do Suas. Trata-se de um processo de grande complexidade, pois cada uma das categorias profissionais envolvidas tem uma história particular de organização e de luta corporativa e sindical, com acúmulos e reivindicações específicas no que tange às condições de exercício do trabalho.

Nesses termos, as questões que envolvem a regulação e a gestão do trabalho no Suas devem ser tratadas a partir de uma perspectiva de totalidade, que contemple pelo menos três dimensões indissociáveis (CONSELHO FEDERAL DE SERVIÇO SOCIAL, 2009):

1. As atividades desenvolvidas pelo conjunto dos seus trabalhadores;
2. As condições materiais, institucionais, físicas e financeiras;
3. E os meios e instrumentos necessários ao adequado exercício profissional.

É preciso considerar assim a ótica do trabalho coletivo no Suas, orientado por um projeto ético-político assentado no acúmulo das diferentes profissões e de suas contribuições, incorporando os conhecimentos e aportes daquelas que, como o Serviço Social, vêm assumindo protagonismo histórico na elaboração de subsídios teóricos, técnicos e políticos que respaldam os avanços da assistência social no país.

Isto põe em debate a *direção política do trabalho*, a qualidade dos serviços socioassistenciais e o necessário respeito à autonomia dos profissionais, o que não exclui o controle social e democrático do trabalho desenvolvido, especialmente pelos usuários do Cras e do Creas.

Assim sendo, não basta superar a cultura histórica de ativismo e de ações improvisadas, substituindo-as por um *produtivismo quantitativo*, medido pelo número de reuniões, número de visitas domiciliares, número de atendimentos, se os profissionais não detiverem o sentido e a direção social do trabalho coletivo, se não forem garantidos espaços coletivos de estudo e reflexão, que possam por em debate concepções orientadoras e efeitos sociais e políticos das práticas desenvolvidas.

No caso da assistência social, as questões que envolvem as condições, relações e gestão do trabalho ganham maior complexidade quando se considera que grande parte dos serviços, programas e projetos é prestada por entidades privadas que integram a rede socioassistencial nos territórios de abrangência do Cras e Creas.

É certo que essas entidades e organizações sociais devem ser submetidas aos mesmos princípios e diretrizes que orientam o Suas, considerando sua integração à rede socioassistencial e, na grande maioria dos casos, o acesso ao fundo público, com base em convênios, contratos de gestão e outras formas de repasse financeiro de órgãos governamentais para financiar atividades de assistência social por ela desenvolvidas.

Contudo, dados extraídos da Pesquisa sobre Entidades de Assistência Social Privadas Sem Fins Lucrativos (Peas), realizada pelo IBGE em 2006, revela que 53,4% dos colaboradores dessas entidades são voluntários do ponto de vista dos vínculos empregatícios. Além do impacto dessa relação para a profissionalização e sustentabilidade do quadro de trabalhadores do Suas, esse fato contribui para alimentar estigmas que associam historicamente a assistência social à filantropia e à benemerência, impregnando inclusive as representações dos usuários e dos próprios trabalhadores da área.

A NOB-RH avança no enfrentamento dessa realidade quando define mecanismos de profissionalização e publicização da assistência social, orientando procedimentos para composição de equipes básicas de referência para Cras e Creas, definindo diretrizes para a qualificação de recursos humanos e ampliação da capacidade de gestão dos seus operadores.

O que está em questão é a *ressignificação do trabalho na assistência social*, referenciada em um projeto coletivo de redefinição do trabalho no campo das políticas sociais públicas.

É preciso, pois, enfrentar o desafio de construir e consolidar o perfil do trabalhador do Suas, no contexto do conjunto dos trabalhadores da seguridade social, que incorpore a dimensão do compromisso público associado à sua função de agente público, comprometido com relações e práticas democráticas, com a afirmação de direitos e com dinâmicas organizativas e emancipatórias da população usuária. E que seja um trabalho que se deixe submeter ao controle social de usuários, conselhos, conferências e demais fóruns, nos espaços públicos de debate e deliberação da política.

O momento atual é de redefinição do trabalho, das formas de organização e gestão institucional que incorporem mecanismos permanentes de formação e educação continuada, como questão estratégica para a qualificação dos recursos humanos no Suas.

E finalizando, é possível afirmar: quanto mais qualificados os servidores e trabalhadores da assistência social, menos sujeitos a manipulação e mais preparados para enfrentar os jogos de pressão política e de cooptação nos espaços institucionais, conferindo qualidade e consistência teórica, técnica e política ao trabalho realizado.

Referências

ALVES, Giovanni. *O novo (e precário) mundo do trabalho*: reestruturação produtiva e crise do sindicalismo. São Paulo: Boitempo, 2000.

ANTUNES, Ricardo. *Adeus ao trabalho*: ensaio sobre as metamorfoses e a centralidade do trabalho no mundo contemporâneo. São Paulo: Cortez, 1995.

______. *Os sentidos do trabalho*: ensaio sobre a afirmação e negação do trabalho. São Paulo: Boitempo, 1999.

______. *O caracol e sua concha*: ensaios sobre a nova morfologia do trabalho. São Paulo: Boitempo, 2005.

BRASIL. Presidência da República. Lei Orgânica da Assistência Social. Lei n. 8.742, de 7 de dezembro de 1993, publicada no *DOU* de 8 de dezembro de 1993.

______. Ministério do Desenvolvimento Social e Combate à Fome. *Política Nacional de Assistência Social — PNAS*. Brasília, 2004.

______. Ministério do Desenvolvimento Social e Combate à Fome. *Norma Operacional Básica do Suas — NOB/Suas*. Brasília, 2005.

______. Ministério do Desenvolvimento Social e Combate à Fome. *Norma Operacional Básica de Recursos Humanos — NOB-RH/Suas*. Brasília, 2006.

CALDEIRA, Teresa Pires do R. *Cidade de muros-crime, segregação e cidadania em São Paulo*. São Paulo: Editora 34, 2000.

CASTEL, Robert. *A insegurança social*: o que é ser protegido? Rio de Janeiro: Vozes, 2005.

CHAUI, Marilena de Souza. Público, privado, despotismo. In: NOVAES, Adauto (Org.). *Ética*. São Paulo: Editora Schwarcz, 2007.

EWALD, François. *O Estado PROVIDÊNCIA*. Trad. de L'Etat Providence. Paris: Gasset, 1986.

FLEURY, Sonia. Assistência e previdência: uma política marginal. In: ______. *Os Direitos dos (desassistidos) sociais*. São Paulo: Cortez, 1989.

JACCOUD, Luciana. *Proteção Social no Brasil*: debates e desafios. In: BRASIL. Ministério Desenvolvimento Social e Combate à Fome; Organização das Nações Unidas para a Educação, a Ciência e a Cultura. *Concepção e gestão da proteção social não contributiva no Brasil*. Brasília, 2009.

KURKA, Anita B. *A participação social no território usado*: o processo de emancipação do município de Hortolândia. Tese (Doutorado em Serviço Social). Pontifícia Universidade Católica de São Paulo. São Paulo, 2008.

MARSHALL, T. H. *Cidadania, classe social e status*. Rio de Janeiro: Zahar, 1967.

MATTOSO, Jorge. *A desordem do trabalho*. São Paulo: Scritta, 1995.

MIOTO, Regina Célia T. Que família é essa? In: Trabalho com famílias. *Textos de apoio*, São Paulo, IEE/PUC-SP, n. 2, 2004.

MOTA, Ana Elizabete (Org.). *O mito da assistência social*: ensaios sobre Estado, política e sociedade. Recife: UFPE, 2006.

CONSELHO FEDERAL DE SERVIÇO SOCIAL. Parâmetros para atuação de assistentes na Política de Assistência Social. *Série Trabalho e Projeto Profissional nas Políticas Sociais*. Brasília, 2009. Disponível em: <www.cfess.org.br>. Acesso em: 22 de abil de 2009.

POCHMANN, Márcio. *O emprego na globalização*: a nova divisão internacional do trabalho e os caminhos que o Brasil escolheu. São Paulo: Boitempo, 2001.

______. *O trabalho sob fogo cruzado*. São Paulo: Contexto, 1999.

INSTITUTO BRASILEIRO DE GEOGRAFIA E ESTATÍSTICA. Perfil dos Municípios Brasileiros. *Pesquisa de informações básicas municipais*. Suplemento Assistência Social 2005. Rio de Janeiro: IBGE, 2006.

INSTITUTO BRASILEIRO DE GEOGRAFIA E ESTATÍSTICA. *Pesquisa de Informações Básicas Municipais*. Suplemento Assistência Social 2009. Rio de Janeiro, IBGE, 2010.

SANDRONI, Paulo. *Novíssimo dicionário de economia*. São Paulo: Best Seller, 2000.

SANTOS, Milton. *O espaço do cidadão*. São Paulo: Edusp, 2007.

SANTOS, Wanderley G. *Cidadania e justiça*: a política social na ordem brasileira. Rio de Janeiro: Campus, 1988.

SPOSATI, Aldaíza. O primeiro ano do Sistema Único de Assistência Social. *Serviço Social & Sociedade*, São Paulo, n. 87, 2006.

RAICHELIS, Raquel. Gestão pública e a questão social na grande cidade. *Lua Nova*, São Paulo, n. 69, 2006.

RAICHELIS, Raquel (Coord.). Suas: configurando os eixos de mudança. In: BRASIL. Ministério do Desenvolvimento Social e Comabte à Pobreza; INSTITUTO DE ESTUDOS ESPECIAIS DA PONTIFÍCIA UNIVERSIDADE CATÓLICA DE SÃO PAULO. *Capacita Suas*, Brasília, 2008.

TELLES, Vera da Silva. No fio da navalha: entre carências e direitos. Notas a propósito dos programas de renda mínima no Brasil. In: *Programas de renda mínima no Brasil*: impactos e potencialidades. São Paulo: Pólis, 1998.

VIEIRA, Evaldo. *Os direitos e a política social*. São Paulo: Cortez, 2004.

YAZBEK, Maria Carmelita. *Classes subalternas e assistência social*. 8. ed. São Paulo: Cortez, 2010.

______. A política social brasileira dos anos 90: a refilantropização da Questão Social. *Cadernos Abong Políticas de Assistência Social*, São Paulo: Abong, 1995.

CAPÍTULO 3

Implantação, implementação e condições de funcionamento do Suas nos municípios

*Maria Ozanira da Silva e Silva**
*Cleonice Correia Araújo***
*Valéria Ferreira Santos de Almada Lima****

Neste capítulo, apresentamos os resultados de uma pesquisa sobre a implantação e implementação do Sistema Único de Assistência Social (Suas), realizada mediante a aplicação de questionários, via *internet*, jun-

---

* Doutora em Serviço Social. Professora do Programa de Pós-graduação em Políticas Públicas da Universidade Federal do Maranhão. Coordenadora do Grupo de Avaliação e Estudo da Pobreza e de Políticas Direcionadas à Pobreza (Gaepp <www.gaepp.ufma.br>) e pesquisadora nível IA do CNPq. *E-mail*: <maria.ozanira@gmail.com>.

** Doutora em Políticas Públicas. Professora do Curso de Serviço Social da Universidade Federal do Maranhão. Pesquisadora do Grupo de Avaliação e Estudo da Pobreza e de Políticas Direcionadas à Pobreza (Gaepp <www.gaepp.ufma.br>). *E-mail*: <cleo.araujo.as@hotmail.com>.

*** Doutora em Políticas Públicas. Professora do Departamento de Economia e do Programa de Pós-graduação em Políticas Públicas da Universidade Federal do Maranhão. Pesquisadora do Grupo de Avaliação e Estudo da Pobreza e de Políticas Direcionadas à Pobreza (Gaepp <www.gaepp.ufma.br>) e pesquisadora nível II do CNPq, *e-mail*: <neval@elo.com.br>.

to a gestores da Política Nacional de Assistência Social (PNAS), considerando uma amostra de municípios brasileiros selecionados de acordo com os critérios descritos na introdução do presente livro, de modo que, do total de questionários encaminhados, tivemos o retorno de 208, cujos resultados são aqui apresentados e problematizados.

O questionário aplicado foi estruturado considerando os seguintes aspectos: identificação do questionário e procedimentos para seu preenchimento; implantação do Suas no município; condições disponíveis para implementação dos programas, projetos e serviços; ações de proteção social básica e proteção social especial desenvolvidas no município; canais utilizados para divulgação dos Cras/Creas no município; relação entre Cras/Creas com o Bolsa Família (BF) e com o Benefício de Prestação Continuada (BPC); participação das instâncias sociais locais na dinâmica das atividades desenvolvidas pelos Cras/Creas; controle social, monitoramento e avaliação da PNAS no município; fatores que favorecem e dificultam o desenvolvimento da PNAS no município e levantamento de críticas e sugestões. Ressaltamos que a maioria das questões apresentadas permitiu a indicação de respostas múltiplas, daí porque os percentuais nem sempre fecham em 100%.

3.1 Resultados e problematização da implantação e implementação do Suas nos municípios

- **Procedimentos para preenchimento do questionário**

Quanto aos procedimentos adotados para preenchimento dos questionários, 72,6% dos municípios indicaram o uso de reuniões com a equipe de trabalho; em 17,8% dos municípios o preenchimento do questionário foi efetuado mediante contribuições escritas individualmente pelos membros da equipe e em 14,4% dos municípios as contribuições foram escritas coletivamente pela equipe.

GRÁFICO 2 ■ Procedimentos adotados para preenchimento do questionário

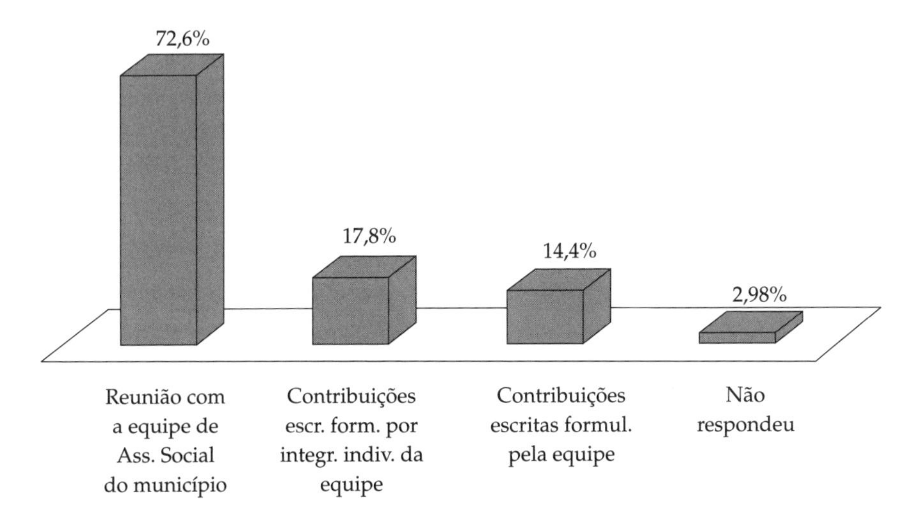

O processo de respostas ao questionário, portanto, evidenciou a predominância de estratégias coletivas, o que certamente oportunizou uma reflexão grupal sobre o desenvolvimento da PNAS nos municípios.

- **Localização da PNAS na estrutura dos municípios**

Em relação ao espaço de localização da PNAS na estrutura das prefeituras municipais, as informações mostraram que 69,2% dos municípios pesquisados possuíam uma Secretaria Municipal de Assistência Social ou correlata, o que sinaliza um avanço no esforço de estruturação da PNAS, principalmente após a instituição do Suas em 2005. Todavia, 30,7% dos municípios ainda mantêm uma estrutura menor representada por setores ou departamentos que destacam nomenclaturas como promoção social, bem-estar social, governo e cidadania, preferindo ressaltar, na designação do órgão gestor, os objetivos mais gerais da PNAS.

GRÁFICO 3 ■ Localização da PNAS na estrutura organizacional das prefeituras

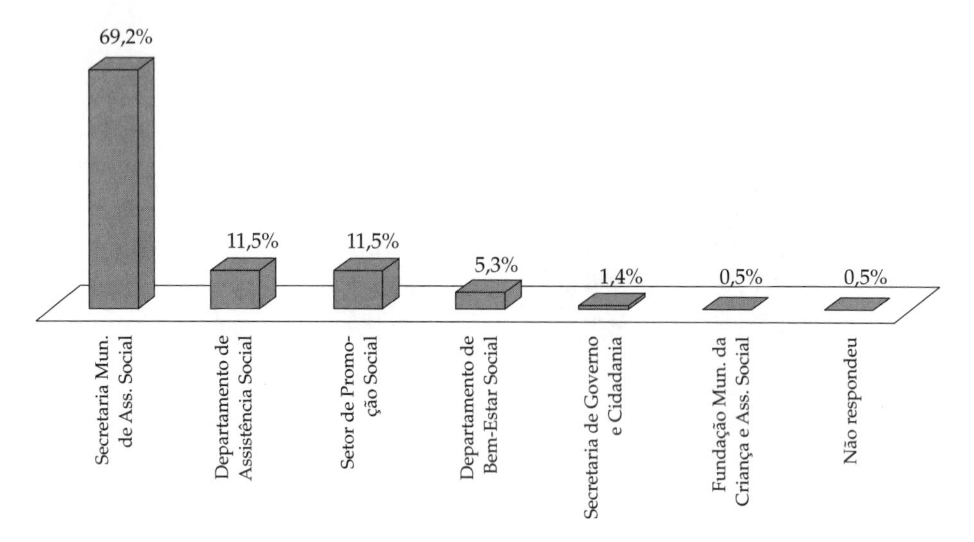

- **Nível de gestão da PNAS nos municípios**

O nível de gestão do Suas expressa a capacidade gerencial do município para implementar a PNAS. A pesquisa mostrou que dos 208 municípios pesquisados, 57% encontravam-se no nível de gestão básica; 30% em gestão inicial e 12% em gestão plena. A predominância do nível de gestão básica expressa capacidade parcial de gestão da PNAS pelos municípios que assumem a responsabilidade de estruturar a modalidade de proteção social básica mediante o desenvolvimento de ações de caráter preventivo em relação a situações caracterizadas como situações de risco. O nível de gestão plena alcançado por 12% dos municípios, ainda que seja um índice baixo, revelou um avanço importante, considerando as dificuldades estruturais e administrativas dos municípios brasileiros e considerando que se trata de um nível em que o município assume a gestão total da política responsabilizando-se pelas modalidades de proteção básica e de proteção social especial em seus diferentes níveis de complexidade. Trata-se, portanto, de um nível de gestão que exige uma estrutura operacional mais ampla em termos de alocação de recursos financeiros, estruturação de equipamentos sociais e instâncias de gestão e controle social, bem como uma política de recursos humanos. A despeito dos limites e dificuldades presentes no processo de implementação do Suas no país, a situação da gestão da PNAS nos municípios expressou o empenho na institucionalização dessa Política Pública. Por outro lado, 30% dos municípios em gestão inicial mostraram a dificuldade de muitos deles em instituir e assegurar uma estrutura mínima para a implantação do Suas.

GRÁFICO 4 ▪ Nível de gestão da PNAS nos municípios

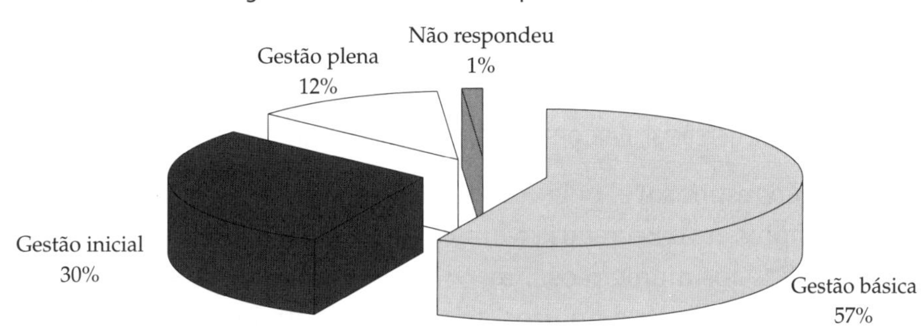

- **Implantação do Suas nos municípios**

Os encaminhamentos e providências para a implantação do Suas expressaram uma multiplicidade de respostas enfocando diferentes momentos e procedimentos, constitutivos e necessários a esse processo, sendo mais frequente e expressiva a ênfase ao encaminhamento da documentação exigida para a habilitação segundo as orientações do Ministério de Desenvolvimento Social e Combate à Fome (MDS) e de instâncias de pactuação como a Comissão Intergestores Bipartite (CIB) e Comissão Intergestores Tripartite (CIT), apontada por 18,8% dos municípios. Teve destaque a formação de parcerias entre os três níveis de governo mediante a efetivação de capacitações, assessorias na organização e estruturação da rede de serviços em 13,5% dos municípios; reuniões e discussões em 6,7% dos municípios; estruturação do órgão gestor (equipe técnica, equipamentos, elaboração/atualização de diagnóstico) em 5,2% dos municípios; implantação de Cras em 4,3% dos municípios. Chama a atenção a situação de 3,3% dos municípios em que o processo de condução do Suas foi assumido pela instância estadual; em 2,8% dos municípios foi destacada a implantação/ampliação dos serviços. Essas respostas expressaram o empenho dos municípios em seguir as recomendações da legislação e as próprias exigências das instâncias de deliberação e pactuação como o Conselho Nacional de Assistência Social (CNAS), a CIB, a CIT que preconizam a estruturação da rede e a capacitação permanente como elementos estruturadores do Suas.

- **Condições disponibilizadas para implementação dos programas, projetos e serviços da PNAS nos municípios**

a) Estrutura gerencial, funcionamento e gestão do Suas

O órgão responsável pela coordenação ou que respondia pela PNAS nos municípios era a Secretaria Municipal de Assistência Social ou correlata em 82,7% dos municípios. Em 9,6 % dos casos eram setores ou coordenações, seguindo-se de outros, tais como: outro órgão, em 7,7% dos municípios; Setor/Coordenação vinculado à Secretaria de Saúde, em 3,4%; Setor/Coordenação vinculado à Secretaria de Educação, em 1,4 %, e Setor/Coordenação vinculado ao gabinete do prefeito, em 0,5%.

GRÁFICO 5 ■ Órgãos dos municípios responsáveis pela PNAS

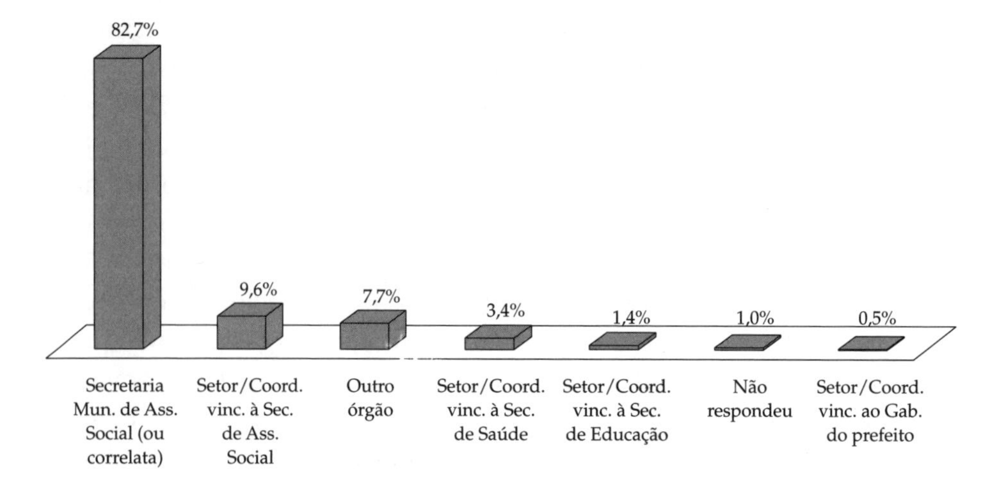

Com relação à existência de Cras e Creas, a pesquisa mostrou que 55% dos municípios possuíam só Cras; 30% não possuíam nem Cras nem Creas; 14% possuíam Cras e Creas e 1% possuíam somente Creas.

GRÁFICO 6 ■ Cras e Creas existentes nos municípios

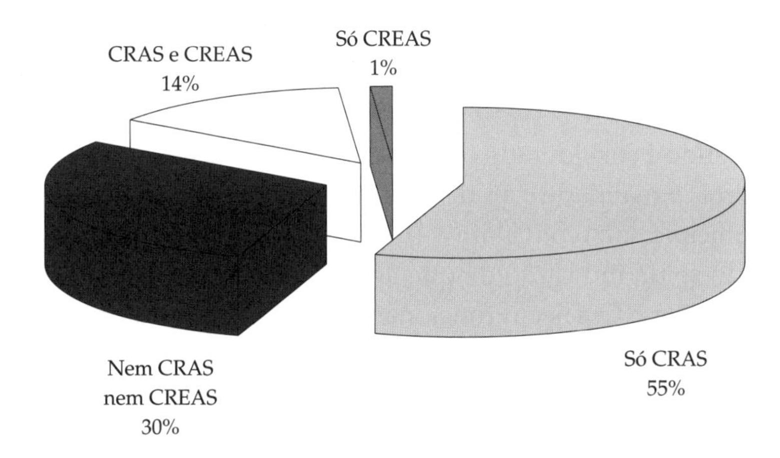

Considerando o número de Cras nos municípios, o gráfico seguinte indica que 56,7% dos municípios só tinham um Cras; 31,3% não tinham Cras,[1] seguindo-se de baixas incidências com indicação de 2 a 6 Cras e apenas 1% dos municípios apresentou as incidências de 11 a 31 Cras. A média era de 1,2 Cras por município, sendo o número máximo registrado de 31 Cras em apenas um município (metrópole).

Esses dados demonstram, por um lado, percentual significativo de municípios que ainda não contavam com Cras e, ao mesmo tempo, revelam a heterogeneidade da realidade da Política de Assistência Social nos municípios brasileiros.

---

1. Informações atuais do MDS dão conta do "iminente" alcance da meta de pelo menos 1 Cras em cada um dos 5.564 municípios brasileiros (NOB-Suas, 2010).

GRÁFICO 7 ■ Quantidade de Cras em funcionamento por município

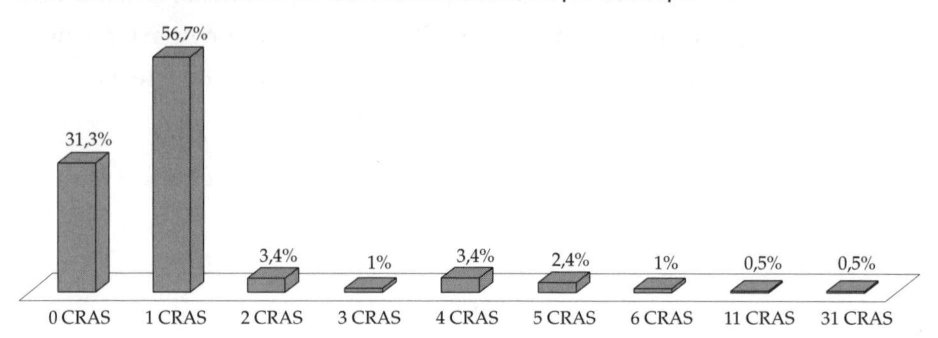

Quando é considerado o número de Creas existentes nos municípios brasileiros, a realidade é ainda mais marcante sendo indicado que 85,1% dos municípios não contavam com Creas, somente 13% tinham um Creas, seguindo-se da indicação de que apenas 2% dos municípios brasileiros tinham de 2 a 5 Creas em funcionamento. A média era de 0,2 Creas por município e o número máximo encontrado foi de 5 Creas em apenas um município, o que revela que a proteção social especial, de responsabilidade dos Creas, encontra-se ainda distante das possibilidades de acesso de grande parte da população que possa dela necessitar.

GRÁFICO 8 ■ Quantidade de Creas em funcionamento

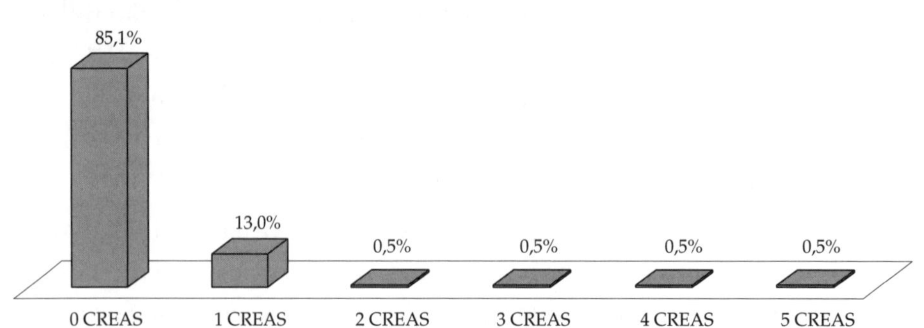

A gestão dos Cras ou Creas em 58,6% dos municípios era realizada pela instância municipal; as gestões estatais e conveniadas foram encontradas em 11,5% dos municípios, sendo que nos demais municípios não existiam Cras e Creas. Esse aspecto expressa a crescente responsabilização dos municípios como entes federados pela execução dos serviços, conforme preceitua a Loas. Ocorre que, em geral, a essa responsabilização não corresponde o suporte financeiro, político e administrativo condizente, sobretudo por parte da esfera estadual o que implica em dificuldade dos municípios em assumir a gestão dos serviços.

GRÁFICO 9 ▪ Formas de gestão dos Cras e Creas

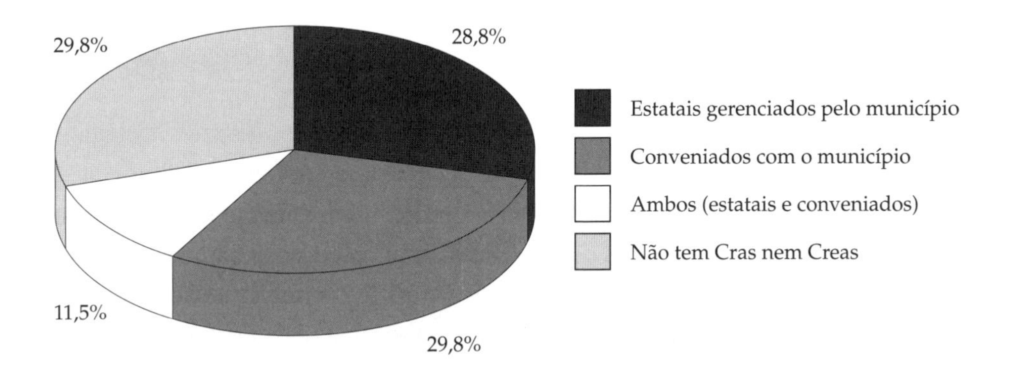

b) Estrutura do espaço físico nos Cras e Creas

Com relação à estrutura e às dependências físicas dos Cras, as informações levantadas na pesquisa mostraram que, dos 143 municípios que possuíam Cras, nenhum apresentou a totalidade dos cômodos necessários para o atendimento e funcionamento dos Cras. Destacou-se que 80,4% dos Cras possuíam banheiros; em 75,5% dos Cras foi indicada a existência de salas de recepção; 67,1% possuíam cozinhas; salas de reunião foram registradas em 49,6% dos Cras. Em termos de estrutura física para atendimento específico, 50% possuíam salas para atendimento individualizado; 39,1% contavam com sala para assistentes sociais e 37,7% dispunham de sala para psicólogos. Espaços para realização de reuniões e cursos foram registrados em 20,8% dos Cras e apenas 16%

dispunham de salas para a coordenação. O mesmo foi observado em relação aos Creas, sendo que também não possuíam a totalidade das dependências necessárias. As informações deram conta de que 71% dos Creas possuíam banheiros; salas de recepção foram registradas em 67,7% dos Creas; 42% possuíam salas específicas para assistentes sociais e psicólogos; 42% possuíam salas para atendimentos individualizados e 29% dispunham de salas para a coordenação. Em parte, essa situação de deficiência de espaço físico adequado e suficiente pode ser explicada considerando que os espaços para funcionamento dos Cras e Creas tiveram que ser locados e adaptados, registrando-se inúmeras improvisações, que historicamente caracterizaram as ações da PNAS nos municípios para que assegurassem as condições formais para a habilitação dos municípios ao Suas.

Mobiliários e Equipamentos existentes nos Cras e Creas

Em termos de mobiliários e equipamentos, as informações mostraram que, de modo geral, os Cras dispunham dos mobiliários básicos necessários para o funcionamento de unidades públicas como mesas, cadeiras, armários. Em termos de equipamentos, cabe destacar a disponibilidade do computador em 95,1% dos Cras; linha telefônica em 39,8%; televisor em 39,1%; aparelho de DVD em 35% e 4,8% possuíam brinquedoteca. A situação não difere muito nos Creas, sendo que estes, no geral, também dispunham de mobiliários básicos como mesas, cadeiras e armários. A disponibilidade do computador prevalecia em 90,3% dos municípios que tem Creas. Aparelhos de DVD foram registrados em 37,2% e a disponibilidade de linha telefônica em 35,4% dos Creas. Todavia, conforme Gráfico 10, as informações registraram disponibilidade reduzida de veículos para as atividades dos Cras e Creas, sendo que 49,5% destas unidades não dispunham de veículos. Em 44,7% dos municípios havia de 1 a 3 veículos disponíveis para os Cras e Creas. O percentual caiu drasticamente na medida em que aumentou o número de veículos. Em apenas 3,4% dos municípios eram disponíveis entre 4 a 6 veículos; em 1,9% existiam de 7 a 16 veículos e em apenas em 1 município (0,5%) eram disponibilizados 36 veículos para os Cras e Creas.

GRÁFICO 10 ■ Número de veículos disponibilizados para realização das tarefas dos Cras e Creas nos municípios

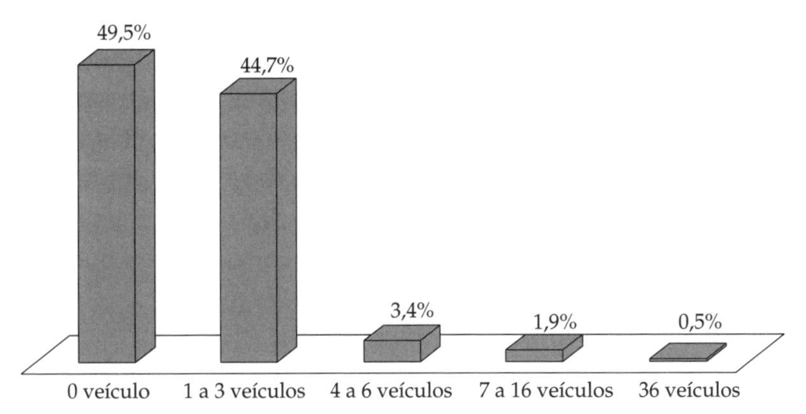

Quanto à existência da Internet, a pesquisa mostrou que 49,5% dos Cras/Creas nos municípios possuíam internet; 9,6% desses espaços não dispunham de internet e em 11,1% deles a internet se encontrava em fase de instalação. A inexistência da internet em percentual significativo de Cras e Creas revelou um aspecto limitante para o desenvolvimento dos trabalhos pertinentes, considerando que as atividades que integram a dinâmica dos Cras e Creas, como cadastramento dos usuários, gestão e troca de informações entre as diferentes instâncias de governo e a rede de serviços, exige, necessariamente, a utilização com elevada frequência da internet.

GRÁFICO 11 ■ Existência da Internet nos Cras e Creas

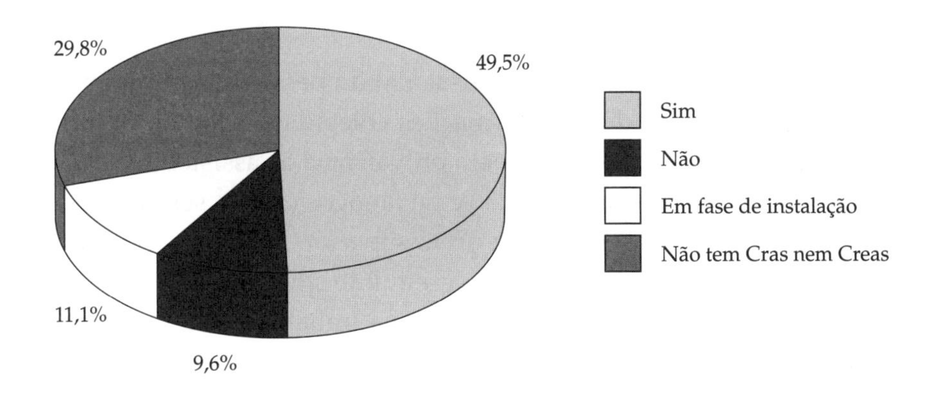

c) Estrutura de pessoal nos Cras e Creas

Em relação à estrutura de pessoal nos Cras e Creas, as informações evidenciaram que o quadro de pessoal em 57,2% dos municípios era próprio de órgãos da Assistência Social. Apenas em 8,2% dos municípios o quadro de pessoal era compartilhado com outros órgãos e em 4,8% prevaleciam ambas as situações. O próprio Suas exige disponibilidade da equipe técnica, o que não significa melhorias nas condições de trabalho, visto que este se caracteriza por precarização, contratos temporários, baixos salários e sobreposição de ações.

GRÁFICO 12 ■ Quadro de pessoal nos Cras e Creas

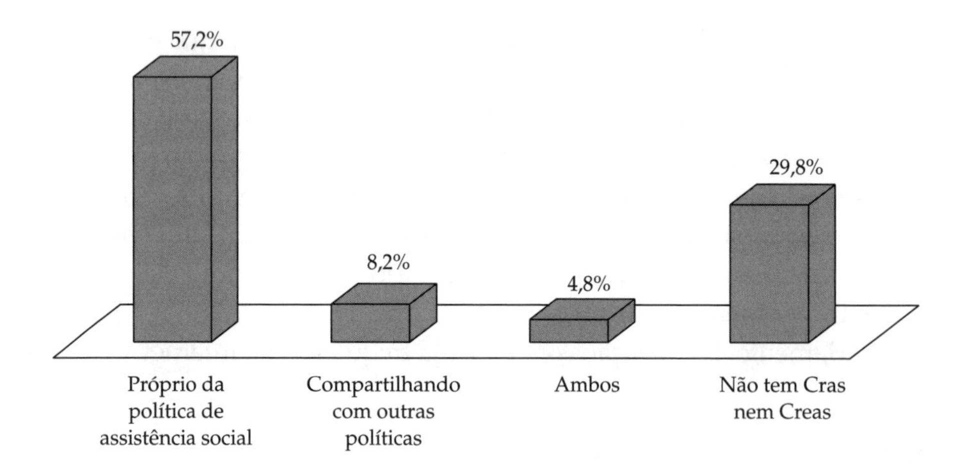

No que se refere à formação profissional do pessoal que trabalhava nos Cras e Creas, segundo as informações coletadas, se considerado o pessoal de nível superior, verificou-se a prevalência de assistentes sociais (22,3%), seguidos de psicólogos (11%) e pedagogos (5,2%), sendo indicados 11% de outros profissionais de nível superior. No que se refere às horas trabalhadas, o Gráfico 13 indica a seguinte situação: em 69,2% dos Cras e Creas prevaleciam 40 horas semanais trabalhadas; 20 horas em 16,6% e 30 horas em 14,2%.

GRÁFICO 13 ■ Pessoal trabalhando nos Cras/Creas segundo o tempo de dedicação

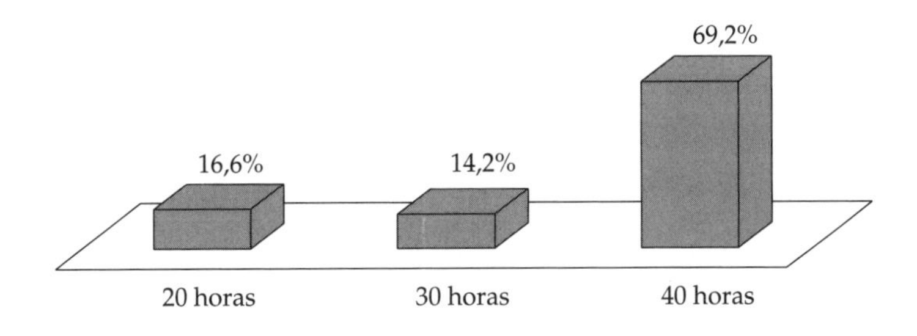

d) Recursos financeiros aplicados nos municípios em 2006

Sobre os recursos financeiros aplicados, tomou-se como base o ano de 2006. Nesse aspecto, as informações revelaram que as fontes de recursos orçamentários no desenvolvimento da PNAS indicadas pelos municípios foram predominantemente municipais e federais, aparecendo o município como a fonte de recursos da qual se utiliza o maior número de municípios (91,3%). Surpreendentemente, a instância estadual apareceu em percentual significativo dos municípios (58,7%) como fonte de recursos da PNAS. Segundo as informações prestadas pelos gestores municipais, os recursos federais são utilizados por 88,9% dos municípios e outras fontes não especificadas foram referidas por 24,5% dos municípios.

GRÁFICO 14 ■ Fontes de recursos da PNAS nos municípios em 2009

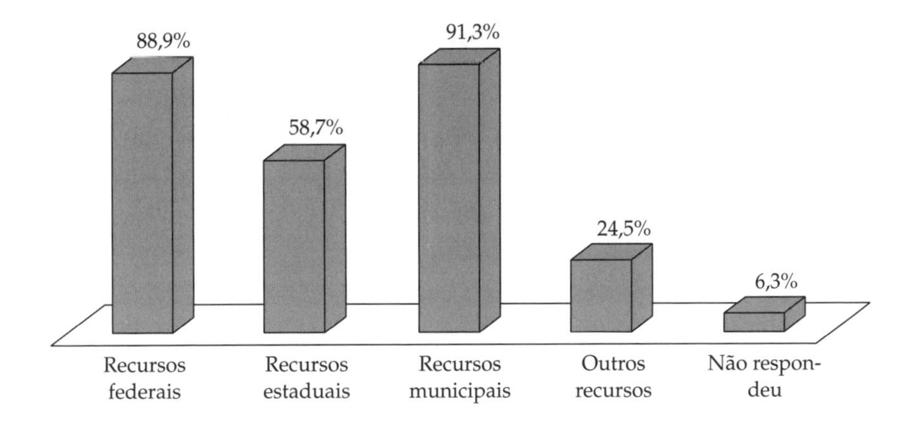

Contudo, no que se refere aos recursos financeiros diretamente alocados para custear programas, projetos e ações destinados à população, a realidade que acompanhamos tem evidenciado uma prevalência, em termos do montante dos recursos aplicados, do financiamento pelos governos municipais, seguida do nível federal e em menor proporção do estadual. Por outro lado, há indicações de que, na maioria dos casos, o governo estadual assume apenas custos relativos à capacitação de pessoal e ao desenvolvimento de ações de monitoramento e avaliação da PNAS, atividades estas nem sempre desenvolvidas sistematicamente. Ou seja, menos frequentemente os estados transferem recursos financeiros aos FMAS para custear programas, projetos e serviços de Assistência Social nos municípios.

Quanto à alocação dos recursos da PNAS, a pesquisa mostrou que estes eram alocados, majoritariamente, no Fundo Municipal de Assistência Social (FMAS), representando 71% dos municípios pesquisados, sendo que em 23% dos municípios os recursos não estavam alocados no FMAS, o que evidenciou o não cumprimento de norma básica da descentralização da PNAS.

GRÁFICO 15 ■ Alocação dos recursos da PNAS nos municípios

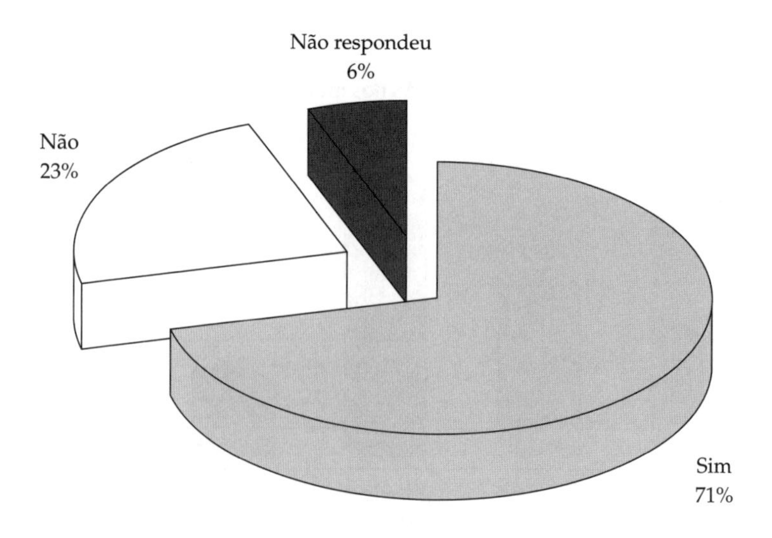

No que se refere à gestão de recursos, verificou-se que em 64,1% dos municípios a gestão dos recursos alocados no FMAS era de responsabilidade do gestor do FMAS; em 25,5% os recursos destinados à PNAS nos municípios eram gerenciados por outro gestor não especificado, o que também demonstra uma distorção de normas básicas da PNAS.

GRÁFICO 16 ■ Gestão dos recursos do FMAS

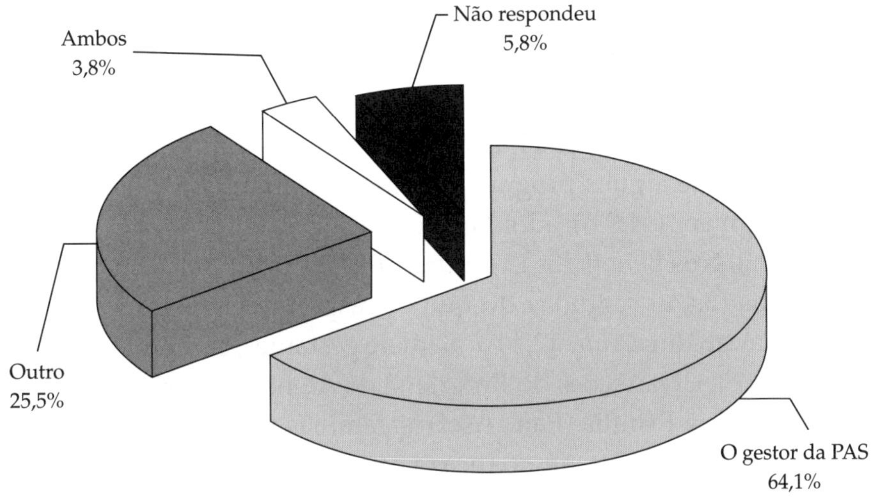

- **Proteção Social Básica e Proteção Social Especial desenvolvidas nos municípios**

Dos principais serviços de Proteção Social Básica (PSB) ofertados nos municípios destacaram-se: Programa Bolsa Família, apontado por 42% dos municípios, embora se tenha conhecimento que o Bolsa Família encontra-se em desenvolvimento em todos os municípios brasileiros; Programa Agente Jovem, indicado por 31,4% dos municípios; Benefício de Prestação Continuada (BPC) registrado em 30% dos municípios; Apoio à Pessoa Idosa presente em 25,8%; PAIF referido por 24,4%, embora seja esperado que todos os Cras disponham desse serviço; Renda Cidadã em 17,4% e Benefícios Eventuais em 11,8% dos municípios.

Os dados registrados mostraram que os principais serviços de PSB, inclusive o Bolsa Família e o PAIF, não foram registrados, sequer, pela maioria dos municípios que possuíam Cras, o que pode denotar incompletude das informações prestadas e, em alguns casos, possivelmente, defasagem na oferta dos serviços em muitos municípios, embora se encontrem majoritariamente no nível de gestão básica.

Em se tratando dos usuários atendidos pelos programas e serviços da PSB, as informações revelaram a priorização dos segmentos preconizados no artigo 2º da Lei Orgânica de Assistência Social (LOAS): crianças, adolescentes, idosos e pessoas com deficiência. Constatou-se ampla focalização na família nas principais ações desenvolvidas pelos municípios, com exceção de alguns programas como: Programa Agente Jovem, que priorizou jovens (14,9%); adolescentes (11,5%) e outros segmentos vulneráveis (1%). Nos Benefícios Eventuais (BE), os principais usuários foram as famílias (3,4%) seguidas do que os responsáveis pelas informações denominaram de *carentes* (2,4%), além de gestantes, comunitários, jovens e adultos (2%). Nas ações do Programa de Atenção à Família/Ações Socioeducativas à Família (Paif/Asef) as famílias representavam 4,3% dos beneficiários; seguidas de crianças (1,9%) e de comunitários em geral (0,5%). Nos Centros de Convivência e Sociabilidade as famílias constituíam 2,9% dos usuários; pessoas idosas 1,4%, crianças e adolescentes 1,0%.

Mesmo em ações direcionadas à infância, a PSB cobriu 3,4% de famílias entre os usuários; crianças como público-alvo representaram 3,8%, além de pessoas idosas (0,5%) e pessoas com deficiência (0,5%).

Os serviços de PSB de responsabilidade dos Cras constaram predominantemente de ações de capacitação para geração de renda desenvolvidas em 69,9% dos municípios pesquisados, tendo como foco as famílias (19%), sendo 2,9% famílias do Bolsa Família e adolescentes e jovens (9,1%). Nesse sentido, há que se destacar que as ações de capacitação profissional desenvolvidas nos Cras são largamente representadas por cursos tradicionais para o desenvolvimento de habilidades que levam, quando levam, a uma inserção precária e instável no mercado de trabalho. Ademais, 2,9%

do envolvimento de famílias do Bolsa Família em capacitações profissionais é um percentual pouco representativo considerando que a ações dos Cras são significativamente direcionadas a esse público. Também foram destacadas ações de enfrentamento à fome, desenvolvidas em 1,4% dos municípios. As famílias também apareceram como foco central de projetos específicos de Assistência Social e desenvolvimento social implementados por 7% dos municípios onde estas compunham 4,8% dos usuários. Além dessas ações, sob a responsabilidade dos Cras, foi apontada a distribuição de cestas básicas. Um aspecto que chamou a atenção foi o número reduzido de municípios que ainda desenvolveram essa ação, 2,9%, sendo que 97,1% dos municípios declararam não desenvolver programa de cestas básicas, o que pode representar um esforço de ruptura com a cultura assistencialista historicamente enraizada na prática de distribuição de cestas.

Entendemos ser artificial e arbitrária a identificação precisa do público específico atendido pelas ações de um programa, visto que o atendimento de um determinando membro da família pode repercutir no grupo familiar como um todo. Nesse sentido, as respostas acima indicadas, certamente, expressam certas contradições e incompletudes.

Entre as ações e serviços de PSB, segundo a pesquisa, foram apontados ainda o atendimento sociofamiliar em 22,3% dos municípios; atendimento psicossocial em 15,3%; palestras e visitas domiciliares em 13,2%; encaminhamentos a programas e projetos em 12,5%; encaminhamento ao BPC e à previdência social em 11,1%; orientação familiar em 7,6%; acompanhamento e atendimento às famílias do Bolsa-Família em 7,6%; cadastro único em 4,8% e aquisição de documentos em 4,1%.

Com relação à participação dos usuários na dinâmica de funcionamento dos Cras, observou-se que esta se restringiu às ações que integraram a dinâmica de trabalho do órgão gestor e do Cras segundo as orientações da legislação e as recomendações do MDS, expressando-se por reuniões socioeducativas mensais com a população atendida em 34,2% dos municípios; participação na rede socioassistencial em 20,3% dos municípios; acesso espontâneo em 19,5%; através de grupos e oficinas temáticas em 17,4%; acompanhamento a programas e serviços em 12,5%; visitas domiciliares em 12,5%; atendimento individual agendado em 11,8%, através dos serviços ofertados em 18,1%. Verificou-se que as ações registradas representaram acesso dos usuários aos serviços previstos pela PNAS nos municípios. Apenas em 4,1% dos municípios essa participação se referiu ao planejamento participativo desenvolvido. Neste aspecto não foram registradas proposições de espaços de participação no sentido indicado pelo Suas, mediante a promoção de eventos e espaços de discussão e integração na dinâmica da PNAS visando ao protagonismo dos usuários.

Com relação à Proteção Social Especial (PSE), desenvolvida em 2006 no caso dos municípios que dispunham de Creas, as informações evidenciaram a expressividade do Programa de Combate ao Abuso e Exploração Sexual (antigo programa Sentinela) presente em 77,4% dos municípios; o Programa de Erradicação do Trabalho Infantil (Peti) em 35,4%; e a Prestação de Serviços à Comunidade — Liberdade Assistida (PSC/LA), direcionado a adolescentes em conflito com a lei identificado em 32,2% dos municípios. Dentre as ações e serviços na PSE destacaram-se o Abrigo em 25,8% dos municípios, além do encaminhamento a outros programas em 19,3% dos municípios; combate à violência a idosos (alta complexidade) em 13%; abrigamento a adolescentes em situação de risco (alta complexidade) em 16,1%; plantão social em 13%; acolhimento (alta complexidade) em 13%; abordagem de rua (média complexidade) em 13%; casa lar em 13% e asilamento em 9,6% dos municípios (alta complexidade).

As ações e serviços de PSE foram direcionados, segundo as informações levantadas na pesquisa, à população em geral, com destaque para crianças e adolescentes sem vínculos familiares e direitos violados, que constituíram 83,8% dos usuários atendidos nas casas-lares e 74,1% dos usuários atendidos nos abrigos.

No caso dos municípios que não dispunham de Creas, as ações de PSE foram o Peti em 20,2% dos municípios; o Programa de Combate ao Abuso e Exploração Sexual (Sentinela) em 10,1%; e o PSC/LA em 9,1%. Foi apontado ainda, por esses municípios o desenvolvimento de ações de combate ao uso do álcool e drogas nos Centros de Atendimento Psicossocial (CAPS) em 2,4% dos municípios; DST/Aids em 1,0% e combate à tuberculose (TB) em 0,5% dos municípios. Embora em percentuais menores, estes revelaram equívocos em relação ao que é específico da Assistência Social, considerando que as ações mencionadas são específicas da política de saúde, com a qual a Assistência Social pode e deve estabelecer uma articulação setorial no sentido de encaminhamento a serviços sem assumir a responsabilidade pela execução dos mesmos.

A participação dos usuários na dinâmica de funcionamento dos Creas não difere do foi indicado em relação aos Cras, assumindo centralidade nas respostas a inserção/participação nos serviços ofertados em 96,7% dos municípios, seguida de demandas individuais e espontâneas em 25,8% dos municípios.

- **Canais utilizados para divulgação dos Cras/Creas**

Em relação à forma como os usuários tomaram conhecimento dos Cras/Creas, predominou em 81,4% dos municípios a utilização da imprensa local (jornal, rádio, televisão) e igrejas. Em 38,3% dos municípios foram apontadas parcerias entre rede de organizações ou movimentos e secretaria municipal; em 18,4% dos municípios foram desenvolvidas reuniões comunitárias; em 17,8% foram utilizados *banners*, cartazes e *out doors*; em 17,8% o *boca a boca*, ou seja, a comunicação informal entre a população; em 17,1% dos municípios os atendimentos nos Cras foram utilizados como instrumentos de divulgação; reuniões socioeducativas foram desenvolvidas em 17,1% dos municípios; panfleto e folder foram utilizados em 15%; visitas em 8,2%; comunicados à população em 8,2%; carro de som em 8,2% e Conselhos em 11,6% — Conselho Tutelar, Conselhos Municipais de Assistência Social (CMAS) e Conselho Municipal da Criança e do Adolescente (CMDCA).

Esses dados evidenciaram uso de uma variedade significativa de canais de comunicação para divulgação da PNAS nos municípios, o que pode motivar a participação da população na busca pelos serviços ofertados.

- **Relação do Cras com o Bolsa Família e o BPC**

Dos municípios que têm Cras, foi destacado por 62,3% um atendimento prioritário aos usuários do Bolsa Família, mediante busca ativa possibilitada pela aplicação de recursos provenientes do Índice de Gestão

Descentralizada (IGD),[2] com destaque a entrevistas, visitas domiciliares, capacitações e encaminhamentos a outros programas e ações. Nesse sentido, 10,9% dos municípios também destacaram a identificação de vulnerabilidades, cadastramentos e acompanhamento ao cumprimento das condicionalidades do Bolsa Família. Ademais, qualificação profissional, abordagem individual e coletiva e capacitação produtiva para os usuários do Bolsa Família foram destacados em 8,2% dos municípios.

Por outro lado, a relação dos Cras com o BPC foi apontada por 58% dos municípios. Essa relação se efetivava mediante visitas, identificação de possíveis usuários, orientações sobre documentação e preenchimento de formulários, encaminhamento junto a postos de atendimento do Instituto Nacional do Seguro Social (INSS) e acompanhamento e revisão do Benefício. Em 22% dos municípios essa relação se dava mediante atendimento prioritário aos beneficiários do BPC com integração em projetos, orientações, visitas, acompanhamento sociofamiliar, orientação quanto aos gastos, encaminhamento médico e ações de convivência. Dos municípios pesquisados, apenas 2% registraram que não desenvolvem o BPC.

- **Participação das instâncias locais na dinâmica e atividades dos Cras/Creas**

Entre as instâncias participantes na dinâmica e atividades dos Cras/Creas nos municípios da amostra assumiram destaque na pesquisa: os CMAS apontados por 72,1% dos municípios. Em seguida, apareceram as Redes prestadoras de serviços socioassistenciais em 56,7% dos municípios; as Associações Comunitárias em 45,2%; os Fóruns em 29,8%; os Movimentos Populares em 15,4%; e a Secretaria Municipal de Assistência Social em 6,2% dos municípios (dado que revela o não entendimento da questão proposta). Destaca-se que as instâncias indicadas, no geral, são vinculadas à dinâmica e funcionamento da PNAS, com realce à atuação dos movi-

2. O IGD foi instituído pelo MDS para estimular o acompanhamento das condicionalidades do Bolsa Família, constituindo-se em transferência de recursos financeiros para Estados e municípios custearem atividades de gestão do Bolsa Família e implementarem ações complementares para o público usuário desse programa.

mentos sociais amplamente preconizados como sujeitos do processo de construção e consolidação das políticas públicas, especificamente no que se refere ao controle social.

Controle social, monitoramento e avaliação da PAS nos municípios

Os CMAS assumiram centralidade como instâncias de controle social associados às Conferências Municipais de Assistência Social, sendo destacados por 51,3% dos municípios. Neste aspecto foram citadas reuniões ordinárias e extraordinárias do CMAS, visitas de fiscalização, articulação com outros Conselhos, rede socioassistencial, Comissões, Comitês de programas específicos, Fóruns e audiências públicas. Trata-se de um dado relevante, considerando que, a despeito das dificuldades em relação ao controle social que se expressam desde o processo de composição dos Conselhos, na capacitação dos conselheiros, no acesso e domínio de informações de caráter técnico e político, e, sobretudo, na influência no processo de condução das políticas, há um reconhecimento e uma busca de institucionalidade do Conselho como sujeito central no controle da PNAS. Em 11% dos municípios foi destacada a prestação de contas de recursos recebidos mediante apresentação de relatórios e avaliações de programas. A atuação precária dos Conselhos como instâncias de controle foi apontada em 2,8% dos municípios e 0,4% dos municípios informaram que não há controle social.

Com relação ao monitoramento e avaliação da PNAS, foram apontados como mecanismos principais a realização de reuniões periódicas envolvendo técnicos e usuários; realização de pesquisas; visitas envolvendo órgão gestor, rede, CMAS, Cras e elaboração de relatórios indicados por 36% dos municípios. Em 14% dos municípios, além das reuniões, relatórios e visitas, o monitoramento e a avaliação foram orientados a partir de indicadores relativos a recursos financeiros e ações desenvolvidas. Conferências, Conselhos, assessoramento técnico e supervisões foram destacados como mecanismos de avaliação e monitoramento em 12% dos municípios pesquisados. Em apenas 7,2% o monitoramento e a avaliação foram efetuados mediante o registro das ações, alimentação do sistema de informações com dados do território, rede, metas, índice de vulnerabilidade, eficácia, eficiência, resultados e impactos. Inexistiam mecanismos de monitoramento e avaliação em 1,9% dos municípios.

Sabemos que o controle social, o monitoramento e a avaliação são mecanismos fundamentais para fazer a PNAS transpor nos municípios a perspectiva do favor e do clientelismo que ainda marca fortemente a cultura política dos municípios brasileiros, principalmente os de pequeno porte, que representam a maioria deles.

- **Fatores que facilitam e que dificultam o processo de implantação e implementação da Política de Assistência Social nos municípios**

Os fatores considerados como facilitadores do processo de implementação da PNAS nos municípios referiram-se à existência de equipe técnica estruturada apontada por 19,7% dos municípios; parcerias em 18,3%; controle social efetivo desenvolvido por Conselhos ativos em 11,5%; articulação e integração com rede socioassistencial em 7,7%; comunidade organizada em 7,2%; Cras e Creas implantados foi considerado um elemento facilitador em 6,7% dos municípios; disponibilidade de recursos financeiros para PNAS em 6,7%; órgão gestor e Cras estruturado em 6,5%; monitoramento e avaliação das ações em 6,3% dos municípios; recursos financeiros alocados no FMAS em 6,3%; apoio do poder executivo municipal ao desenvolvimento da política em 5,3%; valorização do cidadão na comunidade em 5,3%; e acesso à capacitação profissional em 4,8%.

Pode-se verificar que os fatores arrolados no desenvolvimento da PNAS nos municípios expressaram um conjunto de indicações necessárias para a implementação das ações desenvolvidas pelos Cras/Creas, configurando-se, portanto, em elementos facilitadores. Contudo, o que se constatou foi que estes se apresentaram em percentuais reduzidos, portanto isolados e pulverizados, caracterizando fragmentação na consolidação do processo de implementação da PNAS.

Quanto aos fatores considerados dificultadores ou bloqueadores na implementação da PNAS nos municípios, mereceram destaque questões relativas aos recursos humanos e ausência de financiamento, sendo que a falta de equipe capacitada e especializada em quantidade suficiente para as ações e demandas foi indicada por 35,1% dos municípios. Igualmente, 35,1% dos municípios apontaram a falta de recursos financeiros para o desenvolvimento das ações como principal entrave. Outros elementos foram expressivos como bloqueadores: a falta de capacitação em 15,4% dos municípios; espaço físico inadequado para atendimento das demandas em 12%; falta de veículos em 8,7%; falta de conselheiros capacitados e autônomos em 6,7%; falta de profissionais efetivos na gestão da política em 6,3%; falta de equipe multiprofissional em 2,9%; falta de parceria entre as três esferas governamentais em 4,8%; e desarticulação da rede de serviços socioassistenciais em 4,8%. Há que se registrar a não indicação de aspectos de natureza política como fatores que possam dificultar o desenvolvimento da PNAS nos municípios, o que pode revelar a despolitização dos condutores dessa política nos municípios.

- **Críticas e sugestões em relação à Política de Assistência Social nos municípios**

Coerentemente com as indicações referentes aos fatores tanto facilitadores como limitantes para a implementação da PNAS nos municípios, as críticas mais frequentes referiram-se aos recursos humanos e ao financiamento. A falta de equipe técnica especializada e capacitada em número suficiente para o atendimento das demandas, foi destacada como a principal crítica por 30,2% dos municípios. A não transferência de recursos financeiros, especialmente por parte dos Estados, foi apontada por 22,2% dos municípios. Em seguida foram apontadas como críticas: a falta de capacitação em 9,6%; a ausência de parceria entre o Estado e os municípios em 8,2%; a falta de espaço físico para melhor desenvolvimento das ações em 5,8% e a fragilidade na estruturação das redes de proteção social em 4,8%.

Como sugestões mereceram destaque a ampliação do financiamento, dos recursos humanos e da rede de serviços. Capacitação de equipe técnica permanente foi apontada como sugestão em 48,1% dos municípios; a implantação de política de recursos humanos a partir da Norma Operacional Básica de Recursos Humanos (NOB/RH-Suas) foi sugerida por

15,4% dos municípios; aumento dos recursos financeiros para desenvolvimento das ações em 14,4% dos municípios; ampliação do número de Cras e de programas socioassistenciais em 20,2%; ampliação de parcerias em 9,6%; fortalecimento da rede de proteção socioassistencial (PSB e PSE) em 18,7%; e maior apoio dos gestores estaduais e federal em 9,1%.

Merecem realce do que foi apontado pelos municípios, tanto no que se refere a aspectos facilitadores e limitantes como em relação às críticas e sugestões, as questões relativas aos recursos humanos, ao financiamento e à fragilidade da rede socioassistencial, aspectos esses centrais para a implantação e implementação do Suas.

3.2 Conclusão

Ao pontuar observações de caráter conclusivo acerca dos dados coletados pela pesquisa na internet sobre o processo de implantação e implementação do Suas nos municípios brasileiros, destaca-se inicialmente que se trata de um processo permeado por mudanças no plano teórico-normativo, na forma de organização e estruturação dos serviços socioassistenciais, bem como nos mecanismos de gerenciamento e controle da PNAS. Tais mudanças, embora tenham como fundamento as normativas legais que estabelecem diretrizes e princípios que disciplinam a Política, estão inscritas na atual dinâmica de organização e gestão das políticas sociais.

A pesquisa mostrou que a implantação do Suas vem conferindo uma expansão dos serviços ofertados pela PNAS, com maior visibilidade da Política no âmbito dos municípios. Contudo, nessa dinâmica precisam ser pontuadas algumas questões, tais como:

- A despeito do empenho na institucionalização da Política, as informações coletadas expressaram dificuldades na estruturação do Suas nos municípios. Essas dificuldades foram identificadas desde o processo de implantação efetuado predominantemente de maneira formal, para atender a requisitos legais, pautando-se em apresentação e análise de documentação, até a estruturação das unidades Cras e Creas e organização dos serviços. Constatamos a premência que levou a improvisos e adaptações nesse processo de estruturação, denotando a dificuldade de superação da prevalência de uma cultura política atrasada que historicamente tem associado a Assistência Social a uma prática não institucional. Todavia, entendemos que esse aspecto precisa ser objeto de aprofundamento em outros estudos.

- O financiamento das instâncias estaduais, via de regra, limita-se a capacitações de pessoal e ao desenvolvimento de ações pontuais, raramente sistemáticas de supervisão e acompanhamento da PNAS nos municípios. Quanto ao financiamento dos municípios, em geral, destina-se, sobretudo, à manutenção da estrutura de funcionamento da gestão, ficando o financiamento das ações específicas da Política quase que exclusivamente dependente de recursos federais. Isto denota, além da pouca preparação para a implantação do Suas, as más condições de funcionamento dos Cras e Creas pela dificuldade de investimento de recursos para a implementação do Suas conforme estabelecem as normativas que regem a Política. Essa situação indica uma dinâmica em que a necessidade legal da implementação do Suas conflita com a dificuldade de priorização, criação e organização de uma estrutura e de condições compatíveis com a sua operacionalização.
- Mereceu destaque na pesquisa o papel dos Cras e Creas na dinâmica da Política nos municípios. As informações registraram que essas unidades, particularmente os Cras, apesar de sua centralidade e significância no âmbito do Suas, pelo espaço físico insuficiente, pelas adaptações nem sempre satisfatórias, pela dificuldade de mobiliário e equipamentos e, ainda em função das dificuldades vividas pela equipe técnica, apresentam capacidade limitada de atendimento das demandas geralmente direcionadas ao Programa Bolsa-Família, o qual assume centralidade nessas unidades. Nesse aspecto, as ações desenvolvidas nessas unidades encontram-se restritas ao atendimento rotineiro e às demandas espontâneas, revelando a dificuldade de proposição e ampliação

do atendimento. Ressalta-se que a trajetória de assistencialismo e filantropia ainda arraigadas nos municípios brasileiros tem se constituído num entrave à capacidade de construção de uma estrutura condizente com a implementação do Suas.

- As informações revelaram que ações de caráter político-organizativo não foram pontuadas como mecanismos de mobilização e participação no âmbito da Política. Prevaleceram, neste sentido, ações constitutivas da rotina do órgão gestor e das unidades Cras e Creas restritas às informações relativas à gestão da PNAS no município.
- A pesquisa expressou que, embora registrados avanços relevantes, sobretudo em relação à instituição dos mecanismos necessários à estruturação da Política, alguns desafios precisam ser enfrentados. Trata-se de desafios de compreensão do significado social e político da rede socioassistencial, visto que remete à relação público-privada como estratégia integrante da dinâmica das políticas sociais no atual contexto, bem como desafios na construção de mecanismos de participação dos denominados usuários na dinâmica da Política nos municípios, para além do acesso e utilização dos serviços.

Finalmente, destaca-se que certamente os resultados da pesquisa aqui apresentados expressam, às vezes, incompletude e até contradições em algumas respostas, o que atribui-se a dificuldades em formular respostas a algumas das questões solicitadas, seja pela extensão do questionário ou pelo pouco domínio sobre a Política e sobre a legislação pertinente, em alguns casos. Entendemos que essa constatação revela também a diversidade da dinâmica de implantação do Suas nos municípios brasileiros, aliás heterogêneos na sua realidade econômica, política e social e no estágio de desenvolvimento da PNAS no Brasil.

CAPÍTULO 4

Resultados da pesquisa empírica sobre implantação e implementação do Suas nas regiões

4.1 Introdução

Na pesquisa que ora se apresenta evidenciou-se que o Sistema Único de Assistência Social (Suas) configura-se nacionalmente enquanto um processo aberto, coletivo, contraditório e tenso, concretizando-se em diferentes ritmos, estratégias, concepções, a partir de múltiplos determinantes que influenciam seu desenho e configuração.

As realidades concretas, objetos do presente estudo, apontam nos seus processos particulares, dimensões de um movimento que é nacional, em que pese as assimetrias do processo de implantação em contextos socioterritoriais diversos. Esses modos de *fazer acontecer* o Suas explicitam a existência de uma dinâmica econômica, sociopolítica e cultural permeada de possibilidades, contradições, limites e desafios. Mas, é essa mesma dinâmica que expressa inúmeros avanços, conquistas e potencialidades para a consolidação da Política de Assistência Social enquanto política pública de Estado, de direção universal e garantidora de proteção socioassistencial não contributiva.

Importa registrar que não houve a pretensão de abordar a totalidade dos elementos colhidos no processo de investigação, especialmente considerando a amplitude e diversidade de aspectos que foram sendo revelados pelos sujeitos através dos diferentes instrumentos de coleta de informações. Também foram mantidas as formas de estruturação, priorizações e os estilos linguísticos que caracterizam cada um dos textos elaborados pelas diferentes equipes regionais de pesquisadores, a partir das referências teórico-metodológicas construídas coletivamente. Assim, a opção foi por estruturar uma abordagem teórico-analítica que respondesse aos objetivos gerais predefinidos pelo projeto de pesquisa, aliada ao compromisso de evidenciar os aspectos que mais se sobressaíram na realidade concreta investigada.

O Suas é, pois, uma realidade em movimento com ritmos e alcances heterogêneos. Sua implementação integra um processo dinâmico que se instala nos municípios e estados brasileiros, introduzindo deslocamentos e mudanças significativas nas referências conceituais, na estrutura organizativa e na lógica de gestão e controle público das ações na área. Reafirmam-se princípios e diretrizes contidos na Loas, entre eles a prioridade de atendimento a necessidades humanas e sociais, a universalização dos direitos sociais e do acesso a benefícios e serviços de qualidade a todos os que necessitarem, o respeito à dignidade do cidadão, à sua autonomia, o direito à convivência familiar e comunitária, à igualdade de direitos e à dimensão pública do atendimento. Mantêm-se as diretrizes de descentralização político-administrativa, da participação popular, da primazia da responsabilidade do Estado na condução da política de assistência social.

Na conjuntura sociopolítica da segunda metade dos anos de 1990, contexto em que se deu a operacionalização da Loas, muitas dessas diretrizes não tiveram condições objetivas e subjetivas de serem implementadas dado o caráter da (contra)reforma do Estado brasileiro (BHERING, 2003) que afetou a reestruturação da política de assistência social em meio à reorganização ministerial, extinção e remanejamento de órgãos da administração federal, além da criação de estruturas paralelas como o Programa Comunidade Solidária,[3] que reforçaram a associação entre assistência social e *solidarismo voluntário*.

---

3. O Programa Comunidade Solidária foi criado pela Medida Provisória n. 813, de 1/1/1995, reiterando o caminho neoliberal para a política social. Esta medida, que extingue o Ministério do Bem-Estar Social, a Legião Brasileira de Assistência — LBA e o Centro Brasileiro para a Infância e

Mesmo no âmbito da assistência social, que desde o seu nascedouro divide com organizações privadas a execução de programas e serviços assistenciais, a ambiência neoliberal que orientou o Projeto de Reforma do Aparelho de Estado no Brasil (Mare) (BRASIL, 1995) reforçou os mecanismos já tradicionais de intermediação da prestação de serviços assistenciais por meio da concessão estatal do financiamento via subvenções e convênios com entidades de assistência social e organizações não governamentais em geral além dos contratos de gestão com organizações sociais (O.S.). A necessária primazia do Estado, nas três esferas de poder, que deveria levar adiante o redesenho da assistência social segundo princípios e diretrizes da Loas, não apenas não se efetivou, como a reforma gerencial do Estado ampliou ainda mais a presença das grandes instituições assistenciais na barganha pelo acesso ao fundo público, ao largo dos mecanismos de controle social democrático, de conselhos, conferências e demais fóruns de defesa da Loas, que apenas iniciavam a sua implantação.

Uma incursão à residual e desarticulada forma de gestão da Assistência Social que caracterizou o governo FHC coloca em evidência as dificuldades enfrentadas nesse processo, revelando as contradições e incompatibilidades entre ajustes estruturais da economia e investimentos sociais de um Estado que se adequava à ambiência neoliberal. Este *aggiornamento* não se fez sem resistências, oriundas sobretudo da articulação consistente de fóruns de Assistência Social que se espraiavam com capilaridade em todo o país, e promoviam sustentação política para a defesa da Assistência Social como política pública de direito.

É somente com a aprovação da Política Nacional de Assistência Social, após amplo debate nacional, em outubro de 2004, que entra em vigor o efetivo (re)desenho desta política, na perspectiva de implementação do Sistema Único de Assistência Social (Suas) —, que vai criar uma nova arquitetura institucional e ético-política para a Assistência Social brasileira,

---

Adolescência — CBIA sem uma proposta clara de reordenamento de seus serviços, fragmenta as ações da assistência social em vários Ministérios e traz a ideia de que o Estado deve partilhar com a sociedade ações no campo da proteção social, cabendo à família, à comunidade, às organizações não governamentais, ao voluntariado e à iniciativa privada empresarial, significativa participação no processo de provisão social.

instaurando um novo modo de gestão compartilhada, onde a articulação entre as três esferas de governo constitui-se em elemento fundamental para a realização dos direitos socioassistenciais.

Nesse sentido, o conhecimento de como vem se efetivando em âmbito nacional o processo de implantação e implementação desse sistema único, tendo em vista dimensionar possíveis contribuições, entraves e dificuldades para o avanço da Política de Assistência Social no Brasil, configurou-se como objetivo central desse estudo.

Conforme indicado no Capítulo introdutório desse livro, a proposta metodológica da investigação recorreu, entre outros instrumentos, à pesquisa empírica em 7 Estados selecionados intencionalmente em diferentes regiões geográficas do país: um Estado da Região Norte (Pará); dois Estados da Região Nordeste (Pernambuco e Maranhão); dois Estados da Região Sudeste (São Paulo e Minas Gerais) e dois Estados da Região Sul (Rio Grande do Sul e Paraná). No conjunto dos 7 Estados foram selecionados, intencionalmente, 41 Municípios,[4] que apresentam características e dinâmicas econômicas, sociopolíticas e culturais permeadas de contradições, possibilidades, limites e desafios que interferiram em seu próprio modo de fazer acontecer o Suas.

Uma primeira constatação na leitura dos dados[5] refere-se à convivência no país de realidades extremamente diversas do ponto de vista da concentração populacional e da extensão dos territórios.

---

4. Os municípios selecionados foram os seguintes: *Região Norte* — no Estado do Pará: Belém, Castanhal, Paragominas, São João de Pirabas, Tomé-Açu e Ulianópolis; *Região Nordeste* — no Estado do Maranhão: São Luís, Caxias, Chapadinha, Morros, Poção de Pedras e Vargem Grande; em Pernambuco: Recife, Caruaru, Carpina, São Caetano, Tamandaré e Tracunhaém; *Região Sudeste* — em Minas Gerais: Belo Horizonte, Carbonita, Congonhas, Coronel Fabriciano, Janaúba, e Limeira do Oeste; em São Paulo: Nova Canaã Paulista, Guareí, Mongaguá, Batatais, Sumaré, Santo André e São Paulo; na *Região Sul* — no Paraná: Curitiba, Arapongas, Cerro Azul, Ibiporã e Londrina; no Rio Grande do Sul: Porto Alegre, Bento Gonçalves, Butiá, Farroupilha e Sanaduva.

5. Agradecemos a colaboração dos pesquisadores da CEDEPE-PUCSP (ex-IEE), Carola Carbajal Arregui e Vergílio Alfredo dos Santos, pela pesquisa e sistematização de dados sobre os municípios da amostra deste estudo, embora não tenhamos incorporado no texto a integralidade das tabelas por eles elaboradas. As tabelas e quadro apresentados no anexo 1 da 5ª edição do livro foram elaboradas com a participação direta de Kádila Morais de Abreu, Bibliotecária, bolsista de nível superior do CNPq, atuando no Grupo de Avaliação e Estudo da Pobreza e de Políticas direcionadas à Pobreza

Segundo a PNAS (BRASIL, 2005), quase a metade da população brasileira vive em dois contextos extremamente opostos em termos de concentração populacional[6] — ou grandes metrópoles ou cidades de pequeno porte, o que deriva em acessos diferenciados aos bens e serviços presentes nas malhas urbanas. Paralelamente, a presença de grandes extensões territoriais e de populações rurais, ribeirinhas, quilombolas e indígenas gera um nível de diferenciação e complexidade da questão social, que necessita ser contemplado nos processos de planejamento das políticas públicas e especialmente na implantação e implementação do Suas e dos Centros de Referência de Assistência Social no território nacional.

Do ponto de vista dos processos de urbanização dos municípios da pesquisa é possível constatar que:[7]

- Nas regiões Norte e Nordeste, na metade dos municípios estudados, a taxa de urbanização está abaixo das médias regionais, havendo casos em que os dados permitem inferir a forte presença de áreas rurais;
- Nas regiões Sul e Sudeste, é possível observar municípios que estão abaixo das médias regionais, mas a sua incidência é menor, se comparado com as outras regiões;
- No entanto, independentemente da região, no geral, a taxa de urbanização tende a aumentar conforme cresce o porte dos muni-

(www.gaepp.ufma.br) da Universidade Federal do Maranhão, sob a orientação da Profa. Dra. Maria Ozanira da Silva Silva (UFMA).

6. Segundo a PNAS, 20% da população brasileira está situada em apenas 15 cidades (consideradas metrópoles com mais de 900 mil habitantes), enquanto outros 20% estão alocados em 4.020 municípios considerados de pequeno porte (com até 20 mil habitantes) (PNAS, 2005).

7. Os dados relativos aos municípios foram construídos a partir do Atlas de Desenvolvimento Social do PNUD (2000), do GeoSuas/MDS (2006) e do Perfil dos Municípios do IBGE (2008). Importante salientar que, no geral, os dados socioeconômicos municipais, presentes nos bancos citados, são estruturados com informações coletadas no último censo no Brasil, realizado pelo IBGE, em 2000. Os dados relativos ao Brasil, às grandes regiões e às unidades da federação foram levantados nos relatórios e bases de dados do IBGE, a partir das PNADs (Pesquisas Nacionais de Amostra por Domicílios) realizadas pelo IBGE, em 2007 e 2008. O censo a ser realizado, em 2010, com certeza será de vital importância para a atualização dos dados municipais, revelando as especificidades das cidades brasileiras em relação às tendências nacionais e regionais, já captadas pelas PNADs ao longo da última década.

cípios. Note-se que as cidades com menor concentração populacional são as que apresentam as taxas mais baixas de urbanização.

A análise dos dados dos municípios da pesquisa revela uma gama de vulnerabilidades sociais presentes nas famílias e territórios, que expressa uma lógica de *produção social do espaço* que ultrapassa a Política de Assistência Social e mesmo o governo local, que precisam ser consideradas pelas equipes gestoras no processo de implantar e implementar os Cras e Creas e outras estratégias de proteção social básica e especial.

Retomando ponderações já realizadas, é importante destacar aqui a ideia dos *territórios vulneráveis* como constitutivos das expressões da questão social contemporânea, desafiando o conjunto dos sujeitos sociais comprometidos com a efetivação dos direitos de cidadania, à superação de inúmeras dificuldades impressas na dinâmica inter e intraterritorial.

A título de ilustração, se considerarmos apenas o indicador de trabalho infantil entre crianças de 10 a 14 anos, é possível constatar que, em 22% do total dos municípios estudados, o trabalho infantil chegava a ter uma incidência de dois dígitos percentuais. Desse total de municípios, a maioria são cidades de pequeno porte 1 (sete de um total de nove). Quando olhamos a realidade dos nove municípios pesquisados que concentram maior proporção de trabalho infantil, é possível perceber que são cidades que, no geral, apresentam as menores taxas de urbanização e as maiores incidências de pessoas em situação de pobreza, ou seja, com renda *per capita* abaixo de meio salário mínimo.

Esta questão torna-se relevante para pensar os desenhos de intervenção da proteção social básica nos Cras desses municípios e a sua necessária articulação com a proteção social especial. A pesquisa revelou os maiores percentuais de trabalho infantil nas crianças de 10 a 14 anos, nas regiões sul e nordeste, e particularmente, nos municípios de Cerro Azul (32%) no Paraná e Chapadinha (24%) no Maranhão.

No que diz respeito às condições de vulnerabilidade das famílias, tomadas a partir do corte de renda da população, uma primeira análise dos municípios da pesquisa reafirma a tendência histórica de desigualdade socioeconômica entre as regiões do País. As regiões norte e nordeste são as que mais concentram número elevado de meio salário mínimo. Enquanto a média entre os percentuais de pessoas pobres nas cidades das Regiões Norte e Nordeste totaliza 50,58% e 62,79%, respectivamente; a média das regiões Sudeste e Sul representa 25,69% e 23,03%, respectivamente.

Consequentemente, nas regiões Norte e Nordeste há, também, alta concentração de crianças morando em condições de pobreza. Em quase 40% dos municípios a metade das crianças está em condição de extrema pobreza e em todos mais da metade da população até 14 anos vive em condição de pobreza. Juntando os municípios das duas regiões (Norte e Nordeste) é possível observar que sete dos dezoito municípios concentram mais de 70% das crianças de 0 a 14 anos com renda *per capita* até 1/2 salário mínimo.

Na Região Sudeste, 5 das 13 cidades estudadas possuem até 20% da população com renda *per capita* abaixo de meio salário mínimo. Já na região Sul essa proporção de pessoas pobres está presente em 7 dos 10 municípios pesquisados. Embora as regiões Sul e Sudeste apresentem melhor *performance* no indicador de renda, se comparada com as outras regiões, em quase 60% dos municípios, mais de um terço das crianças de até 14 anos está em condições de pobreza. E, inclusive, existem municípios, principalmente os de pequeno porte, que apresentam o mesmo patamar de pobreza na infância, detectado nas Regiões Norte e Nordeste.

É a partir da amplitude, diversidade e complexidade que caracterizam a realidade social brasileira, evidenciada apenas parcialmente pelos dados apresentados, que vamos encontrar o solo matrizador de diferentes modos de *fazer acontecer* o Suas, expressos nas análises e problematizações dos resultados da pesquisa empírica realizada nas Regiões Norte e Nordeste, Região Sudeste e Região Sul, apresentadas a seguir.

Referência

BEHRING, E. R. *Brasil em contra-reforma:* desestruturação do Estado e perda de direitos. São Paulo: Cortez, 2003.

4.2 Implantação e Implementação do Sistema Único de Assistência Social (Suas) nos estados do Pará, Maranhão e Pernambuco: uma análise dos resultados de pesquisa empírica

*Cleonice Correia Araújo**
*Maria Eunice Ferreira Damasceno Pereira***
*Maria Virgínia Moreira Guilhon****
*Salviana de Maria Pastor Santos Sousa*****

4.2.1 Introdução

Este item contém uma análise do processo de implantação e implementação do Suas em municípios dos Estados das regiões Norte e Nordeste (Pará, Maranhão e Pernambuco)[1] com base em estudo de campo realizado, conforme proposta metodológica e critérios expostos na introdução deste livro. Nesse sentido, foram considerados espaços do processo investigativo as Secretarias Estaduais e Municipais de Assistência Social ou equivalentes, além de Cras e Creas, sendo que as informações foram colhidas mediante observação de campo, entrevistas semiestrutu-

* Doutora em Políticas Públicas pela UFMA. Professora do Departamento de Serviço Social da UFMA. Membro do Gaepp (Grupo de Estudo e Avaliação da Pobreza e das Políticas Direcionadas à Pobreza), *e-mail*: <cleo. araujo.as@hotmail.com>.

** Doutora em Economia Aplicada pela Universidade Estadual de Campinas. Professora do Departamento de Serviço Social e do Programa de Pós-graduação em Políticas Públicas da UFMA. Membro do Gaepp (Grupo de Estudo e Avaliação da Pobreza e das Políticas Direcionadas à Pobreza). <www.gaepp.ufma.br>, *e-mail*: <eunice@elo.com.br>.

*** Doutora em Economia Aplicada pela Universidade Estadual de Campinas. Professora aposentada do Departamento de Serviço Social. Membro do Gaepp (Grupo de Estudo e Avaliação da Pobreza e das Políticas Direcionadas à Pobreza). <www.gaepp.ufma.br>, *e-mail*: <aguilhon@oi.com.br>.

**** Doutora em Políticas Públicas pela UFMA. Professora do Departamento de Serviço Social e do Programa de Pós-graduação em Políticas Públicas da Universidade Federal do Maranhão. Membro do Gaepp (Grupo de Estudo e Avaliação da Pobreza e das Políticas Direcionadas à Pobreza). <www.gaepp.ufma.br>, *e-mail*: <salvi200@globo.com>.

1. Região Norte — Pará: Belém, Paragominas, São João de Pirabas, Castanhal, Tomé-Açu e Ulianópolis; Região Nordeste — Maranhão: São Luís, Morros, Chapadinha, Vargem Grande, Poção de Pedras e Caxias; e Pernambuco: Recife, São Caetano, Caruaru, Carpina, Tamandaré e Tracunhaém.

radas com os gestores e debates nos grupos focais com a participação de Conselheiros, Técnicos da Secretarias, dos Cras e dos Creas.

A pesquisa nessas regiões foi desenvolvida sob a responsabilidade da Universidade Federal do Maranhão e coordenação da profa. dra. Maria Ozanira da Silva e Silva. Foi executada por professoras e alunas pesquisadoras do Gaepp, com a participação de alunas de Pós-Graduação da Universidade Federal do Pará.[2]

Considerando que os resultados expostos neste item têm como referência informações levantadas no momento inicial de implantação do Suas, é possível que mudanças tenham ocorrido nas próprias unidades privilegiadas na pesquisa e na perspectiva dos informantes. Nesse sentido, coloca-se a necessidade de relativizar o teor de algumas análises e de desenvolver novos estudos acerca da temática.

4.2.2 Perfil dos Sujeitos Sociais da Política de Assistência Social

Para efeito da sistematização das informações contidas neste item são considerados sujeitos sociais da PNAS: a) gestores; b) técnicos; c) usuários; e conselheiros.

Os gestores são (os) secretárias (os) estaduais e municipais. Trata-se de um grupo predominantemente feminino (nesse grupo registraram-se, no momento da pesquisa, apenas duas pessoas do sexo masculino, no Estado de Pernambuco). A formação profissional é diversificada, destacando-se: assistentes sociais, administradores, advogados, estudante de matemática, médicos, pedagogos.

Entre os participantes desse grupo foram identificados esposas de prefeitos e, secundariamente, irmãs ou outras pessoas de sua relação de

2. Professoras doutoras: Cleonice Correia Araújo, Maria Eunice Ferreira Damasceno Pereira, Maria Virgínia Moreira Guilhon e Salviana de Maria Pastor Santos Sousa; Assistente Social e mestre em Políticas Públicas: Ângela Maria da Silva Lopes; aluna de Graduação em Serviço Social da UFMA: Jozeth Marya de Andrade Silva e alunas do Mestrado Serviço Social da UFPA: Fábia Jaqueline Miranda, Antonia Cardoso dos Santos e Maria Cristina Rodrigues de Sousa.

Apoios à pesquisa de campo: Profa. dra. Maria José Barbosa e prof. dr. Carlos Maciel (UFPA): Assistente social: Célia Borges (Fundação Papa João XXIII — Funpapa); Equipes técnicas das Secretarias de Desenvolvimento Social de Pernambuco e do Maranhão.

parentesco e afetividade, o que permite afirmar que o nepotismo[3] e o primeiro-damismo permanecem como traços da Política Social de Assistência no Brasil.

Particularmente, com relação ao primeiro-damismo, verificou-se que é um traço que permanece no contexto da PNAS, sendo que as primeiras-damas atuais procuram qualificar-se para o exercício da função administrativa ou empenhar-se em conhecer a Política para se legitimar frente aos técnicos e à população. Segundo Sposati (2002, p. 12), além de incompatível com a noção republicana de cidadania "[...] trata-se da prevalência da cultura do patriarcado, presente na sociedade brasileira, já que o título de primeira-dama é eminentemente feminino."

As primeiras-damas que compõem o quadro de gestoras entrevistadas questionam as críticas e resistências à sua presença e vêm empreendendo luta no sentido de assegurar e legitimar sua continuidade de forma qualificada no campo da Política de Assistência Social. No debate nacional, e para muitos entrevistados considerados na pesquisa, a permanência do primeiro-damismo nesse âmbito é questionável sob o fundamento da necessidade de ruptura com o perfil clientelista e assistencialista que essa Política assumiu ao longo da sua história.[4]

Com relação aos técnicos, aqui considerados como o segundo grupo de sujeitos sociais, verificou-se que, com a instituição do Suas, houve uma discreta mudança no seu perfil histórico, em que predominava o gênero feminino e o profissional de Serviço Social. De fato, já se destacam profissionais do gênero masculino e de diferentes áreas, devendo-se pontuar

---

3. O termo nepotismo tem origem no latim *nepote*: neto, sobrinho ou descendente, com o sufixo *ismo*: ação. Dessa forma, pode ser definido como favoritismo de parentes na ocupação de cargos comissionados. A condenação dessa prática tem suporte no art. 37 da Carta de 1988 (redação dada pela Emenda Constitucional n. 19, de 1998), que define: "A administração pública direta e indireta de qualquer dos poderes da União, dos Estados, do Distrito Federal e dos municípios obedecerá aos princípios de legalidade, impessoalidade, moralidade, publicidade e eficiência e, também, ao seguinte. Fica subentendido que a Administração Pública deve pautar-se nos princípios da moralidade, exigindo comportamento honesto e ético dos agentes públicos (*Sobre Súmula Vinculante*, n. 13).

4. A posição majoritária, nesse sentido, em contraposição ao entendimento dessas gestoras, é que essa Política não deve se constituir em campo privilegiado de ação das esposas dos dirigentes políticos. Assim, à pergunta "Por que outras pessoas podem ser gestoras e não a esposa do prefeito?" (Gestora do Pará) colocam-se: "Por que na Assistência Social e não em outras Políticas?" (Grupo Focal do Pará).

a presença dos profissionais responsáveis pelos sistemas de informação, função estratégica na operacionalização do Suas.

Quanto aos usuários, embora as normativas do Suas definam a família como foco de atenção da Política, esta instituição aparece nos Cras representada predominantemente, por mulheres em situação de pobreza. São as mulheres, portanto, que sintetizam a exclusão do acesso aos bens e serviços socialmente produzidos e a dificuldade de reprodução de necessidades básicas e dos problemas vivenciados pela família.

Os usuários mais jovens tendem a associar a desesperança decorrente da ausência de alternativas de trabalho nos municípios à compreensão de que vivenciam uma exclusão digital crescente, o que dificulta a possibilidade de competição pelos postos de trabalho existentes em mercados cada vez mais orientados por novas tecnologias de informação e de comunicação. Deve-se destacar, porém, que a baixa escolarização ainda é um dos principais determinantes desse processo, o que reforça a premência de uma intervenção mais qualificada e inclusiva no campo da Educação.

Os conselhos foram identificados em todos os estados e municípios pesquisados, estruturados em cumprimento às normativas do Suas. Sua composição é paritária, embora essa paridade se expresse mais pela lógica quantitativa do que qualitativa, na medida em que se verifica um descompasso em relação ao conhecimento da Política, sobretudo por parte dos representantes da sociedade civil, em geral, com menor acesso às informações. Essa falta de domínio das informações pode ser considerada um dos principais fatores responsáveis pela incapacidade de argumentação ou da fácil cooptação de conselheiros no processo de deliberação. Tal fato redunda em tomada de decisões de forma unilateral pelos representantes da burocracia governamental, o que coloca em xeque a atual forma de gestão pública instituída no país que se propõe balizada na chamada democracia participativa.

Outros aspectos que se destacam no perfil dos Conselhos é a indicação de representantes feita pela própria burocracia municipal, o fato de alguns conselheiros serem membros de entidades conveniadas que recebem recursos federais na rede prestadora de serviços e a participação dos mesmos representantes em vários Conselhos. Essa última situação, com a justificativa de que as normativas das diferentes políticas impõem a criação dessas instâncias de controle social em todas as áreas. Todos esses elementos apontam para a fragilidade do processo organizativo nos municípios pesquisados.

4.2.3 Sobre o Suas e o papel do gestor: a ótica dos dirigentes

O principal suporte para a construção desse subitem é a opinião dos gestores e gestoras colhida através de entrevistas semiestruturadas. No que diz respeito à natureza da PNAS, os entrevistados entendem ser esta uma política articuladora, de grande abrangência, mas que demanda um recorte mais bem definido. A ausência ou alargamento do foco de intervenção, de certa maneira, desorienta a prática profissional, já restringida por outros obstáculos estruturais como quadro reduzido de pessoal, baixos salários dos profissionais, cultura política com acentuado traço patrimonialista e, especialmente, recursos limitados em relação à fruição das demandas.

A maioria dos gestores tem certa compreensão da Política e dos obstáculos para sua operacionalização (apenas uma gestora de um município de Pernambuco manifestou total desconhecimento dessas diretrizes).[5]

Parte dos entrevistados entende que a tônica das gestões anteriores ao Suas era o assistencialismo. A transição que se efetiva, no momento, implica em mudança cultural, o que é difícil, sendo que a essência do processo de gestão é administrar essa transição e, ao mesmo tempo, participar de um processo de capacitação continuada: "porque se você não tem gestores da Assistência Social falando a mesma linguagem, você não consegue avançar"(Gestora — PA).

Para vários gestores, uma política deixa de ser ação de governo e passa a medida estatal, quando há um reconhecimento público da relevância dos seus princípios, o que ainda não ocorre com a PNAS, que apresenta fragilidades. Tais fragilidades são, por alguns, atribuídas ao

---

5. Tal fato serviu para ressaltar o papel relevante desempenhado pelo presidente do Conselho de Assistência Social que conseguiu dar forma a uma narrativa sobre a gestão municipal para responder as questões formuladas na pesquisa.

momento inicial do processo de implementação, razão pela qual visualizam no Suas grande potencial no sentido de ampliação dos direitos:

> Claro que esse processo não é nada fácil. Quem teve a oportunidade de acompanhar o que tem sido o caminho do SUS, na área da saúde, sabe que as Leis Orgânicas da Saúde foram elaboradas logo após aprovação da Constituição. Então o caminhar, o movimento dos gestores foi muito mais vibrante e, ao mesmo tempo, atuante, os gestores municipais especialmente. Mas, mesmo assim, ainda há lacunas muito evidentes nessa relação das três esferas do governo. E a esfera estadual é a que ainda não conseguiu, de fato, se reconhecer dentro do processo. Então, não vamos estranhar que na área da Assistência Social também não possa existir esse mesmo fenômeno que aconteceu na saúde, em termos de avanços e recuos e encontre em algum momento histórico, condições de dar grandes saltos. Eu acho que, nesse aspecto, na Política de Assistência Social existe um movimento efervescente das três esferas de governo e isso pode significar avanços (Gestor — PE).

Para outros, essa frágil institucionalidade da PNAS decorre da contraposição desses novos princípios à cultura política dos municípios com a, ainda, forte presença de traços históricos que configuram um modelo de sociedade patriarcal: clientelismo, mandonismo, assistencialismo. Uma situação que, segundo depoimento, é passível de mudanças.

> Acho que a PNAS ao se tornar, de fato, uma Política Pública, favorece o início de uma discussão que vai alterando todo um conjunto de relações sociais, exigindo novas posturas. Assim, embora ainda persistam o clientelismo e o paternalismo, como traços culturais, estes vão sendo superados aos poucos [...] (Gestora — MA).

Os Benefícios Eventuais são tidos por muitos como um canal ainda utilizado para manter o vínculo com a forma tradicional de exercício da política e sua regulamentação é o primeiro passo para romper com esse movimento:[6]

---

6. Conforme definido na Loas (art. 22), o CNAS (por meio da Resolução n. 212/2006) e a União (por meio do Decreto n. 6.307/2007) estabeleceram critérios orientadores para a regulamentação da provisão de benefícios eventuais para municípios, estados e D. F., no âmbito da PNAS.

> Eu acho que a regulamentação dos Benefícios Eventuais vai contribuir para a superação dessa forma de atender as necessidades da população, na medida em que as pessoas vão tomando conhecimento de que a assistência é um direito que tem critérios claros e transparentes que pode ser acessada e se não forem atendidas podem recorrer à justiça (Gestora — MA).

De fato, os Benefícios Eventuais não têm assumido relevância na trajetória dos debates acerca das ações socioassistenciais. Sua implementação nos estados e municípios pesquisados é marcada pela provisoriedade, incompletude, ausência de planejamento, indefinição de recursos específicos, diversidade nas formas de atendimento e a presença persistente do assistencialismo e a sua utilização para fins eleitoreiros, o que pode ser reforçado pela própria terminologia adotada que remete à ideia de favor.

O favor, como lembra Oliveira (2001), é elástico, podendo ser ampliado ou restringido a critério dos que o manuseiam. De fato, a mediação do acesso efetuada pelo dirigente político, dissociada da publicização dos critérios adotados para sua concessão, consolida a relação patrimonial de ajuda que se contrapõe ao direito e associa de forma personalista o dirigente à garantia do benefício desconfigurando o caráter público da Política.

Ainda a respeito da configuração do Suas, os gestores compreendem que seu processo de implementação pressupõe um acordo federativo, com a demarcação de competências e responsabilidades dos três entes governativos e deve se concretizar mediante um compartilhamento de funções envolvendo funcionários do governo e representações da sociedade.

> Então, o apoio que o governo federal tem dado para o fortalecimento dos municípios e das entidades também de representação de gestores municipais é algo importante a ser valorizado para o fortalecimento do Suas. A esfera estadual ainda vive momentos de indefinição de clareza sobre o seu papel, concepção de coordenação de política da esfera estadual, entendimento do que significa apoio técnico, estar junto para fortalecer os municípios, assumir cada vez mais as atribuições, que são definidas com clareza na Consti-

> tuição, na Lei Orgânica da Assistência Social e, ao mesmo tempo, o apoio financeiro para que isso possa acontecer. A esfera estadual, até agora não conseguiu dar respostas (Gestor — PE).

> Os desafios é que esta Política não continuará o seu avanço se a esfera estadual não tomar juízo e efetivamente entender o seu papel histórico para fazer implantar esse sistema. Para isso é preciso qualificar pessoal com essa compreensão. A União deve cumprir sua função, da mesma forma os estados e os municípios. Aos dirigentes federais e municipais não basta estar apoiando, ficar burocraticamente centrados, mas se aproximar e resolver os problemas do município. Dialogar politicamente com os municípios para fazer avançar a Política (Gestora — PA).

Também está explícito ou subliminar em diferentes narrativas que uma nova forma de gestão pública balizada no princípio da participação coletiva demanda sujeitos ativos e propositivos, capazes de questionar não só a natureza dos núcleos internos de gestão governamental, mas também suas decisões.

> Do ponto de vista dos órgãos de participação direta são vários os mecanismos que caracterizam a atual gestão. Nós temos um movimento que abrange a todo o conjunto da sociedade e de todos os órgãos de governo, que é o movimento chamado orçamento participativo. Cada ano que passa tem um aperfeiçoamento, e cada ano, um maior número de pessoas se envolve ativamente para definir suas prioridades. Depois, dentro do próprio instrumento do orçamento participativo, tem os fóruns temáticos. Um deles é o Fórum da Assistência Social, que também aprofunda a temática e tem um funcionamento permanente de acompanhamento. É aquele Fórum que integra o conjunto do orçamento, mas também o conjunto do planejamento do município nessa lógica de participação direta (Gestor — PE).

Outro elemento também destacado como relevante e desafiante pelos entrevistados foi o desenvolvimento de um processo de gestão de caráter intersetorial. Isto porque a complementaridade das ações da PNAS na perspectiva de atendimento integral à população demanda uma intensa articulação com outras Políticas.

Os dados da pesquisa mostram que a intersetorialidade ainda não é efetivada no âmbito da política como é preconizada na NOB-Suas. Foram identificadas nos Estados e municípios pesquisados duas situações diferenciadas. Na primeira, há um esforço de reprodução do discurso oficial da importância dessa forma de gestão pública, mas este não corresponde a uma prática que busque viabilizar esse discurso. Nesse caso, a intersetorialidade não se coaduna com o que é preconizado pelo Suas. Ao contrário, é confundida com uma relação de cooperação entre gestores de diferentes Secretarias em razão de afinidades político-partidárias.

Na segunda situação, técnicos e gestores compreendem a importância de uma prática intersetorial e até desenvolvem esforços nesse sentido (instalação de fóruns, câmaras setoriais, estabelecimento de protocolos).

> Nesse sentido, nesse Estado só agora conseguimos criar o que denominamos de Câmara Intersetorial, que é a articulação de todas as Políticas Públicas, a partir de agenda comum. A câmara se desdobra em grupos setoriais para a execução articulada, respeitando a particularidade de cada área (Gestora — MA).

Contudo, na maioria dos casos, essa forma de gestão de caráter intersetorial não se concretiza em razão de obstáculos como a falta de discussão para definição de responsabilidades e atribuições por parte dos diferentes sujeitos envolvidos; personalismo existente nas ações públicas e a própria forma histórica de organização dos serviços públicos com arquitetura setorializada.

Porém, a despeito de todos os problemas, os gestores consideram o Suas como um avanço. E o importante é enfrentar os desafios postos pela realidade.

> [...] Pra mim o avanço foi a institucionalização do Suas. Agora o desafio que está colocado é como você universaliza a Política da Assistência Social pra que qualquer cidadão entenda o Suas como entende o SUS. Porque quando você deparar com qualquer cidadão que entende o que é Suas, o que é Cras, o que é Creas, passa a ficar numa linguagem comum. [...]. Talvez essa linguagem dos Assistentes Sociais, dos profissionais que atuam na área, para

quem está fora, ainda parece uma coisa obscura que precisa desse salto de qualidade. Então o limite que precisa ser colocado é dar esse salto de qualidade, é criar uma linguagem universal... (Gestora — MA).

4.2.4 O processo de implementação do SUAS

Neste item, são sistematizadas as principais elaborações discursivas dos entrevistados sobre as Diretrizes da Política e sobre a capacidade de gestão no âmbito do Suas. Em relação a este aspecto, é dado destaque ao financiamento da Política e aos sistemas de informação, de planejamento, de monitoramento e avaliação e de qualificação dos trabalhadores da política.

a) Diretrizes da política

A percepção dos gestores entrevistados é que a definição de prioridades no contexto da PNAS foi balizada por planejamento interno e com a participação de diferentes sujeitos sociais, inclusive conselheiros. A definição dessas diretrizes feita, com algum atraso, pode ser perfeitamente justificada dado o próprio momento inicial de implantação do Suas.

Então, na verdade, nós não planejamos as diretrizes. Claro que nós vamos trabalhar com as diretrizes estabelecidas pelo Suas. Tem um pacto de aprimoramento da gestão que foi elaborado, que nós ainda não aprofundamos. Essa elaboração, algumas pessoas que estão na Secretaria participaram, outras não, porque foi elaborado por outra equipe que tem uma nota técnica do MDS, dos ajustes que nós precisamos desenvolver. Nós estamos bem no começo. Se perguntar... é claro que a Política Nacional de Assistência Social tem um debate atrasado. Em relação ao Plano Estadual de Assistência Social, nós vamos começar agora essa discussão, porque anteriormente não tinha. Assim, em termos da Política de Assistência Social estamos bem atrasados. Eu acompanhei alguns estados [...]. Eu digo política estabelecida a partir de governo. Mas tem um debate na própria universidade, no próprio Conselho. Há uma atuação muito boa do Conselho, principalmente da sociedade civil, porque a representação governamental é mais nova (Gestora — PA).

As principais prioridades da PNAS apontadas pelos entrevistados são: coordenar a PNAS na perspectiva de consolidação do Suas; regulamentar os Benefícios Eventuais propostos pela Loas; mapear equipamentos sociais e identificar os serviços que estão sendo oferecidos; estruturar administrativamente as Regionais e a Segurança Alimentar e Nutricional; criar sistemas de informação e assessorar os municípios na elaboração dos Planos Municipais; criar condições para a implantação de serviços regionalizados de Proteção Social Especial, a partir de diagnósticos dos casos de violência, abuso e exploração sexual, drogadição e situação de rua; organizar e implementar sistemas informatizados, à semelhança do que acontece em nível federal; acompanhar de forma mais sistemática os municípios que apresentam maiores vulnerabilidades: com baixo IDH, que tenham comunidades indígenas e quilombolas, que sofrem impactos das hidrelétricas, de madeireiras, dentre outros.

b) Configuração do processo de gestão: mecanismos em construção

Financiamento

A inscrição da Assistência Social no contexto da Seguridade Social veio acompanhada da definição de formas de financiamento, em cada esfera de governo. O repasse de recursos para a execução da Política tem como suporte a participação efetiva dos Conselhos da área no processo de gestão e uma estreita articulação entre os três entes governativos, já que à ampliação do volume de recursos federais deve corresponder ao alargamento da participação do município e à concretização de transferências da esfera estadual ao Fundo Municipal.

> Tanto a Política quanto a NOB estabelecem que o cofinanciamento é responsabilidade das três esferas de governo como forma de romper uma trajetória histórica em que o governo não esteve presente nesse modelo de gestão. Essa tem que ser uma luta dessa gestão de sensibilizar os gestores para o fato de que cofinanciamento significa compartilhar, dividir e que a responsabilidade não é só do governo federal, é do estado e do município (Gestora — MA).

Nos Estados e Municípios pesquisados, ao contrário do que apregoa a legislação pertinente, a insuficiência de recursos e sua aplicação com base no marco legal apareceram sistematicamente nos debates com a justificativa de que se constituem em obstáculos à operacionalização da Política. Na substantivação dos debates três pontos apareceram com mais frequência.

O primeiro ponto identificado em todos os municípios, a ausência de cofinanciamento por parte da esfera estadual, pode ser explicado pelo teor da Norma Operacional Básica que, ao propor critérios de partilha de recursos, formas de pactuação e deliberação, não determina um percentual mínimo de transferência. Nesse sentido, a esfera estadual pode utilizar recursos em outras frentes, sem que o seu distanciamento criticável se constitua, propriamente, em um descumprimento da legislação em vigor, embora cause prejuízo no que diz respeito ao atendimento das demandas dos usuários do Sistema.

Outro ponto identificado como relevante é o próprio processo de alocação de recursos feito, em alguns municípios de forma intransparente pelas instâncias de pactuação. Tal fato é atribuído à pouca densidade dos Conselhos da área que exercem de forma frágil sua prerrogativa de controle social do processo de gestão.

O terceiro ponto relevante na discussão é o próprio processo de execução orçamentária e financeira que não funciona de forma adequada, o que é atribuído, na maioria das vezes, ao reduzido número de trabalhadores e à falta de capacitação dos que estão alocados no setor de planejamento e orçamento das Secretarias.

> A questão da administração dos recursos do Fundo da Assistência Social foi também considerada relevante. Em muitos municípios é o Prefeito e o Secretário de Finanças ou de Administração que são os gestores e não o Secretário de Assistência Social, o que é considerado uma distorção. "No município muitas vezes o secretário não é o gestor do fundo, em muitos municípios ainda é o prefeito e o secretário de finanças." (Gestora — PA).

Na problematização sobre a questão do financiamento, porém, o ponto de interseção entre todos os aspectos referidos é a pobreza dos usuários da Política, maior que a própria crueza representada pelos dados estatísticos referidos aos municípios, um contraponto da cidadania que a Política de Assistência Social, como eixo da Seguridade Social tenta recuperar no Brasil. Para tal pobreza histórica, trivializada e banalizada, os recursos disponíveis, muitas vezes escoados através de formas enviesadas tramadas na relação público/privado, são sempre inferiores à demanda.

Planejamento

Com base nos depoimentos dos entrevistados e na observação dos pesquisadores verificou-se o esforço de desenvolver esta função administrativa enquanto atividade regular:

> Nós fizemos um trabalho articulado [...] não foi um trabalho aberto para a base como um todo, mas foi bem participativo. Nesse sentido, a gente procurou buscar identificar as necessidades das bases, nos centros, a partir dos dados constantes do nosso Planejamento Operacional junto aos Cras e estes, por sua vez, levantaram demandas nas comunidades, e aí nós elaboramos o Plano Municipal que foi enviado para aprovação no Conselho (Gestora — PA).

> A Secretaria cumpre as funções de planejamento estratégico conjunto, controle e avaliação e tem mais um enfoque direcionado à Proteção Social Básica através da estruturação e funcionamento dos Cras [...] (Gestor — PE).

Para alguns, embora isso ocorra, ainda é uma função não desenvolvida de forma adequada

> [...] Mas, se você não se organiza pelo menos pra utilizar recurso federal, isso mostra a falta de planejamento pra fazer monitoramento. Na verdade não tem planejamento pra praticamente nada, pra monitorar, pra avaliar, pra acompanhar [...] (Grupo Focal — PA).

Isto porque os trabalhadores disponíveis são quadros reduzidos e ainda pouco qualificados:

> Porque na área de recursos humanos, a Secretaria tem problemas de deficiência de quadros que tenham uma visão já mais avançada [...]. (Gestora — PE)

Sabe-se, por outro lado que as dificuldades, nesse campo, são históricas e remontam a um modelo de gestão cujas características eram a autonomia e a independência de cada um dos níveis de governo, o que dificultava um planejamento integrado. O nível federal exercia forte influência, orientando ou mesmo definindo a estruturação desse campo, ao mesmo tempo em que os municípios não dispunham de condições e de meios financeiros e técnicos para enfrentar a função de planejar e executar ações assistenciais.

Essa herança histórica parece ainda repercutir no processo de implantação do Suas. Ademais, a maioria dos estados e municípios encontram-se ainda desprovidos de condições institucionais e administrativas para efetivar o planejamento. E como lembra Arretche (1996, p. 52), o processo de descentralização exige para sua concretização que se criem essas capacidades. Verificou-se que a maioria dos municípios não se encontrava, até o momento da pesquisa, capacitada para coletar informações, sistematizá-las e elaborar diagnósticos tecnicamente bem fundamentados, ações necessárias ao desenvolvimento do planejamento.

Um exemplo dessa dificuldade é que não foi construído, na maioria dos municípios, um perfil socioeconômico como base para o planejamento das ações, no caso da configuração dos Cras e Creas. Evidenciou-se que, de fato, como determina a Loas, estes estão localizados em áreas que congregam necessidades municipais mais urgentes: pobreza, desemprego, questão ambiental, violência urbana, abuso sexual e uso de drogas, porém, este acerto no foco não decorreu, necessariamente, de uma ação planejada mas do fato de se tratarem de municípios com grande incidência de pobreza e vulnerabilidade. Assim, os gestores só tiveram que optar pelas áreas consideradas *mais pobres entre as pobres*.

Da mesma forma, ainda não há um mapeamento e uma caracterização mais aprofundada da rede socioassistencial nos municípios. A articulação com essas redes é facilitada, sobretudo, por relações de cunho pessoal. Em alguns casos, essa *rede* ainda é muito reduzida.

Alguns gestores chegam a afirmar que não há orçamento para a Assistência Social no sentido de que não detêm as informações acerca do montante de recursos de que podem dispor. Isto é justificado pela dificuldade de definir o valor dos serviços prestados no âmbito dessa Política para viabilizar o planejamento das ações.

> Um elemento fundamental no processo de planejamento, que rebate no financiamento é o custo do serviço socioassistencial, até porque regionalmente os nossos custos são maiores. Tem-se que definir, por exemplo, quanto custa um parecer, pra poder garantir na hora que o juiz solicitar e perguntar quem vai ficar com a criança [...] quanto custa o atendimento do idoso que está na referência do BPC, mas que está indo pra o Cras [...]. Porque se não conseguirmos dizer quanto de recurso a gente precisa não dá para trabalhar na área [...] pressionar o cofinanciamento do Estado, do município (Gestora — PA).

Em síntese, os Planos Municipais são elaborados em cumprimento às normativas do Suas como requisito de acesso aos recursos federais. Nesse sentido, identifica-se que há esforços de estados e alguns municípios no processo de elaboração, porém, na maioria das vezes, tal plano é elaborado e orçado unilateral e formalmente pelo setor contábil da Prefeitura, o que torna difícil o acompanhamento e o controle dos gastos, tanto da Secretaria quanto do Conselho. Tal fato demonstra adoção de lógica incremental do planejamento,[7] uma tradição do processo de gestão no Brasil.

Monitoramento e avaliação

O Suas atribui ao monitoramento e à avaliação um sentido técnico e político, contrapondo-se à sua tradicional visão técnico-operacional onde eram entendidos como instrumentos formais de prestação de contas. Esse caráter político refere-se à possibilidade de incorporar a participação da sociedade civil no processo de gestão, rompendo com a ideia de que administração é "[...] mera oitiva do cidadão [...]" (BENTO, 2003, p. 225).

---

7. O planejamento incremental é referenciado no passado, apenas acrescentando ações, objetivos e recursos para garantir pequenos incrementos, acréscimos, no que já vinha sendo desenvolvido. Portanto, esse tipo de planejamento não se referencia nas necessidades postas e repostas na dinâmica da realidade nem considera as variáveis contextuais presentes na dinâmica da sociedade.

Na pesquisa foram encontrados municípios que se empenham em desenvolver o monitoramento e avaliação como processos sistemáticos:

> [...] O município e a Secretaria tiveram essa visão de colocar uma gerência de Vigilância Social [...] quando recebeu um Consultor do Ministério que visitou o município disse assim que ficou muito surpreso, porque tinha passado por muitos municípios e nenhum tinha tido a coragem, de colocar uma Gerência de Vigilância Social, em todos os municípios para tratar do Monitoramento e Avaliação [...] (Grupo Focal — PE).

Porém, na maioria dos casos, a despeito de os sujeitos expressarem uma compreensão alinhada com as diretrizes do Suas, verificou-se que a tentativa de ruptura com a visão tradicional ainda padece de limites. Mesmo no nível estadual, monitoramento e avaliação são incipientes e não existe setor específico para sua operacionalização, sendo que os dois mecanismos de gestão, geralmente, se confundem com supervisão. Em alguns casos, esses processos são terceirizados. Em outros, não apresentam regularidade, ficando restritos a ações pontuais e descontínuas.

Muitos atribuem esses limites impostos aos contratos de trabalho que desmotiva e reduz as equipes.

> O monitoramento foi discutido como um problema especial, considerado relevante no sentido de alcance dos fins objetivados. A ausência de estabilidade da equipe e sua rotatividade vêm dificultando essa atividade. Todavia, apesar das dificuldades, essa ação é executada de várias formas: através do acompanhamento dos encaminhamentos feitos às instituições, através das reuniões e oficinas com as famílias e das reuniões internas da equipe do Cras (Grupo Focal — MA).

Por tudo isso, pode-se concluir que a capacidade de identificar problemas e de fazer correções em tempo hábil, no caso do monitoramento, bem como de apreciar o mérito da política (princípios, mudanças pretendidas, determinantes da operacionalização e os efeitos produzidos), no caso da avaliação, ficam extremamente prejudicadas.

Sistemas de informação

Um dos suportes da Política de Assistência Social diz respeito ao estatuto de liberdade de informação e seus desdobramentos.

A existência de uma política de informação objetiva subsidiar todo o processo de gestão, contribuindo para o controle social das ações do governo e permitindo aos cidadãos, a adequada sistematização das suas demandas. De acordo com Bobbio (1992), a transparência no governo é uma característica que demarca a diferença entre a República (que tem o controle público do poder e a livre formação da opinião como fundamentos para o exercício do governo) e o Principado (que se baseia no segredo de Estado como método de governo).

As atuais transformações societárias têm na informação um dos seus principais suportes. De fato, o Suas se situa em um contexto social em que se consolida a implantação de um sistema reticular de telecomunicações e de informações para permitir a uma grande parte da população o acesso a conhecimentos que passam a ser incorporados à cultura. O governo também, em consonância com esse novo momento, incorpora esse modelo, consolidando dados diversificados em seus *sites*.

De acordo com os sujeitos sociais entrevistados, apesar das novas tecnologias de informação e de comunicação disponibilizadas pelo governo, as informações relevantes, por vezes, não chegam ao final do sistema. Isto porque em alguns municípios são registradas dificuldades estruturais decorrentes da pobreza extrema que obstaculizam o acesso e a utilização dessas informações: a ausência de equipamentos, rede elétrica e telefônica deficiente, além da baixa qualificação dos próprios funcionários que são os operadores do sistema.

> Vocês sabem que, dependendo do município, nem tem internet. Aqui se veio tentar regularizar, e ainda está tentando, de 2005 pra cá. Antes eram pouquíssimas pessoas que tinham acesso. A gente ainda hoje tem problemas. Faz dias que nós estamos tentando abrir o relatório financeiro pra fazer e a gente não consegue. Porque o Suas *web* é muito pesado, muito complexo, então a internet tem que ser cem por cento mesmo. E nosso sinal ainda não está cem por cento [...]. De lá pra cá está melhorando um pouco com relação

> a isso. Acho que deve ser mais divulgado. Tanto a sociedade civil, quanto o próprio poder público, têm muitas pessoas que não sabem. Acho que ainda está no papel. Vai fazer um projeto, é pra mandar pelo correio? É, mas primeiro vai *on-line* (Grupo Focal — MA).

Assim, uma gama significativa de informações não chega ao conhecimento dos sujeitos sociais envolvidos no processo de implementação. Mesmo o que é registrado padece de sérias limitações, tendo em vista o mau preenchimento dos formulários. Estes deixam de informar dados essenciais ao esclarecimento dos eventos que ocorrem e dão forma ao processo de gestão, o que tem efeito no trabalho desenvolvido pelos técnicos.

> Você vai ao município um dia [...]. Tem essa fragilidade também. Muitas vezes município prefere lidar diretamente com o governo federal, com o MDS, que tem respostas mais concretas. É verdade. Nós temos dificuldades. Até porque não tem sistema de informação e de avaliação (Técnica — MA).

Os entrevistados destacaram que, a despeito do avanço relativo ao sistema digital de comunicação de estados e municípios com a instância federal, a dificuldade de compreensão dessa linguagem ainda cria limites, resultando em atrasos no cumprimento dos prazos estabelecidos pelo Ministério, sobretudo em relação ao envio de documentação referente à dinâmica do Suas nos municípios.

> [...] Em 2005 e 2006, a gente entrou, fez os planos [...]. No início foi um choque, porque vocês sabem que na Secretaria de Assistência Social, a maioria das pessoas não tinha acesso, não sabia nem lidar com o computador. [...] (Gestora — MA).

As dificuldades de informação também se refletem na ação dos conselheiros: há muitos que desconhecem o conteúdo e as normas que regem as políticas e os meandros do funcionamento da burocracia da área, o que dificulta a discussão com interlocutores mais capacitados nesses saberes específicos. Com relação aos usuários, estes não conseguem sistematizar suas demandas e exercer o controle das ações governamentais.

Deve-se ter em conta, porém, que para além da PNAS, o neoliberalismo, como arcabouço teórico que cientifica as propostas de Reforma do Estado no contexto recente, receia uma ampliação de processos democráticos que se sustentam na generalização de informações. Isto porque a explosão de demandas, além de sobrecarregar a agenda governamental, retira a liberdade dos dirigentes para tomar decisões, o que é particularmente perigoso em conjunturas em que o baixo crescimento econômico e a crise fiscal podem acarretar a insustentabilidade política e o colapso dos programas governamentais (GUILHON; PEREIRA, 2005).

c) Recursos humanos: os desafios do trabalho

A questão do trabalho ainda se constitui em sério obstáculo ao desenvolvimento da Política de Assistência Social nos Municípios e Estados da Região Norte e Nordeste, sobretudo no que se refere à quantidade, remuneração e capacitação dos trabalhadores para o exercício das atividades referentes aos processos de planejamento e execução das ações.

Historicamente, a Assistência Social tem configurado um campo de área social marcado pela restrição de recursos financeiros, dificultando a oferta de serviços de proteção social, com incidência sobre a gestão do trabalho, a qualidade dos serviços prestados e a garantia de direitos. Determinantes históricos que, associados aos atuais processos de Reforma do Estado, vêm impondo a redução da contratação de pessoal nas três esferas de governo, bem como a redução de recursos financeiros. Em decorrência tem-se a incapacidade de consolidar carreiras públicas, rotatividade, desvalorização do funcionalismo público e precarização do trabalho.

No caso de trabalhadores engajados no campo da Assistência Social, esta precarização se expressa e rebate tanto nas formas de inserção quanto de alocação da sua força de trabalho. Mas também, no próprio processo de trabalho na medida em que estes profissionais assumem a condição de operacionalizadores de Política Social que se vem desenvolvendo com uma perspectiva minimalista e compensatória, embora sua configuração aponte o propósito de ruptura com esse modelo (ARAÚJO et al., 2008).

A proposição de uma Política de Recursos Humanos, como requisito para a gestão da Política de Assistência Social, constitui um dos eixos delimitadores e imprescindíveis à implementação do Suas e tem como um de seus pressupostos a ideia de que a nova forma de concepção e gestão da PNAS exige alterações nos processos de trabalho dos profissionais no sentido de estabelecer uma consonância com os marcos regulatórios da Política. Conforme estabelecido na PNAS/2004 e na NOB-RH/Suas/2006, a concepção da Assistência Social como direito exige dos trabalhadores a superação de formas de atuação configuradas pela mera viabilização de programas e projetos, devendo-se afirmar, essencialmente, pela fruição de direitos, o que produz mudanças substanciais não apenas no trabalho, mas para os trabalhadores.

Dentre as mudanças, pode-se pontuar como exigência central para os trabalhadores: fundamentos teóricos, técnicos e operativos que possibilitem o fortalecimento de práticas, debates orientados à proposição de ações que viabilizem a autonomia dos usuários e fortalecimento de seus projetos individuais e coletivos.

Embora se saiba que a flexibilização das relações de trabalho que se faz acompanhada da precarização das formas de contratação não se constitua uma prerrogativa da Política de Assistência Social, nessa Política os prejuízos de ordem técnica e financeiro-operacional decorrentes dessas situações são ainda mais significativos. Isto em razão das consequências nefastas que rebatem sobre um público já historicamente excluído de bens e serviços produzidos, para quem o Cras representa uma das expressões mais visíveis do poder público nos seus territórios.

De fato, no âmbito do trabalho pode-se identificar uma grande rotatividade de profissionais, implicando em desperdício de recursos em capacitação considerando-se os constantes recomeços com novas demandas de qualificação para as mesmas funções, fato que também provoca a quebra do vínculo de confiança já estabelecido entre o usuário e as equipes alocadas nos Cras e Creas.

> E a outra questão é a equipe. Hoje se trabalha com equipes mínimas. Você contrata o mínimo do mínimo para executar a PNAS. Assim, em relação aos recursos humanos, no caso do SUS, no interior você encontra o médico, o

enfermeiro [...], mas quando se trata da PNAS [...] Agora que ampliou um pouquinho: tem o psicólogo no Cras. Mas, em geral só existia um profissional que era a Assistente Social. Ela que tinha a responsabilidade de fazer tudo no município. Isso fragiliza. A outra coisa que fragiliza ainda mais é a relação de precarização do trabalho desses técnicos e os salários que são bem abaixo do que deveriam. Isto faz com que o profissional desenvolva seu trabalho em mais de um município. Então, a questão da concepção, do financiamento e dos recursos humanos dentro da PNAS não se constitui problema apenas para os municípios. Só pra vocês terem uma ideia, os recursos definidos para política hoje, pouco mais oito milhões, para dar conta de todas essas coisas que eu falei, todas essas prioridades [...] (Gestora — MA).

De fato, a realidade vivenciada por muitos trabalhadores, apesar do compromisso expresso com a operacionalização do Suas, como direito se constituía, na época da pesquisa, como lembra Santos (1999 apud SOUSA 2007, p. 257), "[...] em fator de ansiedade permanente, quer quando existe, pelas condições em que se desenvolve, quer quando falta, pela negação do estatuto da cidadania burguesa que representa". Tem-se, portanto, trabalhadores inseguros para cuidar de demandas advindas de realidades de pobreza e insegurança, perdendo-se o caráter humano do trabalho de ser criador, educativo e emancipatório.

4.2.5 Participação social: um processo em construção

Neste item desenvolve-se uma análise sobre as formas de participação e o exercício do controle social efetivado pelos diferentes sujeitos sociais envolvidos no processo de implementação do Suas.

A participação social é considerada um dos aspectos inovadores da arquitetura do Suas. De fato, no campo da Assistência Social o debate sobre a participação demonstra uma alteração no padrão de relacionamento do Estado com a sociedade civil no tocante ao processo de intermediação dos interesses organizados e da luta pela efetivação dos direitos sociais[8].

8. Sobre direitos sociais, conferir Couto (2006).

É nesse contexto que o debate no âmbito da PNAS coloca em relevo o papel dos Conselhos enquanto espaços políticos de expressão e negociação de interesses sociais em disputa. Instâncias de natureza pública e democrática, arenas de confrontação, mediação e de concertação (BIDARRA, 2006; FERRAZ, 2006; CAMPOS, 2006; RAICHELIS, 2006).

Seu papel fundamental é, portanto, o de avalizar, no campo da assistência social, o exercício da democracia que se desdobra em duas funções básicas: a participação e a *accountability* do sistema, o que contribuiria para romper com um traço histórico do processo de formação da sociedade brasileira — a privatização do espaço público por agentes privados.

Considerando-se esse aspecto da gestão, a pesquisa demonstrou que é nas Conferências da Assistência Social, mas, predominantemente, nos Conselhos que se dá a participação mais sistemática dos usuários dos serviços do Suas, posto que, em geral, não existem outros mecanismos construídos (audiências públicas, mesas de concertação, fóruns, plenárias, ouvidorias etc.) que oportunizem a expressão de suas demandas ou opinião acerca da Política.

Nas narrativas dos sujeitos, essas instâncias são percebidas sob diferentes óticas.

Como instituições necessárias para o cumprimento das normativas do Suas, mas cujos integrantes precisam ser permanentemente monitorados:

> Com os conselhos, a Secretaria procura não criar atritos porque entende que são pessoas preparadas. Mas a pessoa tem que seguir a minha filosofia que é a do Suas. Então, a gente vê que não são tão bem preparados, às vezes, passam as mãos pelos pés, ou, às vezes, deixam de fazer. E a gente vai orientando e, às vezes, cortando também algumas arestas que não são muito bem direcionadas [...]. No planejamento, a gente estuda, direciona e envia para o conselho dar a palavra final (Gestora — PA).

Como espaços de fiscalização: "[...]. Na verdade o Conselho desenvolve duas ações. Uma delas é a questão de fiscalização e a outra a da avaliação [...]". (Grupo Focal — PA)

E, para muitos, elas são instâncias relativamente imunes ao jogo de interesses que se estabelece no interior da sociedade, portanto, portadoras de uma capacidade maior de exercer as ações de maneira justa:

> [...] Foi apontada pela própria população, pelos próprios usuários a deficiência nos atendimentos, nos serviços [...] deixou de ser uma coisa para ser outra, mas não se organizou, não se readequou para isso, e aí a população vai trazendo essas demandas para o Conselho fazer esse acompanhamento. É no espaço do Conselho em que há mais eficiência e menos corrupção (Grupo Focal — PA).

Nesse sentido, alguns entrevistados consideram como elemento de desqualificação dos Conselhos o fato de não haver rodízio no exercício da presidência. Isto porque essa forma de articulação, embora seja legal, dificulta um distanciamento crítico no exercício dessas instâncias, sobretudo, do seu papel de controle social. Porém, como lembra Raichelis (2006, p. 83), os Conselhos devem ser entendidos como "[...] canais importantes de participação coletiva e de criação de novas relações políticas entre governos e cidadãos e, principalmente, de construção de um processo continuado de interlocução pública." Nesse sentido, é compreensível que os diferentes sujeitos (mesmo os governamentais), disputem a ocupação de tais espaços.

Ainda no âmbito da discussão sobre a participação dos Conselhos, alguns entrevistados apontaram a participação de representantes em vários conselhos, ao mesmo tempo, como um problema, ainda que se considere que isto se dá em função da pouca densidade do tecido associativo, sobretudo em municípios menores. Tal fato cria dificuldades em termos de conciliação do tempo para realizar as atividades exigidas e da compreensão de várias temáticas pelos conselheiros.

As dificuldades nesse âmbito são explicadas também pela ausência de estrutura e apoio logístico para o funcionamento dos Conselhos, o fato desse exercício ocupar tempo e não ser remunerado, o pouco domínio teórico sobre os meandros da PNAS, particularmente, para os representantes da sociedade civil. Nesse último caso, haveria dificuldade de repasse de informações por parte dos representantes da burocracia.

Para mudar esse quadro, identificou-se que tem havido tentativas, sobretudo, por parte das secretarias estaduais dos três Estados analisados no sentido de desenvolver ações de qualificação mais substanciais para os membros dos Conselhos com vistas a instrumentalizá-los para uma participação mais consistente e consciente.

Por outro lado, alguns entrevistados entendem que os conselheiros ultrapassam suas prerrogativas, o que tem sugerido a necessidade de repensar a função dos conselheiros.

> [...] Os conselheiros acham que nós somos os funcionários deles [...]. Isso já foi motivo de muita polêmica [...] mas hoje a gente já sentou com os conselheiros "colocando os pontos nos Is". De fato, são pessoas da comunidade. E nós também somos gente da comunidade. É que eles não entendem que nós temos regras, horário de trabalho [...] (Grupo Focal — PB).

Cabe lembrar que, apesar dos problemas identificados e do discurso desqualificador manifesto por muitos entrevistados em relação aos Conselhos, nos Grupos Focais realizados pode-se constatar uma participação qualificada de vários conselheiros (Poção de Pedras, Caxias, São Luís, no Maranhão; Tomé-Açu e Belém, no Pará; Recife, Tracunhaém, Tamandaré e Carpina, em Pernambuco).

Tal fato sugere que pode estar ocorrendo uma inadequada e precoce avaliação acerca do potencial democrático dessas instâncias no âmbito da PNAS.

4.2.6 O processo de implementação da PNAS nos municípios a partir do Suas

Na configuração do processo de implementação, além da observação e das entrevistas semiestruturadas, foram considerados os debates nos grupos focais com a participação de Conselheiros, Técnicos das Secretarias, dos Cras e dos Creas.

A opinião geral desses sujeitos é de que o retrato da PNAS corresponde às demandas históricas sistematizadas no campo da Assistência Social. Dentre as inovações apresentadas e que estariam funcionando como elementos agregadores, a mais destacada foi o compromisso dos profissionais de diferentes áreas. Eles estariam engajados na operacionalização da Política como direito e reconhecem a necessidade de se estabelecer um compromisso coletivo com sua implementação nesses moldes.

Foram relatadas, porém, um conjunto de dificuldades referidas ao processo de implementação, entre as quais: pouco domínio das normativas da Política, uso clientelista dos recursos alocados nos municípios; falta de entendimento sobre a Assistência Social como direito, do papel dos Conselhos como mecanismos de controle social, de clareza sobre o papel dos Cras e dos Creas; ausência de articulação entre o Creas e os conselhos municipais; precarização do trabalho dos técnicos, justamente no momento em que a Política requer uma atuação mais qualificada dos profissionais.

a) Proteção Social Básica e Proteção Social Especial

De acordo com a narrativa dos sujeitos entrevistados, a implantação dos Cras, onde se desenvolve a Proteção Social Básica e dos Creas, responsáveis pela Proteção Social Especial, nos municípios pesquisados ocorreu no período entre 2005 e 2006. Em geral, não foram desenvolvidos estudos para identificação de áreas de risco e vulnerabilidades sociais, o denominado diagnóstico social. Predominou como critério de seleção, o conhecimento prévio das áreas ou sua referência pelas comunidades.

Muitos técnicos que exercem suas funções nos Cras relataram a dificuldade de conhecer o próprio território onde estão sediadas, bem como a rede socioassistencial existente, equipamentos e recursos sociais públicos presentes de modo que possam realizar articulações e atividades político-organizativas que venham envolver as populações usuárias.

Há também dificuldade de penetração dos técnicos em muitas áreas,[9] onde ainda predomina, de forma reciclada, a lógica do mandonismo dos antigos coronéis, agora substituídos por empresários, políticos e donos

9. O'Donnell (1999) trata desse tema ao discorrer sobre a situação das novas democracias. Para o autor, mesmo em regiões denominadas desenvolvidas, a legalidade estatal é pouco efetiva, com alargamento das chamadas "áreas marrons", onde a capacidade de penetração do Estado é muito baixa ou quase nula.

de terras que funcionam de forma isolada ou através de alianças. Até mesmo espaços que se constituem redutos de traficantes de drogas.

A dificuldade de viabilizar diagnóstico também pode ser atribuída à cultura política, no sentido de constituição de territórios como espaços públicos. De acordo com Arretche (1996, p. 7):

> Isto significa que comportamentos fortemente arraigados na cultura política de uma determinada sociedade podem ser um sério fator limitador da concretização dos comportamentos e princípios democráticos perseguidos, mesmo que se obtenha sucesso na implantação de instituições consoantes com aquelas finalidades.

A agregação do mandonismo reciclado com a cultura política pode ser um dos componentes que se refletem nos Cras e Creas e na prática dos sujeitos, expressando-se através do autoritarismo dos que tem responsabilidade de governar, a privatização da coisa pública, além da passividade com que a maioria encara a substituição de direitos por privilégios, favor e patronagem[10].

b) Cras e Creas: capacidade instalada e funcionamento

Nesse item é desenvolvida uma análise acerca da capacidade e funcionamento dos Cras e Creas, como unidades de gestão da Política de Assistência Social. Essas unidades assumem relevância a partir do redesenho da Política com a criação do Suas por serem responsáveis pela execução, coordenação e organização dos serviços de Proteção Social Básica e Especial. Neste sentido, os Cras e Creas assumem centralidade como unidades públicas de acesso e atendimento ou unidades referenciais de atendimento a comunidade.

A instalação dos Cras e Creas no Brasil tem início a partir de 2005 orientadas por determinações da Política Nacional de Assistência Social de 2004 e da Norma Operacional Básica do Suas de 2005.

---

10. Sobre esse tema conferir: Oliveira, Francisco. Privatização do público, destituição da fala e anulação da política: o totalitarismo neoliberal. In: Oliveira, Francisco; Paoli, Maria Célia (Orgs.). *Os sentidos da democracia*: políticas de dissenso e hegemonia global. Petrópolis: Vozes, 1999.

Nos estados e municípios pesquisados, a partir de depoimentos dos sujeitos entrevistados e das observações feitas, foi possível desenvolver algumas reflexões considerando as dimensões apresentadas a seguir.

- **Espaço físico e infraestrutura**

Em relação ao espaço físico identificou-se que os Cras e Creas na maioria dos municípios funcionam em prédios alugados, tendo seus cômodos adaptados, nem sempre de forma adequada, às normativas do Suas. Nesse sentido, há uma heterogeneidade em termos de infraestrutura, sendo que foram identificadas unidades com estruturas extremamente precarizadas e outras mais condizentes, embora com limitações.

As limitações se expressam na indisponibilidade de espaço para realização de reuniões, observada na quase totalidade dos Cras e Creas e na capacidade de atendimento, nem sempre sendo possível, por exemplo, assegurar o caráter sigiloso, sobretudo em situações de atendimento psicossocial e especializado.

A dificuldade de infraestrutura também se expressa na insuficiência e na qualidade de equipamentos e mobiliário. Destaca-se a precariedade de computadores e a ausência de internet em alguns municípios.

Com relação à existência de sinais de identificação, nomenclatura e créditos, verificou-se que muitos Cras e Creas são identificados apenas pela indicação dos técnicos, usuários ou conselheiros. Na maioria dos municípios onde essas unidades são identificadas pela placa, estas contêm as logomarcas do governo federal e do governo municipal. Não foram identificadas unidades com a logomarca dos Estados. A justificativa apresentada nesses casos refere-se à ausência de cofinanciamento estadual para a implementação da Política.

As condições de acessibilidade para os usuários nem sempre são adequadas, tendo sido observadas em várias dessas unidades a existência de barreiras como escadas, degraus, calçadas. Também algumas delas funcionavam em andar superior do órgão gestor em apenas três cômodos, dificultando o acesso de pessoas idosas e com deficiência, o que contraria as determinações legais da PNAS.

Com relação aos horários de funcionamento, verificou-se que a maioria das unidades funciona conforme preconizam a PNAS e as normas. Apesar disso, foram identificadas situações em que as unidades encontravam-se fechadas no horário normal de expediente, sob a justificativa de ausência de equipe técnica.

Verificou-se que o processo de divulgação das ações e serviços socioassistenciais se efetiva, predominantemente, através da população usuária (*o boca a boca*). Mas também foi identificado o uso de panfletos, cartazes e de transmissão de informes pelas rádios locais. Tais mecanismos são ainda insuficientes para repassar as informações essenciais aos potenciais demandantes da PNAS.

A pesquisa mostrou que, no geral, os municípios têm dificuldade em seguir as determinações da PNAS, da NOB/Suas e das Normas Técnicas para implantação dos Cras e Creas. Essa dificuldade dá-se em função das condições estruturais dos municípios, da fragilidade na capacidade administrativa e operacional, especificamente em relação a recursos financeiros.

A precariedade constatada nos Cras e Creas expressa a predominância do improviso como marca histórica da Assistência Social, em que pese o empenho, principalmente das equipes técnicas, em assegurar condições mínimas para a prestação dos serviços.

- **Serviços e atenções prestadas**

Os serviços e atenções desenvolvidos, em geral, restringem-se às ações financiadas pelo governo federal. Conforme observado na pesquisa, as unidades Cras e Creas são confundidas com as ações que assumem maior visibilidade no seu âmbito. Assim há situações em que os Cras são associados ao Programa Bolsa Família — PBF, e os Creas com o extinto Programa Sentinela, direcionado ao enfrentamento do abuso e exploração sexual de crianças e adolescentes. Ressalta-se que, nos Cras a demanda mais expressiva é a busca pelo PBF; nos Creas, o enfrentamento ao abuso e exploração sexual, destacando-se também o uso de drogas e violência doméstica.

Com relação à prevalência do PBF importa ter presente algumas reflexões de Constantino, Amaral e Queiroz (2007) acerca da função ideológica dos serviços e benefícios ofertados pelos Cras e Creas. Através dos programas de renda mínima que alcançam o maior número de beneficiários, os segmentos que se encontram em situação de desemprego ou imersas em relações informais de trabalho têm a possibilidade de assegurar uma sobrevivência mínima. Trata-se de uma tendência atual da Assistência Social que tem relação direta com o desemprego estrutural, reproduzindo um grande contingente de trabalhadores informais, considerados *descartáveis* para o capital.

Neste sentido, para os autores, a expansão e legitimidade da Assistência Social no contexto da Seguridade Social brasileira, principalmente, através dos programas de transferência de renda, pode ser explicada a partir das transformações societárias dinamizadas pelo neoliberalismo e pela reestruturação produtiva. Contexto em que a Política de Assistência Social vem assumindo centralidade, como estratégia de integração de trabalhadores que se encontram fora das relações formais de trabalho assalariado.

Ações como Benefício de Prestação Continuada (BPC) e Benefícios Eventuais (BE), têm pouca visibilidade nos Cras. Isto se explica, em parte pela inserção desses Benefícios no órgão gestor, na maioria dos municípios, o que revela equívocos na distribuição dos serviços, competências e funções dos Cras e órgão gestor. Também pode ser explicada pela associação entre BPC e Previdência Social, bem como pela ausência de ações desenvolvidas pelos Cras voltadas para o público específico desse Benefício.

Os BE são repassados pelos Cras e em alguns municípios pelo órgão gestor. Neste caso, entende-se que pode haver uma associação desses benefícios com a figura do gestor municipal, reiterando a relação caritativo-clientelista e o fortalecimento de redutos eleitorais.

A temática do Bolsa Família[11] carrega grande nível de tensão no contexto dos municípios que fizeram parte da amostra da pesquisa em razão das demandas que fluem para o interior dos Cras, as quais chegam a relegar as ações socioassistenciais a um segundo plano.

---

11. Sobre o bolsa família, conferir Silva (2006 e 2008).

Há duas interpretações correntes que se interpenetram sobre esse Programa, reproduzindo na fala dos sujeitos sociais entrevistados nos três Estados o próprio debate nacional sobre a temática. Os interlocutores de ambas entendem que o nível de carência da maioria da população brasileira — uma grande tragédia nacional — como bem assevera Telles (2000)[12] ou "[...] parte constitutiva da sociedade brasileira [...]" (YAZBEK, 2005) demanda ações que visam garantir condições mínimas de consumo respondendo à injustiça distributiva, uma feição do Brasil contemporâneo: indivíduos com acesso ao trabalho, aos bens e serviços produzidos e aos espaços políticos para vocalização de suas necessidades, convivendo ao lado de uma maioria lançada em situação análoga à configurada por Santos, como uma espécie de atualização do *estado de natureza*[13] (SANTOS, 1999; SANTOS; AVRITZER, 2002; SOUSA, 2004).[14]

Pela primeira interpretação, o Bolsa Família responde à restrição dos postos de trabalho no país, situação entendida como um risco coletivo. Portanto, tal Programa constituir-se-ia em expressão do atual Sistema de Proteção Social; seria uma salvaguarda da sobrevivência humana, um direito social.

Na segunda perspectiva, o Programa é visto como um deslocamento do arcabouço jurídico da Política de Assistência Social que reconhece a construção da identidade social pela via do trabalho e da cidadania. Nesse sentido, seria uma forma de reforço ao processo de subalternização dos beneficiários, haja vista que no cotidiano estes passam a ser apresentados como vulneráveis e excluídos, descolando-se a pobreza da injustiça

12. De acordo com Teles (2000) a pobreza se transforma num problema público, não porque todos falem dele, mas porque coloca em cena o problema da convivência pública numa sociedade desigual.

13. O "estado de natureza" é um construto a-histórico desenvolvido por Hobbes (1988). Para ele, a essência da natureza humana é uma busca ilimitada por satisfação. Sem leis para tolher os instintos naturais, cada homem vive em constante situação de medo e desconfiança, uma vez que conhece a natureza interesseira e competitiva do outro. O resultado disso é um estado de guerra permanente. Para fugir desse estado firmam um contrato, através do qual, racionalmente, alienem sua liberdade em favor da constituição de um Estado duro, absoluto, com regras imutáveis, capaz de garantir a paz duradoura (Sousa, 2004).

14. Tal "estado de natureza" é problematizado por Santos como uma "ansiedade permanente em relação ao presente e ao futuro, o desgoverno iminente de expectativas, o caos permanente nos atos mais simples de sobrevivência e de convivência" (Santos, 1999, p. 97).

social e da desigualdade, portanto, das tramas da sociabilidade capitalista e de sua expressão brasileira.

Embora as normativas definam a família como foco de atendimento, evidencia-se que, fora do contexto do BF, esse atendimento ainda é segmentado. Volta-se para o atendimento prioritário de crianças, adolescentes e mulheres. Ações com pessoas idosas e pessoas com deficiência são mais eventuais e, geralmente, desenvolvidas fora do espaço do Cras, considerando a falta de acessibilidade a esse público.

As ações desenvolvidas nos Cras estão centradas na busca de geração de renda, embora os cursos ofertados estejam relacionados às subocupações de caráter doméstico (trabalhos manuais, artesanato, atividades culinárias etc.). Atividades que a despeito da demanda local tem mostrado insuficiência na reprodução social das famílias devido à instabilidade como mecanismo de aquisição de renda.

Além dessas atividades os entrevistados apontaram a predominância de palestras e reuniões de caráter socioeducativo, o que denota uma reatualização das ações desenvolvidas pelos antigos Centros Sociais, com o privilegiamento do atendimento individual e psicologizando-se as formas de atendimento das famílias. Por outro lado, verificou-se que as ações profissionais de cunho político-organizativo com a população usuária ainda são tímidas e desenvolvidas em poucos municípios.

Convém ressaltar, no entanto, algumas práticas que se diferenciam desse modelo tradicional, com maior destaque no campo da Proteção Social Especial.

Em municípios de Pernambuco e do Maranhão são desenvolvidos trabalhos com crianças com deficiência, com usuários de drogas e com vítimas de abuso e exploração sexual que conseguem articular as redes socioinstitucionais locais, inclusive com instâncias do Poder Judiciário, com Conselhos Tutelares e com Conselhos de Direitos. A direção adotada é de um trabalho de cunho político-pedagógico que se pauta pela tentativa de romper com a cultura do silêncio, em uma mobilização de caráter intensivo e sistemático junto às famílias, à escola e à comunidade e nos próprios focos de maior ocorrência de violação de direitos (casas das famílias, bares, postos de gasolina e áreas de rodovias, entre outros).

Destacam-se também em municípios do Pará, do Maranhão e de Pernambuco trabalhos educativos com ênfase na formação profissional e inserção no mercado de trabalho, e ações que procuram articular as redes materiais e de sustentabilidade aos projetos de geração de emprego e renda desenvolvidos (intermediação da mão de obra, manutenção de fábricas de vassouras, de detergentes, de sabonetes, de bonecas). No Estado do Maranhão também identificaram-se situações em que os Benefícios Eventuais são articulados a trabalhos socioeducativos junto às famílias beneficiárias.

Igualmente, a rede socioassistencial merece destaque na relação com a Política, particularmente com os Cras e Creas, considerando que se constitui predominantemente de entidades privadas. Isto revela outro paradoxo, haja vista que a PNAS aponta para a possibilidade de ruptura com a matriz caritativa e filantrópica que sedimenta relações de tutela e assistencialismo e, ao mesmo tempo, a existência e amplitude dessas entidades tem favorecido a associação da Assistência Social com a benesse em detrimento do direito.

Neste sentido, destaca-se a posição secundarizada que a Política de Assistência Social assume em relação às demais Políticas nos municípios. Segundo as informações coletadas, há dificuldade na articulação das ações dos Cras e Creas com as outras Políticas, o que inviabiliza a intersetorialidade e as ações de referência e contra-referência. A *articulação*, na maioria dos municípios se dá mediante uma relação de *colaboração* das demais Políticas com a Assistência Social, em geral viabilizada pelo relacionamento pessoal entre os gestores e não por uma institucionalidade construída na perspectiva da potencialização dos serviços e da responsabilidade pública com o enfrentamento da questão social.

4.2.7 Conclusão

A configuração dos processos de implantação e de implementação, do Suas nas Regiões Norte e Nordeste é analisada com base em informações colhidas mediante observação de campo, entrevistas semiestruturadas e debates nos grupos focais com a participação de Conselheiros, Técnicos da Secretarias, dos Cras e dos Creas.

A regulamentação da Assistência Social como Política Pública constituinte da Seguridade Social, bem como o seu redesenho mediante a criação do Suas sinaliza, sem dúvida, um avanço de relevância histórica na trajetória de uma Política que tem sua gênese estruturada sobre as bases da matriz caritativa e filantrópica, destituída de visibilidade na sua natureza política e institucional.

A opinião da maioria dos sujeitos entrevistados é que o retrato da PNAS corresponde às demandas históricas sistematizadas no campo da Assistência Social. A implementação do Suas nos estados e municípios do Norte e Nordeste vem expressando esse avanço mediante a construção de uma nova institucionalidade com uma considerável expansão dos objetivos da política e dos serviços desenvolvidos, que passam a ser prestados e organizados com tendência a maior unidade e uniformidade.

Verificou-se que outros profissionais, além dos assistentes sociais, estão participando na operacionalização da PNAS, o que é um aspecto positivo, e reconhecem a necessidade do estabelecimento de compromissos coletivos com a sua implementação nos moldes preconizados pelas normativas.

Contudo, a despeito dos avanços, persistem ainda questões de caráter histórico e estrutural especificamente, no que diz respeito à relação Estado e sociedade, público e privado com a prevalência de uma cultura política pautada em lógica conservadora.

As dificuldades apontadas rebatem diretamente nas unidades operativas — Cras e Creas, obstaculizando o desenvolvimento de uma prática consistente e condizente com as diretrizes da Loas e da PNAS. Estão relacionadas com a inexistência de sistemas regulares de capacitação dos profissionais, aos reduzidos quadros de pessoal, aos baixos salários, o que redunda em relações de trabalhos precarizadas e equipes incompletas.

O levantamento das ações desenvolvidas nos Cras e Creas permitiu verificar que o exercício laboral dos técnicos, em geral, não difere das formas tradicionais historicamente desenvolvidas nesse campo particular, ou seja, atendem aos que chegam através do processo de demanda espontânea, privilegiam as abordagens individuais, quando muito realizam reuniões grupais onde abordam temas variados em forma de palestras. Muitos técnicos que exercem suas funções nos Cras afirmam a dificuldade de conhecer o próprio território onde estão sediadas, bem como a rede socioassistencial existente, equipamentos e recursos sociais públicos presentes de modo que possam realizar articulações e atividades político-organizativas que venham envolver as populações usuárias.

Desse modo, embora a PNAS e a NOB/Suas indiquem novos parâmetros e referências para a organização e distribuição dos serviços e o enfoque na matricialidade familiar, de maneira a superar as ações fragmentadas e segmentadas, ainda é possível dizer que tais orientações não são bem incorporadas e trabalhadas pelos diferentes profissionais no âmbito destas Unidades, sobretudo, nos Cras.

Convém ressaltar que algumas iniciativas vêm sendo construídas no sentido de se diferenciar desse modelo tradicional, com maior destaque no campo da Proteção Social Especial, embora, na maioria dos casos, se evidencie a predominância de equívocos quanto à concepção e implementação dessa modalidade de proteção, comumente restrita a ações pontuais direcionadas a situações de abuso e exploração sexual.

Os relatos dos entrevistados apontaram também a dificuldade dos agentes municipais em incorporar a linguagem digital para acessar os Bancos de Dados e as demandas do MDS pela falta de equipamentos e pela fragilidade na compreensão dessa linguagem.

O sistema de comunicação entre a capital dos Estados e os municípios também foi considerado um obstáculo importante, bem como a questão da administração dos recursos do Fundo Municipal da Assistência Social, na maioria dos casos pela falta de conhecimento dos envolvidos na gestão sobre as formas de alocação e gerenciamento de tais recursos.

Em relação aos Conselhos verificou-se que, no geral, essas instâncias ainda demonstram fragilidade no tocante ao efetivo controle social. Embora esta fragilidade não anule sua importância e os esforços que alguns empreendem para acompanhar e controlar o processo de implementação da Política e a busca de superação de seus limites.

Na análise da dinâmica dos sujeitos verifica-se que o conflito de projetos, embora comum a todos os outros grupos envolvidos na implementação da Política, é mais visível, justamente no âmbito dos Conselhos, por parte dos conselheiros da sociedade civil, cuja legitimidade em representar os interesses coletivos deveria ser conferida em função da inserção nos debates cotidianos de determinadas frações da sociedade: grupos, associações, partidos e sindicatos.

De fato, espera-se dos conselheiros da sociedade civil que sejam capazes de deliberar sobre as ações da PNAS, mas também garantam a publicização da esfera pública dando transparência às decisões efetivadas no interior do Estado. As recompensas pelo exercício da participação são de caráter subjetivo, vinculadas à conformação de um projeto societal de natureza coletiva e ao reconhecimento público da sua contribuição a esse projeto. Assim, na medida em que abdicar do uso do tempo dedicado ao lazer, à família ou ao exercício do trabalho remunerado é uma ação incompatível com a lógica individualista do capitalismo, ocorre um desestímulo quando esse reconhecimento e a mudança da configuração do Estado não se concretizam.

Cabe destacar que as dificuldades dos conselheiros da sociedade civil estão referidas à fragilidade da participação dos usuários, em geral, restrita ao acesso aos serviços socioassistenciais ofertados ou a sub-representações através de técnicos, entidades e organizações delegadas como "porta-vozes" desse segmento.

A participação e protagonismo dos usuários constituem um dos marcos estruturantes do Suas tendo como premissa a capacitação e fortalecimento desse segmento na perspectiva do controle sobre a Política a partir da publicização de demandas e direitos. Contudo, esse processo defronta-se com dificuldades de envolvimento desses sujeitos na dinâmica da Política. Em todos os estados e municípios pesquisados houve convergência quanto à dificuldade de criar estratégias de incentivo e ampliação da participação dos usuários, demonstrando, portanto, que este é mais um dos desafios colocados para o avanço do Suas em relação aos denominados grupos sociais vulnerabilizados. Apenas em alguns Cras a conformação de uma participação com uma configuração aproximada desse retrato vem se delineando.

Assim, na maioria dos Cras e Creas, os usuários formulam demandas que não ultrapassam o nível do assistencialismo, além de não conseguirem romper com a passividade da espera por respostas construídas pelos técnicos. Os profissionais não conseguiram consolidar a busca ativa para dar uma nova configuração à Política para além dessas balizas tradicionais e os conselheiros, que representam a sociedade organizada, não assumem, em sua inteireza, o papel deliberativo e consultivo que lhes cabe no processo.

Por tudo o que foi delineado neste item, pode-se concluir que os limites do processo de gestão da PNAS no Norte e Nordeste têm suporte em três explicações básicas: a primeira é o descompasso entre o sistema legal sancionado pela Política e os limites dos espaços públicos capazes de viabilizar as regras formalizadas. A segunda diz respeito ao estatuto da liberdade de informação e seus desdobramentos. A terceira se refere ao conflito vivido pelos sujeitos entre as expectativas, em geral, de caráter individual e a luta pela ampliação dos marcos da solidariedade coletiva.

Em relação ao primeiro pressuposto, os entrevistados entendem que os espaços políticos e materiais não são afinados com as normativas da Política. Pôde-se observar mesmo que a ação dos sujeitos sociais, sobretudo no interior dos Cras, em geral, se desenvolve à margem desse sistema legal sancionado pelo Estado, reproduzindo a lógica do assistencialismo, tanto em razão da cultura política quanto da dificuldade que o Estado (normas legais, equipamentos, pessoal) encontra para se fazer presente em muitas regiões do país.

O segundo pressuposto diz respeito ao estatuto da informação e seus desdobramentos, um dos suportes da PNAS. Estar bem informado sobre os meandros da Política possibilita aos cidadãos sistematizarem suas demandas de forma realista e, aos mesmos, controlarem as ações do governo.

O terceiro pressuposto refere-se ao conflito entre o individualismo, que se sustenta nos círculos da família, da vizinhança, de grupos profissionais e de grupos religiosos fechados e a perspectiva ideopolítica do

Suas de construção de um sistema que deve ser consubstanciado em circuitos mais amplos de solidariedade.

Esse conflito é reforçado pela natureza ambivalente da Política de Assistência Social. A necessidade e ampliação do seu campo de atuação denunciam situações de carências e assimetrias que deveriam ser resolvidas mediante a ampliação de políticas estruturantes.

Em síntese, através da conjugação de políticas compensatórias e estruturantes, não é imaginável promover a emancipação da classe trabalhadora ou romper com as desigualdades de classe, mas é possível reduzir as assimetrias decorrentes do modo de produção capitalista.

Referências

ARAÚJO, Cleonice et al. *Relatório síntese da pesquisa de campo*. São Luís: UFMA, 2008. (Mimeo.)

ARRETCHE, Marta. Mitos da descentralização: mais democracia e eficiência nas políticas públicas. *Revista Brasileira de Ciências Sociais*, ano 11, n. 31, jun. 1996.

BENTO, Leonardo Valles. *Governança e governabilidade na reforma do Estado*: entre eficiência e democratização. São Paulo: Manole, 2003.

BIDARRA, Zelimar. Conselhos Gestores de políticas públicas: uma reflexão sobre os desafios para a construção dos espaços públicos. *Serviço Social & Sociedade*, São Paulo, ano XXVI, n. 88, p. 41-58, nov. 2006.

BOBBIO, Norberto *Estado, governo e sociedade*: para uma teoria geral da política. São Paulo: Paz e Terra, 1992.

BRASIL. Ministério da Administração Federal e Reforma do Estado. *Plano Diretor da reforma do Estado*. Presidência da República. Brasília: Imprensa Oficial, set. 1995.

______. Ministério do Desenvolvimento Social e Combate à Fome. *Política Nacional de Assistência Social — PNAS*. Brasília, 2005.

______. ______. *Política nacional de Assistência Social e Norma Operacional Básica*. Brasília, nov. 2004.

BRASIL. Ministério da Administração Federal e Reforma do Estado. *Política nacional de Assistência Social e Norma Operacional Básica*. Brasília, nov. 2010.

CAMPOS, Edval Bernardino. Assistência Social: do descontrole ao controle. *Serviço Social & Sociedade*, São Paulo, ano XXVI, n. 88, p. 101-121, nov. 2006.

CONSTANTINO, José Albuquerque; AMARAL, Maria Letícia B. dos Santos; QUEIROZ, Sinara de Fátima Rocha. *Os centros de referência de assistência social — Cras*: limites e possibilidades. Recife: Universidade Federal de Pernambuco, 2007. (Mimeo.)

COUTO, Berenice Rojas. *O direito e a assistência social brasileira*: uma equação possível? São Paulo: Cortez, 2006.

FERRAZ, Ana Targina Rodrigues. Cenários da participação política no Brasil: os conselhos gestores de políticas públicas, *Serviço Social & Sociedade*, São Paulo, ano XXVI, n. 88, nov. 2006.

GUILHON, Maria Virgínia; PEREIRA, Maria Eunice. A eficiência na reforma do Estado e suas repercussões na avaliação de Políticas Sociais. *Texto apresentado na II Jornada Internacional de Políticas Públicas*. São Luís: UFMA, 2005.

HOBBES, Thomas. *Leviatã*. 4. ed. São Paulo: Nova Cultural, 1988.

O'DONNELL, G. Teoria democrática e política comparada. *Dados*, v. 42, n. 4, 1999.

OLIVEIRA, Francisco. Aulas ministradas no Programa de Pós-graduação em Políticas Públicas da UFMA. São Luís: UFMA, nov. 2001.

RAICHELIS, Raquel. Articulação entre os conselhos de políticas públicas: uma pauta a ser enfrentada pela sociedade civil. *Serviço Social & Sociedade*, São Paulo, ano XXVII, n. 85, p. 109-116, mar. 2006.

REDE DE ENSINO LUIZ FLÁVIO GOMES. Sobre a Súmula Vinculante n. 13: proibição ao nepotismo nos cargos comissionados, 2008. (Mimeo.) Disponível em: <http://www.jusbrasil.com.br/noticias/101547/as-nuancas-juridicas-da-sumula-vinculante-de-n-13-vedacao-ao-nepotismo-informativo-516>. Acesso em: 30 mar. 2010.

SANTOS, Boaventura de Sousa. Reinventar a democracia: entre o pré-contratualismo e o pós-contratualismo. In: OLIVEIRA, Francisco; PAOLI, Maria Célia (Orgs.). *Os sentidos da democracia*: políticas de dissenso e hegemonia global. São Paulo: Fapesp/Vozes, 1999.

SANTOS, Boaventura de Sousa; AVRITZER, Leonardo. Introdução: para ampliar o cânone democrático. In: SANTOS, Boaventura de Sousa (Org.). *Democratizar a democracia*: os caminhos da democracia participativa. Rio de Janeiro: Civilização Brasileira, 2002.

SILVA, Maria Ozanira da Silva e (Coord.). *O bolsa-família no enfrentamento à pobreza no Maranhão e Piauí*. São Paulo: Cortez, 2008.

______. *O bolsa-família*: problematizando questões centrais na política de transferência de renda no Brasil, 2007. (Mimeo.) Disponível em: <http://www.gaepp.ufma.br/producao_cientifica/download.php?id=136>. Acesso em: 31 mar. 2010.

SOUSA, Salviana Santos. Educação profissional no Brasil: centralização e descentralização no processo de gestão das políticas governamentais. Tese (Doutorado em Políticas Públicas) — UFMA, São Luís, 2004.

SOUSA, Salviana Santos. A questão da descentralização participativa do Planfor: qual democracia. *Revista Katálysis*, v. 10, n. 2, p. 256-264, jul./dez. 2007.

SPOSATI, Aldaíza. Prefácio. In: TORRES, Iraíldes Caldas. *As primeiras-damas e a Assistência Social*: relações de gênero e poder. São Paulo: Cortez, 2002.

TELLES, Vera. Os dilemas da pobreza: entre a cidadania e a filantropia. *Caderno da Escola do Legislativo*, Belo horizonte, v. 6, n. 11, p. 51-86, jul./dez. 2000.

YAZBEK, Maria Carmelita. A pobreza e as formas históricas do seu enfrentamento. *Revista de Políticas Públicas*, v. 9, n. 1, jan./jun. 2005.

4.3 O Sistema Único de Assistência Social em São Paulo e Minas Gerais — desafios e perspectivas de uma realidade em movimento*

*Maria Carmelita Yazbek***
*Maria Luiza Mestriner****
*Neiri B. Chiachio*****
*Raquel Raichelis******
*Rosangela Paz*******
*Vânia Nery********

4.3.1 Introdução

Considerando o contexto mais geral da implantação do Sistema Único de Assistência Social — Suas, a pesquisa na Região Sudeste (estados

* A pesquisa da região sudeste, que incluiu os estados de Minas Gerais e São Paulo, foi desenvolvida sob a responsabilidade da PUC-SP, com a coordenação das profas. Maria Carmelita Yazbek e Raquel Raichelis, e a participação de doutorandas e mestrandas do Programa de Pós-Graduação em Serviço Social, pesquisadoras convidadas, mestres e doutoras egressas do Programa, atualmente vinculadas a outras instituições de ensino, responsáveis pela coleta de dados e elaboração dos relatórios de pesquisa: Ana Maria A. Camargo, Ana Paula R. R. Medeiros, Andréa C. S. de Jesus, Gisela Barahona, Maria Helena Cariaga, Maria Virginia Righetti F. Camilo, Maria Luiza Mestriner, Marilene F. Sant'Anna, Neiri B. Chiachio, Rosana Cardoso, Rosangela Paz, Rosemeire dos Santos, Sonia Nozabielli, Vania B. Nery.

** Doutora em Serviço Social pela PUC-SP. Professora do Programa de Estudos Pós-graduados em Serviço Social da mesma universidade. Pesquisadora do CNPq. <mcyaz@uol.com.br>.

*** Doutora em Serviço Social pela PUC-SP. Pesquisadora da Coordenadoria de Estudos e Desenvolvimento de Projetos Especiais — Cedpe/PUC-SP. Sócia-diretora da Ativa Consultoria em Gestão Social. <mlmestriner@terra.com.br>.

**** Doutoranda em Serviço Social pela PUC-SP. Pesquisadora do Núcleo de Estudos e Pesquisas em Seguridade e Assistência Social (Nepsas-PUC-SP). <neirib@uol.com.br>.

***** Doutora em Serviço Social pela PUC-SP. Coordenadora do Programa de Estudos Pós-graduados em Serviço Social da PUC-SP. Coordenadora do Núcleo de Estudos e Pesquisa sobre Trabalho e Profissão. Pesquisadora da Coordenadoria de Estudos e Desenvolvimento de Projetos Especiais — Cedpe da PUC-SP. <raquelrd@pucsp.br>.

****** Doutora em Serviço Social pela PUC-SP. Professora do Curso de Serviço Social da Faculdade de Ciências Sociais/PUC-SP e pesquisadora da Coordenadoria de Estudos e Desenvolvimento de Projetos Especiais — Cedpe/PUC-SP. Pesquisadora do Núcleo de Estudos e Pesquisas sobre Movimentos Sociais (Nemos-PUC-SP). <rosapaz@uol.com.br>.

******* Doutora em Serviço Social pela PUC-SP. Professora do Curso de Serviço Social da Faculdade Metropolitanas Unidas — FMU, servidora municipal da Secretaria de Desenvolvimento e Assistência Social de São Paulo. <vanianery@gmail.com>.

de São Paulo e Minas Gerais) privilegiou a análise do Centro de Referência da Assistência Social — Cras, pela inovação que representa para a configuração da política de assistência social e a possibilidade de atribuir identidade pública a uma área de pouca visibilidade no conjunto das políticas sociais. Nesses termos, a criação do Cras suscita o aprofundamento de questões que representam grandes desafios para essa área, exigindo a incorporação crítica de novas matrizes teórico-metodológicas e técnicas no âmbito da assistência social.

As estratégias e diversidade dos instrumentos de pesquisa utilizados, apresentados na introdução deste livro (entrevistas semiestruturadas com gestores, grupo focal com profissionais, técnicos de apoio administrativo e conselheiros, observação direta nos Cras e Creas), possibilitaram razoável nível de compreensão quanto ao significado que essa unidade de referência da PNAS vem desempenhando como *locus* da proteção social básica do Suas. Os resultados apontados irão privilegiar, no entanto, um recorte da dinâmica do seu funcionamento, expresso pelas tendências observadas no momento da realização desta pesquisa[1] quando se desenvolviam as primeiras iniciativas para a implantação dos Cras e do próprio Suas. O estudo apresenta também pontuações sobre o Centro de Referência Especializado de Assistência Social (Creas), que se encontra em estágio mais embrionário de implantação em nível nacional, além de problematizações a respeito do controle social a partir das mudanças introduzidas pela PNAS e pelo Suas.

Nesses termos, é possível que as informações e análises aqui contidas funcionem como hipóteses de trabalho a depender, certamente, de outras investigações.

É preciso ressaltar ainda os desafios metodológicos de realização da pesquisa nos dois maiores estados da federação — São Paulo e Minas

1. A pesquisa em municípios do Estado de São Paulo: — São Paulo, Batatais, Guareí, Mongaguá, Nova Canaã Paulista, Santo André, Sumaré — foi aplicada no período de 20 de junho a 9 de agosto de 2007, exceto as entrevistas com os gestores da capital e do Estado que ocorreram em setembro de 2008 e abril de 2009, respectivamente. No Estado de Minas Gerais — Belo Horizonte, Carbonita, Congonhas, Coronel Fabriciano, Janaúba, e Limeira do Oeste — realizou-se no período de 8 de maio a 30 de julho de 2008.

Gerais — em número de municípios e em população, e que do ponto de vista da trajetória da assistência social possuem tradições e acúmulos bastante diferenciados.

Vale destacar, inicialmente, uma primeira observação de ordem geral: qualquer avaliação do alcance das mudanças propostas pela PNAS (BRASIL, 2004) deve considerar a cultura política instituída da assistência social em nosso país, para considerar o *difícil trânsito de sua constituição como política e como pública* (RAICHELIS, 1998).

A análise sobre as mudanças instauradas levou em conta, pois, o pesado legado assistencialista e o curto período de implementação do Suas, desde a aprovação da PNAS/2004, a NOB-Suas/2005 e a NOB-RH/2006.

É somente a partir desses marcos regulatórios que a política de assistência social encontra eco em ações normativas levadas a efeito pelo reordenamento estatal exigido para a operacionalização do Suas, em meio às complexas e sempre tensas redefinições do pacto federativo para garantir complementaridade na provisão e financiamento de serviços, benefícios e programas pelas três esferas de governo, de acordo com competências definidas por essas regulações.

Também foram consideradas as desigualdades socioterritoriais e a diversidade que caracterizam os municípios brasileiros, o que se evidenciou nos dados colhidos sobre a gestão da assistência social em termos institucionais, políticos, técnicos, orçamentários, de infraestrutura material e de pessoal.

4.3.2 A Política de Assistência Social e o Suas na ótica de seus construtores

O estágio atual de implantação do Suas revela um processo de mudanças permeado de lutas e resistências entre o novo e o velho, entre permanências e rupturas, que precisam ser apreendidas na dinâmica das forças sociais e políticas que atuam historicamente no chamado *campo assistencial*.

Nogueira (1998, p. 256), em sua análise sobre as possibilidades de reforma democrática do Estado, observa que toda mudança (sócio-histórica ou meramente organizacional) é acima de tudo *desafio*: seja no plano coletivo de ordem material, porque envolve o deslocamento de forças econômicas, políticas, sociais que expressam interesses e aquisições arraigadas dos quais não se quer abrir mão porque representam um patamar de estabilidade; seja no plano psicológico de ordem espiritual, pois implicam no abandono de ideias, representações e imagens cristalizadas na cultura e nas consciências individuais, estimulando o conservadorismo que existe nas pessoas e na sociedade.

Mesmo que o novo seja identificado por seus construtores — gestores(as) estaduais e municipais, técnicos(as) e conselheiros(as), no caso deste estudo — como portador de um salto de qualidade importante e necessário na política de assistência social, como foi evidenciado pelos depoimentos colhidos na pesquisa, é sabido que todo processo de mudança gera incertezas e inseguranças, independente até dos avanços que possa representar na ótica dos seus operadores.

Para os gestores entrevistados, de modo geral, a PNAS e o Suas representam avanços importantes, "mesmo considerando que o momento é de muitas mudanças, com pouco tempo para absorver tudo [...] mas o avanço conquistado não terá mais retrocesso, pois o Suas está amarrando o gestor de uma forma que ele não pode deixar de se comprometer". (SP)

Outro depoimento observa:

> [...] eu acho que nós estamos passando por um dos momentos mais ricos que a Assistência Social já passou. Aliás, a Assistência Social vem ganhando desde 1988 muito terreno. Eu acho que agora nós estamos chegando no ápice deste processo que é o Suas, né? À luz do que foi todo o processo da construção da política da Saúde, eu acho que a Assistência está passando pelo momento mais rico da sua história [...] (SP)

Apesar de reconhecer o avanço, esse mesmo gestor aponta o desafio que significa a implantação do Suas e dos Cras em uma metrópole:

> [...] é um desafio implantar o Cras numa cidade como São Paulo, que você tem todos os serviços terceirizados e que tem uma precariedade do quadro de recursos humanos e uma precariedade de sistemas e uma precariedade

> de monitoramentos e de avaliação [...] é um grande desafio que nós estamos enfrentando. (SP)

Interessante observar que depoimentos de gestores de municípios de diferentes portes corroboram a percepção sobre os avanços da política de assistência social no atual estágio de implantação do Suas:

> O Cras reforça uma presença estatal, de poder público mais forte no comando da política, no seu cofinanciamento e eu acho que isso fortalece a gestão pública (Metrópole).
>
> Tudo mudou muito, antigamente se tinha medo se o convênio iria ser ou não renovado, agora não, é direito do município manter os programas (são direitos), são conquistas, não tem mais a ver sobre a mudança política local ou do prefeito (Município de PP1).
>
> Porque uma coisa que a gente sabe é que a Assistência Social, no Brasil, ela está se construindo. [...]. Então, a gente sabe que em muitos lugares não existia nem nada e que o Cras é a primeira coisa que está acontecendo (Município de PP1).
>
> Apesar das dificuldades, o grande avanço trazido pelo Suas é a institucionalização e profissionalização da assistência social como política pública (Gestor estadual — SP).
>
> O Suas é um "bebê" de 3 anos, embora tenha avançado bastante. Trabalha-se com uma cultura, é um movimento, um processo. Isso tudo tem que se materializar, tornar-se concreto, do contrário torna-se abstrato. [...] As NOBs (1997 e 1998) estavam mais na punição, a atual está mais voltada para o incentivo, o financiamento como incentivo, orçamento próprio (Gestor estadual — MG).

A existência de regulações federais que respaldam e legitimam a gestão da assistência social em cada unidade da federação, bem como as informações produzidas e sua disponibilização via internet e outros canais, possibilitam transparência e difusão de dados de referência para a implantação do Suas.

Comparece no discurso dos gestores a compreensão de que a existência das novas formulações que embasam a PNAS e o Suas dotam técnicos, operadores e gestores de mecanismos mais consistentes para enfrentar o assistencialismo ainda presente nas concepções e práticas, e também para embasar as articulações e negociações com prefeitos, secretários e demais interlocutores políticos das administrações municipais.

Contudo, mesmo havendo esse reconhecimento, os depoimentos recolhidos reafirmaram as análises que vêm sendo realizadas por diferentes pesquisadores da política de assistência social, que apontam a permanência de fortes traços da cultura patrimonialista e paternalista na assistência social. Eles expressam a constituição de uma sociedade autoritária, estruturada a partir da matriz senhorial da Colônia, das relações privadas fundadas no mando e na obediência, na indistinção entre o público e o privado, que se recusa a operar com a matriz do direito, colocando em seu lugar as relações de favor, tutela, e clientela, e da promessa salvacionista ou messiânica (CHAUI, 2000, p. 89).

Para Mestriner (2001), essa histórica inexistência de fronteiras entre o público e o privado na constituição da sociedade brasileira vai permear a tessitura básica da assistência social em nosso país, que continuamente repõe tradições clientelistas e assistencialistas seculares.

> Isso significa que a assistência social, embora tenha ingressado na agenda do Estado — desde o âmbito municipal até o federal — sempre o fez de forma dúbia, isto é, mais reconhecendo o conjunto das iniciativas organizadas da sociedade civil no denominado campo dos "sem fins lucrativos" do que propriamente reconhecendo como responsabilidade pública e estatal as necessidades da população atendida por tais iniciativas (MESTRINER, 2001, p. 14-16).

No Estado de São Paulo, a implantação da política de assistência social foi lenta e atrasada em relação ao conjunto dos estados brasileiros, em razão de particularidades políticas do Estado, conforme depoimento colhido.[2] No caso dos municípios do Estado de São Paulo, confirma-se a forte presença dos Fundos de Solidariedade, configurando-se não apenas

---

2. Para a atual gestora, o Suas avançou no Estado mais recentemente, e uma das razões, segundo ela, é o fato de que pela primeira vez um técnico de carreira assume a gestão da Assistência Social, gozando de autonomia "concedida" pelo secretário para gerir a política na área.

a permanência do duplo comando na gestão da política de assistência social, como as forças contrárias à sua profissionalização, dado o cruzamento com a filantropia e o voluntariado, que imprimem o selo do *solidarismo caritativo* nesse campo.[3]

Vários depoimentos colhidos evidenciaram a presença das primeiras-damas na condução da política de assistência social, mas acompanhada agora de um discurso legitimador dessa presença, em função de um movimento das esposas de governantes em busca de formação acadêmica para assumir o lugar de coordenação da assistência social e se capacitarem para a gestão pública da área. É o que poderíamos denominar de *primeiro-damismo reciclado*, que surpreendentemente encontra aceitação entre vários técnicos entrevistados. Ao invés da extinção deste instituto, deliberação assumida e reiterada sistematicamente pelas conferências nacionais, o que temos é um processo inusitado de sua atualização, que confronta e afronta inclusive os princípios básicos da administração pública, como a impessoalidade, a legalidade, a publicidade, a probidade, o concurso público e a prestação de contas, entre outros.

Certamente a permanência do primeiro-damismo é a mais emblemática das práticas sociais, que atua como força do atraso na política de assistência social, recusando sua maioridade sociojurídica como política pública, ainda que acompanhada do discurso (abstrato) sobre a necessidade da produção de uma cultura de cidadania nesse campo.[4]

Esse traço de longa duração da assistência social encontra na atualidade nova justificativa para a sua continuidade travestida com outra roupagem, tal qual o *mito fundador*, "[...] que não cessa de encontrar novos meios para exprimir-se, novas linguagens, novos valores e ideias, de tal

---

3. Sobre o duplo comando na Assistência Social e a presença dos Fundos de Solidariedade em municípios de Estado de São Paulo, ver Gomes (2008).

4. Ao falar de cultura política no campo da assistência social, considera-se, por um lado, os traços conservadores e autoritários da formação social, cultural e econômica brasileira que historicamente se reproduziram nas práticas da assistência social e, por outro lado, a possibilidade de se forjar uma cultura de direitos no campo da assistência social a partir da conquista da Loas e das lutas pela implementação da assistência social como política de seguridade social. Sobre práticas conservadoras ou "cultura do atraso" no campo da assistência social, e sobre o fato de que essas práticas não serem algo do passado e nem exclusivas da assistência social, ver Oliveira (2005).

modo que quanto mais parece ser outra coisa, tanto mais é a repetição de si mesmo." (CHAUI, 2000, p. 9).

Para Sposati (2001):

> O modelo conservador trata o Estado como uma grande família, na qual as esposas de governantes, as primeiras-damas, é que cuidam dos "coitados". É o paradigma do não direito, da reiteração da subalternidade, assentado no modelo do Estado patrimonial. [...] Neste modelo, a assistência social é entendida como espaço de reconhecimento dos necessitados sociais. Suas ações devem configurar o reconhecimento dos "homens bons" nos moldes dos tempos coloniais. Estes se "dignificam" pelas ações sem fins lucrativos que exercem. [...] Assim, alguns políticos, partidários dessa concepção conservadora, doam esmolas, subvenções, contribuições ou entendem o poder como uma distribuição filantrópica de bens. Desloca-se, no caso, o poder de Estado para o das instituições de benemerência e filantropia que nem sempre mantêm uma clara relação de parceria fundada na política pública asseguradora de direitos. Essas ações negam direitos ao invés de afirmá-los (SPOSATI, 2001, p. 76).

Nestas práticas observa-se a ausência do reconhecimento de direitos, tratando-se de um "[...] padrão arcaico de relações que fragmenta e desorganiza os subalternos ao apresentar como favor ou como vantagem aquilo que é direito. Além disso, as práticas clientelistas personalizam as relações com os dominados, o que acarreta sua adesão e cumplicidade, mesmo quando sua necessidade não é atendida." (YAZBEK, 1993, p. 41).

A implantação do Suas nos municípios e estados analisados revela as ambiguidades expressas nos cotidianos profissionais e na relação com os usuários. Trata-se de um processo aberto de possibilidades, mas também de continuidades; ao mesmo tempo em que o assistencialismo é negado, a visão acerca da população usuária nem sempre lhe credita capacidades e disponibilidades para mudanças.

> Pobre não se relaciona porque tem pouco para eles, quanto mais para partilhar. A miséria não é gentil. Ou o pobre defende o copo para ele ou fica sem o copo. (SP)

Tais ambiguidades se inscrevem tanto em um mesmo município — nas posturas divergentes entre gestores e profissionais — como entre profissionais que atuam em um mesmo Cras, demonstrando a necessidade de se construírem consensos mínimos a partir dos quais seja possível avançar na implantação do Suas.

Há por vezes a observância de que o novo da política, que se expressa na presença do Cras em territórios vulneráveis, coexiste com um sistema paralelo tradicional e conservador. Observa-se ainda, que em muitos casos o Suas é identificado com o Cras, constituindo-se em gestão de serviços e não de uma política.

Em meio a essa luta entre forças de permanência e ruptura, é visível o engajamento e o compromisso das equipes técnicas no processo de implantação dos Cras, ao mesmo tempo em que se observam inquietações relacionadas ao manejo dos conhecimentos teóricos e técnicos, ao significado do trabalho social e às condições concretas em que se realiza o trabalho institucional.

A assistência social — diferentemente de outras políticas como a saúde ou a educação, com maior visibilidade e apoio em movimentos sociais e alianças políticas mais consistentes — iniciou seu processo mobilizador a partir da aprovação da Loas, com pouca tradição de interlocução política na esfera pública, cercada de imprecisões conceituais, com frágil institucionalidade e arco de alianças políticas a ser construído no processo mesmo de sua implementação.

Nesse sentido, a pesquisa capturou também indícios de fragilidade, não apenas de (falta de) apropriação crítica dos conceitos e diretrizes da PNAS pelos seus construtores, mas também da ausência de desenvolvimento de competências institucionais para a gestão e o gerenciamento do sistema, dentro da nova lógica de estruturação hierarquizada das proteções e seguranças sociais da assistência social. O resultado expressa-se em um universo heterogêneo, no qual os Cras vêm construindo uma identidade múltipla, difusa e experimental, o que rebate nas equipes, infraestrutura e no arsenal de conhecimentos teóricos e técnico-operativos. Outra questão observada refere-se à identificação do Suas com os Cras: "Quando se fala Suas é Cras." (SP).

A noção de sistema único é uma ideia-força na construção do Suas, mas não encontra tradição e conhecimento acumulado na área. Por isso, para além de requisitos técnicos e operativos imprescindíveis ao seu funcionamento, o Suas depende de uma diretriz política de governo. É necessária a "costura" política dos gestores públicos para mediações e negociações que devem ser feitas a cada passo, no âmbito da correlação de forças internas aos governos nas três esferas e nas articulações mais amplas com a sociedade civil local, instâncias de pactuação bipartites e tripartite, de acordo com os diferentes níveis de poder da federação.

Questões relativas ao comando único na política, quer pela presença do primeiro-damismo quer decorrentes do modo como se opera a descentralização, tanto vertical entre as três instâncias de governo, como a horizontal entre os governos municipais e as entidades e organizações que integram a rede socioassistencial, se apresentam como inibidoras da conformação da política de assistência social como sistema único, ainda que não homogêneo e condicionado à dinâmica dos sujeitos e relações sociais presentes nos territórios onde se implanta.

Uma questão recorrente nos diferentes municípios da região sudeste é o baixo domínio quanto ao financiamento e orçamento municipais, com dificuldades na produção, apropriação, difusão e controle social do orçamento da assistência social. Essa questão estratégica para a formatação da política pública constitui terreno nebuloso, de difícil acesso aos profissionais e mesmo para os gestores da área, prevalecendo a antiga prática de atribuir ao setor contábil a orçamentação, aplicação, acompanhamento e manejo dos recursos. E isto rebate na hierarquização das políticas sociais a serem contempladas no orçamento público. Como afirmou uma das entrevistadas: "Apesar de todos os avanços, o Suas não mudou a posição da assistência social no PPA nem mudou o reconhecimento da assistência social no orçamento estadual" (SP).

De modo geral, não há uma institucionalidade construída quanto a mecanismos e instrumentos de gestão, sobretudo no que diz respeito a expectativa de resultados, enquanto *produtos* previstos nos objetivos e metas e derivados de seu processo de implementação.

Consequentemente, não se observou, a não ser em municípios de maior porte, a constituição de um sistema de dados para diagnóstico e acompanhamento de benefícios e serviços socioassistenciais.[5] Técnicos contactados durante a realização da pesquisa expressaram preocupações frente à inexistência de um setor de informação que forneça dados sistemáticos sobre a realidade social local e os territórios de abrangência dos Cras e Creas. Supõe-se que os critérios adotados estejam mais voltados aos efeitos da política, esperados ou não, do que ao seu impacto sobre a vida dos usuários, em termos de mudanças ou alterações provocadas na sua realidade sociofamiliar, dimensão que parece não encontrar sistematização no campo desta política.

A gestão do Suas tende a ser mais bem organizada, apropriada e implantada nas metrópoles, sendo ainda difusa sua compreensão e instalação nos pequenos municípios. Se isto se evidencia pela existência consolidada de órgãos gestores, estrutura administrativa, gestão descentralizada, bancos de dados, entre outros, a estruturação do Suas, mesmo nas metrópoles, depende ainda da adesão aos princípios e diretrizes da PNAS pelos gestores, o que por vezes esbarra em questões de ordem político-partidárias. Aliás, como veremos, o próprio reconhecimento de quem é o gestor da política de assistência é de difícil precisão.

No ordenamento ou reordenamento institucional, necessário para constituir um *locus* de gestão da política de assistência social em cada unidade da federação, observou-se que, em alguns municípios, o Secretário (ou Diretor) é o gestor. Em outros, o Secretário é o político indicado pelo

---

5. Em Belo Horizonte, publicações institucionais (Seminário de 2005: "Monitoramento, Avaliação e Informatização do Sistema Único de Assistência Social") revelam os estudos sobre a cidade e os territórios para os quais se dirige a proteção social de assistência social. Os Cras foram implantados tendo por referência os indicadores de vulnerabilidade. Publicação de 2007 registra a experiência de implantação de um sistema de indicadores para avaliação dos serviços socioassistenciais (2007, p. 66-111).

Em Santo André (SP), as regiões do orçamento utilizadas para o planejamento municipal têm como base o Mapa da Exclusão Social (2002).

Em São Paulo, capital e com base no último censo demográfico, a Prefeitura utilizou como instrumento de planejamento índices do Mapa da Exclusão/Inclusão Social da Cidade de São Paulo (2002, PUC-SP/Inpe/Polis). Pela assistência social foi construído o "Mapa da Vulnerabilidade Social e do Déficit de Atenção a Crianças e Adolescentes no Município de São Paulo" (2003, SAS/CEM-Cebrap) e, quando da realização da pesquisa foi relatada a utilização do Índice Paulista de Vulnerabilidade Social, IPVS, da Fundação Sistema Estadual de Análise de Dados — Seade. Na estrutura do órgão gestor há o "Observatório Social" encarregado do Sistema de Vigilância Social.

prefeito, e ele delega a um profissional a coordenação técnica da área, com pouca ou nenhuma margem de autonomia, autoridade e poder de decisão.

Esta realidade peculiar revela que a própria figura do gestor da política de assistência social ainda é uma noção em construção. E esta questão ganha relevância ainda maior diante do debate que se trava na administração pública sobre o perfil do gestor que se demanda hoje, especialmente no setor público-estatal, que diferentemente do gestor privado, deve ser *técnico e político*, um profissional de articulação capaz de integrar as escolhas técnicas no circuito da decisão coletiva democrática (NOGUEIRA, 1998, p. 190).

Isso remete à própria *identidade da assistência social*, construída ao avesso da política e do perfil requeridos para consolidar um lugar institucional na administração pública. Mesmo que a indicação de cargos de governo seja uma prerrogativa política do prefeito, é mais comum encontrar certa compatibilidade de formação específica em áreas como educação e saúde do que na assistência social. O gestor da assistência social ainda não é um cargo legitimado social e politicamente, e uma mudança nessa situação depende do movimento atual para afirmar seu estatuto de política pública regida pelos princípios de racionalidade, competência, profissionalismo e compromisso com o interesse público.

Quanto aos trabalhadores da assistência social, a pesquisa constatou a insuficiência de quadros técnicos e nem sempre adequadamente capacitados. Há contratos precários, terceirizados, parciais, embora haja um reconhecimento acerca das possibilidades geradas pela política que colocam o trabalho profissional sob bases normativas para sua operacionalização.

De modo geral as equipes avaliam a PNAS e o Suas como um grande avanço, apresentando posições em defesa do sistema e dos Cras "[...] pois não há sentimento de repassador de serviços, mas de um profissional que constrói um projeto de cidadania" (São Paulo). Observou-se a incorporação da linguagem da política e do discurso presente nas regulamentações. "A acolhida é mais fácil, mais humanizada, é bem mais próxima" (São Paulo).

As noções de território, de centralidade do trabalho com as famílias, de acolhimento, de ação socioeducativa, de assistência social como direito, entre outras, estão presentes no discurso dos agentes técnicos, mas por outro lado se ressentem de melhor apropriação teórico-metodológico e técnico-operativo para a intervenção nos serviços, programas e projetos. Isso porque, embora a linguagem trazida pela PNAS tenha sido incorporada no plano do discurso, há dificuldades concretas em explicitar criticamente conceitos e seus fundamentos, e também em potencializar a dimensão coletiva dos direitos sociais.

> [...] me preocupo que muito do que a gente vá fazer desmobilize a população em torno de lutas coletivas. Você vai dando algumas respostas, você acaba organizando na própria comunidade e ela dá conta e isso se perde ali [...] é cada um no seu pedacinho tentando resolver seus problemas [...] na política se fala da questão dos direitos, mas a questão dessa luta (por direitos coletivos) é fundamental... (São Paulo — Metrópole).

4.3.3 O Cras em movimento

A instalação de Centros de Referência de Assistência Social (Cras) como unidades de referência da Proteção Social Básica (PSB) a cargo da política de assistência social, tem importante significado no contexto de construção do Suas.

Em alguns municípios, relatos indicam a existência de unidade de recepção e atendimento à população relativamente similar, anteriormente à implantação do Suas, embora sob outras denominações e formas de atenções, sendo as mais reconhecidas a *acolhida* da população por procura espontânea e a oferta de *Benefícios Eventuais.*

No entanto, a instalação do Suas ressignifica, altera e amplia a função desse serviço que viria a se constituir como unidade de execução pública estatal — Cras, porta de entrada do sistema e que, sob financiamento federal, estende-se por grande parte do território brasileiro.[6]

---

6. Segundo dados do *Informativo Suas*, n. 14, de 8 a 21/12/2009, e n. 15 de 19/1 a 1/2/2010, pelo censo Suas/2009 promovido pelo Ministério do Desenvolvimento Social (MDS) há 5.812 Cras em território brasileiro, em 4.327 municípios, dos quais 2.106 estão na Região Nordeste, 1.977 na Sudeste,

O movimento de implementação dos Cras desencadeia debates e indagações de profissionais, gestores e pesquisadores sobre as formas de implementá-lo, suas possibilidades e desafios.

Uma das preocupações se refere aos paradigmas postos pela PNAS/04, para que a instalação dessas unidades ocorra consoante o significado que lhes foi atribuído, com qualidade na prestação dos serviços de proteção social da assistência social e impactos na qualidade de vida e no campo dos direitos sociais, o que requer intervenções qualificadas do ponto de vista teórico, ético-político e técnico-operativo.

Levantamento realizado pela Secretaria de Assistência e Desenvolvimento Social de São Paulo (Seads), com profissionais participantes de capacitação para atuação nos Cras, informa sobre o significado atribuído ao Cras pelos respondentes, apontando com maior incidência a "[...] possibilidade de implantar a Assistência Social como política pública de direitos [...]" (94%) e a possibilidade de trabalhar na direção do acesso a direitos socioassistenciais (cerca de 87%) (RAICHELIS, 2010).

O Cras é a unidade público-estatal de referência do Suas que, pela oferta de serviços, benefícios e atividades socioassistenciais, materializa direitos a proteção social de assistência social, como dever de Estado.[7]

---

888 na Sul, 486 na Centro-Oeste e 355 na Região Norte. Abarcam 44.161 profissionais entre nível médio e universitário. Os informativos situam tais dados como preliminares e é possível que nesta contagem não estejam unidades existentes anteriormente e financiadas pelos municípios, reordenadas ou em fase de reordenamento em razão das regulações atuais.

7. Segundo o documento *Orientações Técnicas do Cras* (MDS, 2009), são direitos dos usuários a serem garantidos pelos serviços e ações ofertadas no Cras:

- de conhecer o nome e a credencial de quem o atende [...];
- à escuta, à informação, à defesa, à provisão direta ou indireta ou ao encaminhamento de suas demandas de proteção social;
- a dispor de locais adequados para seu atendimento, tendo o sigilo e sua integridade preservados;
- de receber explicações sobre os serviços e seu atendimento de forma clara, simples e compreensível;
- de receber informações sobre como e onde manifestar seus direitos e requisições sobre o atendimento socioassistencial;
- a ter seus encaminhamentos por escrito, identificados com o nome do profissional e seu registro no Conselho ou Ordem Profissional, de forma clara e legível;
- a ter protegida sua privacidade, dentro dos princípios e diretrizes da ética profissional, desde que não acarrete riscos a outras pessoas;

Conforme aponta Raichelis (2010),[8] a implantação dos Cras demarca a presença do Estado em territórios de maior vulnerabilidade social, o que deve resultar em novo protagonismo estatal, capacidade estratégica e coordenação política e, dentre outras, a possibilidade de atribuir e firmar identidade a assistência social — área de pouca visibilidade no conjunto das políticas públicas.

O trabalho social com famílias no Cras articula meios, condições, pressupostos éticos e conhecimentos teórico-metodológicos, com a finalidade de assegurar direitos e aquisições relacionadas à autonomia e ao fortalecimento da cidadania dos usuários, pelo desenvolvimento de suas capacidades e de condições objetivas de fazer frente às necessidades sociais de existência.

O Cras realiza concomitantemente as funções de proteção às famílias, defesa de direitos e vigilância das exclusões e violações sociais podendo, dessa forma, captar necessidades de proteção social e agir preventivamente antecipando-se à ocorrência de riscos e aos agravos a vida.

Nessa direção, poderá organizar informações sobre o território e sua dinâmica e utilizá-las de forma estratégica, alimentar o planejamento das ações na própria unidade e subsidiar a elaboração do Plano Municipal de Assistência Social e o direcionamento (ou redirecionamento) da rede socioassistencial, na perspectiva de sua diversidade, complexidade e cobertura do número potencial de usuários que dela possam necessitar.

É uma unidade efetivadora da referência e contrarreferência do usuário na rede socioassistencial em seu território de abrangência.[9] Como tal, o Cras é parte integrante dessa rede.

- a ter sua identidade e singularidade preservadas e sua história de vida respeitada;
- de poder avaliar o serviço recebido, contando com espaço de escuta para expressar sua opinião;
- a ter acesso ao registro dos seus dados, se assim o desejar;
- a ter acesso às deliberações das conferências municipais, estaduais e nacionais de assistência social.

8. Em palestra no Seminário de Encerramento da Capacitação para implantação dos Cras no Estado de São Paulo: "Cras no contexto dos municípios paulistas: características e tendências" (São Paulo, 2010).

9. Ibidem (MDS, 2009). A função de referência se materializa quando a equipe processa, no âmbito do Suas, as demandas oriundas das situações de vulnerabilidade e risco social detectadas

Embora cada serviço de assistência social deva ter uma suficiência resolutiva, segundo seus objetivos e alcance, a função de referência e contrarreferência supõe processar as necessidades detectadas no território, de modo a garantir ao usuário formas de acesso, conforme a complexidade requerida, na perspectiva da completude de atenções em rede. Essa é uma das funções do Cras, no fomento a organização da rede socioassistencial, cujo adequado funcionamento exige um fluxo e contrafluxo de usuários e de informações técnicas e gerenciais (ARTMANN; RIVERA, 2003), de modo a que os serviços estejam conectados e seus operadores construam entre si protocolos de ação e pactos de compromissos pelos resultados a alcançar.

A capilaridade territorial do Cras deve aproximar as intervenções da política de assistência social à realidade de vida de indivíduos e famílias e suas necessidades sociais. No horizonte, se coloca sua articulação em rede socioassistencial, com as políticas públicas de seguridade social e outras políticas, como possibilidade de garantir direitos de segurança humana e social.

a) Condições para o funcionamento do Cras: trabalhadores e infraestrutura material

Estudos têm revelado que os usuários se referenciam e reconhecem com mais clareza uma política e seus programas e serviços quando há uma base física para o seu atendimento continuado. Os dados da pesquisa revelaram que esta questão ganha maior importância em uma área que ainda não criou um padrão de atendimento dos serviços, programas e benefícios de oferta em escala nacional,[10] nem uma identidade visual dos

---

no território, de forma a garantir ao usuário o acesso à renda, serviços, programas e projetos, conforme a complexidade da demanda. O acesso pode se dar pela inserção do usuário em serviço ofertado no Cras ou na rede socioassistencial a ele referenciada, ou por meio do encaminhamento do usuário ao Creas (municipal, do Distrito Federal ou regional) ou para o responsável pela proteção social especial do município (onde não houver Creas). A contrarreferência é exercida sempre que a equipe do Cras recebe encaminhamento do nível de maior complexidade (proteção social especial) e garante a proteção básica, inserindo o usuário em serviço, benefício, programa e/ou projeto de proteção básica.

10. É recente a resolução que cria a Tipificação Nacional de Serviços Socioassistenciais (Resolução n. 109, de 11 de novembro de 2009, publicada no *DOU* em 25 de novembro de 2009) e constrói

Cras, que seja capaz de fixar junto à população o reconhecimento daqueles espaços como *o lugar* onde se realiza a proteção social básica no âmbito da assistência social nos territórios de referência. Evidenciou-se, ao mesmo tempo, que as condições de infraestrutura para o funcionamento dos Cras nos municípios da Região Sudeste são heterogêneas, observando-se tanto prédios adequados quanto espaços precários para o desenvolvimento das provisões a serem ofertadas no Cras.

No Estado de São Paulo foram observados municípios de porte II e de grande porte com equipamentos necessários, salas organizadas com recepção, local de atendimento para os técnicos, salas para reuniões e cursos.

Espaço improvisado foi observado em sede de unidade da prefeitura, sem identidade própria (São Paulo, Metrópole), ou em imóvel alugado, semelhante a uma residência e adaptado insuficientemente para as atividades necessárias (Minas Gerais, Metrópole).

A ausência de espaços adequados para a oferta de serviços às demandas coletivas sugere um direcionamento do trabalho somente para a abordagem individual. Consideram-se, neste particular, as implicações metodológicas do trabalho em decorrência das restrições físicas observadas, assim como a precarização dos serviços socioassistenciais. Conforme menciona Castro (2008, p. 85), instala-se o distanciamento entre as condições físicas do prédio "[...] e as orientações metodológicas que regiam a execução dos serviços".

Ainda segundo o autor

> espaços físicos adequados não garantem o bom desenvolvimento das atividades de atendimento integral às famílias; mas estas atividades, com metodologias bem estruturadas, inversamente, terão dificuldade de se desenvolverem em equipamentos precários. E quanto mais consistentes estas atividades forem, mais exigentes em termos espaciais elas serão (CASTRO, 2008, p. 101).

---

um padrão de nomenclaturas e descritores para o funcionamento desses serviços, de acordo com os níveis de complexidade do Suas: Proteção Social Básica e Proteção Social Especial de Média e Alta Complexidade.

Os Cras pesquisados revelam elementos desta reflexão, constituindo a abordagem metodológica adotada o núcleo central da problematização. Contando com espaços adequados, as equipes buscam direções metodológicas para o desenvolvimento do trabalho, enquanto espaços precários e improvisados tendem a acomodar a metodologia à ambiência limitada de trabalho, resultando, em muitas situações, na restrição do alcance quantitativo e qualitativo pretendido junto ao usuário.

Neste particular, foi observada a alternância de atividades em virtude da precariedade do espaço, além da insuficiência de recursos materiais para executá-las (MG). Todos os municípios pesquisados possuem computadores, alguns novos e outros com necessidade de manutenção. A maior parte referiu acesso a Internet, embora, no momento da pesquisa, não houvesse na maioria acesso ao Banco de Dados do PBF e do BPC, nem instalação em rede com o órgão gestor e com serviços de assistência social.

As placas de identificação dos Cras nas fachadas dos prédios nem sempre são uniformes em relação aos nomes, créditos oficiais e logos, caracterizando uma ausência de padronização da identidade visual do Cras, mesmo havendo orientações concretas do MDS para isso. Contudo, é possível considerar processos em andamento para a afirmação de sua identidade enquanto unidade pública da assistência social nos territórios.

O tempo de incorporação desta identidade por parte dos usuários, das demais políticas sociais e atores da sociedade civil, poderá estar condicionado à integração física do Cras no cenário dos territórios, mas essencialmente ao impacto das ações ali desenvolvidas no campo da proteção social básica.

Prover a assistência social de uma unidade estatal estrategicamente instalada no ambiente de moradia, de luta cotidiana e vivência das populações em situações de vulnerabilidade social, significa ir além da construção de uma referência territorial, embora esta seja uma questão de fundamental importância. Trata-se de marcar uma mudança paradigmática da política de assistência social, considerando que o Cras, para além de uma sigla emblemática, carrega sentidos e revela intencionalidades do novo desenho institucional da assistência social. Assim:

> O Cras não pode ser compreendido simplesmente como uma edificação. A disposição dos espaços e sua organização refletem a concepção sobre trabalho social com famílias adotada pelo município. (BRASIL, 2009b)

Equacionam-se aqui duas variáveis para apreensão do significado do Cras nos territórios: sua arquitetura e os valores da política que são por ela revelados (Castro, 2008). A conformidade das instalações do Cras, favorecedoras do adequado acolhimento ao usuário, do acesso a bens materiais e serviços abrigam, em seu conjunto e em sua articulação, o reconhecimento dos direitos socioassistenciais assegurados pela Política de Assistência Social que se pretende imprimir no município.

A organização dos CRAS implica considerar os movimentos processados e as direções efetivadas em cada município, por intermédio do envolvimento de técnicos, gestores, usuários e demais atores com as mudanças que estão em voga e as metas a serem alcançadas. Assim, o Cras requer, da gestão municipal, condições de funcionamento, não somente operativas e administrativas, mas ancoradas na construção de uma identidade com as bases conceituais propostas pela PNAS, de tal forma a romper com o legado histórico dessa área.

Conforme as *Orientações Técnicas do Cras* (BRASIL, 2009b):

> Constituem alguns dos elementos a serem observados para o funcionamento do Cras: seu espaço físico, período de funcionamento e sua identificação. A preocupação com esses itens deve-se ao fato de que o Suas pretende superar a prática da assistência social como uma política pobre, destinada aos mais pobres, por meio de ações pobres, ofertadas em unidades pobres.

A distribuição dos espaços internos nas edificações do Cras também pode limitar sua publicização, o que ocorre quando se destinam espaços menos acessíveis e mais precários para as atividades com o público, o que foi observado em alguns casos.

Por outro lado, observou-se em alguns Cras (de Minas Gerais, por exemplo), uma decoração baseada em uma *estética feminina*, favorecedora de atividades de maior aproximação de mulheres. Em atividade observada com grupo de idosos em Belo Horizonte (MG), apenas 0,5% era do sexo masculino. Observou-se, muitas vezes, uma semelhança do Cras a uma casa, tanto do ponto de vista físico — *lay-out* dos espaços, como na recepção dos usuários ou ainda na forma como estes se apropriam do Cras e das relações que estabelecem com os profissionais, sugerindo uma similitude entre o espaço privado e público.

Assim, a construção da identidade pública do Cras, dentre vários aspectos, poderá ser analisada em paralelo ao grau de presença e participação da mulher na assistência social. Nesse sentido, parece haver uma tendência em tornar os espaços nos quais os serviços e benefícios da assistência social são acessados, ambientes mais atrativos para mulheres, tanto no que se refere às ofertas socioassistenciais quanto ao arranjo decorativo do prédio. De certo modo, especialmente quanto às atividades desenvolvidas, grande parte dos Cras visitados foca o trabalho no segmento feminino, tanto nas atividades socioeducativas quanto no fomento à geração de renda.

Ao mesmo tempo, foi observada a preocupação dos trabalhadores que atuam nos Cras em Belo Horizonte (MG) em relação à compreensão dos usuários sobre a natureza das relações estabelecidas com os profissionais e com o espaço do Cras. Consideram fundamental a crescente apropriação e mobilização da população do território na defesa do Cras, de seus profissionais e do trabalho desenvolvido, muito embora observem ainda frágil compreensão dos usuários quanto à institucionalidade pública do trabalho e da unidade, prevalecendo ainda entendimentos que as conquistas efetivadas ocorreram pela *bondade* dos profissionais, revelando um dos traços persistentes da assistência social que é a *pessoalização* das atenções e conquistas.

Assim, se por um lado a presença física do Cras favorece a fixação do espaço público da assistência social e o reconhecimento do Estado no território, em contrapartida observa-se que o modo como se efetiva esta instalação pode reforçar a ideia de extensão do espaço privado, reafirmando marca histórica de desprofissionalização do atendimento às demandas sociais nessa área.

Imbricada às questões de infraestrutura física devem ser localizadas as relacionadas aos trabalhadores e quadro de pessoal exigido para o funcionamento do Cras, segundo diretrizes e definições da NOB-RH.

A questão dos trabalhadores e das condições e relações de trabalho constitui-se em problema central na gestão do Suas. O quadro é insuficiente e frágil quanto ao desenvolvimento de capacidades, perfil e qualificação. Há quadros profissionais instáveis e forte presença de cargos em comissão. Foi reiterada por gestores e técnicos a necessidade da lotação de profissionais de carreira na condução da política e de seus serviços, ao tempo em que se observa a nomeação de um contingente maior de cargos de confiança em relação a períodos passados, sobretudo quando corresponde a bases de apoio político — diversificadas e amplas.

Constituem ainda elementos relevantes nesta análise a expansão dos contratos de terceirização de mão de obra e as dificuldades para a realização de concursos públicos. A título de exemplo, em São Paulo (capital), no momento da realização da pesquisa, foi referida a existência do último concurso público há 21 anos, em que pese o compromisso daquela gestão com novo concurso.[11]

Não obstante, a implantação do Suas, especialmente dos Cras, tenha revelado abertura de postos de trabalho, observou-se elevada precarização das relações de trabalho. Em alguns municípios há a prevalência de vínculos empregatícios sob contratos temporários, gerando instabilidade da gestão, tendo em vista a renovação de contratos estar condicionada às mudanças governamentais.

Embora todos os Cras visitados contem com equipe de profissionais, sobretudo formada por psicólogos e assistentes sociais, foi mencionada séria defasagem na constituição de quadro básico de pessoal em face às demandas territoriais apontadas pela NOB/05. Além deste aspecto, apontou-se também o crescimento de atribuições burocráticas e o acompanhamento das condicionalidades do PBF, enquanto obstáculo para ampliação do trabalho direto com a população.

As equipes reconhecem as necessidades de trabalho não cobertas e com potencial de desenvolvimento, especialmente quanto à função pró-ativa do Cras, pela existência de apenas uma dupla de profissionais de

---

11. Cabe esclarecer que em 2008 foi realizado Concurso Público para a Secretaria de Assistência e Desenvolvimento Social da Prefeitura de São Paulo, com base em Edital publicado em 18/2/2008.

nível universitário ou — em alguns casos — duas duplas (especialmente nas capitais e grandes municípios). Foi mencionado e também observado o acompanhamento de famílias beneficiárias do PBF por meio de visita domiciliar (cumprimento de condicionalidades), além do BPC.

> A falta de funcionários é grave. Como é que você implanta um negócio dessa proporção, com tanto serviço chegando, sem recurso. Está todo mundo estressado, cansado, não pode tirar férias, não pode folgar, não pode ficar doente, isso é desumano sabendo que você tem que atender, tem um compromisso com a população, a população bate a sua porta, acho que isso é o que mais pega nesta Secretaria (São Paulo — Metrópole).

Quanto às condições de trabalho, destacou-se a insuficiência de viaturas (SP) em face aos grandes deslocamentos nos territórios para o acompanhamento das famílias e o não acesso a equipamentos e sistemas informatizados em rede (metrópoles).

A demanda por capacitação para atuar na política de assistência social é reiterada inclusive por gestora municipal, que se diz despreparada para o papel e função (MG). Foram citados processos de discussão e reflexão coletivas adotados para definir metodologias de trabalho, com a formação de GTs e devolutivas através de seminários (Belo Horizonte — MG).

Há referências de que a discussão da NOB-RH ainda é insuficiente, especialmente para as entidades. Chamou atenção a presença de agentes sociais (profissionais de nível médio) no trabalho com famílias, com elevado número de abordagens no domicílio (São Paulo — Metrópole).

b) Processo de implementação do Cras — demandas, serviços e atenções

A observação do funcionamento dos Cras revelou modos e estratégias heterogêneas e mesmo compreensões diferenciadas de seu potencial de intervenção na realidade social.

Em que pesem as diferenças observadas em sua instalação, de modo geral, os técnicos e gestores possuem uma percepção positiva acerca dos Cras, compromisso e responsabilidade quanto às suas finalidades e significado social. Algumas diferenças foram observadas em relação às atribuições dessa unidade, por vezes identificadas com a própria gestão da política de assistência social, com um superdimensionamento de suas funções, ou ainda, o inverso, com um dimensionamento restrito frente às suas possibilidades e distante da compreensão de sua especificidade.

Em todos os municípios visitados o Cras é uma unidade pública estatal, embora em algumas situações haja uma condução mista de suas atividades, em parceria com organizações para a realização de oficinas, contratação complementar de trabalhadores sociais, aquisição de materiais pedagógicos e outros.

Estão relativamente apropriadas as diretrizes e princípios que orientam a instalação dos Cras, quanto às suas funções como unidade central da assistência social no território de referência e quanto aos princípios da territorialização e da centralidade da família para o desenvolvimento de serviços de proteção social. Entretanto, é possível que sejam discrepantes os níveis de apropriação desse conhecimento, pois foram observados processos diferenciados de incorporação de conceitos e do papel que o Cras busca desempenhar, o que revela uma situação típica de transição e de mudança.

Foram identificadas experiências de implantação do Cras com utilização de meios de comunicação diversificados, tais como a distribuição de panfletos, notas em jornais e reportagem na tevê local. Ainda foram citadas atividades preparatórias com a presença de técnicos no território, para o reconhecimento de serviços e recursos existentes e a delimitação das características de vulnerabilidade social. Em outras situações, detectou-se um conhecimento prévio das áreas de maior privação social, pelo fato da gestão da assistência social ser anterior à implementação do Suas.

Foi manifestada a convicção de que a existência dos Cras descentralizados propiciou maior conhecimento da realidade e compreensão do universo de relações que se estabelecem no território, para além dos laços familiares, indicando o encontro de alternativas para a construção de projetos coletivos. "A população se apoderou do espaço para todo tipo de assunto, a colocação da placa foi simbólica e eles vão perguntando... o que é isso?" (São Paulo — Metrópole).

Em algumas abordagens foi observada a apropriação do espaço do Cras pela população e o bom entrosamento entre técnicos e população (Belo Horizonte, MG), revelando o reconhecimento dessa unidade de serviços e seu vínculo com moradores locais.

Observou-se um conhecimento construído pela prática dos profissionais acerca das necessidades e demandas sociais, embora raramente tenham sido detectados estudos para reconhecer, sistematizar e produzir indicadores de vulnerabilidades e riscos sociais nos territórios onde se localizam os Cras. Tal conhecimento permitiu detectar em relação aos municípios da amostra, algumas situações que expressaram distintos modos e níveis de percepção sobre a população usuária ou potencial, que passamos a pontuar:

- A preponderância da presença de mulheres participantes do trabalho social nos Cras, fato que não sendo novo neste âmbito, demandaria estudos mais aprofundados pelos rebatimentos nas atividades desenvolvidas no âmbito da proteção social básica, especialmente a partir do PAIF;
- Em Cras da região central da cidade de SP foi observada concentração da presença de população adulta e infantojuvenil em situação de rua, idosos e população com demandas de moradia — proliferação de cortiços, população de rua, favelas, ocupações de prédios e ausência de alternativas habitacionais. São expressões do cruzamento da *questão social* com a *questão urbana,* que reproduzem e agravam as condições de vida da população que disputa as áreas centrais das grandes cidades e metrópoles;
- Já nos Cras situados nas periferias das cidades de São Paulo e Belo Horizonte foi possível constatar uma dinâmica política associada às lutas de movimentos populares com maior enraizamento na região. No Cras periférico de SP, técnicos avaliaram ter sido o território historicamente marcado por populações deslocadas para as franjas da cidade, migrantes em busca de trabalho, muitos dos quais se engajaram em lutas populares por moradia e melhores condições de vida — especialmente na década de 1970. Essa experiência, somada à existência do órgão gestor municipal da assis-

tência social há cerca de trinta anos nessa região, possibilitou que os profissionais desenvolvessem um conhecimento mais apropriado da dinâmica das relações sociais na região. Situação semelhante é relatada em Cras periférico de Belo Horizonte, o que parece ter criado uma base sociopolítica para o engajamento dos profissionais da assistência social em processos de participação popular.

- Santo André aponta significativa demanda de população adulta em situação de rua que circula pelas imediações da capital e egressa do sistema penitenciário, com sofrimento mental, usuários de drogas e pequena parcela de trabalhadores ou desempregados.
- Em Mongaguá há uma comunidade indígena, com área demarcada pela Funai. O deslocamento dos profissionais para cadastramento do PBF é feito por meio de barco, pois apenas uma parte tem acesso por terra.
- Em Sumaré (SP) foi citada a presença de migrantes e um grande número de crianças no trabalho infantil na lavoura de tomate, além do uso de drogas e violência doméstica.
- Em Batatais (SP), o atendimento é ampliado sazonalmente em função da safra da cana, com a chegada de migrantes do norte e nordeste. Em períodos de entressafra há um crescimento da demanda no Cras, pelo aumento das taxas de desocupação dos trabalhadores e suas famílias. Há um grande índice de semianalfabetismo e escolaridade baixa, o que levou a priorizar o trabalho do Cras para os jovens, na perspectiva da ampliação de sua escolaridade e profissionalização.
- Observou-se preponderante presença de idosos no Cras Barreiro (BH) e de adolescentes e jovens no Cras Santa Rita (BH).
- Em Coronel Fabriciano (BH), o Cras se desloca para a área rural. Há demandas para o mercado de trabalho de serviços e necessidade de qualificação, e o trabalho infantil permanece com forte presença no município.
- Em Limeira D'Oeste (MG) as demandas dirigem-se para as ações de apoio à saúde, o que levou a uma configuração do Cras integrado com saúde.

- Em Janaúba (MG) foi citada a demanda por geração de renda e capacitação profissional, além de necessidades de acesso a benefícios (BPC) por pessoas portadoras de *doenças negligenciadas*, como a doença de Chagas, sem condições de trabalhar e sem cobertura previdenciária, pelo histórico de trabalho informal. Trata-se também de uma área de incidência de exploração sexual de crianças e adolescentes, em rodovias com grandes deslocamentos do Sul para o Nordeste. Há grande contingente de famílias chefiadas por mulheres que trabalham no campo e como empregadas domésticas. Nesse município há uma população quilombola estimada em torno de cinco mil pessoas, organizada em uma Associação de Quilombolas. Embora se trate de uma população que teve acesso à terra a partir da política de legalização do governo federal, não consegue dela extrair os meios para sua sobrevivência. Nesse sentido, as famílias acessam por meio do Cras, o PBF e gêneros alimentícios do Banco de Alimentos, além de outros programas socioassistenciais. O significado deste acesso para a população é ressaltado no depoimento de uma liderança local:

> Os pequenos produtores, eles têm uma cota de entrega de leite. Eles entregam e isso ajudou bastante os pequenos produtores que são sofridos também. Não é que não tinha renda nenhuma e hoje além do Programa Fome Zero ajudar as pessoas de baixa renda, ajuda também os pequenos produtores, porque onde hoje eles têm como comprar uma vaquinha a mais. Não é aumentar seu rebanho e tem onde melhorar a estrutura dos pequenos sítios deles. O Programa Fome Zero não para, exatamente para aquelas, as pessoas de baixa renda, mas sim para quase todo mundo da classe média. (Liderança Comunitária de Janaúba, MG)

A PNAS/2004 propõe o desenvolvimento de um conjunto de ações junto às *comunidades tradicionais*, com base no Decreto n. 6.040/2007 que instituiu a Política Nacional de Desenvolvimento Sustentável dos Povos e das Comunidades Tradicionais, assim definidos:

> Grupos sociais culturalmente diferenciados, que se reconhecem como tais e que possuem formas próprias de organização social. Estes grupos utilizam

territórios e recursos naturais como condição para sua reprodução cultural, social, religiosa, ancestral e econômica, por meio de conhecimentos, inovações e práticas gerados e transmitidos pela tradição (BRASIL, 2009b, p. 4).

Essa política se assenta em princípios da Constituição de 1988 (art. 231) que trata dos territórios tradicionais como medida de reconhecimento, fortalecimento e de garantia de direitos territoriais, sociais, ambientais, econômicos e culturais, respeitando a identidade destes grupos. Por outro lado, a Convenção 160 da Organização Internacional do Trabalho, da qual o Brasil é signatário, destaca a autoidentificação dos povos como um processo relevante para o fortalecimento das identidades indígena e quilombola e das políticas públicas voltadas para estas populações.

Além de Janaúba, foi identificada a presença e intervenções do Cras junto aos povos tradicionais em Mongaguá (SP), onde vivem comunidades indígenas. É uma aldeia pequena onde os indígenas são itinerantes, deslocando-se regularmente para o Vale do Ribeira. O acesso à aldeia depende de transporte de barco e toda visita é programada junto com a Funai e a Funasa. A população vive nas ocas e as aldeias são assistidas pelas Funai, que desenvolve ações de preservação cultural. É forte a presença do Programa Bolsa Família junto a essas populações.

Em síntese, o que se observa é que face à diversidade e complexidade que caracteriza a realidade dos diferentes municípios do país, o Suas vem buscando incorporar em suas ações essa heterogeneidade presente na sociedade brasileira no que diz respeito à efetivação da assistência social como direito de cidadania e responsabilidade do Estado.

Importante observar, contudo, a riqueza das situações que espelham as multiterritorialidades e a multiplicidade de indivíduos, grupos e coletividades que demandam intervenções sociais, muitas das quais extrapolam as possibilidades de atenção da própria política de assistência social e de seu aparato institucional, como os Cras, sendo fundamental a identificação desses limites pelo conjunto dos seus operadores.

Quanto ao perfil de atividades que vêm sendo desenvolvidas pelos Cras, trabalhos técnicos consultados apontam algumas tendências. Dados extraídos de levantamento com profissionais do Estado de São Paulo citados por Raichelis (2010) indicam como atividades mais frequentes: visita domiciliar; recepção e acolhida; encaminhamentos; grupos socioeducativos com famílias.

Estudo realizado pelo Cress-SP[12] também relaciona as atividades mais citadas pelos profissionais, que guardam certa similitude com aquelas frequentemente apontadas na presente pesquisa:

- Plantão Social, acolhimento individual e familiar, entrevista e referenciamento;
- Visita Domiciliar;
- Grupos socioeducativos;
- Encaminhamentos e articulação da rede socioassistencial; busca de parcerias;
- Intersetorialidade;
- Cursos, projetos de capacitação e geração de renda;
- Articulação da rede de organizações governamentais e não governamentais;
- Administração de Benefícios:
  — Acompanhamento ou inserção em programas de transferência de renda; cadastramento e administração do cadastro;
  — Benefícios eventuais;
  — Encaminhamentos para o BPC.

E como atividades de gestão foram citadas, dentre outras:

- Atuação interdisciplinar (estudo, discussão de casos, planejamento e monitoramento);
- Supervisão técnica dos serviços socioassistenciais;
- Parecer de mérito social para inscrição de entidades no Conselho Municipal de Assistência Social (CMAS) e outros;

---

12. Trata-se de sistematização e análise de dados de levantamento realizado pela Comissão de Orientação e Fiscalização do Conselho Regional de Serviço Social — Cress 9. Região, São Paulo, com profissionais que atuam nos Cras — "A atuação do Assistente Social no Cras", 2009.

- Produção de material para publicação;
- Supervisão de estágios;
- Capacitação de funcionários;
- Articulação entre Cras de diferentes municípios.

Na presente pesquisa, a administração de benefícios é preponderante na fala dos profissionais. As ações frequentemente observadas foram as de inserção ou alteração de cadastros (quando conectados no Cras) e orientação e encaminhamento para acesso ao BPC, embora observada a significativa ausência de acesso a cadastros de beneficiários de ambos os benefícios. No caso do PBF, foi constatada a ênfase no acompanhamento de condicionalidades, razão provável da frequência da visita domiciliar como atividade que ganha um peso considerável no conjunto do trabalho técnico.

É de se destacar a ausência de articulação e conexão, no momento da pesquisa, entre benefícios e serviços, tanto no âmbito do próprio Cras, quanto entre os serviços da rede socioassistencial. Esta é uma questão que está na pauta de debates sobre o processo de implantação do Suas e do Cras, que vem ganhando centralidade quando se considera a ampliação das famílias beneficiadas pelo PBF ou o número de beneficiários do BPC, envolvendo a maior parte dos recursos da assistência social, com grande defasagem em relação ao financiamento dos serviços socioassistenciais.[13]

---

13. Estudo denominado "Financiamento da Assistência Social no Brasil" (MDS-2009), tem como referência dados da Execução Orçamentária dos estados e municípios, disponibilizados pela Secretaria do Tesouro Nacional. Observa que, em 2008, estava incluído no estudo o quantitativo de 5050, portanto, não a totalidade dos municípios. Além disso, das informações contábeis de municípios e estados não é possível expurgar dados de transferências da União para estados e municípios e dos estados para os municípios. Feitas essas considerações, o referido estudo destaca que: 1) A União destinou em 2008, R$ 31,5 bilhões a assistência social (função 8) e desses, R$ 2,8 bilhões foram destinados a serviços, programas e projetos. 2) Em 2008, a maior participação dos entes federados no financiamento da assistência social era da União (77%), seguida dos municípios (16%) e dos Estados (7%). Ressalta-se que a maior parte do dispêndio da União destina-se ao pagamento de benefícios monetários, diretamente transferidos aos beneficiários. 3) Se considerados os recursos destinados a serviços, programas e projetos e tendo por base o cofinanciamento dos municípios e da União, os dados revelam que, exceto os municípios dos Estados do Maranhão, Roraima e Piauí, os municípios dos demais Estados brasileiros investem maior parcela de recursos próprios no cofinanciamento do

Embora seja reconhecidamente importante o trabalho proativo nos territórios, constatou-se a prevalência do atendimento da população que procura o Cras. A chamada *busca ativa*, diretriz importante para o trabalho no âmbito da proteção social básica, comparece como meta de mais longo prazo em função do excesso de trabalho, quer para a implementação dos Cras, quer para o reconhecimento da realidade local, a organização interna e o planejamento das atividades. Foram comuns as citações do amplo leque de atividades requeridas para o funcionamento dessa unidade de referência dos serviços socioassistenciais, ao mesmo tempo em que se constatava a ausência de condições técnicas e de recursos humanos para a composição e instrumentalização das equipes profissionais.

Como princípio orientador do trabalho social, a centralidade na família esteve presente no discurso e na ação dos profissionais, pelas evidentes preocupações de organizar o denominado *trabalho socioeducativo com famílias*, no mais das vezes acompanhado de questionamentos quanto à sua adequação, correta adoção de estratégias e o seu efetivo alcance, questões que serão discutidas mais adiante.

c) Entre o plantão e a transversalidade

O modo como vem se organizando o Cras e as atividades e serviços guarda grande diversidade: desde aquelas que mantêm o atendimento individualizado aos cidadãos que demandam benefícios eventuais, orientações e encaminhamentos, nos moldes do chamado *Plantão Social*; passando pela experimentação de novas abordagens do trabalho social com grupos de usuários; até, em alguns poucos casos, atividades que visam a integração entre benefícios e serviços no mesmo local.

O discurso de alguns profissionais revela certo antagonismo entre o denominado *Plantão Social* e o Cras e uma tendência em compreender a provisão de benefícios materiais como sinônimo de assistencialismo, *que*

---

que a União. 4) Se analisadas as parcelas de cofinanciamento dos municípios por Estado em 2008, a variação se deu em torno 7,9% de recursos da União nos municípios do Estado de São Paulo, portanto, o que investe mais em serviços, mais do que 90% de cofinanciamento, vindo em seguida e pela ordem, os Estados do Rio de Janeiro, Espírito Santo, Rio Grande do Sul, Paraná e Minas Gerais, este com cerca de 15% de recursos da União e de 85% de recursos próprios.

reforça o comodismo, em contraposição ao denominado trabalho *socioeducativo*, ambos integrantes de demandas regulares provenientes de um mesmo contexto social e da mesma prática profissional.

É significativa a negação da função pela qual a assistência social é comumente reconhecida: provisão de benefícios emergenciais e eventuais, direito estabelecido pela Lei Orgânica da Assistência Social (Loas),[14] embora seja atividade regularmente realizada sem contudo ganhar estatuto qualificado no rol de atenções aos usuários.

Por outro lado, alguns depoimentos revelaram a expectativa de operação dos benefícios eventuais no Cras, justificada pelas dificuldades dos usuários transitarem até unidades mais distantes.

A provisão desses benefícios, ao mesmo tempo, pode ser uma estratégia de ampliação do trabalho do Cras e este, por sua vez, a possibilidade de qualificação técnica e conceitual do *Plantão Social*. A perspectiva que se pretende enfatizar é a de não separar dimensões do trabalho social que devem ser articuladas no processo de prestação de serviços socioassistenciais: a provisão de bens, recursos ou benefícios é parte integrante e inerente ao trabalho social realizado no âmbito do Suas, constituindo a base material a partir da qual se desenvolvem as ações socioeducativas com indivíduos, grupos, famílias, coletividades. Não se trata, assim, de destituir os benefícios materiais de uma determinada direção social, mas de estabelecer conexões entre essas esferas do trabalho social — provisão de recursos e defesa de direitos — reconhecendo que ambas podem ser inclusivas e emancipatórias na medida em que expressem direção ético-política e forem compreendidas/orientadas pelas possibilidades que oferecem.

A perspectiva de construção de mediações que promovam autonomização dos usuários e a ênfase em sua travessia para outras políticas públicas e para inserções diversas, inclusive no mercado de trabalho, parece indicar a compreensão da assistência social como ação processan-

---

14. Art. 22 da Loas — Lei n. 8.742, de 7/12/1993. Decreto n. 6.307, de 14/12/2007, dispõe sobre os benefícios eventuais: Art. 1º: Benefícios eventuais são provisões suplementares e provisórias, prestadas aos cidadãos e às famílias em virtude de nascimento, morte, situações de vulnerabilidade temporária e de calamidade pública.

te e intermediária. Percebe-se, nesse caso, a incorporação do conceito de autonomia centrado na obtenção de rendimentos, "para não precisar mais depender da assistência social". Expressa, ainda, uma tendência de considerar alternativas estruturantes somente no campo de outras políticas públicas, ficando a assistência social e, no caso, o Cras, responsável por determinados acessos visando, inclusive, a superação do atual modelo de transferência de renda.

Em vários municípios, o atendimento nos moldes do *Plantão Social* funciona em local diferente daquele onde funciona o Cras, como é o caso de Guareí (SP). Em Belo Horizonte funciona na regional de assistência social, onde está o Creas e onde o plantão é considerado de média complexidade. Em Coronel Fabriciano (MG), o plantão social atende emergências e também funciona no Creas. Em Limeira d'Oeste (MG) está instalado na sede do órgão gestor; e em Carbonita (MG) no Gabinete do Prefeito.

Em Santo André (SP) há um plantão na área central e Cras periféricos. O Plantão Central é estruturado e funciona como porta de entrada para acesso a benefícios eventuais e programas de transferência de renda. Lá, foi observado atendimento qualificado tecnicamente, com fluxo do usuário organizado e sistema informatizado, com acesso restrito do técnico ao relatório social de acompanhamento de famílias, favorecendo acolhida individualizada, provisão de benefícios e a gestão do PBF; os benefícios eventuais são regulados por lei municipal, na forma de valores em espécie, similar ao PBF — "[...] os técnicos possuem autonomia para a concessão", inclusive em programa de transferência de renda estadual. Os Cras descentralizados têm como perspectiva o fomento e a mobilização das iniciativas locais, não necessariamente vinculadas somente à assistência social (múltiplo uso).

Em Batatais (SP) a provisão de benefícios eventuais funciona no Cras, que realiza outros tipos de atividades pertinentes a grupalização de famílias e inserção no Benefício de Prestação Continuada (BPC) a pessoas sem acesso. Em Mongaguá há atendimento emergencial nos Cras, em situações limites. Anteriormente havia doações de cestas básicas, auxílio extinto ao se implantar programa de transferência de renda.

Em São Paulo (capital), o Cras está localizado na sede da Subprefeitura e tem a função de acolhida de usuários e a provisão de benefícios eventuais. Os técnicos atribuem grande centralidade ao Cras que, no caso observado, substituiu a gestão descentralizada da assistência social — Supervisão Regional de Assistência Social, anteriormente existente e atualmente reduzida a essa unidade de atendimento direto.

No entanto, concomitantemente e, no momento da observação, estava em funcionamento o Centro de Referência da Família — Craf, serviço conveniado e territorializado de atenção às famílias, próximo a territórios vulneráveis, desenvolvido por organizações conveniadas. O Cras (Sé/SP), por outro lado, se organizava em frentes de trabalho: Cras Acolhida, Cras Adulto/Idoso, Cras Criança e Adolescente, ou seja, uma divisão programática, onde o Cras Acolhida seria o *plantão.*

A separação de locais para esse conjunto de atividades não encontra justificativa racional, nem do ponto de vista da eficiência administrativa (dispêndio de recursos) nem do ponto de vista da circulação do usuário. A articulação nesse caso parece ser um esforço necessário, inclusive, para superar ações dispersas e fragmentadas.

A referida cisão entre o Cras e a concessão de benefícios e atendimento a demanda espontânea pode apoiar-se também na visão de que o Cras é reconhecido como *o novo*, onde não devem ser realizadas transferências materiais (identificadas com o *velho* assistencialismo), oferecendo assim possibilidade de prestação de um serviço diferenciado, de maior qualidade. Nesse sentido, o Cras mudaria a visão da política "[...] antes era política de compadre e da cesta básica e não havia transparência". O Cras não seria visto como o local onde se doa algo, mas um lugar de acolhimento que "põe o usuário para dentro". E promoveria, inclusive, a mudança na relação do usuário com os técnicos, pois, "[...] ele não tem que convencer, que enganar para ser atendido".

O *novo*, nessa ótica, seria o Cras — trabalho técnico, sob concurso (*sic*), os programas de transferência de renda, as oficinas e o acolhimento. O *velho*, as provisões materiais e emergenciais, de controle dos pobres, de tutela e de manutenção de sua dependência.

Contudo, como já observado, entende-se como equivocada a separação da provisão material e do trabalho social, sendo fundamental a direção que se imprime à intervenção e a relação que se estabelece com a população, que reivindica e tem direitos de acesso a bens materiais, relacionais e simbólicos como diferentes dimensões do trabalho social. O trabalho social, independente da transferência de bens materiais, pode ser portador de tutela/coerção ou autonomização/emancipação, dependendo das concepções teóricas e posturas ético-políticas dos profissionais que os conduzem. Vale salientar que as provisões emergenciais e eventuais e os benefícios e programas de transferência de renda integram as garantias do Suas a direitos e acessos, tanto mais se forem articulados entre si e às demais políticas públicas.

d) Matricialidade familiar e a dimensão socioeducativa do trabalho profissional

Os conceitos de *matricialidade familiar* e *territorialidade* compõem as concepções sustentadoras da proteção social oferecida pelo Cras. Apesar de não serem eixos incomuns à trajetória histórica da assistência social, no contexto da PNAS/Suas são ressignificados com grande potencial de inovação, dependendo da ótica adotada, alterando o sistema organizativo e metodológico de intervenção, na perspectiva de incidir nas situações sociais vivenciadas pela população em determinados territórios.

Ao incorporar o princípio da matricialidade familiar, a NOB/Suas (BRASIL, 2005) resgata "[...] a família como núcleo social básico de acolhida, convívio, autonomia, sustentabilidade e protagonismo social". E assim:

> Supera o conceito de família como unidade econômica, mera referência de cálculo de rendimento *per capita* e a entende como núcleo afetivo, vinculada por laços consanguíneos, de aliança ou afinidade, onde vínculos circunscrevem obrigações recíprocas e mútuas, organizadas em torno de relações de geração e de gênero.

Preconiza que "[...] não existe família enquanto modelo idealizado e sim famílias resultantes de uma pluralidade de arranjos e rearranjos estabelecidos pelos integrantes dessas famílias". E complementa que a família "[...] deve ser apoiada e ter acesso a condições para responder ao seu papel no sustento, na guarda e na educação de suas crianças e adolescentes, bem como na proteção de seus idosos e portadores de deficiência", numa reafirmação que "[...] o fortalecimento de possibilidades de convívio, educação e proteção social na própria família não restringe as responsabilidades públicas de proteção social para com os indivíduos e a sociedade." (BRASIL, 2005). Postula assim, o direito das famílias a atenções com vista ao desenvolvimento de capacidades e condições concretas para o desempenho de seu papel precípuo, posicionando-a como alvo e parceira.

Para construir esse processo numa perspectiva emancipatória, é fundamental a reinterpretação crítica da família numa conformação contemporânea, a partir de transformações societárias — políticas, econômicas, culturais e sociais — colocando-a como grupamento inserido em relações sociais de classe, em constante movimento de dissociação/associação e em busca de renovação de suas relações internas e externas. Trata-se de uma abordagem que ultrapassa, portanto, visões moralizadoras e disciplinadoras que enquadram as famílias em normas e convenções rígidas, sem considerar sua história, seu universo cultural, a dinâmica contraditória e o sistema sociorrelacional em que está inserida.

E considerando-a na sua matricialidade, oportuniza para a política de assistência social a perspectiva de ruptura de abordagens não só moralistas e ajustadoras, como também de práticas dispersas e segmentadoras, seja por ciclo etário ou por especificidades de vulnerabilidades, potencializando uma atenção com maior organicidade e articulação.

Tais diretrizes, considerando o núcleo familiar com centralidade e protagonismo na proteção social básica, trazem, no entanto, uma questão relevante para o Cras, não só no âmbito da gestão mas também no aspecto metodológico do trabalho social a ser desenvolvido com as famílias demandatárias da política de assistência social.

O atual momento histórico evidencia uma fragilização da família das classes subalternas, quanto à sua estrutura e condições de sobrevivência, ao mesmo tempo em que crescem as expectativas quanto a sua função protetiva. Tal situação exige que as políticas públicas estabeleçam estratégias de apoio e proteção à família. Esta família, e dentro dela, a mulher, fica sobrecarregada para desempenhar suas tarefas, necessitando de apoio e suporte dos serviços sociais públicos. A esse respeito, considera Godinho (2004, p. 18-19) que as políticas públicas, ao questionarem a institucionalização como forma de tutela, asilamento e isolamento, buscaram como resposta o apoio das famílias, sem a previsão de retaguardas adequadas, penalizando assim o núcleo familiar.

A mulher, principalmente a mulher-mãe, tem sido a maior responsável pelos cuidados dos membros da família. Por essa razão, o trabalho social deve ter presente as relações de gênero e o papel da mulher no sistema de proteção social.

É preciso considerar que quase 1/3 das famílias brasileiras[15] são chefiadas por mulheres, e, ao mesmo tempo, é a mulher que comumente busca serviços sociais públicos, especialmente, no campo da proteção social, tarefa atribuída na sociedade à figura feminina. Segundo Godinho (2004, p. 18):

> A reestruturação das Políticas Sociais setoriais — idosos, adolescentes em conflito com a lei, por exemplo — foi feita com base no reforço da responsabilidade da família. Nesta família, a *mulher* é a responsável pelo cuidado

15. Estudo divulgado pelo Instituto de Pesquisa Econômica Aplicada (Ipea), com base na PNAD 2007, demonstrava que a proporção de famílias chefiadas por mulheres passou de 24,9%, em 1997, para 33%, em 2007, o que representava um total de 19,5 milhões de famílias brasileiras que identificam a mulher como principal responsável. Durante o mesmo período, famílias formadas por casais com filhos e chefiadas por mulheres também representavam um "fenômeno em ascensão". Entre 1997 e 2007, os números passaram de 600 mil para quase 3,3 milhões. Em 1997, entre as famílias formadas por casais com filhos, apenas 2,4% eram chefiadas por mulheres. Em 2007, a proporção subiu para 11,2%. Disponível em: <http://noticias.uol.com.br/cotidiano/2008/10/07ult5772u966:-jhtm>. Dados do IBGE de 2008 apontam que, apesar de ocuparem cada vez mais postos no mercado de trabalho, 86% das mulheres ainda são responsáveis pelos trabalhos em casa, enquanto os homens são 45%. Elas dedicam em média quase 24 horas por semana aos afazeres domésticos. E os homens, apenas 9,7 horas. O estudo trata, ainda, das consequências dessa naturalidade em atribuir às mulheres os afazeres domésticos. Os efeitos vão desde a menor disponibilidade da mulher às jornadas de trabalho que exijam mais tempo, à ação dos estereótipos e a ocupação de 42% das mulheres em posições precárias, em comparação com 26% dos homens. Por outro lado, *Comunicado do Ipea n. 40, Mulheres e trabalhos: avanços e continuidades*, divulgado em 8/3/2010, no Dia Internacional da Mulher, aponta que a persistente responsabilização das mulheres pelos trabalhos domésticos não remunerados é apontada como fator preponderante na desigualdade entre homens e mulheres no mercado de trabalho.

de todos os membros. É fundamentalmente a mulher-mãe. Na falta dela, por sua delegação tácita ou explícita, é que entram a avó, a tia, a irmã maior etc., sempre que a mãe não pode, ela própria, fazer.

Contudo, ao mesmo tempo em que se observa o importante reconhecimento da titularidade das mulheres nas Políticas Públicas, é necessário problematizar o elevado nível de pressão e expectativa da sociedade quanto às tarefas e funções a serem desempenhadas pela figura feminina no âmbito familiar. Assim, ingressar na questão de gênero requer analisar os condicionantes que limitam a participação masculina e sobrecarregam a mulher e as implicações para o desenvolvimento do trabalho social com a família. Estas questões têm repercussão no trabalho social no âmbito dos Cras, que precisa construir espaços de participação e engajamento também da figura masculina.

Do ponto de vista da proteção social básica, passa a ser imperativo que se construam metodologias de trabalho social que possibilitem aproximações e interações com estes núcleos familiares contemporâneos, visando à ampliação de sua capacidade de ação e resolutividade no enfrentamento de suas fragilidades e necessidades.

Na construção de metodologias, o desafio é então o de recolocar o cidadão e sua família não mais como objeto da intervenção social, mas como sujeito ativo e co-protagonista desta intervenção, com voz e decisão nos encaminhamentos de suas demandas, bem como na implementação de oportunidades de exercício de cidadania.

A garantia de proteção social como possibilidade de ampliação de direitos pode levar à superação de relações tuteladoras, com ganhos de autonomia e protagonismo, acesso a benefícios e serviços, desenvolvimento e capacitação, condições de convívio e socialização, de acordo com as possibilidades de concretização de projetos pessoais e sociais.

Esta perspectiva se realiza, ainda, pelo signo da participação social, levando a que se incorporem cidadãos e suas famílias à esfera pública, investidos de representação sociopolítica e poder decisório, por meio de fomento à auto-organização, a partir de interesses e aspirações coletivos, radicalizando a democratização dos modelos institucionais e de exercício da função pública.

A complexidade da realidade social encontrada nos territórios com alto índice de vulnerabilidade exige intervenções que contemplem uma dimensão relacional, fundamentada num conjunto de abordagens individuais, grupais e territoriais, e que contenham um caráter multidimensional, com vista a ativar as sinergias de um amplo rol de procedimentos, articulados à rede socioassistencial, às dinâmicas e movimentos locais e às várias políticas setoriais. O que supõe recorrer a abordagens interdisciplinares, que num diálogo amplo, façam convergir em uma unidade de propósitos, diferentes conhecimentos e saberes, práticas e iniciativas.

Assim, com base em aportes e referenciais ético-políticos e teórico-metodológicos de diferentes disciplinas e áreas de conhecimento, pode-se compor um peculiar ordenamento de ações, que oriente a seleção de diretrizes operacionais, processos, conteúdos, estratégias e técnicas, dirigidos a alterar as realidades vivenciadas por famílias e seus territórios, considerando diretrizes e objetivos da política de assistência social. É condição básica, ainda, a este movimento de construção metodológica, o conhecimento amplo e sistematizado do perfil da população atendida e dos respectivos territórios de incidência de vulnerabilidades, não só no que tange às suas situações individuais e coletivas de carência e precarização, mas também dos acúmulos e potências familiares, comunitárias e societárias passíveis de serem mobilizados nesta intervenção.

O que se observou pela pesquisa é que estando o Cras em estágio inicial, a sua operação revela sistemas de gestão e metodológicos heterogêneos e em estágios diferenciados de transição. Encontram-se unidades mais mobilizadas para a adoção de trabalho social inovador, com ensaios e tentativas de construção de abordagens que levam à reflexão crítica e análise das situações enfrentadas pelos indivíduos, famílias, grupos e territórios, e consequente elaboração de projetos coletivos de enfrentamento. Por outro lado, têm-se unidades mais desprovidas dessas iniciativas, mergulhadas em rotinas reiterativas e burocráticas, que não investem na mudança capaz de estimular rupturas gradativas com práticas conservadoras e tradicionais.

É recorrente a realização de palestras, orientações padronizadas ou atividades que visam ao enquadramento — de fora para dentro — de hábitos e cuidados com a vida cotidiana, saúde, hábitos nutricionais, planejamento familiar — sem problematização crítica das condições e situações coletivas; e também a promoção de atividades artesanais, culturais e esportivas, que acabam se pautando na disciplina pessoal e grupal, o que pode conduzir a práticas de controle das classes subalternas, sob a égide do Estado.

Outra questão que desafia a dimensão socioeducativa a ser desenvolvida no âmbito dos Cras é o embate entre a necessidade de atenção em massa decorrente dos benefícios viabilizados, principalmente os programas de transferência de renda, e a limitada capacidade do quadro de pessoal para o acompanhamento social a estas famílias, indivíduos e grupos. Na seleção de prioridades, muitas unidades acabam segmentando os sujeitos atendidos e acompanhando apenas os *inadimplentes das condicionalidades*, outro modo de reforçar também o caráter de controle e coerção que deveria já estar superado.

Outro conjunto de questões a serem problematizadas diz respeito à tendência de direcionar o trabalho social para o fomento de prontidões para o mercado de trabalho. A inclusão produtiva e o aprendizado de novas habilidades parecem constituir o foco central do trabalho com as famílias vinculadas ao PBF. A preocupação de rompimento com o assistencialismo vem relacionada à capacitação profissional, obtenção de trabalho e renda — não só direcionados a adultos, mas também a jovens. Ou pela forma de oficinas de profissionalização voltadas a mulheres e adolescentes, antecipando o desenvolvimento desta prontidão, e contribuindo frequentemente para inserções precárias e subalternas no mercado de trabalho.

Estes aspectos evidenciam dificuldade de percepção dos âmbitos específicos que caberiam à política de assistência social enfrentar, fazendo com que acabe assumindo tarefas e funções que não lhe cabem, reforçando improvisações e experiências laborativas precárias e de baixa qualidade e efetividade.

O que se percebe é que a questão teórico-metodológica do trabalho social posta aos Cras é desafiadora e conta com escassa referência na literatura crítica e em processos continuados de formação e capacitação em serviço, gerando nos profissionais incertezas e inseguranças.

Pode-se dizer que o comportamento técnico-metodológico vive uma dialética de continuidade/ruptura, como coloca Marco Aurélio Nogueira (1998, p. 264), que se constitui em verdadeiro embate. Seu desfecho está a depender de circunstâncias concretas, como o grau de amadurecimento e capacitação técnica e política dos seus profissionais, correlação de forças mais favorável às perspectivas críticas e emancipatórias, melhores condições objetivas de trabalho, estando também condicionada a níveis de compromisso pessoal e coletivo com as novas diretrizes da política.

As concepções e ideias inovadoras trazidas pelo Suas precisam sofrer um processo de adensamento e incorporação por todos os envolvidos, devendo se entrelaçar com mudanças estruturais e com medidas legais para que ganhem significação e consistência. Atuando num campo complexo como o social, pleno de valores, ideologias, antagonismos e interesses que nem sempre se compõem, a promoção de mudanças substanciais efetivas demanda um sério e continuado esforço e investimento institucional dos agentes comprometidos com a afirmação da dimensão pública da política de assistência social.

e) O território e as ações pró-ativas: rede e intersetorialidade

Na organização societária brasileira, as políticas sociais se inscrevem na lógica de setorização que recorta o social em partes, demandando um processo de articulação que supere a tendência de compreender os problemas sociais independentemente das causas estruturais que os originam. Além disto, percebe-se que cada área da política pública tem uma rede própria de instituições e/ou serviços sociais que desenvolvem um conjunto de atendimentos através de programas estatais e filantrópicos, de forma paralela às demais políticas e muitas vezes atendendo aos mesmos usuários desconectados entre si. Esta forma de gestão da política pública vem historicamente gerando fragmentação da atenção às necessidades sociais e ações paralelas; além de divergências quanto aos objetivos e papel de cada área, prejudicando particularmente os usuários — sujeitos das atenções dessas políticas.

Na ausência dessa articulação, a questão social que está na base da organização da sociedade, com relações desiguais na produção e apropriação da riqueza, pode se tornar obscurecida e as políticas sociais passarem a recortar o social a partir de necessidades fragmentadas, descoladas de uma perspectiva de totalidade.

A PNAS expressa o campo específico da assistência social tendo como pressuposto que a setorialidade se constrói para dar conta de determinadas necessidades sociais e se reconstrói na articulação com as demais políticas públicas no sentido de abarcar a complexidade e multidimensionalidade do *campo social*, bem como as peculiaridades e diversidades locais, regionais e culturais.

Reconhece a premência da complementaridade entre as várias políticas, abrindo possibilidades de compartilhamento de conhecimentos, ações e responsabilidades e potencializando o desempenho de cada área, ao retirar a sua ação do isolamento. Supõe a implementação de ações institucionais integradas e a superação da fragmentação da atenção às necessidades sociais da população. Envolve a agregação de diferentes setores sociais em torno de objetivos comuns e deve ser princípio orientador da construção das redes municipais. É uma forma de articulação institucional e de gestão de políticas públicas que está necessariamente relacionada ao enfrentamento de situações concretas. Tem como ponto de partida o respeito à diversidade e às particularidades de cada setor ou participante. Envolve, portanto, estruturação de elementos de gestão que materializem princípios e diretrizes, a criação de espaços comunicativos, a capacidade de negociação e também o enfrentamento dos conflitos para que se explicitem divergências e se construam consensos e aproximações sucessivas à realidade que se pretende transformar.

A conexão territorialidade — rede — intersetorialidade, voltada à inclusão social redimensiona as intervenções específicas, ampliando o padrão de qualidade e a efetividade das ações desenvolvidas (BRASIL; INSTITUTO DE ESTUDOS ESPECIAIS DA PONTIFÍCIA UNIVERSIDADE CATÓLICA DE SÃO PAULO, 2008).

Em grande parte dos municípios analisados, o planejamento e as intervenções intersetoriais são processos em lenta construção, pois que envolvem mudanças mais profundas nas instituições sociais e suas práticas e nas formas de articulação das ações das organizações gestoras das políticas sociais.

Ao instalar o Cras em *territórios vulneráveis*, a integração e interação com operadores de outras políticas públicas deve ser oportunizada. Essa construção é impulsionada pela existência de importante demanda de acessos de usuários ao conjunto de políticas públicas e, com destaque, às políticas de habitação, saúde e educação — as duas últimas alvo das condicionalidades do Programa Bolsa Família (PBF).

As possibilidades que emergem com o Cras não suprem a necessidade de articulações a serem viabilizadas pelos organismos centrais de gestão das políticas públicas, em cada esfera de governo, na produção de protocolos e espaços institucionais de ação integrada.

Ao adotar o princípio da territorialização, a instalação dos Cras deve ocorrer em sintonia com a realidade onde o cidadão vive, no seu espaço de luta pela vida e no qual se expressam necessidades sociais e conflitos, mas também se exercitam solidariedades, o que exige o conhecimento da dinâmica socioterritorial, das relações sociais, das condições concretas de vida das famílias e dos recursos com os quais contam.

Nessa dimensão, o trabalho social se desloca, inclusive, no movimento ativo de conhecer a realidade identificando forças e potencialidades dos territórios, *com uma visão social capaz de entender que a população tem necessidades, mas também possibilidades ou capacidades* (BRASIL, 2004). Trata-se de conhecer as formas de viver, os grupos que se associam para desenvolver projetos coletivos, as redes extensas e informais de ajuda, os serviços disponíveis, enfim, a dinâmica da vida das famílias.[16]

Koga (2003, p. 16), reportando-se a Milton Santos, distingue o território como *matéria fria*, área de abrangência ou limite e repõe o seu significado vivo *a partir dos* "[...] atores que dele se utilizam". Como síntese de um conjunto de relações, define o território como um fato dinâmico no processo de exclusão/inclusão social, na medida em que expressa a distribuição de bens civilizatórios direcionados para a qualidade de vida humana.

16. "[...] O conceito de território, então, abrange as relações de reconhecimento, afetividade e identidade entre os indivíduos que compartilham a vida em determinada localidade. Nessa direção, as características de determinada localidade são intrinsecamente ligadas às formas de relacionamento social predominantes, que por sua vez são diretamente influenciados pelos contextos social, cultural e econômico do território [...]". (MDS, 2009).

A contradição, a solidariedade e a conflitividade são relações presentes no território em sua multidimensionalidade: é espaço de liberdade e dominação, de expropriação e resistência (FERNANDES, 2006).

As forças em mobilização nos territórios, a integração de políticas públicas e de redes sociais e institucionais podem potencializar ações e induzir processos de inclusão social, de promoção de acessos e de tensionamento para a extensão da proteção social. Nessa perspectiva, o trabalho social pode contribuir para o desenvolvimento de ações ativas de fortalecimento da cidadania. Conforme aponta Sposati:

> Ressignificar a assistência social no campo dos direitos supõe a não neutralização da potência crítica e simbólica que os demandantes da proteção social pública possuem da possibilidade dessa potência ser efetivada como exigência de direitos e efetivas condições para que reelaborem suas condições de existência, colocando-se no centro do conflito social como uma forma de alteridade social (SPOSATI, 2006).

A complexidade das demandas trazidas aos Cras, pela situação de vulnerabilidade dos territórios, vai-lhes impor a abrangência de respostas às questões identificadas, colocando-as na dependência da integração de uma malha extensa de serviços socioassistenciais e de outras políticas públicas. A conexão da rede socioassistencial e a integração com outras políticas públicas possibilitarão atenções substantivas e qualificadas, ao superar paralelismos, dispersão e fragmentação das atenções.

No campo específico da assistência social, para o alcance da efetividade e completude nas atenções ofertadas, faz-se ainda necessário que se alicerce nos Cras e nos órgãos gestores, a partir de sua coordenação, procedimentos voltados à formação e fortalecimento da rede socioassistencial.

Oficializando este princípio, a NOB-Suas (BRASIL, 2005) estabelece que a proteção social seja operada por intermédio dos Cras e pela rede de serviços socioassistenciais a ser mobilizada pelos mesmos, definindo a rede socioassistencial como "[...] conjunto integrado de ações de iniciativa pública e da sociedade, que ofertam e operam benefícios, serviços, programas e projetos, o que supõe a articulação entre todas essas unidades de provisão de proteção social, sob a hierarquia básica e especial e ainda por níveis de complexidade [...]", indica ao Cras o seu papel de articulador do movimento de conexão dessa rede.

O processo de articulação vai supor, portanto, que se obtenha mais que integração e soma de serviços, mas a complementaridade exigida pelas situações, a partir de pactuações para o enfrentamento conjunto às demandas sociais.

A dinâmica de constituição da rede é, antes de qualquer coisa, uma decisão política que exige estratégias processuais deliberadas, alianças, adquirindo uma configuração quase contratual; há um pacto entre gestores, técnicos, saberes, pessoas, projetos e instituições em sintonia com a realidade local, com sua cultura e organização social.

Para a Assistência Social, o desafio da intersetorialidade para a construção da rede socioassistencial se coloca tanto na busca de articulação das iniciativas públicas estatais como destas com as organizações da sociedade, na perspectiva da construção de uma rede protetiva no âmbito dessa política. Na área da Assistência Social a parceria histórica com entidades beneficentes resultou em programas e serviços fragmentados, na maior parte das vezes, desvinculados na realidade onde se instalavam, sem compromisso com o interesse público, com programas seletivos e com gestões, quase sempre centralizadoras e pouco participativas. Essa forma de organização criou um *caldo de cultura* a ser superado pela efetivação da proteção social como direito, contribuindo para superar a cultura da subalternidade tão presente no campo assistencial.

A construção de rede requer, portanto, que se desencadeie um processo de interações com as organizações não governamentais, sustentado por aproximações conceituais e agregação de recursos em torno de objetivos e interesses a serem compartilhados, capazes de assegurar condições para um atendimento integral e autonomizador dos usuários da assistência social. A construção desta forma de organização coletiva deve assim ser conjugada às diretrizes, princípios e eixos da política de assistência social, sendo que os serviços prestados pelas organizações, quando inscritas pelos respectivos Conselhos de Assistência Social e certificadas pelo poder público passam a fazer parte do Suas e a ser regulados pelas mesmas normas e procedimentos, ganhando assim dimensão pública.

O que a pesquisa em pauta revelou, no entanto, é que há graduações esgarçadas no processo de construção e ativação da rede socioassistencial local. De maneira generalizada, o processo de articulação pelos Cras ainda é frágil, pela ausência de procedimentos regulares e sistematizados de supervisão de serviços intencionalmente planejados em conjunto e regulados pelo poder público.

O diálogo público-privado se dá, na maioria das vezes, sem tais procedimentos. No caso dos pequenos municípios, a relação de proximidade com os usuários e profissionais caracteriza-se pela informalidade, pois todos se conhecem e a circulação na cidade facilita o contato. Tais interlocuções se fazem, geralmente, mediadas por essas relações pessoais, de maneira pontual e por pressão de urgências e emergências nos atendimentos individuais, descontextualizadas de propostas construídas institucionalmente que garantam continuidade.

No geral, não foram identificados mecanismos de referência e contrarreferência entre os serviços da rede, como uma ação organizada. O procedimento de encaminhamento é usual e importante, mas parece ocorrer sem o controle de sua garantia e efetividade.

Em alguns municípios metropolitanos, como São Paulo e Santo André, há referências de que o Suas tem contribuído para a qualificação dos serviços prestados pelas organizações de assistência social, quer pela regulação existente quer pela participação mais efetiva no acompanhamento das novas diretrizes, de tal forma a ampliar o debate, principalmente na proteção social especial. Há indícios de construção de um novo perfil de relação entre o órgão gestor e as organizações sociais. Identificou-se inclusive, em algumas organizações, a construção de uma nova forma de comprometimento com o trabalho desenvolvido junto ao usuário e sua família.

Houve o destaque, no entanto, para a necessidade de fóruns de debates e capacitação continuada, objetivando um balizamento coletivo e pactuado sobre as normativas em curso, entre o órgão gestor e as entidades sociais, uma vez que as parcerias, com finalidades e compromissos comuns, não se encontram ainda pactuadas e efetivamente realizadas.

4.3.4 O Centro de Referência Especializado de Assistência Social (Creas) e a Proteção Social Especial (PSE)

A organização ou reorganização dos serviços por níveis de proteção está em processo de assimilação, especialmente no caso do Creas — que aglutina ou mobiliza os serviços especializados de média complexidade (MC).

A hierarquização das atenções por níveis de proteção social requer diferentes abordagens e especializações, de modo a responder à diversidade e complexidade de situações que se apresentam ao Creas. No caso da MC, os serviços socioassistenciais dirigem-se a indivíduos e famílias cujos vínculos familiares e comunitários não foram rompidos, mas seu adequado equacionamento requer estudos qualificados e acompanhamentos continuados para que se possam detectar as complexas situações familiares e sociais envolvidas. Já os serviços de alta complexidade (AC) caracterizam-se pela necessidade de proteção integral, geralmente em forma de abrigamento e, no caso de rupturas mais profundas, o afastamento do núcleo familiar.[17]

O Creas poderá ofertar os Serviços de proteção e atendimento especializado a indivíduos e famílias; de proteção social a adolescentes em cumprimento de medida socioeducativa de liberdade assistida (LA) e de prestação de serviços à comunidade (PSC); e o Serviço Especializado em abordagem social, cujas prestações demandam procedimentos técnicos de caráter inter-profissional, em situações de

> negligência, abandono, ameaças, maus-tratos, violência física, psicológica, sexual, abuso e/ou exploração sexual; afastamento do convívio familiar; tráfico de pessoas; situação de rua e mendicância; vivência de trabalho infantil; discriminação em decorrência de orientação sexual e/ou raça/etnia; e outras formas de violação decorrentes de discriminações/submissões a

17. *Guia de Orientação*, n. 1. Centro de Referência Especializado de Assistência Social. Ministério do Desenvolvimento Social e Combate à Fome. Secretaria Nacional de Assistência Social. Brasília (DF).

situações que provocam danos e agravos a condição de vida de indivíduos e famílias e os impedem de usufruir autonomia e bem estar.[18]

O Creas é uma unidade pública estatal de referência que promove atenções, capta a presença de riscos sociais e previne sua ocorrência ou agravo. Seu empreendimento deve resultar na necessária articulação dos serviços especializados evitando dispersão e operando a referência e a contrarreferência com a rede básica de serviços de assistência social, com serviços das demais políticas públicas e com os órgãos do Sistema de Garantia de Direitos (SGD).[19] Sua implementação exige mecanismos de gestão com fluxos correspondentes e específicos para institucionalizar essa articulação, o que representa um dos grandes desafios atuais para os municípios.

Nos municípios visitados, no período da pesquisa,[20] os Creas não possuíam espaços próprios assim denominados, embora operassem os serviços de PSE, organizados cada qual conforme seus objetivos e provisões. Sem desconsiderar o que já se encontrava implementado, discussões acerca da implantação do Creas encontravam-se em andamento, consoante à realidade do município, a organização prévia da assistência social e a melhor forma de reordenar os serviços na perspectiva de sua aglutinação.

Do que se pôde apreender, a implementação dos Creas constitui questão das mais desafiantes para a consolidação do Suas, sobretudo por não existir desenvolvimento anterior nessa modalidade. Traz inúmeras

---

18. Disponível em: <http://www.mds.gov.br/programas/redesuas/proteção-social-especial/centros-de-referencia-especializados-de-assistencia-social>.

19. O Sistema de Garantia de Direitos — SGD consiste num conjunto de instituições que atuam no campo de defesa e promoção dos direitos de crianças e adolescentes (conselhos de direitos; Conselhos Tutelares; Poder Judiciário (Vara da Infância e da Juventude); Ministério Público; Defensoria Pública; Centros de Defesa, fóruns de defesa de direitos etc. "Cabe ao SGD o papel de: a) potencializar estrategicamente a promoção e proteção dos direitos da infância/adolescência, no campo de todas as políticas públicas, especialmente no campo das políticas sociais e de b) manter restritamente um tipo especial de atendimento direto, emergencial, em linha de 'cuidado integrado inicial', a crianças e adolescentes com seus direitos ameaçados ou violados ('credores de direitos') ou a adolescentes infratores ('em conflito com a lei')" (Nogueira Neto, 2005, p. 14-15).

20. Em Hortolândia (SP), município de grande porte (205.896 habitantes), a pesquisa foi realizada em 7/11/2009. Em Belo Horizonte (MG), metrópole de 2.452.617 habitantes, conforme estimativa IBGE Cidades (março de 2010), a pesquisa foi realizada em 18/6/2008.

indagações para exame que, por sua vez, parecem exigir um novo estágio de formulações. São questões que emergem do processo de sua implementação e do próprio Suas e apontam necessidades de orientações técnico-metodológicas e desenhos de gestão e gerência para sua operacionalização. Dentre essas indagações, destacamos algumas colocadas pelos participantes:

- *Estágio de implantação*: É muito recente o estágio de implantação do Suas e a orientação de organizar os serviços por níveis de proteção. Como é recente, inclusive, a diretiva de se instalarem unidades estatais de referência — básica e especializada.
- *Reordenamento institucional*: em ambos os municípios, já eram prestados os serviços de PSE de MC, como parece ser o caso de metrópoles e grandes cidades. As avaliações em andamento apontam para transições, de modo a construir estratégias de operação em rede. Uma questão relevante trata do reordenamento institucional, sem interrupção de prestações e sem que se promova uma junção artificial de unidades que gozam de relativa autonomia. Esse é o caso de serviços descentralizados de grandes municípios, com algum nível de capilaridade, embora muitas vezes desarticulados.

Em Belo Horizonte (MG) estavam instalados todos os serviços da proteção especial. Em Hortolândia (SP), a mesma situação foi encontrada:

> Temos os serviços, mas nós não temos um local com placa Creas, com todos os serviços centralizados no mesmo espaço. Então o que a gente discute é a vantagem de trazer todos os serviços num local, porque a proposta do Suas é descentralizar os serviços e isso preocupa um pouco [...]. (São Paulo)

Em ambos os municípios havia um desenvolvimento prévio da assistência social, anterior a instalação do Suas. Segundo depoimento, o Suas

> veio garantir aquilo que a gente já propunha [...] e [...] fortalecer os serviços que na verdade a gente já justificava a necessidade de ter esses serviços, da necessidade de descentralizar os serviços, de implantar um serviço mais

especializado, de buscar mesmo novos projetos, por exemplo, do atendimento da mulher [...] da obrigatoriedade da equipe em cada Cras [...], a gente já discutia. A cidade já pede [...] (São Paulo).

Nesse caso foi apontada a dificuldade de trazer serviços instalados em territórios vulneráveis para um mesmo local (o Creas). Como opção sugeriu-se manter na proximidade ou junto aos Cras, os serviços destinados às crianças e adolescentes e no Creas — *centralizado* os serviços destinados às mulheres vítimas de violência e pessoas com deficiência (São Paulo).

- *Articulação em rede:* o funcionamento dos serviços em rede é um dos desafios no processo de consolidação do Suas, questão que emerge independentemente do nível de proteção. Foram citadas preocupações quanto à dinâmica da organização e articulação entre PSB e PSE, de modo a não configurar processos de trabalho estanques. Parece, no entanto, que as necessidades de articulação são mais prementes no campo dos serviços da PSE, pela sua complexidade, pela forma como foram historicamente organizados e pelo conjunto de atores que abarca.

A instalação dos Cras e Creas é estratégica para organizar e qualificar a rede socioassistencial e potencializar os seus resultados. Nesse processo, a construção de fluxos e conexões é apontada como requisito e como tarefa a ser desenvolvida com prioridade, de forma a construir competências e mobilidade dos usuários no sistema, sem promover encaminhamentos e esforços desnecessários, de baixa resolutividade e com grande desgaste para os mesmos.

Por outro lado, a densidade dos serviços, especialmente nas metrópoles, indica a necessidade de regular a relação de parcerias entre o poder público e as organizações de assistência social operadoras de serviços.[21]

---

21. As capitais Belo Horizonte e São Paulo possuem leis municipais que regulam a relação de parcerias entre o poder público e as organizações de assistência social. Segundo informes dos gestores, em Belo Horizonte há 320 convênios (junho de 2008), um por modalidade de serviço e aproximadamente 210 entidades (cerca de 50% dos serviços são diretos e 50% conveniados). A gestora citou

Segundo depoimento da gestora de Belo Horizonte, a rede socioassistencial "[...] é finita, tem limite e à medida que vai universalizar, qual é a nossa base?". O Estado brasileiro se organiza para ser um Estado "[...] protetivo e não sabemos quanto custa [...]". Além disso, o Estado é *fragmentado* e por isso diz-se que *não tem credibilidade.*

Considera que organizar a proteção social especial é mais desafiante, sobretudo na média complexidade, o que significa estruturá-la com todas as *prerrogativas e não apenas como um conjunto de serviços.* Acrescenta que é preciso "vencer a fragmentação pela capilarização e a estagnação pelo fluxo", pois *sistema é algo de base dinâmica.*

- *Capacidade técnica.* A instalação dos Creas traz novas exigências para a gestão da Assistência Social. Ao abrigar serviços complexos, essa unidade deve ser dotada de capacidade técnica e gerencial, tanto para o atendimento especializado, como para se constituir em pólo de referência para a defesa de direitos. O Creas deve atender indivíduos, grupos e famílias, para que eles sejam "ressarcidos no direito à vida" (Belo Horizonte, MG).

Além de uma nova propositura advinda das atuais diretrizes, por ser uma unidade pública estatal há um conjunto de procedimentos administrativos necessários para essa implantação, dentre esses, a disponibilidade de instalações físicas apropriadas, recursos financeiros e a realização de concurso público para provimento de quadros, questões também presentes no funcionamento dos Cras.

- *Territorialidade.* Primeiramente, esta questão foi colocada diante de necessidades comuns de populações que vivem em territórios e demandam serviços especializados dos Cras, sem que esta unidade esteja dotada de condições para prover essas atenções.[22] A necessária articulação entre Cras e Creas foi apresentada de forma recorrente.

---

como desafio o trabalho com a rede conveniada e a construção de uma rede própria. Em São Paulo, mais de 90% dos serviços são operados por organizações de assistência social.

22. Vide estudo de Flávio J. R. Castro acerca da adequação do espaço físico do Cras. In: *Capacita Suas*, v. 3. "Planos de Assistência Social: diretrizes para elaboração. Brasília, 2008.

- *Territorialidade e regionalização.* As normas em vigência apontam para possibilidades de instalação de Creas de abrangência municipal ou regional — aglutinando municípios ou distritos de grandes cidades, de acordo com o porte, nível de gestão e grau de incidência e complexidade das situações identificadas.

O Creas regionalizado filia-se à diretriz da descentralização político-administrativa e da cooperação intergovernamental no enfrentamento de riscos e na consolidação do Suas, além de permitir a racionalização de recursos e a equalização entre regiões de cada Estado.

A expectativa é a superação da tendência de *prefeiturização* da assistência social, assim denominado o movimento que promoveu excessiva transferência de responsabilidades para os municípios, no processo denominado de *municipalização do atendimento*, ressalvando-se, certamente, a correta compreensão da descentralização como premissa para a democratização do Estado e da necessidade da oferta de serviços no território onde as pessoas vivem.

Acerca da descentralização das políticas sociais expressa na Constituição de 1988, Castro considera que o processo que daí decorreu foi

> imprevisível, arriscado e desordenado — pela inexistência de um prévio pacto federativo que equalizasse a relação entre disponibilidade de recursos e atribuição de competências e encargos na prestação de serviços sociais, para os três níveis de governo [...] resultante de um difícil esforço de acomodação, os municípios se transformaram nos principais atores nesse modelo descentralizado, com elevação substantiva no volume dos seus gastos com gestão de políticas sociais, nem sempre com capacidade financeira sustentável para fazê-lo (CASTRO, 2008, p. 95).

A regionalização de serviços levanta questões que aprofundam polêmicas, inclusive quanto à própria natureza do Creas. Desde a *territorialidade* do Creas até a circulação de famílias e a montagem de equipes, dentre outras.

No caso da gestão estadual de Minas Gerais, foi apontado financiamento estadual para a instalação dos Creas *considerados regionalizados*, com foco na criança e no adolescente. A gestora indagou o que se preconiza para os Creas e considera que serviços são viáveis, mas não como *Centro*. "Não consigo mandar para um Centro, mas poderia ser serviço especial. [...]".

Menciona, ainda, que o Creas é operado pela *mesma equipe do Sentinela* — forma como estão organizados os serviços regionais.[23] Cita pesquisa que demonstrou incidência maior de acesso da população que vai a pé para o serviço — *óbvio que o serviço é municipal*. Entende que essa experiência ainda não aglutina um conjunto de municípios e *que não conseguiram construir fluxo e condições de acesso*. Entende ser mais viável a construção de atenções regionais para determinados serviços de alta complexidade, a exemplo de abrigamento de idosos.

Onde não existe Creas, outra forma encontrada foi o deslocamento da equipe de proteção especial do órgão central da assistência social (Santo André, SP) para os territórios dos Cras. Constatam, então, que os usuários que requerem serviços especializados se encontram mais dispersos nos territórios — geralmente identificados por situações de violência.

No plano da articulação entre serviços básicos e de atenção especializada, entre a rede direta e indireta, entre os serviços próprios e conveniados e, no plano da integração e gestão federativa, algumas propostas foram colocadas (Belo Horizonte, MG):

- Aprofundamento de orientações padronizadas para a operacionalização dos serviços socioassistenciais, sobretudo de proteção social especial;
- Regulamentação, articulação e validação de sistemas de monitoramento, com indicadores comuns a serem utilizados nas três esferas de governo, e padronização de linguagens e de instrumentos de coleta;
- Estabelecimento de referências (ou modelos de diagnóstico) de situações familiares e seu enquadramento em escala de intensidade; e
- Formulação de protocolos de atendimento e de resultados esperados.

---

23. Anteriormente aos Creas, o serviço de proteção social especial de média complexidade implantado com certa capilaridade nacional era o então denominado Sentinela, que se dirigia a vítimas de abuso e exploração sexual e hoje incorporado no Serviço de proteção e atendimento especializado a indivíduos e famílias.

Finalmente, vale considerar que o Creas se instala em cidades ou regiões que possuem dimensões histórico-culturais e institucionais próprias, a partir das quais as equipes devem buscar construir conhecimentos, vínculos e alianças, de modo a promover impactos sociais positivos junto aos usuários.

Como todo processo de implementação, o desenvolvimento dos Creas, e dos próprios Cras, deve ser acompanhado para potencializar e replicar metodologias e conhecimentos produzidos, debater e superar dificuldades e mensurar resultados para os seus usuários. Para tanto, é necessário conhecer o estágio de implementação e a reflexão que se desenvolveu antes e depois da implantação, referidos às finalidades e aproximação e/ou distância em relação aos objetivos fixados.

4.3.5 Participação, controle social e o Suas — antigos e novos desafios

O processo de implementação do Suas tem tido impactos na participação e no controle social e, em particular, na atuação, funcionamento e dinâmica dos Conselhos de Assistência Social.

A implantação do Sistema, em especial no período de 2005 a 2008, focalizou as mudanças na gestão, nas novas regras de financiamento, no reordenamento institucional, nas novas nomenclaturas, na capacitação de gestores e técnicos e na pactuação entre os três entes federados.

Os conselhos e conselheiros municipais acompanharam o processo de discussão, aprovação e implantação do Suas, num primeiro momento como expectadores, procurando compreender as novas normativas e as mudanças em curso e gradativamente foram assumindo a defesa do Sistema.

É preciso destacar que a situação dos conselhos é heterogênea e multifacetada, seja pela sua composição, pelo porte do município, pela trajetória de atuação em cada cidade, pela relação com o poder público e legislativo, acesso a informação e efetividade do controle social. As inserções locais, o cotidiano do conselho e da administração municipal estabelecem uma agenda específica de prioridades e debates. Dessa forma, os conselhos municipais foram conhecendo e se apropriando do Suas através da leitura dos documentos, das informações dos gestores, da participação em eventos, encontros e conferências. No entanto, as informações, mesmo disponibilizadas no *site* do MDS e CNAS e informativos, não são acessadas por todos os conselheiros municipais (especialmente da sociedade civil).

Mesmo não sendo dimensões privilegiadas, a pesquisa de campo trouxe dois elementos para reflexão e contribuição ao debate do controle social: a participação dos usuários e a relação com os Cras.

a) O Cras e a participação dos usuários — fortalecendo protagonismos

A premissa de que a localização territorial e a proximidade do cotidiano das famílias atendidas pelos programas e serviços socioassistenciais são elementos facilitadores para o trabalho coletivo e estimulador da organização social não pôde ser verificada na sua integralidade.

Por um lado, os serviços socioassistenciais e as atividades grupais têm se revelado como estratégia de aglutinação e socialização dos usuários. No curso da pesquisa houve avaliações de que no início do trabalho do Cras os beneficiários dos Programas de Transferência de Renda compreendiam que a atividade grupal estava vinculada somente ao acompanhamento das condicionalidades, constituindo-se, portanto como *encontro da bronca*. No entanto, os relatos apontam que durante o processo a população adquiriu progressivamente a compreensão do objetivo do trabalho grupal, direcionado ao crescente processo de autonomização das famílias. Em Batatais (SP) foi relatada a ocorrência de devolução dos cartões de benefício pelas famílias que já estavam fora dos critérios. Vale observar que a operacionalização do Programa Bolsa Família através dos Cras torna mais visível o Suas, contribuindo para publicizar seus programas e serviços.

Em Belo Horizonte (MG) encontrou-se depoimentos da população usuária que definem a importância do Cras: "É todo o apoio. Aqui há um tratamento igual para todos. Isso fez com que a comunidade adotasse os técnicos como amigos. Sabia dos direitos, mas não sabia onde buscá-los".

Em Batatais (SP), os técnicos avaliam que a população percebe mudanças qualitativas na Assistência Social reconhecendo no Cras um espaço de acolhimento e crescente proximidade com os técnicos.

A pesquisa detectou experiências que estimulam diferentes formas de organização local, como em Janaúba (MG), onde há trabalhos junto a associações de lavadeiras, quilombolas e carroceiros, contando com a presença de Igreja católica no fomento e apoio às atividades. Nesse município encontrou-se liderança comunitária da área rural e da Associação dos Quilombolas que mantém interlocução com o Cras, discute a política de assistência social e valoriza o Suas pela sua capilaridade.

Em Santo André (SP) foi relatado no grupo focal um trabalho de *busca de parceiros*, a exemplo da implantação do PBF, onde atividades mobilizadoras foram realizadas junto a escolas, pastorais e ONGs.

Apesar da potencialidade dos serviços socioassistenciais no Cras, na maioria das cidades pesquisadas não foram observadas formas de articulação entre o trabalho do Cras e a organização coletiva da população, especialmente voltada ao debate mais geral das condições de vida, do mundo do trabalho, sobre demandas e reivindicações por serviços. Há aqui uma questão política e metodológica para o Cras: o estímulo e fortalecimento da organização local articulado às distintas dimensões da vida social têm que estar entre os objetivos estratégicos das unidades territorializadas do Suas.

Nessa direção, o Cras como um dos espaços de democratização e de exercício do controle social deve possibilitar condições concretas para a participação dos usuários no planejamento e na avaliação dos serviços e de seu funcionamento, estimular e fortalecer a organização e o associativismo locais, independentes e autônomos do poder público.

b) Participação dos usuários nos Conselhos e Conferências de Assistência Social — lugares sociais a serem conquistados

Diversos estudos[24] apontam a ausência dos usuários nos espaços de controle social da política de assistência social, ou uma subrepresentação desse segmento através de organizações e entidades de assistência social prestadoras de serviços que *falam pelos usuários*, ocupando vagas de conselheiros.

24. Ver Raichelis (2005).

Nos marcos do Suas há a valorização da organização e protagonismo dos usuários e, nacionalmente, pode-se observar que os processos de conferências municipais, estaduais e nacional, sob orientação política do CNAS, incentivaram a ampliação da participação dos usuários, em particular daqueles nucleados em torno dos Cras.

Na pesquisa realizada em Belo Horizonte (MG) foram relatados processos de grupalização e das temáticas debatidas com os usuários, especialmente dos beneficiários dos Programas de Transferência de Renda. Nessa cidade, os usuários têm assento no Conselho Municipal de Assistência Social e também no Conselho Municipal dos Direitos da Criança e do Adolescente (CMDCA). Nos demais municípios pesquisados de Minas Gerais, essa presença é menos significativa, mas tanto em Janaúba como em Coronel Fabriciano houve referências ao início de participação de usuários nos conselhos.

Importante destacar que esse estímulo à participação nos Cras, conselhos e conferências tem sido conduzido pelos profissionais que trabalham nas unidades e serviços socioassistenciais, o que revela o lugar estratégico da atuação dos trabalhadores do setor. Já nos Conselhos de Assistência Social enquanto espaços deliberativos, gestores e sociedade civil apresentam prioridades e ritmos diferenciados. Na presente pesquisa, uma presidente de CMAS considera "[...] tarefa difícil envolver os conselheiros da sociedade civil, pelo fato de 'estarem de fora', não participarem e não compreenderem a dinâmica da política".

No Estado de São Paulo observou-se que, de modo geral, se mantêm uma sub-representação dos usuários nos conselhos, mas com tendência de ampliação da participação nos territórios onde há Cras instalado e também nas conferências municipais. Na maioria dos municípios pesquisados não houve presença de usuários nos grupos focais.

Nas cidades de Batatais e Sumaré houve referência à ampliação da participação dos usuários nas conferências como consequência da implantação dos Cras. Em Mongaguá, a representação dos usuários no Conselho é ainda realizada por meio de entidades; no entanto, de acordo com a gestora local, observou-se intensa participação dos usuários na última Conferência de Assistência Social (julho de 2007).

Os Cras constituíram-se em espaços de preparação das conferências municipais, aproximando as temáticas nacionais e estaduais do município e vivência dos indivíduos e famílias, e ampliando significativamente a participação dos usuários nas conferências municipais e no processo de escolha de delegados.

c) Controle Social e o Suas — redefinindo concepções e estratégias

Ressalta-se que o Conselho Nacional de Assistência Social — Cnas teve um importante papel ao debater, propor e aprovar o novo marco regulatório, como a NOB-Suas, a NOB-RH e o orçamento da área. Apesar de esse Conselho estar atravessado pelas questões cartoriais relativas à certificação das entidades beneficentes de assistência social, alguns dos conselheiros participaram ativamente do debate nacional sobre as mudanças em curso com a implementação do Suas, pautando o controle social e o protagonismo dos usuários dos serviços assistenciais.[25]

A pesquisa em municípios de pequeno porte revelou uma questão que diz respeito ao desenho do controle social das diversas políticas públicas, que multiplicou as instâncias de participação por política setorial. Observa-se que quanto menor o município, mais os conselheiros transitam pelos vários conselhos com o objetivo de cumprir exigências legais e de garantia de recursos, sem que haja, necessariamente, um conhecimento e debate apropriado das diretrizes de cada política.

Na medida em que o processo de implantação do Suas foi avançando na gestão, uma série de novos desafios se colocaram para os conselhos de assistência social. Qual o papel do controle social no Sistema? O que e como fiscalizar? Como incentivar e ampliar a participação dos usuários? A dinâmica e o funcionamento dos conselhos estão adequados às exigências do Suas? A implantação dos Cras nos territórios de maior vulnerabilidade social exige uma nova forma de organização local e articulação

---

25. A respeito deste histórico papel cartorial, cabe destacar a mudança política das mais relevantes, introduzida pela recente aprovação da Lei n. 12.101/2009, que retira do Conselho Nacional de Assistência Social — CNAS a responsabilidade no processo de certificação das entidades beneficentes, transferindo-a para os ministérios do Poder Executivo federal, em conformidade com a área de atuação das entidades: assistência social, saúde ou educação.

com os conselhos municipais? A inscrição e certificação das entidades de assistência social, saúde e educação são funções dos conselhos?[26] Essas e outras questões entraram na agenda política dos conselhos nacional, estaduais, municipais e do Distrito Federal, apontando novas fronteiras e horizontes para a consolidação do Suas.

O que se quer chamar a atenção, e os dados da pesquisa confirmam, é de que o Suas nesses primeiros anos cresceu na gestão — na regulação, serviços e financiamento — mas para sua expansão e consolidação são necessárias medidas que, além de continuar qualificando os mecanismos de gestão pública desta política, envolvam articulações com outras instâncias de representação, como o poder legislativo, além do debate ampliado sobre quem é a sociedade civil representada nos conselhos, em termos de concepções e interesses defendidos. Destacam-se entre essas medidas: i) a necessidade de aprovação de projeto de lei federal que institucionalize o Suas[27]; ii) a pactuação de recursos estaduais; iii) o reordenamento institucional da atuação privada (entidades assistenciais, ONGs, fundações empresariais etc.), de acordo com o estabelecido no Sistema, já que ocupam lugar de destaque na prestação de serviços, especialmente nas metrópoles e municípios de porte grande e médio; e ainda iv) uma nova configuração do controle social, com presença e capilaridade nos territórios de vulnerabilidade social, maior representatividade dos segmentos da sociedade civil, mais forte protagonismo coletivo dos usuários do Suas.

4.3.6 Conclusão

O processo de pesquisa é via de regra uma tarefa inconclusa a exigir novos estudos e investigações, ainda mais quando se trata de um objeto complexo e movente como é a implantação do Suas num país de dimen-

---

26. Inúmeras e significativas mudanças nesse âmbito estão sendo processadas, mas cabe destacar a Lei n. 12.101/2009, que retira do CNAS a responsabilidade pela emissão de certificar as entidades beneficentes de assistência social e as aloca nos órgãos do Poder Executivo, em conformidade com a área de atuação das entidades: assistência social, saúde ou educação.

27. A institucionalização do Suas ocorreu em 6 de julho de 2011, por meio da Lei n. 12.435, que altera a Loas e dispõe sobre a organização da assistência social no país.

sões continentais, carregado de multiterritorialidades que ressignificam continuamente as relações dos sujeitos com o espaço habitado, produzindo novas necessidades que demandam respostas públicas.

Ao final deste percurso, as ideias diretrizes que nortearam nossa análise encontram-se ampliadas pela riqueza dos dados levantados através do diálogo receptivo e comprometido com os sujeitos da pesquisa, o que contribuiu decisivamente para a identificação de temas e reflexões que adensaram os achados da pesquisa.

Além do mais, é importante reafirmar que São Paulo e Minas Gerais — objeto do estudo deste capítulo — representam os dois maiores Estados da Federação em número de municípios e também em população,[28] sem que isso tenha impedido, contudo, o estabelecimento de relações de similaridades e de diferenciações com os outros estados pesquisados.

A análise dos dados da pesquisa reafirmou o contexto de intensas mudanças na política de assistência social com a implantação do Suas, onde se destacam os Centros de Referência de Assistência Social (Cras) como a face mais visível da assistência social nos territórios em que estão instalados. Há processos em andamento em vários municípios que demonstraram possibilidades concretas de experimentação de novas práticas e redefinições conceituais que marcam uma inflexão na gestão e execução dos serviços e benefícios socioassistenciais.

Ao mesmo tempo, os achados da pesquisa nos alertam para o risco de *modernização conservadora*, na perspectiva de uma gestão eficiente mas despolitizada da assistência social, sem colocar em questão o significado e a direção social das mudanças empreendidas.

A permanência e continuidade do Fundo de Solidariedade em São Paulo, rebatizado com o complemento *Desenvolvimento Social e Cultural*, reedita a ambiguidade que cerca historicamente as relações público-privado nesta área. Expressa de forma emblemática um modo peculiar de

---

28. Dados de 2009 apontam para o estado de São Paulo uma população de 41.384.039 habitantes, distribuída em 645 municípios. E para o estado de Minas Gerais, uma população de 20.033.665 habitantes, distribuída em 853 municípios, sendo o município de São Paulo o maior e mais populoso do país, com 11.057.629 de habitantes. E Belo Horizonte, a maior cidade do estado de Minas Gerais, com uma população de 2.452.617.

realização da política e de organização do aparelho do Estado que sonega a marca do direito na relação da política de assistência social com a população, alimentando a força de relações patrimonialistas e pessoalizadas entre governantes e governados, contribuindo para o encolhimento da esfera pública.

Esta dualização da política de assistência social compromete a unicidade do seu comando nas esferas estadual e municipal pela dispersão da gestão financeira de serviços e programas, concorrendo com o Fundo Estadual de Assistência Social, que se vê esvaziado de suas prerrogativas e funções. Os Fundos de Solidariedade são concorrentes também no comando da gestão política e administrativa da assistência social e do Suas, e se ramificam para os municípios do Estado de São Paulo, com forte incidência das primeiras-damas na coordenação das *ações* de assistência social dos governos.

A presença do *primeiro-damismo reciclado*, embora forte no Estado de São Paulo, exerce sua força de continuidade em todas as regiões do país e, surpreendentemente, ganha ares de (re)legitimação com a aprovação inclusive de profissionais, que veem no movimento das primeiras-damas em busca de formação universitária uma demonstração de mudança positiva em direção à qualificação deste estatuto.

Em termos da dinâmica de funcionamento do Cras, observou-se em muitos casos o superdimensionamento de suas responsabilidades, em contraste com a precariedade de suas estruturas materiais e humanas, correndo-se o risco de isolá-lo do contexto mais amplo da gestão da política de assistência social, apartando o órgão gestor de suas competências e atribuições. É preciso que se afirme que o Cras é uma parte importante do Suas, mas não representa a sua totalidade.

A pesquisa evidenciou também que a implementação do Suas e do Cras em âmbito municipal e estadual não depende apenas de aquisições técnicas (embora sejam fundamentais), mas também das pactuações políticas entre os gestores municipais, estaduais, federais e as entidades de assistência social, no contexto do pacto federativo de construção de uma política de alcance nacional. A distinção entre política federal e política nacional neste âmbito é necessária e estratégica, pois depreendeu-se em alguns casos certa confusão nesses termos tratados como sinônimos, o que traz implicações políticas importantes para o processo de pactuação do Suas em nível federativo.[29]

Da mesma forma, a questão da intersetorialidade entre os diferentes sistemas e políticas sociais públicas, apesar de demandar requisições conceituais e técnicas para sua operacionalização, depende fortemente da atuação política dos gestores da assistência social em cada uma das esferas de governo. A articulação com as demais secretarias/ministérios em nível de governo e a criação de espaços de gestão integrada são requisitos indispensáveis para que seja possível avançar com consistência em um processo de caráter institucional que não dependa, como observado na pesquisa e em vários outros estudos, de relações pessoais *ad hoc* entre técnicos e gestores para sua efetivação.

Uma questão que merece destaque é a ausência, no discurso dos entrevistados, de referências sobre o significado e potencialidades do Cras, e também do Creas, como instâncias de produção e sistematização de dados sobre as necessidades sociais e condições de vida da população e das famílias referenciadas, seus modos de vida e de trabalho, suas expressões culturais. O conhecimento gerado a partir daí poderá alimentar a definição de prioridades, de propostas inovadoras de trabalho e a escolha de metodologias capazes de criar condições de atendimento mais efetivo às demandas sociais dos segmentos subalternizados, usuários dos serviços e programas de assistência social.[30]

No entanto, os trabalhadores do Suas, nos espaços dos Cras, como de resto em outros âmbitos da gestão pública, estão submetidos às marcas do *saber burocrático*, que valoriza a quantificação, os comandos hierarquizados, os procedimentos e rotinas voltados ao cumprimento de prazos (geralmente estreitos) e requisitos de produtividade, nem sempre

29. A forma como são citados os programas sociais do Estado de São Paulo no *site* da Seads é reveladora desta dificuldade de pactuação nacional: Programas estaduais: Futuridade, Ação Jovem, Virada Social, PSB e PSE. Programas federais: BPC, PBF, BPC na Escola, Pró-Jovem, PSB e PSE.

30. O que o texto da PNAS identifica como a função de *vigilância social*, noção controversa incorporada pelo Suas a partir da referência à *vigilância epidemiológica* no caso da política de saúde e do SUS.

compatíveis com processos de elaboração e reflexão coletivas no ambiente institucional.

No caso do Cras, ficou evidenciada a magnitude das exigências burocráticas no trabalho dos técnicos, e o quanto têm sido absorvidos pelas exigências do cadastramento e da fiscalização das condicionalidades do Programa Bolsa Família, chamando atenção a incidência das visitas domiciliares para esse fim no conjunto das práticas sociais desenvolvidas, comprimindo o tempo e os recursos exigidos para o trabalho socioeducativo e de mobilização coletiva nos territórios de abrangência.

Constata-se assim que, mesmo que os profissionais possam interferir nos rumos do trabalho desenvolvido pela ação coletiva e autonomia, ainda que relativa, que desfrutam em função da sua competência e formação, institucionalmente estão submetidos aos mesmos processos de mercantilização da força de trabalho que subordina os trabalhadores assalariados em geral, em um contexto de precarização e competição acirrada no mercado de trabalho profissional.

Ao mesmo tempo foi possível recolher pela fala dos sujeitos, e é importante destacar nessas observações conclusivas, que a pressão sobre estados e municípios para a implantação do Suas em função do aumento da demanda social e a necessidade de expansão do sistema não pode se dar às custas da precarização e subalternização do trabalho profissional, com baixos salários, número insuficiente de profissionais, precárias instalações, como foi possível constatar por ocasião da pesquisa empírica em grande parte dos municípios visitados.

Mas, mesmo com todas essas limitações, identificou-se na interlocução com os profissionais entrevistados, o compromisso com a atual etapa de implantação do Suas, o interesse pela qualificação e busca de incorporação no cotidiano institucional de temas, conceitos e pautas introduzidos pela PNAS e pelo Suas, que representam uma discussão absolutamente inovadora no âmbito da assistência social, mesmo que com equívocos e, por vezes, com limitados recursos teóricos e conceituais para uma apreensão mais qualificada.

É o caso, por exemplo, do debate sobre proteção social não contributiva da política de assistência social no âmbito da seguridade social, com a preocupação de identificar o que cabe à assistência social dentro do amplo sistema de proteção social pública a ser assegurado à população; a estruturação e hierarquização dos níveis de complexidade das proteções básica e especial; a necessidade de instituir um novo padrão de racionalidade e organicidade que rompa com a fragmentação de serviços e programas, o funcionamento dentro da lógica de sistema. Além das complexas questões teórico-metodológicas que envolvem a compreensão dos eixos estruturantes do Suas, como a matricialidade sociofamiliar e a territorialização, que trouxeram novos pilares ao modo de estruturação da assistência social, mas ao mesmo tempo constituem grandes desafios para gestores e técnicos na operacionalização e gestão dos serviços socioassistenciais a partir de uma perspectiva crítica destes referentes.

Outra questão a ser destacada pela sua relevância relaciona-se à rede socioassistencial, sendo possível observar que embora compareça no discurso geral dos entrevistados, a referência é via de regra às redes pública e privada como instâncias dissociadas. A rigor foi possível constatar, tanto no Estado de São Paulo (com maior intensidade) quanto de Minas Gerais, o funcionamento de uma malha densa e diversificada de serviços e provisões prestados por entidades privadas de assistência social. No caso da cidade de São Paulo, apesar da densidade da rede, foi observada a ausência de articulação e organização em rede, contando as entidades de assistência social com excessiva autonomia técnica e de gestão de programas, embora haja mecanismos legalmente regulados, desde a fixação de padrões de funcionamento e de custos de serviços até o estabelecimento de convênios a partir da realização de audiências públicas.

Este processo põe em risco a própria existência do Suas, pois a base de sua estruturação e funcionamento são as conexões e fluxos entre serviços em rede, apoiados em pactos federativos intergestores para a constituição de uma gestão federativa da política de assistência social.

Essa é uma questão que precisa ser cotejada com outros estudos e pesquisas, pois parece configurar um processo mais abrangente que se expressa em todo o país. Alguns dados demonstram que a tal *rede privada* é deslocada do Estado, não se constituindo, portanto, a rede socioassistencial que, para caracterizar-se enquanto tal, não pode ser dicotomizada em pública e privada. A pesquisa constatou, por outro lado, em São Paulo, Belo Horizonte e outros municípios processos de terceirização em diferentes níveis, com vários Cras e Creas funcionando com pessoal terceirizado, quando não são eles mesmos terceirizados.

Por fim, é preciso salientar que a precariedade do quadro profissional nos Cras é grave, observando-se, mesmo com concurso público realizado em alguns municípios, a alta rotatividade entre os profissionais em função dos baixos salários, o que traz como consequência a presença de um quadro de pessoal com pouca experiência, sem histórico e trajetória de atuação na política de assistência social, exigindo o investimento em estratégias de valorização e fixação do trabalho e dos trabalhadores no Suas, respaldado por uma política nacional de capacitação continuada que possa fazer frente a este desafio.

Referências

Livros e artigos

ARTMANN, Elizabeth; RIVERA, F. J. Uribe. *Regionalização em saúde e mix público-privado*, jul. 2003. Disponível em: <http://www.ans.gov.br/portal/upload/biblioteca/TT_AS_05_EArtmann_RegionalizacaoEmSaude.pdf>.

CASTRO, Flávio José Rodrigues de. O Cras nos planos de assistência social: padronização, descentralização e integração. In: BRASIL. Ministério do Desenvolvimento e Combate à Fome, Instituto de Estudos Especiais da Pontifícia Universidade Católica de São Paulo. *Capacita Suas:* Planos de Assistência Social — diretrizes para elaboração. Brasília, v. 3, 2008.

CHAUI, Marilena. *Brasil, mito fundador e sociedade autoritária*. São Paulo: Ed. Fundação Perseu Abramo, 2000.

FERNANDES, Bernardo M.; SILVA, Anderson A.; VALENCIANO, Renata C. (Coords.). *Relatório de impactos socioterritoriais (RIST)*. Desenvolvimento territorial e políticas públicas no Pontal do Paranapanema. Presidente Prudente: Unesp, Núcleo de Estudos, Pesquisas e Projetos de Reforma Agrária (Nera), 2006. Disponível em: <http://www4.fct.unesp.br/nera/ltfd/anderson.pdf>.

GODINHO, T. Trabalho com famílias. *Textos de Apoio*, São Paulo: Secretaria Municipal de Assistência Social/Pontifícia Universidade Católica de São Paulo, n. 2, 2004.

GOMES, Maria do Rosário C. de Salles. *Nacionalização da política de assistência social e governos estaduais no Brasil*: o caso do estado de São Paulo. Tese (Doutorado em Serviço Social) — Pontifícia Universidade Católica, São Paulo, 2008.

KOGA, Dirce. *Medidas de cidades*: entre territórios de vida e territórios vividos. São Paulo: Cortez, 2003.

MESTRINER, Maria Luiza. *O Estado entre a filantropia e a assistência social.* São Paulo: Cortez, 2001.

NOGUEIRA, Marco Aurélio. *As possibilidades da política*: ideias para a reforma democrática do Estado. São Paulo: Paz e Terra, 1998.

NOGUEIRA NETO, Wanderlino. Por um sistema de promoção e proteção dos direitos humanos de crianças e adolescentes. *Serviço Social & Sociedade*, São Paulo, ano XXVI, n. 83, Especial, p. 5-29, 2005.

OLIVEIRA, Iris de. *Assistência Social pós-Loas em Natal*: a trajetória de uma política social entre o direito e a cultura do atraso. Tese (Doutorado em Serviço Social) — Pontifícia Universidade Católica, São Paulo, 2005.

RAICHELIS, R. *Esfera pública e Conselhos de Assistência Social*: caminhos da construção democrática. São Paulo: Cortez, 1998.

SANTOS, Milton; SOUZA, Maria Adélia A. de; SILVEIRA, Maria Laura (Orgs.). *Território globalização e fragmentação.* 5. ed. São Paulo: Hucitec/Associação Nacional de Pós-graduação e Pesquisa em Planejamento Urbano e Regional (Anpur), 2006.

SPOSATI, Aldaíza. Desafios para fazer avançar a Política de Assistência Social no Brasil. *Serviço Social & Sociedade*, São Paulo, n. 65, p. 54-82, 2001.

______. O primeiro ano do Sistema Único de Assistência Social. *Serviço Social & Sociedade*, São Paulo, ano XXVI, Especial, n. 87, p. 96-122, 2006.

YAZBEK, Maria Carmelita. *Classes subalternas e assistência social.* São Paulo: Cortez, 1993.

Documentos

BRASIL. Financiamento da Assistência Social no Brasil. VII Conferência Nacional de Assistência Social. *Caderno Suas*, Brasília, n. 4, nov. 2009a.

_____. Ministério do Desenvolvimento Social e Combate à Fome. *Informativo Suas*, n. 14, de 8 a 21 de dezembro de 2009, e n. 15, de 19 de janeiro a 1º de fevereiro de 2010.

_____. _____. INSTITUTO DE ESTUDOS ESPECIAIS DA PONTIFÍCIA UNIVERSIDADE CATÓLICA DE SÃO PAULO. *Capacita Suas*, Brasília, 2008.

_____. _____. Norma Operacional Básica NOB/Suas. Brasília, jul. 2005. Disponível em: <http:/www.mds.gov.br>.

_____. _____. Orientações Técnicas: Centro de Referência de Assistência Social — Cras. Brasília, 2009b.

_____. _____. Política Nacional de Assistência Social — PNAS. Brasília, 2004. Disponível em: <http:/www.mds.gov.br>.

RAICHELIS, R. Palestra em seminário de encerramento de capacitação para implantação dos Cras no Estado de São Paulo. "Cras no contexto dos municípios paulistas: características e tendências". São Paulo, 28 jan. 2010.

SÃO PAULO. Conselho Regional de Serviço Social. *A atuação do Assistente Social no Cras — Centro de Referência de Assistência Social*. São Paulo: Cofi-Cress, 2009.

4.4 A implantação e implementação do Suas no Paraná e no Rio Grande do Sul: um movimento em processo*

*Berenice Rojas Couto***
*Jane Cruz Prates****
*Jussara Maria Rosa Mendes*****
*Iraci de Andrade******
*Tiago Martinelli*******
*Marta Borba Silva********

4.4.1 Introdução

Este item apresenta o processo de implementação e implantação do Sistema Único de Assistência Social (Suas) na Região Sul do Brasil a

* A pesquisa realizada contou com a participação de inúmeros pesquisadores vinculados ao Programa de Pós-graduação em Serviço Social da PUC-RS, durante os vários períodos em que foi desenvolvida. A redação do texto foi elaborada pela equipe que finalizou a pesquisa. Agradecemos a todos que participaram da etapa contribuindo assim com sua finalização.

** Assistente social, doutora em Serviço Social pela PUC-RS. Professora do curso de Graduação e Pós-graduação em Serviço Social da PUC-RS. Coordenadora do Núcleo de Pesquisa em Política e Economia Social (Nepes). Coordenadora da Pesquisa na Região Sul. *E-mail*: <berenice.couto@pucrs.br>.

*** Assistente social, mestre e doutora em Serviço Social pela PUC-RS, Professora do Curso de Graduação e Coordenadora do Programa de Pós-Graduação em Serviço Social da PUC-RS (PPGSS). Pesquisadora Produtividade do CNPq. Líder do Grupo de Pesquisa sobre Teoria Marxiana, Ensino e Políticas Públicas (GTEMPP). Pesquisadora do Núcleo de Estudos sobre Políticas e Demandas Sociais (Nedeps). Contatos: <jprates@pucrs.br ou jprates@via-rs.net>.

**** Assistente social, mestre e doutora em Serviço Social pela PUC-SP. Professora do curso de graduação em serviço social da UFRGS e de Pós-graduação em Psicologia Social da UFRGS. Professora colaboradora do Programa de Pós-graduação em Serviço Social da PUC-RS (PPGSS). Pesquisadora Produtividade CNPq. Líder do grupo de Estudos e Pesquisa em Saúde do Trabalhador (NEST). Contatos: <jussaramaria.mendes@gmail.com>.

***** Assistente social. Mestre em Serviço Social e doutoranda do Programa de Pós-graduação em Serviço Social da PUC-RS. Professora da Escola de Gestão Pública Municipal (EGEM-SC). Integrante do Núcleo de Estudos em Políticas e Economia Social (Nepes). Bolsista Capes. *E-mail*: <Iraci_andrade@hotmail.com>.

****** Assistente social pela Universidade do Vale do Rio dos Sinos. Mestre e doutorando no Programa de Pós-graduação em Serviço Social da Pontifícia Universidade Católica do Rio Grande do Sul. Integrante do Núcleo de Estudos em Políticas e Economia Social (Nepes). Bolsista do Conselho Nacional de Desenvolvimento Científico e Tecnológico (CNPq), Brasil. *E-mail*: <timartinelli@yahoo.com.br>.

******* Assistente social da Fundação de Assistência Social e Cidadania da cidade de Porto Alegre. Mestre e doutoranda em Serviço Social do Programa de Pós-graduação em Serviço Social. Integrante do Núcleo de Estudos em Políticas e Economia Social (Nepes). Bolsista Capes. *E-mail*: <martaborba@uol.com.br>.

partir da pesquisa empírica realizada nos estados do Paraná e do Rio Grande do Sul.

A aproximação com o objeto da pesquisa configurou-se numa experiência ímpar, onde diferentes sujeitos políticos, ocupando distintos espaços político-institucionais, com percepções teórico-metodológicas múltiplas, direcionaram o olhar sobre um único objeto: a avaliação do processo de implementação do Suas.

A análise do conteúdo está centrada no objetivo de acompanhar e avaliar como os municípios dos Estados do Paraná e Rio Grande do Sul implantaram e implementam o Suas, principalmente no que se refere aos Centros de Referências de Assistência Social (Cras). Também foram abordados alguns aspectos referentes aos Centros de Referência Especializados da Assistência Social (Creas). Para esta análise verificou-se como estão sendo implantados, quais as condições concretas de funcionamento, que ações são desenvolvidas nestes espaços, quais os tipos de relações estabelecidas com os usuários e qual a dinâmica estabelecida com a rede socioassistencial.

Ao pensar a estrutura do texto, buscou-se contemplar as diferenças a partir da realização de análises particulares para cada município, respeitando a composição estrutural estabelecida pela metodologia da pesquisa. Com o objetivo de analisar o processo de implantação e implementação do Suas, o estudo possibilitou verificar os avanços e as possibilidades do sistema através da contribuição dos gestores, dos técnicos e dos conselheiros que participaram desta pesquisa.

A estrutura do presente capítulo buscou sistematizar como totalização provisória os achados da etapa qualitativa do estudo efetivado, contemplando as diferenças a partir das realidades concretas dos municípios pesquisados.

Destaca-se ainda, que as observações diretas intensivas (MARCONI; LAKATOS, 1996) realizadas a partir da observação sistemática de Cras, de entrevistas com gestores e de grupos focais efetivados com técnicos, apoios administrativos e representantes de conselhos municipais de Assistência Social mostraram alguns condicionantes comuns que dificultam o processo de implementação do Suas, mas os dados mais significativos mostram condições diferenciadas que dependem não só da apropriação e poder político de gestores e da estrutura local disponibilizada pelo Estado para a execução da política, mas do histórico de cada localidade, marcada por maiores ou menores experiências da sociedade em processos participativos. Ao debater os desafios à implantação do Suas no Brasil destaca-se que,

> Pensar as políticas sociais para além do horizonte da mera acomodação de conflitos requer referenciá-la no processo de disputa política pelo excedente econômico real pelas massas historicamente expropriadas de maneira que ela não possibilite somente reduzir as manifestações mais agudas da pobreza, através de serviços sociais básicos e do seu acesso, mas, sobretudo, permitir que a política social torne-se um instrumento de transformação social que mobiliza e organiza as massas a partir de seus interesses mais fortes. Insistir na densidade político-emancipatória das políticas sociais (PAIVA, 2006, p. 6-7).

Outro aspecto teórico-metodológico a ser considerado na presente construção, diz respeito a decisão em privilegiar a expressão dos sujeitos participantes do estudo para dar visibilidade a alguns aspectos identificados como essenciais para desocultar a realidade, complementados pela observação dos investigadores, pois ao longo dos processos reflexivos acerca da Política e do Sistema e de sua materialização em nível local, ambos assumem uma postura de investigadores, baseados na perspectiva das investigações participativas, orientadas por uma perspectiva transformadora, pesquisadores e pesquisados tornam-se ambos investigadores ao longo do processo (THIOLLENT, 1985). Especialmente, a experiência de grupos focais viabilizou a reflexão conjunta dos sujeitos, a partir da investigação ampliando o olhar acerca dos temas que foram debatidos por aquele coletivo.

De modo geral, o período em que foi realizado o estudo justifica o processo de maturação do Suas explicitado pelos participantes. O sistema tem sido visto enquanto um avanço positivo para a Política de Assistência Social.

Nesta direção, registra-se que os Estados pesquisados e em especial o Paraná possui uma peculiaridade importante que é preciso que seja ressaltada; muitos dos gestores e técnicos desse Estado têm participado ativamente do processo de debate nacional sobre a política de Assistência Social e contribuíram significativamente para o desenho institucional do Suas. Assim, os achados dessa pesquisa apontam para questões importantes que, ao serem analisados, mostram o espaço contraditório representado pela construção do Sistema Único de Assistência Social. Nesta perspectiva, cabe destacar que:

> A inclusão da assistência social na seguridade social foi uma decisão plenamente inovadora. Primeiro, por tratar esse campo como de conteúdo da política pública, de responsabilidade estatal, e não como uma nova ação, com atividades e atendimentos eventuais. Segundo, por desnaturalizar o princípio da subsidiariedade, pelo qual a ação da família e da sociedade antecedia a do Estado. O apoio a entidades sociais foi sempre o biombo relacional adotado pelo Estado para não quebrar a mediação da religiosidade posta pelo pacto Igreja-Estado. Terceiro, por introduzir um novo campo em que se efetivam os direitos sociais (SPOSATI, 2009, p. 14).

A população do Estado do Paraná é de 10.686.247 habitantes, distribuídos em 399 municípios, sendo 14 de grande porte, 17 de médio porte e uma grande maioria de pequeno porte I e II (317 e 50 municípios). Do total de municípios, 98 (24,6%) encontram-se em gestão inicial, 262 (65,7%) em gestão básica e 39 (9,8%) em gestão plena (BRASIL, 2010).

Por sua vez, o Estado do Rio Grande do Sul apresenta uma população de 10.727.937 habitantes, distribuídos em 496 municípios, sendo 17 de grande porte, 23 de médio porte e uma grande maioria de pequeno porte I e II (398 e 57 municípios). Do total de municípios, 48 (9,7%) encontram-se em gestão inicial, 387 (78%) em gestão básica e 27 (5,4%) em gestão plena. Importante ressaltar que no Rio Grande do Sul existem 34 (6,9%) municípios não habilitados (BRASIL, 2010).

Os dados demonstram uma caminhada comum entre os Estados no que se relaciona a adesão jurídica a implantação do sistema, embora no Rio Grande do Sul ainda se encontrem municípios não habilitados, situação que pode ser explicada pelo projeto que fundamenta o debate político e teórico sobre a concepção e o lugar da política de assistência social.

O período pesquisado evidencia uma orientação do executivo estadual quanto ao fortalecimento de projetos na direção das parcerias público-privadas, em detrimento do Suas.

4.4.2 Entre construções e contradições: as diferentes compreensões e processos na implementação do Suas

Os elementos a seguir expostos revelam que o atual momento de implementação do Suas constitui-se em um movimento de caráter tenso, gradual e continuado, considerando-se especialmente que as novas normatizações, diretrizes e eixos estruturantes do Suas, estão sendo implementados concomitante a continuidade de práticas sociais e estruturas existentes. Isto é, o *novo* proposto pela PNAS e NOB-Suas, surge da/na convivência e confrontação cotidiana com o *velho*, o tradicional, ou seja, com a longa trajetória patrimonialista de se compreender e de se fazer *Assistência Social*. Assim, nesse momento de implementação são evidentes as múltiplas dificuldades e desafios, resistências e continuidades, mas também, avanços e rupturas em direção ao novo, à consolidação do conteúdo da Loas e da consolidação da Assistência Social como política pública e de direito dos cidadãos.

Assim, a compreensão da política de assistência social, na perspectiva do Suas, é associada a necessidade de superação da cultura do assistencialismo/clientelismo e afirmação da explicitação do direito. Entretanto, os mesmos sujeitos que afirmam a cultura do favor, associada às práticas ultrapassadas, "[...] antes tinha fila para receber doação, a casa do prefeito antigamente, tinha gente cedo, tinha gente que ia dormir na casa do prefeito para pegar condução no dia seguinte." (Gestor — PR), denunciam que os referenciais dessa mesma cultura política ainda não foram superadas, ou seja, "[...] a nossa cultura aqui é da troca, do favor e agora estamos no ano eleitoral, maravilha, se eles vão lá pedir a gente diz que está proibido, [...]" (Técnico — RS).

O exame dessa realidade não é local, mas sim um traço que remete necessariamente *as raízes do Brasil*. Com isso, também não se deseja afirmar a impossibilidade da superação de tais traços político-culturais, o intuito é evidenciar que o terreno no qual o Suas está sendo construído, requer uma criticidade radical, consistente e permanente, direcionada à totalidade dos espaços onde a política é concebida, realizada, monitorada e fiscalizada, ou seja, onde a política de Assistência Social concretamente acontece.

Uma das dificuldades apresentadas está na busca dos gestores pela efetivação da implementação e execução do Suas no que diz respeito a romper com a cultura conservadora, que é histórica na sociedade brasileira. As informações comportam uma explícita contradição entre a proposta de um sistema progressivo para a garantia de direitos e a efetivação da política pública, em que a gestão propõe-se a contemplar a Política Nacional, ao mesmo tempo em que demonstra, em seus discursos, práticas e ações conservadoras.

> [...] a gente está em processo ainda e o que mais marca hoje é a garantia dos direitos, a condição de entendimento, a gente viveu historicamente a questão da assistência enquanto não política pública, não entender a assistência como política, daí a gente ainda tem resquícios disso, é uma luta constante garantir que seja uma política pública [...] (Gestor — PR).

Constata-se a presença contraditória de práticas sociais conservadoras e patrimonialistas, convivendo com iniciativas democráticas e progressistas. Um dos maiores desafios diz respeito à capacidade teórico-metodológica e a vontade política em desencadear um processo radical, progressivo e contínuo de superação dessas heranças históricas que insistem em manter e reproduzir as amarras da Assistência Social no campo do privado, do favor e da coerção política.

> [...] veio o Suas e a gente hoje entende que na verdade já se fazia o trabalho, ele só organizou e implementou algumas coisas que a gente fazia, então é tudo muito diferente. A proteção social básica a gente sempre atendeu, a proteção social especial a gente também atendia, só que atendia meio misturado, todos faziam ao mesmo tempo a mesma coisa, então o Suas veio para organizar nossas ações, para organizar e dividir tarefas, para que desse um maior resultado, o Cras foi uma grande experiência, um grande

> avanço para nós enquanto profissionais, para o usuário também porque a forma ficou mais organizada [...] (Técnico — PR).

Por conseguinte, ressalta-se a importância de uma efetiva mudança na cultura política de gestão da Política de Assistência Social, possibilitando a consolidando novos processos de democratização e ampliação dos espaços públicos. Tornam-se imprescindíveis alterações no que concerne a aspectos ético-políticos e socioculturais nas formas de gestão implementadas nos diferentes níveis de governo.

> [...] o Suas veio consolidar a Loas, ela foi criada sempre meio que a margem, veio consolidar a efetivação dos serviços continuados, na garantia dos direitos porque esses serviços não vão acabar amanhã caso mude os governantes, porque a gente teve muitos programas que, com a saída do governante mudaram. É importante a garantia dos direitos e do serviço continuado principalmente, o Cras não vai fechar as portas, o Creas não vai fechar com a regulamentação dos serviços [...] (Técnico — PR).

> [...] nós estamos num processo onde as equipes estão se apropriando do sistema e da política não é uma questão pronta e fechada ainda, estamos em processo de apropriação, existem diferentes interpretações das equipes, são pessoas diferentes com histórias diferentes (Gestor — PR).

A implantação do Sistema, apesar de suas dificuldades, potencializou e ampliou a visibilidade para a sociedade quanto a importância que a Assistência Social tem na composição da Seguridade Social, embora ainda seja necessário a compreensão e funcionamento das políticas da Seguridade enquanto sistema de proteção social. Nessa perspectiva, segundo a PNAS, a nova concepção de assistência social tem duplo efeito: "[...] o de suprir sob dado padrão pré-definido um recebimento e o de desenvolver capacidades para maior autonomia" (BRASIL, 2005a, p. 15-16).

> Um modelo de proteção social não contributiva para o Brasil resulta não só de implantação de novos programas de governo, mas de mudança mais incisiva que exige do gestor público assumir um novo papel baseado na noção de cidadão usuário (e não de carente ou assistido) de seus direitos, e

na responsabilidade do Estado em se comprometer com a capacidade de as famílias educarem seus filhos tratando-as como núcleos básicos de proteção social (SPOSATI, 2009, p. 19).

Quanto a compreensão dos gestores acerca da Política e do Sistema, as situações são diferenciadas, em alguns municípios fica evidenciada a apropriação do(a) gestor(a), contudo em outros ainda se percebe traços de uma leitura reducionista acerca da política:

> O Suas tem o objetivo de identificar os problemas sociais, focando as necessidades de cada município, ampliando a eficiência dos recursos financeiros na cobertura social, estabelecendo um modelo democrático, descentralizado e participativo, seguindo os princípios da Loas buscando a universalização e igualdade de direitos aos demandatários dessa política que é de dever do estado e direito do cidadão. É uma política que deve se integrar às demais políticas públicas, para fins de concretização de direitos que historicamente sempre foram negados a uma parcela significativa da população (Gestor — PR).

> Há pouca visibilidade para a Política no município, principalmente pelo desconhecimento dos gestores que ainda tem uma concepção de política como favor e não como direito (Técnico — RS).

No caso do Rio Grande do Sul, considerando os aspectos comuns, pode-se destacar a pouca relevância atribuída pelo conjunto do executivo à Política de Assistência Social e em alguns casos a falta de compreensão da política enquanto tal que, segundo avaliação dos participantes, não é priorizada não só quando da alocação de recursos do fundo público, mas também na viabilização de estrutura, onde se incluem recursos materiais e humanos, além da dificuldade de alguns gestores em aceitar como legítimo o controle social.

A expressão dos sujeitos, gestores e técnicos confirmam essa afirmação: "O espaço para discutir as necessidades da assistência nas reuniões de secretariado é muito pequeno, quase nenhum, essa área não é priorizada, embora isto não seja dito." (Gestor — RS).

Em relação ao financiamento da política, os municípios pesquisados apresentam situações muito heterogêneas. Nas metrópoles e nos municípios de grande porte foi possível identificar fontes de financiamento tanto da esfera federal, como da municipal e em proporções menores alguns aportes da esfera estadual. No Paraná foi identificado dotação orçamentária para cofinanciamento destinada à construção de Cras em municípios de pequeno porte. No Rio Grande do Sul esse investimento não foi constatado. O financiamento representa um problema a ser vencido por todas as esferas envolvidas com a política, pois considera-se que:

> Há de se enfrentar, para a efetiva implantação do Suas, a construção de condições necessárias à que suplante a lógica da precarização e da minimização orçamentária, o que requer a superação da inflexão economicista em outra lógica também conhecida: que reduz direitos a disponibilidade de caixa, resultante das opções políticas e das decisões de cúpula a respeito da distribuição do fundo público (PAIVA, 2006, p. 9).

Verificou-se, também, uma sistemática defesa da importância da implementação do Suas e do fortalecimento e qualificação do comando único da política de assistência social pelos Estados. No entanto permanece a contraditória existência e sustentação político-financeira de estruturas terceirizadas, com atuação paralela quando não conjunta ao comando único da política de assistência social.

Nessa direção, salienta-se que a existência das referidas instituições são de longa data e organizam-se com abrangência estadual, ligada ao governo do Estado e, de abrangência municipal ligada às prefeituras. O fato é de que as referidas instituições filantrópicas, além de encontrarem-se sob o comando e gestão das primeiras-damas, são financiadas pelo Fundo Municipal de Assistência Social, destacando-se que entre as ações desenvolvidas, são responsáveis, em alguns municípios do Paraná e do Rio Grande do Sul, pela contratação de recursos humanos disponibilizados posteriormente ao órgão gestor da Assistência Social.

> [...] havia municípios que não tinham nenhum técnico na área da Assistência Social, [...] a (entidade) tinha muito mais estrutura que o órgão gestor da Assistência Social (Técnico — PR).

> Mas como todo município tinha problemas de lei de responsabilidade fiscal, nós mudamos a forma de conveniamento com as entidades [...] A (entidade) [...] é uma ONG *chapa branca*, que o prefeito nomeia o presidente [...]. A (entidade) passou a ser um grande parceiro, do ponto de vista de trazer a (entidade) para a execução da política local junto conosco. E com isso foi facilitado, por exemplo, a ampliação de contratação, de recursos etc. (Técnico — RS).

Em análise realizada por Yazbek (1996, p. 164), referindo-se ao trato histórico dispensado pelo Estado à Assistência Social, afirma-se que "[...] apreendida como residual, campo do clientelismo e da ação de primeiras-damas, a assistência é regulação casuística por excelência, [...]". Por conseguinte, o que se percebe é a tendência da reedição de antigos modelos patrimoniais, delineando a configuração de um novo que já nasce velho, pois ao invés de romper com a velha e conveniente lógica da benemerência, acaba por reproduzir-se sob uma nova institucionalidade, o Suas.

Esse fato reitera traços que se perpetuam na trajetória do Estado brasileiro. Reitera-se a profunda cultura do primeiro damismo, seja através da ocupação do cargo de gestora do comando único da política de Assistência Social, ou de seus *refinamentos* a exemplo das instituições privadas sem fins lucrativos que terceirizam as competências dos órgãos públicos, ou até mesmo da atuação das associações de primeiras-damas que se articulam mensalmente, em paralelo às reuniões do próprio Colegiado Estadual de Gestores Municipais de Assistência Social (Congemas). Esses fatores que foram identificados no processo de pesquisa empírica demonstram a necessidade de se retomar o debate acerca da política de assistência social, enquanto uma política pública, respondendo por um dos pilares da proteção social brasileira enquanto Seguridade Social.

4.4.3 A defesa da especificidade da Assistência Social

Ao analisar a política de Assistência Social no Brasil, interessa destacar o lento e tenso movimento que vem caracterizando o processo sócio-histórico de legitimação e normatização dessa política enquanto um novo campo *específico* de responsabilidade pública do Estado e de direito dos cidadãos. A herança conservadora somada a reiteração da concepção da Assistência Social como "[...] o campo inespecífico [...]" (SPOSATI, 2004), resultam no retardamento da regulamentação e efetivação dos direitos socioassistenciais. Nesta arena de debate, o estudo investigativo revela unanimidade quanto ao reconhecimento da importância da criação do Suas para o processo de efetivação do conteúdo da Loas, a definição das atribuições específicas da Assistência Social, profissionalização, qualificação dos serviços e afirmação da perspectiva do direito. De forma especial, os trabalhadores do Suas avaliam que o mesmo representa um instrumento fundamental para se avançar na profissionalização e qualificação dos serviços prestados à população.

> Eu acho, como profissional, que o Sistema Único de Assistência Social nos dá segurança, a equipe pode se profissionalizar na intervenção. Você hoje trabalha com conceitos, com níveis de vulnerabilidade, segurança na intervenção porque agora se discute a partir de indicadores, se discute como organizar a política de assistência, o sistema de avaliação, então isso qualifica a intervenção profissional, é importante ter uma forma de organização da política de assistência a partir desses novos conceitos [...] (Técnico — PR).

Certamente, o debate sobre a especificidade da política de Assistência Social, e ainda, sobre a intersetorialidade necessária na efetivação dos direitos socioassistenciais, remete a uma ampla discussão sobre os parâmetros e condições político-institucionais e técnico-operativos a serem garantidos na consolidação e efetivação das responsabilidades que cabe a essa política. Portanto o debate sobre a dimensão da especificidade da política de Assistência Social vincula-se ao entendimento de que "[...] estabelecer a particularidade-especificidade dessa política é condição nodal para soldar o paradigma do direito na Assistência Social." (SPOSATI, 2004, p. 36).

Aponta-se para uma construção possível e necessária da afirmação do campo específico de responsabilidade da Assistência Social, como condição básica para o avanço da intersetorialidade. Desse modo, se compreende que a intersetorialidade entre as políticas públicas resultarão de mediações construídas coletivamente, que devem ser pactuadas associando o respeito às responsabilidades específicas de cada uma, à construção de um novo campo, ou seja, o campo das ações e articulações intersetoriais. Assim, acredita-se que a efetivação de processos intersetoriais apontam para a materialização da complementariedade que deve existir no acesso aos direitos sociais, de modo a garantir a integralidade, um dos eixos centrais da política.

Nessa direção, o processo de implementação do conteúdo do Suas, está sendo compreendido enquanto um processo coletivo desafiador e intersetorial, considerando que o mesmo requer o envolvimento e compreensão por parte do conjunto da equipe técnica do órgão gestor da Política de Assistência Social, mas também, do envolvimento de equipes de outras políticas sociais, a exemplo da saúde e educação.

Os processos relatados avaliam como central a definição do campo específico das responsabilidades da Política de Assistência Social. Ressalta-se que a presença ainda forte de diferentes compreensões da Assistência Social associadas à ideia do campo que *faz de tudo*, do inespecífico, da desprofissionalização, da ajuda aos pobres, entre outras, apresentam-se hoje como resistências às novas normativas e delimitações que buscam definir o campo específico de responsabilidade da política de Assistência Social. Portanto, é essencial o aprofundamento quanto às responsabilidades específicas da política, enquanto pré-condição para se efetivar no Brasil *as bases da construção de uma nova cultura política*, considerando a recente implementação do Sistema Único de Assistência Social.

4.4.4 Direito ou ajuda?

Contrário a perspectiva democrática de garantia da primazia da responsabilidade pública na efetivação das condições objetivas de acesso à rede de serviços socioassistenciais, detecta-se a reprodução e incentivo por parte de agentes públicos à realização de ações voluntárias, diretamente vinculadas a serviços públicos estatais. Neste contexto de implementação do Suas, a pesquisa registra práticas reproduzidas no cotidiano da política apontadas sem críticas ou estranhamentos, tais como "[...] advogados que vão lá (no Cras) fazer o direito da família voluntariamente, [...] vão participar e ajudar em algumas demandas específicas como voluntários." (Técnico — Rio Grande do Sul). Essa realidade concreta revela que embora fundamentais, as novas normatizações e institucionalidades formais, a exemplo da criação dos Cras, não garantem por si só, a materialização do conteúdo inerente aos direitos socioassistenciais. Depreende-se que isso ocorre especialmente quando o atendimento ao usuário, realizado no espaço do Cras, parte do princípio da negação da responsabilidade pública, do não compromisso com a qualidade e continuidade dos serviços oferecidos, ou ainda quando naturaliza a reiteração da ajuda voluntária. Nestes parâmetros não será possível eleger o Cras enquanto referência dos usuários no acesso ao conjunto de serviços públicos responsáveis pela efetivação dos direitos socioassistenciais assegurados pelo Suas.

A proposta do sistema único permite envolver todos os interessados na Política de Assistência Social, exigindo um planejamento que seja condizente com os direitos fundamentais garantidos na Constituição de 1988. A pesquisa ainda apontou para a existência de compreensão equivocada da categoria direito e de como vários preconceitos ainda estão pautando a inclusão dos usuários nos serviços, como foi evidenciado no seguinte depoimento:

> [...] hoje em dia não é só você vir e dizer, eu to passando fome eu preciso de uma cesta ou eu preciso de uma assistência. A pessoa vai ter que dar uma contra partida e isso não é só para ela, mas a contra partida traz um bem para sociedade, porque você está exigindo que a criança vá para a escola então acaba trazendo um beneficio maior ao núcleo familiar, à célula familiar dela [...] (Gestor — PR).

Esse pré-julgamento tem como consequência a formulação de padrões e condicionalidades que devem ser cumpridas pelos usuários para serem merecedores do atendimento. A criação desses artifícios encontra-se na contramão daquilo que se espera de uma política não meritocrática de caráter universal. Contudo, a própria existência de condicionalidades para a inserção dos usuários em alguns programas acaba por ampliar essa contradição que perpassa a própria normatização da política, embora seja reproduzida de modo distorcido na intervenção de alguns profissionais, o que pode ser verificado na expressão que segue:

> Antigamente no atendimento da assistente social a pessoa chegava e era voltado para aquela coisa de voto, hoje em dia uma assistente social atende uma pessoa que não tem escolaridade ou uma pessoa que não tem trabalho. Não é atender e resolver o problema dela e despachar, a coisa é mais humana é mais centrada. Se pergunta porque você esta nessa situação? Por que você não se move? Por que você está esperando a gente, sendo que a gente está te dando o apoio, mas você também tem que buscar outra coisa fora para não depender mais disso. Então, eu vejo assim, não sei como classificar, mas se mexe com o ego daquela pessoa [...] (Técnico — PR).

Para além desses argumentos existem afirmativas que se encaminham para uma lógica de que a contrapartida, seja ela qual for, deve ser buscada, mesmo com a compreensão de que a política não indica isso e que sua concepção de pública ao contrário busca que os que dela necessitarem tenham acesso irrestrito.

> Quais são seus direitos, mas também quais são seus deveres qual a contrapartida, porque também é fácil ser acomodado, dizer eu não sei [...] qual é o compromisso que você esta assumindo frente ao que você estiver solicitando, é muito cômodo, então essa discussão com a família de ela se comprometer de ela assinar um termo de compromisso se eu não vou é porque eu não quero [...] (Técnico — PR).

A transição das práticas de favor para uma política de direitos necessita de um arcabouço, não só legal, mas também político para estabelecer relação e possibilitar um período adaptativo institucional. No entanto, o empenho para efetivação da política pública encontra empecilhos que dificultam o processo.

> [...] é necessário romper com a ideia do direito como favor ou ajuda emergencial prestada sem regularidade e através de um processo de centralismo

decisório; romper também com a lógica de que a assistência social sobrevive apenas com os recursos residuais do investimento público (serviços pobres para pobres!) e ainda: romper com o uso dos recursos sociais de maneira clientelista e patrimonialista (YAZBEK, 2008, p. 102).

A afirmação do Sistema enquanto gestão e garantia de direitos sociais no campo da assistência social exige um reordenamento que ultrapassa as questões previstas nos instrumentos legais que o formalizam, ou seja, "[...] incorporar a legislação à vida da população pobre brasileira é necessariamente um dos caminhos, embora insuficiente, para incidir na criação de uma cultura que considere a política de Assistência Social pela ótica da cidadania" (COUTO, 2004, p. 176). Portanto, é necessário mais que isso, é preciso recolocar o debate sobre o espaço da política no campo do acesso ao excedente do capital como forma de garantir vida digna a todos os cidadãos brasileiros. Para que isso seja possível, os dados da pesquisa indicam que é necessário insistir no debate da política enquanto direito e reafirmar o lugar do usuário na condição de cidadão, pois os preconceitos fazem parte do cotidiano da atenção prestada pela Assistência Social.

4.4.5 A ausência da instância estadual: um fator persistente

Foi unânime a avaliação por parte dos municípios, quanto a ausência da instância estadual no processo de implementação do Suas. Essa desresponsabilização frente às demandas existentes resultou na sobrecarga e inúmeras dificuldades a serem enfrentadas pelos municípios. Em decorrência disso, especialmente os pequenos municípios acabam expressando maiores dificuldades quanto ao acesso e apropriação do conteúdo disposto nas novas normativas. Essa mesma ausência foi apontada com maior ênfase no processo de capacitação, orientações, informações e cofinanciamento. Entre as estratégias adotadas pelos municípios de pequeno porte, destacou-se a busca de suporte junto aos municípios de grande porte e capital. Pela mesma razão muitos municípios passaram a estabelecer de forma constante a relação direta entre a esfera municipal e federal.

É fundamental que a instância estadual esteja também em sintonia com o conjunto do sistema articulando-se e cumprindo com suas funções. Os municípios apresentam de forma generalizada a reivindicação de maior presença do Estado para o desempenho de suas atribuições previstas na NOB/Suas.

> Agora na relação do Estado com o município eu percebo que em algumas situações se encaminha e em outras tem a tendência de encaminhar pacote pronto, você me entende? Se pensa em âmbito estadual um programa e vem de cima — olha, o programa é esse, e você tem que se adequar. A gente ainda vivencia isso, inclusive em termos conceituais tem um padrão hoje, a gente fala — o modelo do sistema de assistência é esse, será que não está na contramão? Então, ainda a gente tem algumas dificuldades (Gestor — PA).

É importante ressaltar que a representação estadual do Paraná entende que a falta de definição concreta do papel do Estado, estimulada por contatos diretos do governo federal com os municípios, acaba por enfraquecer o poder da área na disputa que acontece no campo das políticas sociais estaduais, estimulando o não investimento por parte do Estado e colocando os gestores estaduais vinculados a Assistência Social numa disputa isolada.

Há também a informação de que o Estado do Paraná tem participado nas capacitações e no cofinanciamento para a efetivação de estruturas físicas para os Cras, embora isso só tenha sido relatado por um dos municípios da Região Sul.

4.4.6 Da descentralização intramunicipal à territorialização do Suas

Importa observar, a partir da análise sobre a implementação das bases da política de Assistência Social e garantia das provisões previstas pelo Suas, que, estratégias vinculadas a processos de descentralização intramunicipal de gestão da política de Assistência Social, já estavam sendo construídas antes da criação das novas normativas do Suas. Essa realidade pode ser verificada especialmente nos municípios de grande porte e nas metrópoles. O que se destaca, entretanto, é a dificuldade na implantação de um ordenamento político-administrativo nos formatos propostos pelo Suas, assim como a consistência conceitual necessária coerente com a proposta de hierarquização, ordenamento e especificidade do conjunto dos serviços socioassistenciais definidas pelo Suas. Nesse enfoque, um traço comum dos municípios que vinham desenvolvendo a descentralização da gestão intramunicipal, parte da compreensão que a abrangência de cobertura da política de Assistência Social deveria corresponder à totalidade do território municipal. Entretanto, apontam que na descentralização realizada não havia a preocupação com a implementação de ações que buscassem identificar e localizar as unidades públicas que vinham sendo instaladas, próximo às áreas de maior vulnerabilidade (Metrópole e Município de Grande Porte-PR)

> [...] quando chegou em 2004 a PNAS nós tínhamos os Centros Regionais de Assistência Social que depois viraram os Cras [...] (Técnico — PR).

> [...] a gente já tinha sedes de núcleos regionais da Fundação que era onde a população buscava esses serviços da área da Assistência Social [...] Então a gente já usou esses espaços dos núcleos regionais das 9 administrações regionais para trabalhar na lógica do Cras. [...] tínhamos outras bases físicas que era da época do NASF [...], tinha alguns casos que eram da comunidade, mas também se aproveitou para implantar o Cras (Gestor — PR).

O estudo mostra que os processos particulares de gestão da política de Assistência Social e as estruturas existentes utilizados antes da implantação do Suas, acabam por determinar o desencadeamento, ou não, das ações político-institucionais que darão objetividade ao conteúdo previsto pelas novas normatizações. Nesse sentido, torna-se fundamental a autoavaliação crítica quanto aos referenciais teórico-metodológico; ético-político e técnico-operacionais que vinham até então, dando suporte ao planejamento, gestão e controle social da política, bem como a análise quanto a real possibilidade de as estruturas serem adequadas a sua materialização nos novos moldes propostos pelo Sistema.

O Suas vem contribuindo decisivamente para a aproximação da política de assistência com o cotidiano da vida do usuário. Essa afirmativa sustenta-se especialmente no processo de territorialização da política, fazendo com que a criação dos Cras represente uma mudança na relação entre a política pública, a realidade concreta e as demandas apresentadas pelos usuários. Foi enfatizado pelos pesquisados que o Cras apresenta-se como referência concreta da comunidade, em relação à política de Assistência Social.

Na esteira desse debate, a importância da territorialização, um dos eixos estruturantes do Suas, foi destacada pelo conjunto dos municípios, adotada especialmente enquanto estratégia político-administrativo para os processos de implantação dos Cras junto aos territórios mais vulneráveis, sendo reconhecida como elemento central do novo ordenamento político-institucional proposto pelo Sistema. Destaca-se também, a adoção da territorialização como elemento central na organização de sistemas de informação e monitoramento georreferenciados, especialmente nos grandes municípios e metrópoles do Paraná.

> [...] a gente trabalha aqui com índice de vulnerabilidade social das famílias, todas as famílias são georreferenciadas num território. A hora que muda a delimitação essa família muda para um outro território, então ela passa a compor nosso trabalho de monitoramento daquele território então muda, até nossa série histórica. Isso quer dizer, tem hoje lá no Cras um número X de famílias que se está acompanhando, mas se mudar a delimitação daquele território algumas famílias que estão sendo acompanhadas por aquela equipe serão acompanhadas por uma equipe de um outro Cras (Técnico — PR).

Na mesma perspectiva, é possível afirmar que o território apresenta-se enquanto uma categoria da realidade concreta, que guarda em si muitas potencialidades no sentido da mudança de compreensão da realidade por parte dos agentes públicos, bem como para o aprofundamento da democratização do acesso ao conjunto dos serviços e políticas públicas à população usuária. Neste sentido, depoimentos revelam as muitas descobertas realizadas pelos trabalhadores da Assistência Social a partir da aproximação com o *território vivido*.

> A gente brinca que tem quase uma relação de vizinha com os usuários, eles passam na rua a gente cumprimenta, acompanha realmente o cotidiano dessas famílias e quando você faz essa mudança de perspectiva é interessante como a gente também muda, os técnicos mudam. Temos que aprender a rever nossos caminhos e emoções, é uma mudança de postura do técnico. É bem interessante como o território traz essa possibilidade, essa abertura de visão que passa a ter outro significado (Técnico — PR).

> Passamos a pensar como integrar este ser humano no seu território para que ele consiga se relacionar lá na sua comunidade nessa reconstrução de vínculos. O território facilita muito esse processo de diagnóstico, assim conhecer a realidade, o que pega mais naquele espaço, se é o trabalho infantil, por exemplo, a violência, a partir daí você se adiantar na prevenção. A leitura territorial facilita muito no planejamento (Técnico — PR).

Entretanto, é fundamental uma leitura crítica ampliada em relação a esse *território vulnerável*, identificado como aquele ocupado pela população usuária da política de Assistência Social. Não é possível perder de vista a perspectiva de totalidade contraditória existente entre os territórios *vulneráveis* e os *não vulneráveis*. Ambos resultam de um mesmo processo de *produção social do espaço* nos parâmetros da sociedade do capital. Nesta é possível afirmar que a sociedade capitalista contemporânea

> [...] se esforça para criar uma paisagem social e física da sua própria imagem, e requisito para suas próprias necessidades em um instante específico do tempo, apenas para solapar, despedaçar e inclusive destruir essa paisagem num instante posterior do tempo. As contradições internas do capitalismo se expressam mediante a formação e a reformação incessante das paisagens geográficas. Essa é a música pela qual a geografia histórica do capitalismo deve dançar sem cessar (HARVEY, 2005, p. 150).

É precisamente nessa dinâmica expansiva e contraditória da sociedade capitalista que se explicita sua capacidade de reorganização, transformação e ampliação da lógica mercantil, (re)produtora de profundas desigualdades socioespaciais. Assim, infere-se que o *conteúdo* da sociedade mantém íntima relação com a *forma*, ou seja, o espaço representa "[...]

o conteúdo corporificado, o ser transformado em existência, é a sociedade embutida nas formas geográficas, a sociedade transformada em espaço." (SANTOS, 2008, p. 28). Por conseguinte, capturar as contradições do movimento da produção social do espaço urbano em tempos de globalização requer a ampliação da análise crítica a fim de que se possa desvendar a realidade social, considerando que esta se apresenta cada vez mais complexa, desigual e fragmentada.

A realidade encontrada nos municípios pesquisados, pelos gestores, técnicos e demais agentes sociais envolvidos na construção do Suas, expressam uma lógica de produção social que está para além da política de Assistência Social ou mesmo do poder público. A produção de realidades socioterritoriais profundamente distintas e antagônicas guarda em si uma das características inerentes ao processo de urbanização capitalista, ou seja, ao tempo que se amplia a produção das *cidades-mercadoriais*,[1] aprofunda-se na mesma proporção as *cidades vulneráveis/desurbanizadas*. A referida lógica fica explícita na realidade pesquisada, onde se identifica a cidade dividida por *regiões* distintas.

> [...] os técnicos que chegam e que passaram no concurso público não querem trabalhar em alguns territórios. Acho que daria para contar nos dedos as pessoas que fazem opção, por exemplo, de trabalhar na região sul porque é muito longe da cidade, tem uma distância considerável de onde estão as áreas de vulnerabilidade, então isso é uma realidade que a gente enfrenta diariamente com a questão da colocação da equipe (Gestor — PR).

Revela-se assim, que os territórios vulneráveis a serem priorizados pela política de Assistência Social, são *espaços sociais* especialmente produzidos para abrigarem precariamente a população que não consegue acessar, através do *mercado*, um pedaço de chão urbanizado e mais próximo dos equipamentos e serviços públicos existentes na cidade. Portan-

---

1. Significa dizer que no atual processo de mercantilização do espaço urbano, acaba por se produzir em escala mundial um novo produto, qual seja, "a mercadoria-cidade, produto aparentemente terminado e traduzido em imagem urbana, pronta para entrar em circuitos e fluxos de informação e comunicação internacional, não permite identificar como se deu sua construção; sua história parece velada, sua gênese esquecida" (Sánches, 2003, p. 72).

to, se reafirma que os territórios vulneráveis constituem uma das expressões da questão social contemporânea, desafiando o conjunto dos sujeitos sociais comprometidos com a efetivação dos direitos socioassistenciais de cidadania, à superação de inúmeras dificuldades impressas na realidade concreta desses territórios. Entre os empecilhos identificados, pode-se mencionar a dificuldade de alocação de equipe técnica, a (in)viabilização/inexistência de estrutura física para a implantação dos equipamentos públicos, o difícil acesso em função da grande distância existente entre o centro da cidade e os territórios vulneráveis.

Por conseguinte, a inclusão da categoria *território* enquanto diretriz central e base organizativa do Suas, requer do conjunto dos agentes sociais que se encontram na gestão, controle, execução, monitoramento e/ou avaliação da política de Assistência Social, o aprofundamento dos conceitos, assim como o necessário desvendamento, problematizações e identificação das interconexões existentes entre concepção, método e estratégias de gestão. Nesta direção, é fundamental a ideia de que "[...] o chão onde se encontram e se movimentam setores e segmentos, faz diferença no manejo da própria política, significando considerar as desigualdades socioterritoriais na sua configuração." (BRASIL, 2004, p. 14). Trata-se, pois, da introdução de um conteúdo inovador, abrangendo conceitos, assim como novos direcionamentos quanto ao processo de gestão da política e da rede de proteção socioassistencial. Dentre os novos elementos destaca-se à visão socioterritorial que enfatiza um novo modo de se compreender e atuar na realidade,

> [...] pautada na dimensão ética de incluir "os invisíveis" enquanto integrantes de uma situação social coletiva; uma visão que exige o reconhecimento para além das demandas setoriais e segmentadas, afirmando que o chão onde se encontram e se movimentam setores e segmentos fazem a diferença no manejo da própria política; uma visão social que exige relacionar as pessoas e seus territórios, identificando no cotidiano do "território vivido", os riscos e vulnerabilidades, mas também as potencialidades e os recursos disponíveis; uma visão que se pauta na perspectiva socioterritorial, cujas intervenções se dão nas capilaridades dos territórios, a partir do reconhecimento da dinâmica que se processa no cotidiano das populações (BRASIL, 2004, p. 16).

A aproximação com o território deve ampliar os campos de ação e não restringir. A inviabilidade de acesso ao direito não deve ser justificada pelas restrições dos territórios. O fato de a política priorizar a territorialização não deve reduzir o acesso dos serviços e da rede socioassistencial, pelo contrário, essa divisão objetiva que o acesso seja garantido, e esse aspecto é valorizado pelos sujeitos da pesquisa.

> Hoje está sendo fantástico trabalhar o intersetorial, então território para nós, não é apenas o espaço geográfico delimitado é um contexto, é uma visão, é um corpo (Técnico — PR).

Certamente, está explicitada uma visão que pressupõe uma nova prática social, por parte do conjunto dos agentes públicos implicados com o processo de gestão. Do mesmo modo, a construção do novo ordenamento político-institucional da Assistência Social na perspectiva do Suas, necessita aproximar-se do *cotidiano* dos indivíduos e famílias, considerando que é através deles que as condições e modo de vida da população se expressam concretamente. Nesta direção, o território é concebido como território usado, "[...] o chão mais a identidade. A identidade é o sentimento de pertencer àquilo que nos pertence. O território é o fundamento do trabalho; o lugar da resistência, das trocas materiais e espirituais e do exercício da vida." (SANTOS, 2007, p. 14). Portanto, parte-se do princípio que os territórios ganham significado a partir do uso dado pela humanidade a partir de condições sócio-históricas concretas. Em outros termos, é no território que as relações sociais se materializam e se reproduzem, produzindo territórios desiguais, permeados de conflitos e significados.

Estar no território amplia aos trabalhadores sociais a visão das necessidades do usuário da política. Permite viabilizar o acesso aos recursos e às demandas postas no cotidiano. Possibilita contato direto com a realidade. Estas ponderações são úteis ao Suas no momento em que se efetivam e disponibilizam condições para a leitura da totalidade e garantem espaços de concretização das reivindicações e direitos sociais dos usuários da política que vivem neste território.

A discussão do território vai além dos espaços urbanizados. Na pesquisa realizada em alguns municípios, principalmente no Estado do

Paraná, estrategicamente vêm pensando em estabelecer um funcionamento itinerante para pelo menos um Cras. A ideia pode ser útil para a acessibilidade de muitas populações que buscam o atendimento, pois muitas famílias não têm condições nem mesmo de chegar até os serviços.

> [...] pensamos, a ideia do itinerante [Cras] em função da demanda rural, mas a proposta inicial é dar continuidade ao itinerante, depois de reestruturado e definido o sistema aqui na cidade, senão a gente não vai conseguir dar conta de nenhum dos dois (Gestor — PR).

Neste sentido estar atento para as peculiaridades dos territórios e criar estratégias para o atendimento da população com menos acesso tais como as comunidades quilombolas, os ribeirinhos, os acampamentos dos sem-terra, os indígenas, realidades encontradas nos Estados pesquisados, é também dar atenção diferenciada às políticas públicas materializadas nos serviços e equipamentos do Suas.

O Suas deve garantir o direito de todos ao acesso à rede de serviços socioassistenciais, considerando as realidades dos diferentes municípios brasileiros. A oferta de serviços se amplia e qualifica com o conhecimento profundo dos territórios em que esses se inserem bem como pela construção de índices, tanto de vulnerabilidades e riscos sociais, como de cobertura ressignificando as mais diversas ações ofertadas.

4.4.7 Matricialidade sociofamiliar como impulsionador do trabalho com os usuários

Outro aspecto que se destaca diz respeito a matricialidade sociofamiliar, apreendida como possibilidade de melhor compreensão sobre a realidade dos sujeitos e execução dos serviços, programas e projetos voltados à organização coletiva.

> [...] hoje a gente está trabalhando com foco na família. Acho que as outras áreas vêm complementar. A gente trabalha com a mesma família no mesmo território fazendo atividades para que ela crie vínculo entre si e na própria comunidade, conheça seu território fazendo atividades para que conheçam

onde vivem, com quem vivem e esse referencial serve para a gente estar no território e conhecer onde é a casa do seu usuário [...] (Técnico — PR).

Os municípios, principalmente o de grande porte e a metrópole do Paraná, criaram índices e indicadores para mensurar a vulnerabilidade social a fim de atender a política em seus critérios. Neste sentido também passam a mapear os sujeitos usuários da política. As informações referentes a estes usuários devem manter o direito do sigilo e não devem ser utilizadas para outros fins que não o atendimento das necessidades destas famílias. Para os gestores as informações devem ser genéricas com a finalidade de melhorar o processo, embora também apareçam como instrumento de fiscalização dessas famílias.

[...] Existe um plano de ação, que é elaborado com cada uma dessas famílias e o monitoramento das ações é feito a partir desse plano. Isso quer dizer, tudo que você elencou na hora que você faz um plano de ação, onde você quer chegar com aquela família, você consegue medir resultados. Além da avaliação esse também foi um grande ganho na atuação com a família desvinculando da questão segmentada por programa [...] (Técnico — PR).

Em relação à gestão da informação, os municípios do Paraná apresentam avançados projetos de monitoramento e mapeamento das famílias e usuários da assistência, no entanto, ainda existe pouca apreensão sobre a qualidade destas informações para o trabalho cotidiano das equipes. Há necessidade de avanços no sentido de que sistemas e dados sejam consolidados e possam subsidiar a construção de indicadores que dimensionem as melhorias nas condições de vida da população e na própria gestão do sistema. É importante salientar que as equipes que trabalham no monitoramento e avaliação demonstram preocupação com a utilização e a qualidade da informação gerada.

Além das famílias referenciadas que são muitas, nós ouvíamos uma queixa histórica aqui no município dos profissionais dizendo que não aguentavam mais ter que escolher o mais pobre entre os pobres. Eu acho que, quanto mais instrumentos a gente der para a equipe melhor. E nós, diretoria, podemos fazer o monitoramento do trabalho da ponta, porque sem isso, pode haver contestação das equipes (Gestor — PR).

Geramos a ficha do Cras e a ficha do Creas com anotações separadas. Nosso objetivo agora é colocar em rede para que elas já possam informar e ter o acesso rápido, mas tem a questão do sigilo, vamos ter que criar um sistema de senha onde só o profissional tenha acesso, porque trabalhamos com bastante estagiários. Ter o acesso às informações do serviço não só do Cras e Creas mas de toda rede não governamental é muito importante para que a gente possa integrar o trabalho em rede [...] (Gestor — PR).

É importante ressaltar que os sujeitos da pesquisa consideram que assim como a territorialização, a matricialidade sociofamiliar contribui para que o sistema tenha maior efetividade. Conhecer as famílias, suas formas de resistência e sua capacidade de enfrentamento das mazelas a que estão expostas, deu um novo sentido ao trabalho direto com os usuários. Nos depoimentos colhidos ainda esse trabalho tem sido considerado muito difícil. Os técnicos apontam para a necessidade de instrumentos para operacionalizar esse trabalho. Muitas vezes, o discurso resvala para uma compreensão de limites, que agora deixam de ser pessoais, para serem do grupo familiar. Apontamos aqui para a necessidade de que as famílias e as situações vividas pelas mesmas sejam necessariamente entendidas como processos constitutivos da luta da classe trabalhadora para sobreviver nessa etapa do desenvolvimento capitalista. Entender as particularidades e singularidades de cada família, embora muito importante, não pode mascarar os condicionantes conjunturais e estruturais, portanto devem ser privilegiados os espaços coletivos de atendimento, que fortalecem processos sociais emancipatórios, fugindo da lógica da "psicologização" das sequelas da questão social.

4.4.8 O trabalho, os trabalhadores e a materialização do Suas nos Cras

A Norma Operacional Básica de Recursos Humanos (Resolução n. 269 do CNAS), constitui-se em um eixo estruturante da nova arquitetura institucional do Suas. A referida NOB-RH ao tempo que trata da gestão de recursos humanos junto à política de assistência social, apresenta novas normativas no sentido de garantir maior qualidade dos serviços prestados à população usuária. Nessa perspectiva, a NOB-RH/Suas define princípios e diretrizes, estabelecendo entre outras questões, o plano de carreira, cargos e salários, parâmetros para a constituição de equipes profissionais para atuação nos serviços socioassistenciais e a centralidade dos planos de capacitação.

Importa enfatizar que a implementação da referida NOB ocorre em um contexto profundamente adverso ao conteúdo previsto pela mesma, em razão da reestruturação produtiva em curso e do processo mundial de flexibilização das relações de trabalho. Além dos aspectos político-econômicos citados, é fundamental considerar-se as compreensões fortemente arraigadas no campo da assistência social, enquanto um campo da improvisação, do voluntarismo e da desprofissionalização. Dito isso, as reflexões que seguem buscam expressar a complexidade dos desafios a serem enfrentados nesse processo de implementação de uma proposta nacional de gestão dos recursos humanos no Suas, como também da necessidade de redefinir o trabalho a ser executado pelos operadores da política, sejam eles gestores ou trabalhadores.

Para tanto, parte-se da compreensão que em relação aos recursos humanos o Suas se constitui num instrumento avançado e que exige empenho para sua execução. Contribui no acesso aos recursos mínimos para um atendimento qualificado e de qualidade. Contudo, o desafio está em intensificar o papel emancipatório que os profissionais têm e são responsáveis, para com a política e seus usuários.

Divulgando o Suas para a sociedade, tem-se a aceitação e respaldo para implementar e efetivar o sistema. Conseguir tornar este sistema mais um instrumento capaz de viabilizar politicamente a política, utilizando-se dos mecanismos como os Cras é apostar na ampliação dos serviços para a sociedade e na emancipação política dos sujeitos envolvidos nas reivindicações pela garantia de direitos.

É apontado como grande avanço o fato de que os usuários têm agora atendimento qualificado. Com a implementação do sistema e com avanços significativos na democracia do país, os cidadãos buscam efetivar suas garantias, que muitas vezes são impedidas pelos próprios executores das políticas. No que concerne ao Suas ampliam-se as possibilidades de acesso, de recursos, de profissionais, de estruturas e espaços de participação.

> [...] melhorou na qualidade dos serviços, ainda não estamos 100%, acho que a grande maioria quando recebe o benefício já tem consciência que é um direito, já não olha para a assistente social ou para quem quer que seja, e diz — olha a senhora merece o céu, se não fosse a senhora não tinha conseguido nada. Eu vejo como um avanço muito grande sair dessa situação (Técnico — PR).

> Você não tinha sequer um lugar para ficar, não tinha condição de fazer um atendimento individual, nem lugar para fazer reuniões. Hoje se pode dizer que além de você ter uma estrutura física que permite realizar aquilo que a política coloca, lugar adequado, de acolhimento, de estrutura qualificada, é um espaço de organização dessa população, próximo dos lugares vulneráveis onde as pessoas moram, ou acessível (Técnico — PR).

A definição dos papéis e finalidades tanto dos profissionais como da política também passa a ser considerado um avanço para a Assistência Social, principalmente pela forma como vem sendo implementado o sistema.

> Para nós essa questão no dia a dia, teve duas questões primordiais, primeiro a perspectiva do direito e segundo mostrou quais são as funções da Assistência Social, porque a gente fazia de tudo, só não fazia cirurgia porque o resto... (mas conseguimos muita cirurgia!) [...] (Técnico — PR).

O Suas garante com sua implantação a ampliação dos quadros de recursos humanos e para além desta ampliação prevê a relação entre diferentes áreas de conhecimento na perspectiva da interdisciplinaridade, dispõe e proporciona aos trabalhadores sociais um direcionamento da gestão focado, num primeiro momento, para a difusão da política e dos direitos sociais.

> [...] a cidade teve uma vontade política, para a implantação do sistema único na assistência, [...] O trabalho é maravilhoso, a política veio contem-

plar todos os profissionais, com um pouquinho mais de assistentes sociais e psicólogos sim, mas essa política vai abarcar uma equipe muito grande (Gestor — PR).

Neste mesmo foco de análise sobre a gestão de recursos humanos, registra-se que em alguns municípios há o reconhecimento de sua ampliação, porém poucos investimentos em capacitação dos quadros, especialmente nos de pequeno porte e há ainda contratações irregulares de técnicos que acabam se perpetuando. Nos municípios do Rio Grande do Sul de médio e grande porte, os técnicos queixam-se da carência de recursos humanos, embora reconheçam que a oferta de capacitação foi ampliada significativamente.

Referindo-se a contratação de técnicos dizem os participantes do grupo focal de um dos municípios pesquisados do Rio Grande do Sul

[...] foi esse processo que eu te falei terceirização [...] o governo federal repassa para o município, o município para a Apae e a Apae repassa para os técnicos e contrata [...] é irregular só isso que eu posso te dizer, no início tinha que regularizar em 4 meses e não podia fazer novamente, mas o prefeito foi bem claro, falou — eu não vou abrir concurso (Técnico — RS).

Um gestor de outro município do mesmo estado, referindo-se a execução dos programas e serviços afirma: "[...] executado é pela secretaria municipal de Assistência Social e o corpo técnico, e profissionais contratados por tempo determinado, tem muitos profissionais que é por tempo determinado".

A rápida implantação do sistema exigiu dos envolvidos no processo um empenho muito grande e uma exigência de assimilação rápida do seu funcionamento. A interação com os envolvidos no sistema também permite a compreensão das diferentes temáticas. O Suas disponibiliza para as pessoas que se envolvem em sua implementação uma série de instrumentos, documentos, legislações, experiências e mecanismos que revelam a complexidade do sistema e a necessidade da criação de espaços de capacitação.

> [...] cada linha que você puxa é mais de trezentas coisas que a gente discute, onde que gente vai parar? Mas é um processo (Técnico — PR).

> [...] nós realmente não tivemos nenhuma capacitação, ficaram lá as pessoas que estavam mais perto, os coordenadores, gerentes acho que vão se adaptando e tem que seguir a linguagem do técnico, do assistente social, o serviço vem vindo não porque você precisa fazer isso, mas para aderir ao Suas vamos para o encontro, discutir e muitas vezes precisamos ser jogados para aprender tudo isso (Técnico — RS).

> A política é uma política nova, o Suas ainda está na fase da adolescência, apesar da política ser mais antiga são muitos dados, orientações, leis, muito novas, para a gente adaptar nossa fala principalmente, então a gente tem que estar lendo, buscando [...] (Técnico — PR).

Ainda no que se refere a capacitação alguns indicam não ter participado de nenhuma modalidade. Diz uma das técnicas:

> Quando começou o alarde de vão implantar o Cras eu disse meu Deus, vamos lá então. Veio a NOB começamos a pesquisar pelas cartilhas, não houve uma capacitação para a gente implantar, nada nesse sentido, pega o material no MDS e vamos lá que tem um dinheiro aí vai correndo, sempre assim correndo para não perder (Técnico — RS).

E uma das participantes complementa referindo-se ao processo de integração no trabalho de psicólogos e assistentes sociais: "o que eu senti é que os psicólogos tinham uma formação mais clínica, e outros tiveram mais facilidade de se adaptar com a Assistência Social [...]". Contudo, o grupo destaca que tem realizado reuniões sistemáticas onde são discutidos os papéis dos técnicos à luz da Política para superar tais dificuldades. Nessa perspectiva complementa outra participante

> [...] é uma construção e nós estamos aí nos construindo também porque, a psicologia junto com o serviço social é inovador, já tinham trabalhado juntos em alguns locais mas essa interdisciplinaridade [...] é um complemento novo bem forte [...] que busca fortalecer os vínculos comunitários de rede e trabalha com a intersetorialidade (Técnico — RS).

Condição diferente se verifica em um dos municípios de grande porte pesquisado no Rio Grande do Sul cujo gestor reconhece a importância dos processos de capacitação, como se pode observar na expressão que segue:

> Buscamos a qualificação, o apoio acadêmico para tarefa tão complexa e abrangente com objetivo de conhecer, discutir, conceituar, reconceituar o velho, construir o novo, [...] porque são muitas ações, cuidados, atenções e benefícios ofertados pelo Suas e entendemos que é preciso nos capacitarmos, gestores, técnicos e conselheiros e a troca de saberes com a universidade é fundamental através das pesquisas e dos processos de capacitações continuadas (Gestor — RS).

Outro gestor destaca o processo de aprimoramento na composição da equipe:

> O espaço do Cras funcionava de forma bem precária porque a gente está fazendo por zoneamento, como está previsto, então nós tínhamos um Cras muito deficiente na questão dos recursos humanos, que não condizia com o que diz a NOB/Suas/RH. Mas neste ano a gente conseguiu colocá-lo realmente em funcionamento, ter coordenador, ter auxiliar administrativo, ter psicólogo, ter todo grupo de trabalho que precisa ter no Cras e que está previsto (Gestor — RS).

Uma das estratégias a ser pensada em relação à dificuldade de compreensão do sistema estaria associada a realização de reuniões com os envolvidos (técnicos, usuários, gestores, conselheiros) tendo em vista as capacitações serem multiplicadas a partir da realidade vivenciada conforme as dificuldades e estratégias fossem surgindo. Imprescindível é também o suporte das universidades, da gestão estadual e federal para a construção de instrumentos e estudos que visem o esclarecimento sobre o sistema, na tentativa de efetivação e melhora de suas realizações.

> [...] a gente percebe que se está na metade do caminho, para chegar tem alguns passos, que é construir locais de Assistência Social para fazer a discussão dentro da comunidade para que as pessoas se sintam parte e saber

que também podem estar participando mais diretamente nessa discussão da política de assistência. [...] (Gestor — PR).

[...] ainda falta da nossa parte um maior planejamento no sentido de fortalecer a rede e fazer com que eles entendam realmente o que é o Suas, para que serve, se apropriem das terminologias enfim, que o conselho entenda o que é aquele gasto, o que é o fundo fixo, o que é o fundo variável. Não é fácil, não é culpa deles, a gente teve que aprender e então se para gente não foi fácil, imagina para a rede não governamental, a gente tem que pensar enquanto município é o fortalecimento da nossa rede mas dando base para ela (Gestor — PR).

Nota-se, que ao tempo que a efetivação da NOB-RH/Suas representa a possibilidade da superação das práticas e concepções que associam a assistência social ao campo do improviso, do voluntariado e da desprofissionalização, apontam-se também os desafios por seu conteúdo contrapor-se à lógica político-econômica da flexibilização e precarização dos vínculos empregatícios.

A política de recursos humanos na Assistência deve remeter não somente para a atuação interdisciplinar e intersetorial de suas equipes, mas também buscar a valorização de seus trabalhadores e combater as formas precarizadas de trabalho. Urge o investimento na formação e capacitação continuada não só para servidores públicos, mas também para os trabalhadores da rede conveniada e conselheiros, garantindo o compromisso com serviços de qualidade com transparência em toda a rede socioassistencial.

Outro aspecto comum identificado no Rio Grande do Sul foi a mistificação propiciada por dados quantitativos fornecidos em relatórios de gestão que declaram a existência de Cras em pleno funcionamento, programas implementados, disponibilidade de recursos humanos, ou seja, estruturas materializadas, mas que na verdade se resumem, em alguns casos, a troca de nomenclatura de programas, que não seguem as orientações do Suas ou de estruturas físicas existentes que não foram alteradas e apenas lhes foi atribuído o estatuto de Cras. Algumas delas são bastante distantes das regiões mais vulnerabilizadas dos municípios onde se localizam ou ainda equipes técnicas aparentemente suficientes, mas que para as quais são demandados outros serviços não pertinentes a área da Assistência Social.

O nível de gestão também foi um dos problemas encontrados na pesquisa do Rio Grande do Sul, aqueles municípios caracterizados como em processo de gestão plena, em princípio deveriam garantir essas condições, quais sejam a implantação de Cras e do PAIF. Isto se agrava ao observar-se, a inexistência de planos de curto prazo para viabilizar a alteração desses processos. Verifica-se que

> [...] cresce o abismo entre o país legal e o país real [pois a] [...] regressão neoliberal ao impor-se como lógica do capitalismo atual, consolida a dissociação entre mercado e direitos, aprofunda a cisão entre o econômico e o social, separa a acumulação da produção, instala desregulações públicas e a desigualdade [...] (YAZBEK, 2004, p. 37).

Novamente a crítica dos técnicos pesquisados ou mesmo o relato de alguns gestores dão visibilidade a esta problemática:

> O município está em gestão plena e não temos PAIF, as ações ainda continuam desarticuladas, Cras também não se pode dizer que tem, um dos atendimentos é na prefeitura e outro num centro que já existia e só foi colocada a placa, mas eles informam que tem Cras e PAIF para não perder os recursos (Técnico — RS).

> Sabemos da importância do PAIF, mas temos a grande maioria do trabalho com famílias conveniado e há ainda a pressão das entidades para que estes convênios permaneçam e isto acaba por se refletir no Conselho (Gestor — RS).

Diferente das práticas assistencialistas e conservadoras de alguns espaços que a sociedade ainda comporta, muitos municípios desenvolvem suas atividades em prol dos direitos, que passam a ser exigidos pelos usuários. O Cras precisa ser mais um mecanismo potencializador deste acesso, assim como a compreensão histórica do movimento que resultou na Loas e por fim no Suas tem reforçado a importância da política.

> O Cras é um direito assim como a saúde é, a unidade da saúde é um direito, e assim por diante, então eu acho que já vem com outra fala [...] (Usuário — PR).

Contudo é preciso ainda vencer o grande desafio de inverter a lógica do assistencialismo para a efetivação da assistência enquanto política pública.

> Eu vejo que principalmente o Suas trouxe essa organização dos serviços na área da Assistência Social, ficou transparente a qualidade dos serviços, a preocupação com os serviços da política, com recursos humanos. A gente está adotando um sistema onde o próprio usuário coloca ali o que ele achou dos serviços de todos os Cras de todas as comunidades através de um programa de qualidade e produtividade o usuário participa da discussão nos fóruns e outros locais [...] (Técnico — PR).

É importante que o acesso da população ocorra através de uma única *porta de entrada* estabelecendo uma rede de serviços, ações e benefícios organizados por níveis de complexidade e articulados, através das proteções afiançadas: proteção social básica e especial.

A proteção social básica, por meio dos Cras, apresenta como objetivos prevenir situações de risco por meio de potencialidades e aquisições, e o fortalecimento de vínculos familiares e comunitários. Destina-se à população que vive em situação de vulnerabilidade social decorrente da pobreza, privação e/ou fragilização de vínculos afetivos, relacionais e de pertencimento social (BRASIL, 2004).

A realização de diagnósticos de cobertura e vulnerabilidade é um dos aspectos destacados pelo Suas como essenciais ao trabalho dos Cras, o que deve ser realizado pelas equipes técnicas que o conformam. No Paraná, a capital e o município de grande porte que participaram da pesquisa tem sistemas de informações consolidados, com sistema de monitoramento próprios. Os técnicos e gestores desses municípios demonstram um cuidado todo especial com a informação, sua produção e preocupam-se com os cuidados necessários a sua utilização, como já referido.

> A gestão da informação do Suas vem sendo desenvolvida para compor a associação entre a gestão estratégica da política e as Tecnologias de Informação, procurando selecionar a informação relevante para a definição dos melhores processos, para a agilização de procedimentos e fluxos e facilitando, por sua vez, a tomada de decisões e o controle público e social de toda a operação que envolve a política (TAPAJÓS, 2009, p. 305).

Nos grupos focais realizados no Rio Grande do Sul este foi um aspecto destacado pelos participantes. A realização de pesquisas em parceria com Universidades, mesmo em municípios de pequeno porte, vem sendo realizadas. Alguns municípios dispõem de grupos especializados para o trabalho com indicadores, como é o caso de Porto Alegre, outros, no entanto, dispõem apenas de dados mais gerais aportados por institutos de pesquisa, mas reconhecem a necessidade de adensar o seu conhecimento acerca da realidade local, o que entende-se como um importante avanço. Percebe-se também que a gestão dessas informações ainda merece um maior investimento, de modo que possa subsidiar processos de planejamento. Nesse sentido, alguns municípios pesquisados têm buscado aportes a partir de consultorias para qualificar esses processos.

As expressões dos sujeitos reafirmam a busca pela ampliação de conhecimentos acerca das realidades locais:

> Temos realizado pesquisas em parceria com as Universidades para conhecer melhor a realidade do município e o público usuário, os técnicos se envolvem diretamente com esses estudos o que tem sido muito produtivo, temos técnicos muito qualificados aqui no município, mas também contamos com apoio de consultoria para implantar o Suas (Gestor — RS).

Quanto ao trabalho realizado nos Cras ainda identifica-se uma variedade de procedimentos, que demonstram a incorporação de atividades realizadas antes da implantação do Suas que se deslocaram para essa estrutura. O depoimento de um técnico demonstra a necessidade de implementar um debate sobre esse espaço e como ele deverá explicitar o acesso a política de Assistência Social.

> No Cras temos os grupos, o plantão social, um grupo sobre trabalhadores desempregados, é um projeto que trabalha com a faculdade, um curso preparatório para pessoas desempregadas, do tipo preparação para quem vai procurar emprego. [...] No dia da mulher, nós trouxemos voluntárias, fizemos limpeza de pele, corte de cabelo, sobrancelha, buço, as mulheres saíram com o olho brilhando, se sentindo lindas e maravilhosas, trabalhamos a autoestima. [...] Ainda tem grupo de crianças e adolescentes que a estagiária faz [...] tem ainda os auxílios eventuais. As famílias do Bolsa Família ainda são poucas e o cadastro único é feito na Prefeitura, mas temos nosso cadastro (Técnico — RS).

Um dos elementos que apareceu com destaque na observação do trabalho dos Cras refere-se a tarefa de oferecer, nesses espaços, cursos profissionalizantes que devem preparar a população usuária da Assistência Social para enfrentar o desemprego. Desde trabalhos desenvolvidos na perspectiva da economia popular solidária a confecções de alimentos e de trabalhos artesanais, às vezes de baixa qualidade, os Cras tem se empenhado em oferecer possibilidades de renda aos usuários. O debate sobre o mercado de trabalho é feito de forma muitas vezes depreciativa em relação aos usuários, denotando a compreensão de que eles não poderiam fazer nada além do que lhes é ensinado. Em contrapartida, encontra-se trabalhos vinculados ao cooperativismo que indicam uma tendência a enfrentar a ordem estabelecida pelo mercado atual e pressupõe a criação de possibilidades concretas de renda. É importante apontar que existe pouca interação entre vocação econômica do município de trabalho desenvolvido com os usuários nos Cras, bem como são poucas as iniciativas de diálogo entre as Secretarias responsáveis pela política de trabalho.

As observações dos Cras mostraram que em alguns municípios constituíam-se como unidades que contemplam salas para recepção, atendimento técnico, reuniões de grupo, localizadas próximo de regiões mais vulnerabilizadas, devidamente identificadas, com placas, e com móveis e equipamentos adequados à realização dos programas e serviços. Nesse sentido o Estado do Paraná destaca-se pelo esforço de qualificar o sistema; muitos dos Cras visitados estão seguindo as padronizações exigidas e são produtos de cofinanciamento ou de financiamento do Banco Mundial não reembolsável, como os construídos em Curitiba. Em outros, no entanto, verificou-se a existência de algumas unidades distantes das comunidades, em espaços amplos, mas com espaço físico pouco adequado, em alguns casos dividindo o espaço com outras áreas e ainda, em alguns a oferta dos programas e serviços é realizada diretamente na sede da Prefeitura, embora também lhes seja atribuído o estatuto de Cras.

Quanto a esse aspecto as orientações técnicas do MDS em relação a proteção básica esclarecem no que concerne a localização do Cras:

> A taxa de vulnerabilidade social, definida na NOB-Suas, é um importante indicador da necessidade de oferta de serviços de Proteção Básica. Cada município deve identificar o(s) território(s) de vulnerabilidade social e nele(s) implantar um Cras, de forma a aproximar os serviços dos usuários. O Cras deve ser implantado próximo ao local de maior concentração de famílias em situação de vulnerabilidade [...]. Nos territórios de baixa densidade demográfica [...] a unidade Cras deverá localizar-se em local de maior acessibilidade, podendo realizar a cobertura das áreas de vulnerabilidade por meio do deslocamento de sua equipe (BRASIL, 2006, p. 13).

Em relação ao espaço físico dos Cras, as mesmas orientações técnicas são claras:

> Abriga, no mínimo, três ambientes com funções bem definidas, uma recepção, uma sala ou mais para entrevistas e um salão para reuniões com grupos de famílias, além das áreas convencionais de serviços. Deve ser maior caso oferte serviços de convívio e socioeducativo para grupos de crianças, adolescentes, jovens e idosos ou de capacitação e inserção produtiva, assim como contar com mobiliário compatível com as atividades realizadas (BRASIL, 2006, p. 15).

As expressões de técnicos e gestores mostram que estas orientações são apenas parcialmente seguidas. Há um processo em andamento tanto no que se refere a estrutura física como no debate de que serviços devem ser ofertados nos Cras e seu papel na rede do Suas. A sua relação com a Secretaria ou departamento que é gestora da Política, seu papel enquanto articulador territorial da rede e sua referência para a população usuária, esses elementos estão presentes no cotidiano da implementação e requerem um alerta importante para a efetivação do Suas.

> Contudo a existência física de espaços, por si só não garante a viabilização concreta dessa referência; há, portanto, a necessidade de se adensar o debate sobre o significado desses espaços, o que inclui discussões sobre os serviços, a estrutura, os acessos, os processos de qualificação e avaliação, as interfaces e o controle social, o que, sem dúvida, pode ser qualificado por subsídios oriundos de processos investigativos e de avaliação da gestão do próprio sistema (COUTO, 2009, p. 207).

Também nesses espaços foi possível observar que as estruturas ainda são procuradas pelos usuários na busca por resolver problemas que não estão afetos a política de Assistência Social, mas que são respondidos ou por incompreensão de gestores e de técnicos do que é específico ou pela dificuldade de enfrentar o debate com a sociedade e com as demais políticas sociais. Entre essas demandas foram identificados: kit poste de luz, auxílio habitação, restaurantes populares, doação de leite e de fraldas, entre outras, "O leite e as fraldas, tem uma demanda que eu vou te contar e sai do orçamento da assistência" (técnico). Essas demandas também têm sido identificadas pelos técnicos como dificultadoras da implementação de um trabalho mais efetivo. Assim, o trabalho técnico aponta que seu principal desafio é a emancipação dos usuários e identifica as demandas imediatas como empecilhos a isso, categorizando os usuários como incapazes.

> É muito complicado trabalhar nessas reuniões, dar voz a eles [usuários] porque eles não sabem o que eles querem, não tem esse tipo de abstração é tudo muito imediato e concreto, o que eu quero, eu quero comer hoje amanhã eu não sei, eu não sei do meu futuro [...] (Técnico — PR).

O grande desafio posto está em conseguir articular os interesses individuais e disponibilizar respostas coletivas à população. Este exercício pode ser desenvolvido no trabalho coletivo desenvolvido nos Cras, nas instâncias deliberativas da política valorizando as decisões tomadas. Desta maneira também está se reforçando a direção política das decisões coletivas.

Na constituição do sistema, foi apontado como importante a rede socioassistencial e o debate sobre o lugar que ela ocupa no sistema, a forma de lidar com recursos humanos e o trabalho desenvolvido. Gestores, técnicos e conselheiros identificam que é necessário olhar para esse fato e buscar na relação das instituições com o poder público o necessário reordenamento para que a política possa vencer suas amarras históricas e assumir sua responsabilidade enquanto serviço público, com primazia do Estado na sua condução.

4.4.9 O Suas e o interesse privado das instituições sem fins lucrativos

Os relatos analisados remetem à execução de ações de Assistência Social majoritariamente por entidades privadas sem fins lucrativos. Para além da execução, a forma como a gestão do sistema vem sendo efetuada possibilita que estas entidades acessem diferentes políticas como a educação e a saúde. A efetivação da intersetorialidade vem sendo atribuída principalmente às instituições privadas e não à execução estatal de oferta dos serviços com o propósito de garantir uma das particularidades que justificam a NOB/Suas e que refere o compromisso pela partilha de "[...] ações intersetoriais governamentais, para enfrentar e superar a pobreza, as desigualdades sociais, econômicas e as disparidades regionais e locais existentes no país" (BRASIL, 2005b).

> Lá nas entidades, na gestão financeira, no planejamento, nos espaços de discussão a gente se surpreende com a competência, com a maneira como vem crescendo realmente esse trabalho da implantação do Suas [...] porque eu acompanho as instituições sociais que vem registrar ou vem renovar o certificado do CNAS e aparecem em vários momentos, são muitos convênios que a fundação tem com essas instituições e o envolvimento é muito grande [...] (Gestor — PR).

A intersetorialidade significa bem mais do que captar recursos originários de diversas políticas, mas sim efetivar o diálogo e a interface entre elas para a garantia da integralidade do atendimento, um dos eixos não só do Suas, mas também do SUS.

É imprescindível também garantir a lógica estabelecida pela primazia do Estado na condução da política, conforme previsto na Política Nacional de Assistência Social associada ao controle social, participação dos usuários e critérios de acessibilidade.

> A Fundação percebeu que tinha que começar implantar o Suas e não tinha equipe para organizar essas frentes lá no território nossa instituição foi uma instituição convidada a estar fazendo um processo de prestação de serviços com profissionais para a implantação dos primeiros Cras. [...] Os técnicos também tiveram que aprender a lidar com isso, a fazer a discussão conosco e com a sociedade organizada a gente aprendeu a ter este relacionamento com os gestores, então depois de olhar isso acontecendo na prática para a gente é uma conquista nossa também, não é só do gestor a gente participou disso (Gestor — PR).

O Estado passa a ser reconhecido como referencia na implantação do Suas. Potencializar esta primazia atrelando a finalidade de efetivar a política pública está de acordo com a proposta constitucional, mas a estrutura privada que compõe a rede continua sendo identificada como fundamental para o Suas.

Nos limites apontados está a questão da sustentabilidade das entidades que ainda é um ponto a ser resolvido. A verba pública, segundo alguns dos depoentes, deve ser complementar e não única para a execução dos serviços e manutenção da entidade.

> O que a gente tem trazido para mudar isso, é tirar essa ideia de que é o poder público que mantém a entidade, a entidade tem que buscar parcerias com o particular (Técnico — PR).

O Suas ainda carece de um sistema efetivo de controle, avaliação e monitoramento da rede socioassistencial.

> [...] eu acho que nossa rede é bastante estruturada, organizada embora ainda se tenha alguma dificuldade no acompanhamento, no monitoramento dessas entidades. Ainda falta a consciência da importância dos conselheiros, as pessoas vêm para a reunião mas ainda não se deram conta de que é um

espaço de interação, e que ele é representante daquela entidade, então ele tem que repassar aquelas informações para a entidade (Técnico — PR).

O controle social nestas instituições ainda precisa ser problematizado e solidificado para consolidar uma real parceria. Há necessidade de espaços de debate, controle e participação para o estabelecimento de representações de usuários, dos técnicos, do governo e das instituições, condizentes com o processo transparente e democrático para que o uso dos recursos públicos seja destinado à maior parte dos cidadãos.

[...] as entidades procuram muito a gente, isso tem oportunizado que a gente veja o que precisa melhorar, se a gente está indo numa direção que não é o que as famílias querem [...] (Gestor — PR).

Nenhuma entidade associada pode fazer mil e uma coisas, tem que centralizar num determinado atendimento. Então essa era a dificuldade deles no conselho [...] nas visitas de fiscalização, se via que abriam vários ramos e não faziam nenhum bem-feito. Mudar a opinião dessas entidades é uma dificuldade, mas está se desenvolvendo, [...] (Técnico — PR).

A implementação de um sistema com propostas que vem para estruturar a Política de Assistência Social e que contempla os diferentes segmentos da sociedade, faz com que se exponham as resistências e controvérsias.

[...] não foi todo mundo que aceitou, as entidades sociais porque [...] nós temos muitas associações de moradores que representam direitos dos usuários, porém sem documentação, totalmente desarticuladas, numa ação muito assistencialista. Então nós tivemos muitas dificuldades. Eles sentiram que algumas perderam o poder, porque nós entramos num âmbito de ação que era deles, quer dizer, eu vou dizer para onde esta cesta vai, que família vai ser atendida, porque até então não tinha critérios. O sistema provocou e a gente veio fazer a discussão muito mais apropriada [...] (Gestor — PR).

A ideia de que o Estado não consegue dar conta da execução dos serviços, programas e projetos aparece atrelada a ineficácia ou ineficiência.

Ainda que esta situação se evidencie, não justifica o descumprimento de responsabilidades por parte das entidades

> [...] uma coisa que a gente pode falar é que não dá para prescindir dessa relação, principalmente porque o órgão gestor não dá conta e é histórica a participação da sociedade civil no atendimento da Assistência Social, isso é inegável. E também decisões do poder público acho que não é só no atendimento mas na participação, no processo decisório do que a gente vem fazendo (Gestor — PR).

Os depoimentos na pesquisa mostram o reconhecimento de que as instituições privadas têm grande interesse no sistema, mas também, assim como os usuários, gestores e técnicos estão buscando, dentro do processo de implantação, ficar a par do funcionamento e das possibilidades que a política apresenta.

> [...] para nós é um compromisso de fazer com que se implemente e de certo o Suas [...] as instituições sociais estão sedentas por capacitação para entender como fazer as coisas direito, muitas delas não sabem como fazer e isso acho que é um ponto frágil da política. A gente precisa ter uma força-tarefa nesse sentido (Gestor — PR).

A iniciativa privada não deve comprometer a primazia estatal prevista no sistema, visto as diferenças nas finalidades. Os Cras correm o risco de perder sua referência pública quando ocupados por instituições cujas finalidades sejam de interesse privado.

> [...] ONGs tanto oficiais como não oficiais conveniadas ou não, prestam serviços, com ações socioeducativas dentro do Cras, como capoeira, e compõem a grade de trabalho. Por exemplo, nesse Cras, essas ONGs têm reuniões sistemáticas dentro do Cras, então depende muito de como cada Cras se organiza e isso não é uma questão que a gente pode protocolar, e acho que não devemos (Técnico — PR).

O Estado nas três esferas de governo tem papel fundamental ao compor o Sistema junto com gestores, técnicos, usuários e rede socioassistencial envolvidos, conforme preconizado nas diretrizes do Suas.

> [...] todas as áreas vão contribuir na questão do diagnóstico e do planejamento do território bem como o fortalecimento da rede indireta socioassistencial lá do território, as entidades sociais eram mais ligadas a um setor aqui dentro da fundação então não havia este trabalho, e com os Cras está havendo na proteção básica um trabalho em conjunto (Técnico — PR).

Ao priorizar o repasse e execução dos serviços, programas e projetos para as entidades, corre-se o risco dos serviços de responsabilidade do Estado serem terceirizados, ou serem efetuados dentro dos espaços como o Cras, com verbas e materiais públicos, por técnicos contratados sob condições empregatícias e de trabalho precarizado.

O assistencialismo também pode ser institucional, no sentido de manutenção e de estabelecer relações do Estado com as entidades.

> Falando numa linguagem técnica, de leis, no nosso trabalho é diferente, é uma entidade particular, trabalha dia e noite para se manter, apesar da ajuda da prefeitura [...] (Técnico — PR).

A formatação da rede está a exigir uma padronização dos serviços, por outro lado as diferenças de situações vivenciadas pelos cidadãos nos seus municípios devem ser consideradas para a garantia da equidade.

> É um processo que está sendo implantado, aqui a gente ainda vê diferenças de Cras para Cras alguns ainda não vêm as entidades como cogestoras da política, só como executoras. Agora, o grande desafio do Suas é o estabelecimento do padrão de atendimento, até para fazer o financiamento junto a essa rede, acho que a rede também tem que ser complementada, ela não é só não governamental é uma rede socioassistencial, ela é direta e indireta [...] (Gestor — PR).

A igualdade de acessos (planejamento, participação, financiamento, serviços, dentre outros) também deve ser garantida entre as entidades em vista da necessidade estabelecida pela população usuária. O desafio está também em fazer com que a adesão das entidades ao Suas seja coerente com a proposta da política.

> Uma dificuldade é fazer com que a entidade entenda que é lá que ela tem que estar, que é lá que ela presta serviços, em parceria com a ação social do Estado e com as outras da mesma forma. Não é uma coisa comum ainda a entidade quer um convênio para atender aquele público que bate na porta dela, precisa esse novo olhar para que a rede atue em caráter de complementaridade, em rede mesmo [...] (Gestor — PR).

No entanto, ao tratar-se da gestão compartilhada do Suas deve-se levar em consideração o papel histórico e as finalidades das entidades e organizações de Assistência Social.

Nesse campo, a primazia do atendimento dessas entidades resultou em programas fragmentados, na maior parte das vezes desvinculados da realidade em que se instalavam, sem compromisso com espaço público, com programas seletivos e com gestões, quase sempre, centralizadoras e pouco participativas. Essa forma de organização criou um caldo de cultura difícil de absorver, uma vez que os trabalhos realizados contribuíram em muito para a reiteração da subalternidade da população usuária dos serviços assistenciais (COUTO, 2009, p. 207).

A centralidade do papel do Estado na condução da política pública tem o caráter de garantir que ela realmente atenda a *quem dela necessitar*, guardando os princípios da igualdade de acesso, da transparência administrativa e da probidade no uso do recurso público. A rede socioassistencial beneficente deve participar do atendimento às demandas, mas cabe ao Estado estruturar o sistema e resguardar o atendimento às necessidades sociais. Assim, o sistema é beneficiado pela experiência acumulada nesse campo pelas entidades, mas é preservado no sentido de garantir que a rede será formada com base no caráter público e de inclusão de todos (COUTO, 2009, p. 208).

4.4.10 Espaços de participação coletiva: desafios para estabelecer o controle social no Suas

A presença e participação ativa dos usuários no processo de implementação do Sistema aparecem como um dos aspectos mais frágeis e desafiadores, constituindo um importante objetivo a ser alcançado. Nesse sentido, se verificam avanços importantes na compreensão e trato dos usuários enquanto sujeitos políticos, portadores de direito. A partir da realização de capacitações realizadas com servidores, estes avançaram na compreensão e no trato com os usuários, passando a concebê-los como sujeitos de direito. Nos espaços de atendimento busca-se qualificar e dar mais oportunidade para que os usuários possam expressar suas demandas, opiniões e queixas, valorizando-os enquanto sujeitos.

Também, é possível identificar iniciativas de municípios do Estado do Paraná e do Rio Grande do Sul na criação de novos espaços e estratégias a fim de garantir maior participação dos usuários em espaços de gestão e controle da política. Dentre as iniciativas, destaca-se a realização de pré-conferências, onde a participação dos usuários aponta propicia uma aproximação com o processo de controle social da política de Assistência Social, além de contribuir para o exercício de construção da identidade social coletiva. Mesmo que incipiente, verificou-se o início de mudanças nas legislações municipais com o fim de garantir a participação e representação política dos usuários frente aos debates e deliberações nos Conselhos Municipais de Assistência Social.

O controle social depende também dos espaços democráticos e de decisões coletivas. Deve-se promover estes espaços em vista das mobilizações da sociedade e os interesses públicos. Os fóruns são mais um dos espaços para efetivar o controle social e a participação nas decisões que darão o rumo para a política.

> Hoje o que a gente tem tentado fazer é dar voz novamente a essa população que não tinha voz e que ficou engessada pelos equipamentos propostos pelas políticas. Os fóruns são o primeiro caminho, o fórum é a instância mais aberta, mais democrática, mas temos um longo caminho para que a população esteja ali participando (Técnica — PR).

> [...] As propostas levantadas pelos usuários nas conferências estão sendo efetivadas e os conselhos são espaços de participação ativa dos usuários (Gestor — PR).

Outro mecanismo indicado que tem potencialidade para contribuir com esse processo é a ouvidoria, mas este instrumento não pode ficar centralizado e ser apenas autoavaliativo. Deve servir para instrumentalizar e melhorar a política e os espaços de participação coletiva.

> [...] a ouvidoria tem um material importantíssimo, na comissão de ética eles falam mesmo e tem direito a réplica e a tréplica. Eu faço a denúncia, o funcionário é ouvido, é devolvido, esse sistema é maravilhoso porque mantém o prefeito sempre informado e a população tem isso como positivo, não tem problema vamos discutir o que está mal (Técnico — PR).

Quanto à questão do controle social, especialmente no que concerne as relações da gestão municipal com os conselhos, fato observado tanto em municípios de pequeno como de grande porte, verifica-se a difícil construção do espaço público, como "[...] canais privilegiados para encontros, a explicitação, as disputas e as negociações entre aqueles que defendem posições diferenciadas quanto ao nível de partilha da riqueza social transferida pelas políticas públicas" (BIDARRA, 2006, p. 48). Os espaços públicos:

> [...] devem exercitar a partilha equitativa dos processos decisórios entre as representações das organizações da sociedade civil e segmento governamental, para que as questões, intituladas como públicas, tenham como referente aquilo que está sendo denominado de interesse público, isto é, o conjunto de necessidades e de reivindicações que correspondem mais abrangentes de uma coletividade (BIDARRA, 2006, p. 49).

Contudo, há de se reconhecer que dadas as condições históricas brasileiras de não participação, esse é um processo lento e gradual, permeado por conflitos, avanços e recuos, mas essencial ao avanço da democracia efetiva. No espaço de controle social evidencia-se os traços conservadores já afirmados nesse texto em relação ao controle social das políticas públicas, seja ele do Estado, seja das entidades da rede socioassistencial. É esperado do usuário que ele apoie o sistema sem questioná-lo. É esperado que o controle social seja exercido pela simples adesão as propostas apresentadas e não como espaço de disputa do fundo público e da concepção da política.

Neste sentido,

> a assistência social, como toda política social, é um campo de forças entre concepções, interesses, perspectivas, tradições. Seu processo de efetivação como política de direitos não escapa do movimento histórico entre as relações de forças sociais. Portanto, é fundamental a compreensão do conteúdo possível dessa área e de suas implicações no processo civilizatório da sociedade brasileira (SPOSATI, 2009, p. 15).

Portanto, se faz necessário a efetivação das deliberações das conferências, via os mecanismos explícitos na política de Assistência Social de forma a garantir as decisões e reforçar o controle social. A articulação política da política se efetiva e se materializa justamente na relação que estabelece entre o Estado e a sociedade civil.

Muitas instituições historicamente prestaram serviços sob uma lógica benevolente, sem participação dos usuários, neste sentido, propor mudanças significa correr o risco da aversão. Contudo, seguir as diretrizes participativas e os espaços de decisão pública como os conselhos, são elementos essenciais no Suas.

> A gente já avançou bastante no controle até com a participação dos usuários dentro do conselho, então a mudança da nossa lei foi um avanço significativo. Garantir esse espaço para eles, que não sejam só representados por outros, por organizações, mas tenha também representatividade é muito importante [...] Mas ele precisa compreender, interpretar isso e conseguir de fato ocupar o espaço que está sendo garantido, esse espaço não tem que ser só formal, é claro que nós ainda estamos construindo isso (Gestor — PR).

> É uma mudança, antes as entidades negociavam os convênios diretamente com o órgão gestor, muitas entidades vinham aqui e estabeleciam um convênio e o pessoal da área não estava nem sabendo o que estava acontecendo, não tinha o monitoramento, o acompanhamento disso. [...] (Técnico — PR).

A pesquisa também retratou a persistência na ocupação e no sentido dado aos espaços de composição dos conselhos setoriais e de direitos que ainda estão voltados à lógica da centralidade de poder na elaboração de propostas, das decisões e da burocracia. Muitos conselheiros têm representação em mais de um conselho e alguns ainda acumulam cargos no executivo.

> [...] somos tanto do conselho da criança como da assistência e a gente trabalha tanto na secretaria quanto com o conselho, então toda ação da secretaria é respaldada pelo conselho. Ela é montada na secretaria pela nossa equipe e a gente repassa isso para o conselho, se discute para depois ser implantado. [...] Quando eu vou receber o documento da secretaria — eu sou conselheiro, secretário executivo do conselho, quando eu estou na secretaria, para ajudar a formalizar uma política — eu sou técnico da secretaria, e aí separa bem (Técnico — PR).

Verificou-se, também, que em alguns municípios do Rio Grande do Sul, embora hajam Cras implantados, com equipe técnica compatível, PAIF, CAD Único atualizado aparentando as condições para a materialização do Suas, evidencia-se a fragilidade no funcionamento dos Conselhos, a falta de apoio do executivo, a ausência de uma rede socioassistencial e a não observação do Plano Municipal de Assistência Social para pautar as ações a serem realizadas, como se pode observar nas expressões:

> Nós não temos uma peça para colocar o conselho, é lá na sala onde eu trabalho, na secretaria eles não disponibilizam tempo para ir lá, a administração acha que o conselho é contra eles, então não tem consideração com a determinação do conselho, a gente várias vezes já falou sobre a questão (Técnico — RS).

> O Conselho não tem se reunido há meses, está desmobilizado, mas agora vai ter uma nova eleição (Técnico — RS).

> A gente tem percebido que a grande maioria das entidades participa pela questão financeira, o que eles querem na verdade é somente o recurso. E a gente tem percebido assim não só na questão do idoso, mas na questão da

criança e do adolescente principalmente, que as entidades estão sendo representadas com a preocupação em não perder recursos, então essa é a maior dificuldade. Eles não estão conseguindo ainda ver algo maior a construção de um processo onde todos têm a ganhar e não a perder (Gestor — RS).

Na pesquisa foi identificado uma tendência em criar outros espaços de participação, que como os conselhos locais também podem ser iniciativas interessantes do ponto de vista da descentralização política e das peculiaridades do território. Contudo, é preciso ter claro que a mobilização comunitária e a organização dos movimentos também correm o risco de ser institucionalizada a ponto de perder seu caráter político. A organização a partir do território deverá potencializar a participação dos usuários nos espaços de controle social da política, na reivindicação pela melhoria da qualidade de vida da população e na perspectiva de que a cidade é o espaço de todos. O Suas está a exigir a qualificação dos espaços coletivos e da inserção dos usuários na construção da política.

4.4.11 A proteção social especial e o Creas

Como já foi pontuado, a pesquisa privilegiou a proteção social básica e os Cras, mas foi possível observar que a proteção especial e sua estrutura ainda carecem de maturação e compreensão. Essa proteção está instalada nos Estados e municípios visitados a partir de uma lógica pautada no atendimento de entidades privadas ou de programas específicos, principalmente aqueles que dialogam diretamente com o sistema de garantias de justiça. Aonde existe o movimento para sedimentar o trabalho, as equipes mínimas ainda estão se estruturando e os atendimentos continuam acontecendo na perspectiva jurídica. Alguns gestores e técnicos demonstram ter dificuldade em definir esses atendimentos e relatam que tem encontrado resistências em pensar esse campo a partir da noção de proteção social. Concorre para isso, os programas já criados para dar conta de situações específicas, como o Sentinela e o Peti. As dúvidas apresentadas estão desenhadas incluindo questões como: ser ou não tarefa da Assistência Social, tipo de estrutura que deve ser criada e tipo de trabalho que deve ser ofertado. Nesse campo, tanto estados como municípios apontam estarem esperando as orientações do MDS, enquanto trabalham com a tarefa de discutir a necessidade de proteção social especial com as famílias e seus componentes, desvinculando da característica de programas por segmentos, tão comum nessa área.

> A proteção especial temos bastante em função da composição com a saúde, mas não é regulamentado na cidade como da política de Assistência Social e sim da saúde [...] Não temos também atendimento especializado de equipes de suporte para adolescentes em conflito com a lei, nem para atender as demandas de liberdade assistida e medida privativa, não temos nada. O juiz chama o promotor, que chama o conselho tutelar que faz o papel dele e os técnicos como nós, que não querem deixar cair, vão fazendo alguma coisa. O idoso sem vínculos, é uma pessoa desamparada, [...] (Gestor — PR).

Em um dos municípios pesquisado, o trabalho infantil é um dos desafios a ser enfrentado pela equipe da Assistência Social. O município é de pequeno porte 1 e tem na colheita da laranja, que é anual, seu único trabalho gerador de renda. Nos meses que a colheita é feita há uma ocupação quase que integral das crianças e adolescentes nessa tarefa, o que dificulta sobremaneira o trabalho junto às famílias na prevenção do trabalho infantil.

> Oficialmente pelos dados, nós não temos o número de crianças e adolescentes no trabalho infantil. O Peti vir para cá foi uma situação estranha, foi num momento de férias que a mulher do prefeito pediu o recurso [...] nessa modalidade da laranja é ilusão ter um programa que paga um bolsa de vinte e cinco reais, isso não vai tirar ele do trabalho, ele vai colher laranja no ciclo que é no mês de maio e junho para ganhar dois reais a caixa de laranja, então é difícil ele abandonar mesmo [...] (Técnico — PR).

O depoimento do gestor e dos técnicos do Cras desse município aponta para a necessidade de contextualizar a política e a implementação do Suas de acordo com a realidade vivenciada pelos municípios. A falta de perspectiva é um dos elementos que deve compor o diagnóstico da realidade, buscando realizar um estudo do impacto do sistema público de atendimento às diversas necessidades sociais da população, inserindo a política de Assistência Social na estrutura mais ampla da cidade e de seu projeto de desenvolvimento social. O enfrentamento de vários problemas, entre eles o trabalho infantil ali verificado depende de um trabalho conjunto do município na erradicação das situações de risco que só tem se perpetuado.

Entretanto, é preciso reiterar que em relação a proteção social especial seria necessário um trabalho mais intensivo e com possibilidades de articular múltiplos dados. No presente estudo o que foi coletado permite apenas que se aponte o grande desafio de pensar a proteção social especial, em seus níveis de complexidade e na sua relação entre ela e a proteção social básica, principalmente nos municípios de pequeno porte 1, onde o Cras tem representado a estrutura única da política de Assistência Social e tem sido instado a atender as demandas da proteção especial.

4.4.12 Conclusão: um processo inconcluso

A consolidação da Assistência Social enquanto política pública de responsabilidade do Estado e de direito do cidadão, revela-se como um processo em transição, onde os valores e parâmetros afirmados pela nova institucionalidade da assistência social na perspectiva do Suas, convivem cotidianamente com referenciais da cultura patrimonialista, tecnocrática e clientelista. Essa convivência entre culturas políticas com perspectivas divergentes e contrárias, apontam para enormes desafios a serem enfrentados pelo conjunto dos sujeitos sociais, especialmente considerando-se as influências de determinações que se situam para além do campo específico da política da assistência social, ou seja, a esfera político-cultural que permeia o conjunto das relações sociais.

A análise dos dados pesquisados mostra uma realidade em movimento. O Paraná, estado que produziu muitas das ideias que iluminam hoje a constituição do Suas ainda enfrenta desafio próprio de uma cultura enraizada e que se contrapõe a concepção da política. A presença marcante do primeiro-damismo compromete a vertente republicana e pública da PNAS e do Suas, podendo inferir-se que todos esses elementos que conformam a cultura e as práticas clientelistas e patrimonialistas, atuam diretamente no retardamento da efetiva inscrição da Assistência Social como política pública de Estado, responsável por afiançar um conjunto de direitos sociais nas diferentes esferas de governo.

É preciso salientar que apesar desse processo, muitos movimentos foram identificados no sentido da consolidação dessa política. Reforça-se que no aspecto técnico operativo, os municípios pesquisados no Estado do Paraná apresentam uma preocupação em equipar e ter estruturas adequadas para o atendimento da população. A territorialidade tem sido buscada, mas ressalta-se a possibilidade de reforçar a apartação que a urbanização, principalmente da metrópole, realizou com a população pobre. O fato de estar sendo atendida no seu território pode significar a restrição no uso da cidade e pode reforçar o estigma, tanto da área, como da população e também dos trabalhadores da Assistência Social.

No que se refere aos achados relativos ao Rio Grande do Sul é possível concluir que o processo de implantação do Suas nos municípios gaúchos é bastante heterogêneo. Além disso, é preciso ressaltar que o governo do estado na gestão pesquisada tem como parâmetro no campo das políticas sociais o investimento nas parcerias público privadas, estendendo esse entendimento a Assistência Social, o que dificulta a implementação do Sistema.

Verifica-se a existência de grupos que buscam centralizar e manter o poder a partir de *redutos políticos* e *redutos técnicos* resistentes à mudança. Ainda muitas realidades são marcadas pela política do favor enraizada e mantida, o que se agrava em razão de um processo de controle social ainda tímido, mesmo que os discursos veiculem estes aspectos de forma parcialmente velada.

Alguns dados aportados em estatísticas locais, divulgados em relatórios e nos discursos de alguns dos agentes, na medida em que são problematizados, mostram que ainda se mascaram as condições reais. Isto se deve basicamente a tentativa de parte de alguns municípios do Rio Grande do Sul de receber os recursos e serem categorizados em níveis de gestão mais avançados do que aqueles que na realidade se encontram.

Esta é uma particularidade que, embora seja mais marcante nos municípios de pequeno porte do Rio Grande do Sul, não lhes é exclusiva. Como contraponto, observa-se o interesse e um esforço de muitos técnicos e de alguns gestores em buscar parcerias, qualificações e realizar investigações com vistas a melhor apreender as realidades locais e capacitar-se para o desafio de materializar efetivamente o Sistema.

Cabe um destaque ao processo de pesquisa vivenciado e a sua riqueza. A troca possibilitada pela interface entre as universidades parceiras, a aproximação de professores e alunos de níveis diversos e a aproximação com as realidades locais, bem como a riqueza de poder problematizar com os profissionais e gestores essas realidades constitui-se numa aprendizagem marcante para os sujeitos partícipes do processo e seguramente contribuiu, não só para a produção de conhecimentos sobre o tema, mas também para nossa capacitação enquanto pesquisadores e profissionais.

Por fim quanto às preocupações, expectativas e sugestões em relação à Política e ao Sistema entende-se pertinente demarcar a importância de uma maior fiscalização por parte do Estado, maior investimento nessa Política para a solidificação do Sistema de modo que, não seja instituído precariamente.

Outro aspecto central a destacar é a necessidade de maior investimento na participação popular, a partir da capacitação de conselheiros para um controle social mais efetivo, iniciativas que contemplem a participação direta de representações do público usuário nos processos de planejamento e capacitações ofertadas pelo Estado. Nesse sentido nos parece importante as parcerias com Universidades, a realização de pesquisas, qualificações e consultorias. Contudo, com relação a este último aspecto, vale a preocupação que esse também não se transforme num espaço de mercantilização, marcado pela oferta de cursos de baixa qualidade que não respondam às necessidades dos profissionais e não contemplem os fundamentos e eixos norteadores da Política e do Suas. Apesar da constatação de que ainda permanecem enraizados em muitas localidades os velhos traços clientelistas e patrimonialistas que marcam essa política e a história do Brasil (COUTO, 2007), a expectativa é de que, como processo, o Suas pode contribuir para um avanço da emancipação dos sujeitos, desde que não se descaracterize e tenha como eixo central, a participação popular, o que requer uma atenção especial ao trabalho de base.

As informações aqui apresentadas indicam que o Suas é um sistema que tem se materializado nos municípios pesquisados, com diferentes matizes e compreensões teóricas, buscam implantar o sistema e discutem suas possibilidades e limites. A pesquisa nesse sentido torna-se um potente instrumento para o debate que deve continuar germinando, porque a tarefa de implantar um sistema público de garantias de direitos é uma tarefa que exige tempo, investimento político e acima de tudo enfrentamento das amarras que fazem com que em alguns aspectos não se possa identificar a presença das características essenciais do Suas.

Por fim, salienta-se que os sujeitos da pesquisa, sejam eles gestores, técnicos, funcionários administrativos ou usuários dispuseram-se a participar do estudo e o fizeram na condição de sujeitos que querem garantir a política, o que aponta para a existência de um terreno fértil a ser fortalecido!

Referências

BIDARRA, Zelimar Soares. Conselhos gestores de políticas públicas: uma reflexão para a consolidação dos espaços públicos. *Revista Serviço Social & Sociedade*, São Paulo, n. 88, 2006.

BRASIL. Ministério do Desenvolvimento Social e Combate à Fome. Departamento de Gestão do Sistema Único de Assistência Social. Coordenação Geral de Regulação da Gestão Intergovernamental. Total e Porcentagem de Municípios Habilitados em Gestão Inicial, Básica e Plena, por Estado, segundo a NOB/Suas-2005. Brasília, fev. 2010. Disponível em: <http://www.mds.gov.br/suas/>. Acesso em: mar. 2010.

______. ______. *Política Nacional de Assistência Social — PNAS*. Brasília, 2004.

______. ______. *Política Nacional de Assistência Social — PNAS*. Brasília, 2005a.

______. ______. *Proteção Básica do Sistema Único de Assistência Social*: Orientações técnicas para o Centro de Referência de Assistência Social. Brasília, 2006.

BRASIL. Ministério do Desenvolvimento Social e Combate à Fome. Secretaria Nacional de Assistência Social. Sistema Único de Assistência Social (Suas). *Norma Operacional Básica (NOB/Suas).* Construindo as Bases para a Implantação do Sistema Único de Assistência Social. Brasília: MDS/SNAS/Suas, jul. 2005b.

COUTO, Berenice Rojas. O Sistema Único de Assistência Social: uma nova forma de gestão da Assistência Social. In: BRASIL. Ministério do Desenvolvimento Social e Combate à Fome. Concepção e gestão da proteção social não contributiva no Brasil. Brasília: Ministério do Desenvolvimento Social e Combate à Fome, Unesco, 2009.

COUTO, Berenice. *O direito social e a Assistência Social na sociedade brasileira*: uma equação possível? São Paulo: Cortez, 2004.

HARVEY, David. *A produção capitalista do espaço.* São Paulo: Annablume, 2005.

MARCONI, Marina de A.; LAKATOS, Eva M. *Técnicas de pesquisa.* 3. ed. São Paulo: Atlas, 1996.

MESTRINER, Maria Luiza. *O estado entre a filantropia e a assistência social.* São Paulo: Cortez, 2001.

PAIVA, Beatriz A. O Suas e os direitos socioassistenciais: a universalidade da seguridade social em debate. *Serviço Social & Sociedade,* São Paulo, n. 87, 2006.

SÁNCHEZ, Fernanda. *A reinvenção das cidades para um mercado mundial.* Chapecó: Argos, 2003.

SANTOS, Milton. *O espaço do cidadão.* 7. ed. São Paulo: Edusp, 2007.

______. *Metamorfose do espaço habitado.* São Paulo: Edusp, 2008.

SPOSATI, Aldaíza. Especificidade e intersetorialidade da política de Assistência Social. *Serviço Social & Sociedade,* São Paulo, n. 77, 2004.

______. Modelo brasileiro de proteção social não contributiva: concepções fundantes. In: BRASIL. Ministério do Desenvolvimento Social e Combate à Fome. Concepção e gestão da proteção social não contributiva no Brasil. Brasília: Ministério do Desenvolvimento Social e Combate à Fome, Unesco, 2009.

TAPAJÓS, Luziele. A gestão da informação em Assistência Social. In: BRASIL. Ministério do Desenvolvimento Social e Combate à Fome. Concepção e gestão da proteção social não contributiva no Brasil. Brasília: Ministério do Desenvolvimento Social e Combate à Fome, Unesco, 2009.

THIOLLENT, Michel. *Crítica metodológica, investigação social e enquete operária.* 4. ed. São Paulo: Pólis, 1985.

YAZBEK, Maria Carmelita. *Classes subalternas e Assistência Social.* São Paulo: Cortez, 1996.

______. Pobreza e exclusão social: expressões da questão social no Brasil. Artigo. *Temporalis*, Brasília, Abepss, n. 3, 2004.

______. Estado, políticas sociais e implementação do Suas. In: BRASIL. Ministério do Desenvolvimento Social e Combate à Fome, Instituto de Estudos Especiais da Pontifícia Universidade Católica de São Paulo. Suas: Configurando os Eixos de Mudança. Ministério do Desenvolvimento Social e Combate à Fome, Instituto de Estudos Especiais da Pontifícia Universidade Católica de São Paulo. *Capacita Suas*, Brasília: MDS, 2008. v. 1.

CAPÍTULO 5

Conclusão geral: Contradições do Suas na realidade brasileira em movimento

Berenice Rojas Couto
Maria Carmelita Yazbek
Raquel Raichelis

A consolidação da Assistência Social, enquanto política pública de responsabilidade do Estado e de direito do cidadão, revela-se como um processo em transição, onde os valores e parâmetros afirmados pela nova institucionalidade na perspectiva do Suas, convivem cotidianamente com referenciais da cultura patrimonialista, tecnocrática e clientelista. Essa convivência entre culturas políticas com perspectivas divergentes e contrárias aponta para enormes desafios a serem enfrentados pelo conjunto dos sujeitos sociais, especialmente envolvidos com a construção do Sistema, considerando-se as influências de determinações que se situam para além do campo específico da política da assistência social, ou seja, a esfera político-cultural que permeia o conjunto das relações sociais.

A realização de uma pesquisa nacional impõe aos pesquisadores a compreensão de que o processo investigado é permeado por realidades distintas, heterogêneas, que não podem ser universalizadas. Mas também, é possível afirmar que os resultados finais, tanto das pesquisas *in loco* como pela Internet, apontam elementos que se repetem desde o município menor até as metrópoles e que estão enraizadas no debate central do que significa num país como Brasil, com o grau de desigualdade tão relevante, discutir a Assistência Social como política pública, direito de cidadania e garantidora de acessos que repercutem na qualidade de vida da população a quem se destina.

Os achados da pesquisa indicam que o Suas é uma realidade e vem sendo implantado em todo o Brasil, e que o ideário que move a maioria dos entrevistados é que sua consolidação deve ser efetiva impondo um novo paradigma nessa área, e que essa tarefa exige vigilância, pois o terreno no qual se move está eivado de contradições quanto a sua materialização.

É possível afirmar que a regulamentação da Assistência Social como Política Pública constituinte da Seguridade Social, bem como o seu redesenho mediante a criação do Suas sinaliza, sem dúvida, um avanço de relevância histórica na trajetória de uma Política que tem sua gênese estruturada sobre as bases da matriz caritativa e filantrópica, destituída de visibilidade na sua natureza política e institucional.

A pesquisa reafirmou o contexto de intensas mudanças na política de Assistência Social com a implantação do Suas. Ao pontuar nossas observações de caráter conclusivo acerca do processo de implantação e implementação do Suas nos municípios brasileiros destacamos inicialmente que se trata de um processo permeado por deslocamentos no plano teórico-normativo, na forma de organização e estruturação dos serviços socioassistenciais, bem como nos mecanismos de gerenciamento e controle da PNAS. Tais mudanças, embora tenham como fundamento as normativas legais que estabelecem diretrizes e princípios que disciplinam a Política, estão inscritas na atual dinâmica de organização e gestão das políticas sociais.

A opinião da maioria dos sujeitos entrevistados é que o retrato da PNAS corresponde às demandas históricas sistematizadas no campo da Assistência Social. A implementação do Suas nos Estados e municípios do

Brasil vem expressando esse avanço mediante a construção de uma nova institucionalidade, com uma considerável expansão dos objetivos da política e dos serviços socioassistenciais desenvolvidos que passam a ser prestados e organizados com tendência a maior unidade e uniformidade.

A análise dos dados da pesquisa reafirmou dinâmicas em andamento em vários municípios que demonstraram buscas concretas de possibilidades de experimentação de novas práticas e redefinições conceituais que marcam uma inflexão na gestão e execução dos serviços e benefícios socioassistenciais.

A despeito do empenho na institucionalização da política, as informações coletadas expressaram dificuldades na estruturação do Suas, na maioria dos municípios[1]. Essas dificuldades foram identificadas desde o processo de implantação, efetuado predominantemente de maneira formal para atender a requisitos legais, pautando-se em apresentação e análise de documentação, até a estruturação das unidades Cras e Creas[2] e organização dos serviços. Constatamos a premência que levou a improvisos e adaptações nesse processo de estruturação, denotando a dificuldade de superação da prevalência de uma cultura política atrasada que historicamente tem associado à Assistência Social a uma prática e não a uma política pública de caráter institucional. Todavia, entendemos que esse aspecto precisa ser objeto de aprofundamento em outros estudos.

Mereceu destaque na pesquisa o papel protagonista, principalmente dos Cras e de poucos Creas, na dinâmica da política nos municípios. Ao lado desta centralidade, que frequentemente se confunde com a própria política, contraditoriamente as informações registraram que essas unidades têm enfrentado múltiplas dificuldades na implantação, particularmente os Cras, pelas adaptações nem sempre satisfatórias das edificações, pelo espaço físico improvisado e insuficiente, pela precariedade — fun-

1. É preciso destacar que no Paraná há um movimento forte pela institucionalização do Suas, seguindo as diretrizes normativas e conceituais. Londrina e Curitiba encontram-se em processos avançados de implantação, inclusive com processos de georreferenciamento e monitoramento do Sistema.

2. Em relação aos Creas a pesquisa ainda é muito incipiente, o que corresponde também ao momento de implantação desse espaço público no Suas.

cional e estética — de mobiliários e equipamentos e, ainda em função das dificuldades vividas pelas equipes técnicas, tanto em termos de condições e relações de trabalho, quanto de despreparo técnico para fazer frente à magnitude das demandas sociais e institucionais.

Nesse aspecto, as ações desenvolvidas nessas unidades encontram-se restritas ao atendimento rotineiro e às demandas espontâneas, revelando a dificuldade de proposição e ampliação do atendimento. Ressalta-se que a trajetória de assistencialismo e filantropia ainda arraigadas nos municípios brasileiros tem se constituído num entrave à capacidade de construção de uma estrutura condizente com a implementação do Suas, prevalece, em muitos casos, o ativismo e a improvisação históricas desta área, mas que no processo em curso se chocam e não se sustentam mais, diante das exigências postas pela efetivação de um sistema complexo de serviços, programas e benefícios que devem dar forma e conteúdo aos níveis de proteção social básica e especial integrantes do Suas.

Dentre os aspectos apresentados, e que poderiam estar funcionando como elemento agregador, o mais destacado foi o compromisso dos profissionais de diferentes áreas com o engajamento na operacionalização da Política de Assistência Social como direito, reconhecendo-se inclusive a necessidade do estabelecimento de compromissos coletivos com a sua implementação nos moldes preconizados pelas normativas. Contudo, se esse engajamento se expressa pelo discurso, é preciso criar mediações e condições objetivas para sua efetivação, entre elas uma política de capacitação que permita fazer o trânsito entre o já conhecido e as novas aquisições que o sistema está a exigir.

O levantamento das ações desenvolvidas principalmente nos Cras permitiu verificar que o exercício laboral dos técnicos, em geral, não difere das formas tradicionais historicamente desenvolvidas nesse campo particular, ou seja, atendem aos que chegam através do processo de demanda espontânea, privilegiam as abordagens individuais, quando muito realizam reuniões grupais onde abordam temas variados em forma de palestras. Muitos técnicos que exercem suas funções nos Cras afirmam a dificuldade de conhecer o próprio território onde estão sediados, bem como a rede socioassistencial existente, equipamentos e recursos sociais públicos presentes de modo que possam realizar articulações e atividades político-organizativas que venham envolver as populações usuárias. No que se refere às ações de apropriação dos territórios e de mobilização social de grupos populacionais e de organizações sociais, salvo experiências localizadas, não se evidenciou pela pesquisa uma dinâmica favorecedora destas práticas sociais.

Desse modo, embora a PNAS e a NOB/Suas indiquem novos parâmetros e referências para a organização e distribuição dos serviços e o enfoque na matricialidade familiar, de maneira a superar as ações fragmentadas e segmentadas, ainda é possível dizer que tais orientações não são bem incorporadas e trabalhadas pelos diferentes profissionais no âmbito destas Unidades, sobretudo, nos Cras.

As dificuldades apontadas rebatem diretamente nas unidades operativas — Cras e Creas, obstaculizando o desenvolvimento de uma prática consistente e condizente com as diretrizes da Loas e da PNAS. Estão relacionadas à inexistência de sistemas regulares de capacitação dos profissionais, aos reduzidos quadros de pessoal, aos baixos salários, o que redunda em relações de trabalhos precarizadas e equipes incompletas e insuficientes numericamente.

Em termos do quadro profissional encontrado nos Cras em muitas localidades pesquisadas, salienta-se que mesmo com concurso público realizado recentemente em alguns municípios, a alta rotatividade entre os profissionais em função dos baixos salários traz como consequência a presença de um quadro de pessoal muito jovem, sem trajetória de atuação na política de assistência social e com conhecimentos ainda iniciais da sua construção recente, exigindo o investimento em estratégias de valorização e fixação do trabalho e dos trabalhadores no Suas, respaldada por uma política de capacitação continuada que possa fazer frente a este desafio.

Mas, mesmo com todas essas limitações foi possível identificar na interlocução com os profissionais entrevistados, o compromisso com a atual etapa de implantação do Suas, o interesse pela qualificação e busca de incorporação no cotidiano institucional de temas, conceitos e pautas introduzidos pela PNAS e pelo Suas, que representam um debate essencialmente inovador no âmbito da assistência social, mesmo que com equívocos e, por vezes, com limitados recursos teóricos e conceituais para uma apreensão mais qualificada.

A pesquisa evidenciou também que a implementação do Suas em âmbito municipal e estadual não depende apenas de aquisições técnicas, embora essenciais, mas principalmente das pactuações políticas entre os gestores municipais, estaduais, federais e as entidades de assistência social, no contexto do pacto federativo de construção de uma política de alcance nacional. A distinção entre política federal e política nacional neste âmbito é necessária e estratégica, pois tratá-las como sinônimos, como pôde ser observado em diferentes momentos da pesquisa, compromete indelevelmente os esforços políticos de pactuação do Suas em nível federativo.

Ao mesmo tempo foi recorrente no discurso dos sujeitos que a pressão sobre estados e municípios para a implantação do Suas, decorrente do aumento da demanda social e da necessidade de expansão do Sistema, não pode se dar às expensas da precarização e subalternização do trabalho profissional, com baixos salários, número insuficiente de profissionais, instalações improvisadas, ausência de concurso público e de plano de cargos, salário e progressão na carreira, além da inexistência de políticas sistemáticas e continuadas de formação e capacitação em serviço de todos os profissionais, como foi possível constatar por ocasião da pesquisa empírica em grande parte dos municípios visitados.

A pesquisa mostrou que a implantação do Suas vem conferindo uma expansão dos serviços ofertados pela PNAS, com maior visibilidade da assistência social no âmbito local. Ao mesmo tempo, constatou-se que o Estado como ente federativo vem sofrendo críticas quanto ao não cumprimento de suas responsabilidades, na medida em que o gestor estadual enquanto agente público é investido de novas e mais amplas atribuições — financeiras, técnicas, administrativas e políticas — na relação com o conjunto de municípios, com a instância federal e nos espaços de pactuação como as CIBs e a CIT.

É importante destacar nessas reflexões finais que permanece o desafio de compreensão do significado social e político da rede socioassistencial e de sua efetivação, considerando as complexas e intrincadas relações público-privadas como estratégia integrante da dinâmica das políticas sociais no atual contexto.

Aí se evidencia uma das grandes contradições do Suas: a construção de uma política pública, que exige um papel expandido do Estado nas três esferas, e uma base ampliada da oferta privada de programas, projetos e serviços socioassistenciais, com acesso ao fundo público sem gerar em contrapartida os requisitos básicos da esfera pública, entre eles transparência, gestão democrática, compromisso com o interesse público, probidade no uso de recursos públicos, prestação de contas.

Em relação à *operação* da rede socioassistencial, foi possível observar que embora compareça no discurso geral dos entrevistados, a referência é via de regra às redes pública e privada como instâncias dissociadas. A rigor é possível constatar, tanto no Estado de São Paulo, em Minas Gerais e no Rio Grande do Sul (com maior intensidade), quanto com alguma incidência nos demais, o funcionamento de uma malha densa e diversificada de serviços e provisões prestados por entidades privadas de assistência social, mas que não se articulam nem se organizam em rede, e que gozam de grande autonomia técnica e de gestão de programas, embora do ponto de vista administrativo e financeiro existam controles rígidos por meio dos convênios.

Este processo põe em risco a própria existência do Suas, pois a base de sua estruturação e funcionamento são as conexões e fluxos entre serviços em rede, apoiados em pactos federativos intergestores para a constituição de uma gestão federativa da política de assistência social.

A questão da intersetorialidade entre os diferentes sistemas e políticas sociais públicas, apesar de demandar requisições conceituais e técnicas para sua operacionalização, depende fortemente da atuação política dos gestores públicos da assistência social em cada uma das esferas de governo, na articulação com as demais secretarias/ministérios em nível de governo, para que seja possível avançar com consistência em um processo que tenha *locus* institucional e não ocorra apenas pontualmente, como observado na pesquisa, com base em iniciativas isoladas ou em relações pessoais entre técnicos e gestores.

O sistema de comunicação entre algumas capitais e os municípios também foi considerado um obstáculo importante, bem como a questão da administração dos recursos do Fundo Municipal da Assistência Social, na maioria dos casos pela falta de conhecimento dos envolvidos na gestão sobre as formas de alocação e gerenciamento de tais recursos.

Em relação aos conselhos verificou-se, que no geral, essas instâncias ainda demonstram fragilidade no tocante ao efetivo controle social. Embora, esta fragilidade não anule sua importância e os esforços que alguns empreendem para acompanhar e controlar o processo de implementação da Política e a busca de superação de seus limites. Cabe destacar que as dificuldades dos conselheiros da sociedade civil estão referidas à fragilidade da participação dos usuários, em geral, restrita ao acesso aos serviços socioassistenciais ofertados ou a sub-representações através de técnicos, entidades e organizações delegadas como *porta-vozes* desse segmento. São repostos assim os desafios na construção de mecanismos de participação dos usuários na dinâmica da Política nos municípios, para além do acesso e utilização (muitas vezes precária e insuficiente) dos serviços.

Destacamos que certamente os resultados da pesquisa, principalmente da Internet, aqui apresentados expressam, às vezes, incompletude e até contradições em algumas respostas, o que atribuímos à dificuldade dos participantes da pesquisa em formular respostas a algumas das questões solicitadas, demonstrando pouco domínio sobre a Política e sobre a legislação pertinente, conduzindo, por vezes, a respostas que demonstraram equívocos e incoerências. Entendemos que essa constatação revela também a diversidade da dinâmica de implantação do Suas nos municípios brasileiros, aliás heterogêneos na sua realidade econômica, política e social e no estágio de desenvolvimento da PNAS no Brasil. Tudo isto acrescido da complexidade teórico-metodológico para processar um conjunto tão volumoso e denso de informações por parte da própria equipe de pesquisadores, o que também explica as eventuais lacunas, incompletudes e incongruências no texto final.

Por fim, e não menos importante, é preciso pôr em relevo a questão emblemática do *primeiro-damismo*, presente em todas as regiões, ainda que com as idiossincrasias de cada lugar. O caráter reiterativo deste instituto no trato da Assistência Social revela o caráter patrimonialista da política, mas apresenta-se nesse estágio como *primeiro-damismo reatualizado*, exercendo sua força de continuidade em grande parte dos municípios pesquisados, e, para nossa perplexidade, ganha novas roupagens e (re) legitimação com a aprovação, inclusive de profissionais, que veem no movimento das primeiras damas em busca de formação universitária uma demonstração de mudança positiva nessa realidade.

Como vimos, a despeito dos avanços persistem ainda questões de caráter histórico e estrutural, especificamente no que diz respeito à relação Estado e sociedade, com a prevalência de uma cultura política pautada em lógica conservadora e fragmentária, alimentada pelas perspectivas que transformam necessidade social em carência e esvanecem os limites entre público e privado.

Na dialética contraditória de um processo em movimento, os achados da pesquisa nos alertam para um movimento criativo em direção à constituição do sistema único, mas advertem ao mesmo tempo para o risco de *modernização conservadora*, na perspectiva de uma gestão eficiente, mas despolitizada da assistência social, sem colocar em questão o significado e a direção social das mudanças empreendidas. Ganha força, nessa direção, a necessidade de manter a perspectiva crítica e o debate qualificado, monitorando o sistema para que aos profissionais, gestores e principalmente aos usuários seja garantida a direção social comprometida com a materialidade do Suas como espaço de conquista de acessos e direitos de cidadania para os segmentos subalternizados que a ele recorrem.

As informações aqui apresentadas indicam que o Suas é um sistema que tem se concretizado nos municípios pesquisados, com diferentes matizes e compreensões teóricas que buscam implantar o sistema e discutem suas possibilidades e limites. A pesquisa nesse sentido torna-se um potente instrumento para o debate que deve continuar germinando, porque a tarefa de implantar um sistema público de garantias de direitos exige tempo, investimento político e acima de tudo enfrentamento das amarras que fazem com que em algumas dimensões não se possa identificar a presença das características essenciais do Suas.

Por fim, salientamos que os sujeitos de pesquisa, sejam eles gestores, técnicos, funcionários administrativos, conselheiros ou usuários dispuseram-se a participar da pesquisa e o fizeram na condição de sujeitos que querem garantir a política, o que aponta para existência de um terreno fértil a ser fortalecido!

ANEXO

Breve caracterização dos municípios onde se desenvolveu a pesquisa

TABELA 3 ■ Caracterização geral dos Municípios Espaços da Pesquisa

Estado	Município	Área territorial (Km²)	População	Porte do Município*	% da População Rural	% da População Urbana
Maranhão	Caxias	5.224	155.129	Grande Porte	24	76
	Chapadinha	3.247	73.350	Médio porte	28	72
	Morros	1.715,170	17.783	Pequeno porte 1	62	38
	Poção de Pedras	990,413	19.708	Pequeno porte 1	57	43
	São Luís	834,785	1.014.837	Metrópole	6	94
	Vargem Grande	1.957,751	49.412	Pequeno porte 2	46	54
Minas Gerais	Belo Horizonte	331,401	2.375.151	Metrópole	0	100
	Carbonita	1.456,095	9.148	Pequeno porte 1	26	74
	Congonhas	304,067	48.519	Pequeno porte 2	3	97
	Coronel Fabriciano	221,252	103.694	Grande porte	1	99
	Janaúba	2.181,319	66.803	Médio porte	9	91
	Limeira do Oeste	1.319,036	6.890	Pequeno porte 1	27	73
Pará	Belém	1.059,458	1.393.399	Metrópole	1	99
	Castanhal	1.028,889	173.149	Grande porte	11	89
	Paragominas	19.342,254	97.819	Médio porte	22	78
	São João de Pirabas	705,542	20.647	Pequeno porte 2	49	51
	Tomé-Açu	5.145,361	56.518	Médio porte	44	56
	Ulianópolis	5.088,468	43.341	Pequeno porte 2	34	66

* Foi adotada a definição de porte dos municípios definida pela Política Nacional de Assistência Social de 2004, que considera municípios pequenos nível 01 (até 20.000 habitantes); pequenos, nível 02 (de 20.001 a 50.000 habitantes); municípios médios (50.001 a 100.000); municípios grandes (entre 100.001 a 900.000 habitantes) e as metrópoles, municípios com população acima de 900.000.

Paraná	Arapongas	382,215	104.150	Grande porte	2	98
	Cerro Azul	1.341,189	16.938	Pequeno porte 1	72	28
	Curitiba	435,036	1.751.907	Metrópole	0	100
	Ibiporã	297,742	48.198	Pequeno porte 2	5	95
	Londrina	1.652,569	506.701	Grande porte	3	97
Pernambuco	Carpina	147,665	74.858	Médio porte	4	96
	Caruaru	920,611	314.912	Grande porte	11	89
	Recife	218,435	1.537.704	Metrópole	0	100
	São Caetano	382,465	35.274	Pequeno porte 2	23	77
	Tamandaré	214,307	20.715	Pequeno porte 2	27	73
	Tracunhaém	135,497	13.055	Pequeno porte 1	16	84
Rio Grande do Sul	Bento Gonçalves	274,069	107.278	Grande porte	8	92
	Butiá	752,187	20.406	Pequeno porte 2	5	95
	Farroupilha	361,684	63.635	Médio porte	13	87
	Porto Alegre	496,682	1.409.351	Metrópole	0	100
	Sananduva	504,549	15.373	Pequeno porte 1	30	70
São Paulo	Batatais	849,526	56.476	Médio porte	12	88
	Guareí	567,884	14.565	Pequeno porte 1	42	58
	Mongaguá	141,865	46.293	Pequeno porte 2	0	100
	Nova Canaã Paulista	124,473	2.114	Pequeno porte 1	58	42
	Santo André	175,782	676.407	Grande porte	0	100
	São Paulo	1.521,110	11.253.503	Metrópole	1	99
	Sumaré	153,465	241.311	Grande porte	1	99

Fonte: Elaborada pelas autoras, conforme informações de: BRASIL. Ministério do Desenvolvimento Social e Agrário. *Relatório de Informações Sociais:* Relatório de programas e ações do MDSA. Brasília, DF, 2016a. Disponível em:<http://aplicacoes.mds.gov.br/sagi-data/misocial/tabelas/mi_social.php>. Acesso em: 24 jan. 2017; INSTITUTO BRASILEIRO DE GEOGRAFIA E ESTATÍSTICA. *Cidades@*. Rio de Janeiro, 2015.

Conforme registrado na tabela acima, a amostra onde se desenvolveu a pesquisa foi constituída de 41 (quarenta e um) municípios, assim configurados: 07 (sete) metrópoles, 09 (nove) municípios de Grande porte, 07 municípios de Médio porte, 09 (nove) municípios de Pequeno porte nível 02 e 09 (nove) municípios de Pequeno porte nível 01. Desses municípios, os que apresentaram as maiores concentrações urbanas foram: Belo Horizonte, Curitiba, Recife, Porto Alegre, Mongaguá e Santo André (100%). Já os municípios que se destacaram por apresentar as maiores concentrações rurais foram: Cerro Azul (PR) 72%, Morros (MA) 62%, Porção de Pedras (MA) 57% e Nova Canaã Paulista SP) 58%, todos de pequeno porte nível 1.

QUADRO 1 ■ Fragmentos da História e das Atividades Econômicas dos Municípios

Estado	Município	Histórico e atividades econômica
Maranhão	Caxias	Caxias situa-se na Macrorregião do Leste Maranhense, Microrregião de Caxias. As principais vulnerabilidades detectadas nesses territórios estavam relacionadas à carência material, consumo de drogas e prostituição infantojuvenil. No município destaca-se o cultivo de arroz, mandioca, milho e cana-de-açúcar. Predomina a criação bovina, suína e de aves, e os produtos exportados são arroz, óleo e amêndoa-de-babaçu, sabão em barra e os produtos da Schincariol, que tem uma fábrica no município. Caxias tem um PIB *per capita* de R$ 9.099,91. (INSTITUTO BRASILEIRO DE GEOGRAFIA E ESTATÍSTICA, 2015).
	Chapadinha	Chapadinha desenvolve significativa atividade agrícola com plantação de soja. Sua economia é predominantemente baseada no setor de comércio e serviços, sendo incipiente a indústria (basicamente concentrada na construção civil: olarias; e também metalurgia). Apresenta um PIB *per capita* de R$ 7.335,32. (INSTITUTO BRASILEIRO DE GEOGRAFIA E ESTATÍSTICA, 2015). No passado, a exploração do extrativismo de babaçu legou renda abundante a este município, que era um dos maiores produtores do estado do Maranhão.
	Morros	Morros fica a uma distância de 60 km da capital, São Luís. A principal atividade econômica do município é o turismo. Seu PIB *per capita* é R$ 5.185,75. (INSTITUTO BRASILEIRO DE GEOGRAFIA E ESTATÍSTICA, 2015).

Estado	Município	Histórico e atividades econômica
Maranhão	Poção de Pedras	O município de Poção de Pedras foi criado em 1961. Pertence à mesorregião do Centro Maranhense e à microrregião do Médio Mearim. Sua produção agrícola é baseada no cultivo do arroz e na extração do babaçu. Apresenta um PIB *per capita* de R$ 7.005,52 (INSTITUTO BRASILEIRO DE GEOGRAFIA E ESTATÍSTICA, 2015).
	São Luís	São Luís, capital do Estado do Maranhão, detêm um PIB *per capita* de R$ 24.737,98 (INSTITUTO BRASILEIRO DE GEOGRAFIA E ESTATÍSTICA, 2015), concentrando mais da metade do PIB do estado, todavia é a sétima capital brasileira mais pobre do Brasil (FUNDAÇÃO GETÚLIO VARGAS, 2009). Nesse contexto, cerca de 84.317 mil pessoas sobrevivem com recursos de programas do Governo Federal, como o Bolsa Família.
	Vargem Grande	O município de Vargem Grande fica distante 176 km da capital do Estado, São Luís. Antigo ponto de encontro das estradas de boiadas que vinham de Caxias e Itapecuru-Mirim. Apesar de ser um grande centro de produção agrícola, demonstra sua forte vocação para pecuária. Seu PIB *per capita* é de R$ 5.069,77. (INSTITUTO BRASILEIRO DE GEOGRAFIA E ESTATÍSTICA, 2015).
Minas Gerais	Belo Horizonte	Belo Horizonte é a quarta cidade mais rica do Brasil com 1,38% do PIB nacional. Um dos maiores centros financeiros do país, caracterizada pela predominância do setor terciário em sua economia. Mais de 80% da economia do município se concentra nos serviços, com destaque para o comércio, serviços financeiros, atividades imobiliárias e administração pública, com um PIB *per capita* de R$ 35.187,85. (INSTITUTO BRASILEIRO DE GEOGRAFIA E ESTATÍSTICA, 2015).
	Carbonita	Carbonita, localizada no Alto do Vale do Jequitinhonha, ao norte do Estado de Minas Gerais, foi criada em 1963, emancipando-se da municipalidade de Itamarandiba. A região é considerada muito pobre em renda e qualificação profissional. A economia está baseada na agropecuária e em grandes plantações de eucalipto, gerando trabalho em carvoaria, incluindo a mão de obra infantil, com um PIB *per capita* de R$ 15.498,61. (INSTITUTO BRASILEIRO DE GEOGRAFIA E ESTATÍSTICA, 2015).

Estado	Município	Histórico e atividades econômica
Minas Gerais	Congonhas	Congonhas é situado na microrregião de Conselheiro Lafayette, distante 64 km de Belo Horizonte. Constituído como município em 1938. Compõe o conjunto das cidades históricas de Minas Gerais e é conhecida, principalmente, pelas obras do artista Aleijadinho. Seu acervo de obras integra o patrimônio histórico mundial, embora a atividade, relacionada à cultura e ao turismo, não seja preponderante na economia local. As principais atividades econômicas são a extração de minério de ferro, seguida pela fabricação de estruturas metálicas e obras de caldeiraria pesada, além de obras de instalações. Tem um PIB *per capita* de R$ 68.635,77. (INSTITUTO BRASILEIRO DE GEOGRAFIA E ESTATÍSTICA, 2015).
	Coronel Fabriciano	Coronel Fabriciano situa-se na região metropolitana do aço e encontra-se em expansão por sua localização entre Ipatinga e Timóteo, cidades que sediam as mais modernas siderúrgicas de Minas Gerais. A população trabalha no comércio, serviços e usinas dos municípios vizinhos. Ostenta um PIB *per capita* de R$ 13.725,15. (INSTITUTO BRASILEIRO DE GEOGRAFIA E ESTATÍSTICA, 2015).
	Janaúba	Janaúba situa-se ao norte de Minas Gerais. Possui extensa área rural e comunidades quilombolas. Possui economia agrícola de gado de corte e frutas, principalmente banana, goiaba e caju, contando com áreas de irrigação devido à seca. Tem um grande frigorífico que emprega em torno de mil trabalhadores. Tem um PIB *per capita* de R$ 11.902,36. (INSTITUTO BRASILEIRO DE GEOGRAFIA E ESTATÍSTICA, 2015).
	Limeira do Oeste	Limeira do Oeste, município emancipado em 1993, situado ao sul de Minas Gerais, pertencente ao chamado Triângulo Mineiro, divisa com São Paulo, Goiás e Mato Grosso do Sul. A economia é voltada à pecuária e agroindústria, possuindo uma usina de açúcar e álcool, com um PIB *per capita* de R$ 28.487,15, o mais alto dos municípios estudados no Estado. (INSTITUTO BRASILEIRO DE GEOGRAFIA E ESTATÍSTICA, 2015).
Pará	Belém	Belém, capital do Estado do Pará é a maior metrópole da Amazônia brasileira. O PIB belenense é de R$ 20.034,40 *per capita*. (INSTITUTO BRASILEIRO DE GEOGRAFIA E ESTATÍSTICA, 2015). As principais atividades econômicas da cidade são turismo, comércio e serviços.

Estado	Município	Histórico e atividades econômica
Pará	Castanhal	Castanhal é situado na Microrregião de Castanhal. Dista 68 km do município de Belém. Atribuem-se a colonos e imigrantes nordestinos as origens do seu povoamento. Apesar de não se caracterizar como uma área onde seja frequente a ocorrência de castanheiras, o seu nome deve-se a uma homenagem a essa espécie vegetal. A atividade econômica do município é a agricultura. Apresenta um PIB *per capita* de R$ 14.511,32. (INSTITUTO BRASILEIRO DE GEOGRAFIA E ESTATÍSTICA, 2015).
	Paragominas	Paragominas é localizada no Nordeste do Pará. Situa-se no encontro da rodovia PA 256 com a PA 125. A sede do município fica a 12 km da Belém-Brasília, rodovia de integração da Amazônia ao restante do País. A cidade abriga a Companhia Vale do Rio Doce, que está trabalhando no processo de extração de bauxita. A instalação dessa empresa estimulou a ida de milhares de imigrantes para a região em busca de oportunidades de emprego. O PIB *per capita é* de R$ 19.041,08. (INSTITUTO BRASILEIRO DE GEOGRAFIA E ESTATÍSTICA, 2015).
	São João de Pirabas	São João de Pirabas foi criado em 1989. Está localizado na microrregião de Salgado, mesorregião do Nordeste Paraense. As principais atividades econômicas são a produção de coco-da-baía, a extração de madeira e a pesca, apresentando um PIB *per capita* de R$ 5.797,80. (INSTITUTO BRASILEIRO DE GEOGRAFIA E ESTATÍSTICA, 2015).
	Tomé-Açu	Tomé-Açu é situado na microrregião de Tomé-Açu, mesorregião Nordeste paraense. Suas atividades econômicas básicas são a produção da pimenta-do-reino e acerola, a exploração da madeira e da pecuária, com um PIB *per capita* de R$ 8.641,62. (INSTITUTO BRASILEIRO DE GEOGRAFIA E ESTATÍSTICA, 2015).
	Ulianópolis	Ulianópolis situa-se na microrregião de Paragominas, mesorregião do Sudeste Paraense. Seu PIB *per capita* é de R$ 23.141,25. (INSTITUTO BRASILEIRO DE GEOGRAFIA E ESTATÍSTICA, 2015). Tem como uma de suas principais atividades econômicas a extração de madeira, o que tem provocado devastação ambiental significativa no município, agravada pela ocorrência constante de queimadas.
Paraná	Arapongas	Arapongas conta com uma forte economia decorrente principalmente da agricultura e do seu polo moveleiro, que é o segundo maior do Brasil. Tem um PIB *per capita* de R$ 37.457,29 (INSTITUTO BRASILEIRO DE GEOGRAFIA E ESTATÍSTICA, 2015).

Estado	Município	Histórico e atividades econômica
Paraná	Cerro Azul	Cerro Azul dista 92 quilômetros de Curitiba, e destaca-se pela sua produção de laranja, com PIB *per capita* de R$ 12.175,78. (INSTITUTO BRASILEIRO DE GEOGRAFIA E ESTATÍSTICA, 2015).
	Curitiba	Curitiba, capital do Estado do Paraná, é a cidade principal entre os 26 municípios que compõem a Região Metropolitana de Curitiba. Trata-se de uma cidade industrial, com grande presença da indústria automobilística, constituindo-se em uma das economias mais fortes do sul do país, com um PIB *per capita* de R$ 42.314,71. (INSTITUTO BRASILEIRO DE GEOGRAFIA E ESTATÍSTICA, 2015).
	Ibiporã	Ibiporã é um município localizado na região metropolitana de Londrina, a apenas 13 quilômetros dessa cidade. Apresenta grande desenvolvimento no setor de serviços e serve de referência para várias cidades da região, com um PIB *per capita* de R$ 43.353,13. (INSTITUTO BRASILEIRO DE GEOGRAFIA E ESTATÍSTICA, 2015).
	Londrina	Londrina localiza-se ao norte do Estado do Paraná. É a segunda cidade mais populosa do Paraná com um PIB *per capita* de R$ 29.135,94. (INSTITUTO BRASILEIRO DE GEOGRAFIA E ESTATÍSTICA, 2015).
Pernambuco	Carpina	Carpina é um município localizado na mesorregião da Mata a 49 km da Capital, e segue os aspectos econômicos da região baseada na monocultura da cana-de-açúcar, que emprega grande parte da mão de obra local. A agroindústria é a atividade predominante no município, com um PIB *per capita* de R$ 15.180,51. (INSTITUTO BRASILEIRO DE GEOGRAFIA E ESTATÍSTICA, 2015).
	Caruaru	Caruaru é um município localizado na região do Agreste. Desenvolve atividades baseadas na agricultura, na pecuária, na indústria e no setor de serviços. O ponto central da economia é o comércio, notadamente as feiras livres de confecções, com um PIB *per capita* de R$ 18.226,43. (INSTITUTO BRASILEIRO DE GEOGRAFIA E ESTATÍSTICA, 2015).
	Recife	Capital do Estado de Pernambuco, situada no litoral nordestino e ocupando posição central na região. Sua área metropolitana concentra 65% do PIB estadual. No ano de 2013 o IBGE registrou um PIB nominal para Recife de R$ 30.032,03 bilhões e o PIB *per capita* mais elevado das capitais do Nordeste, correspondente a R$ 31.513,07. (INSTITUTO BRASILEIRO DE GEOGRAFIA E ESTATÍSTICA, 2015). As atividades comerciais e de prestação de serviços são predominantes e respondem por 95% de todo o valor da riqueza gerada na capital.

Estado	Município	Histórico e atividades econômica
Pernambuco	São Caetano	São Caetano é um município localizado a 148 km da capital (Recife). Tem como atividade econômica predominante a agropecuária e um PIB *per capita* de R$ 8.251,40. (INSTITUTO BRASILEIRO DE GEOGRAFIA E ESTATÍSTICA, 2015).
	Tamandaré	Tamandaré é um município localizado na Zona da Mata Sul, a uma distância de 114 km da capital, Recife. O PIB *per capita* do município é de R$ 10.390,03. (INSTITUTO BRASILEIRO DE GEOGRAFIA E ESTATÍSTICA, 2015). O turismo é a principal atividade econômica, possuindo vários empreendimentos hoteleiros e gastronômicos.
	Tracunhaém	A cidade de Tracunhaém está situada na zona da mata pernambucana, distante 72 km do Recife. A principal atividade econômica da cidade é a cerâmica artesanal, sendo considerada um dos importantes centros na arte cerâmica em nosso país. O PIB *per capita* do município é de R$ 7.084,71. (INSTITUTO BRASILEIRO DE GEOGRAFIA E ESTATÍSTICA, 2015).
Rio Grande do Sul	Bento Gonçalves	O município de Bento Gonçalves é localizado na Serra Gaúcha, é conhecido por suas vinícolas e pelo turismo. Tem PIB *per capita* de R$ 47.420,87 (INSTITUTO BRASILEIRO DE GEOGRAFIA E ESTATÍSTICA, 2015).
	Butiá	Butiá é situado na microrregião de São Jerônimo. O município tem no carvão a base de sua economia e um PIB *per capita* de R$ 17.621,01. (INSTITUTO BRASILEIRO DE GEOGRAFIA E ESTATÍSTICA, 2015).
	Farroupilha	Farroupilha é um município localizado na região metropolitana de Caxias do Sul. Tem uma economia diversificada, destacando-se em diversos aspectos, como o comércio e as redes de lojas de móveis e eletrodomésticos; a indústria, onde se destacam as metalúrgicas, as áreas coureiro-calçadistas, de malhas e confecções, móveis e estofados, papel e embalagens, vinhos e sucos, indústria e comércio de ferragens. Na agricultura, destacam-se a vitivinicultura e o plantio de kiwi. O PIB *per capita* do município é de R$ 40.055,66. (INSTITUTO BRASILEIRO DE GEOGRAFIA E ESTATÍSTICA, 2015).
	Porto Alegre	Capital do Estado, dados do IBGE a apontaram em 2013 como a capital brasileira com a menor taxa de desemprego (INSTITUTO BRASILEIRO DE GEOGRAFIA E ESTATÍSTICA, 2013b). Além disso, Porto Alegre é uma das cidades mais alfabetizadas do país. Em 2007 recebeu do Ministério da Educação o reconhecimento como *Cidade Livre do Analfabetismo*, concedido a toda cidade que alcançar 96% de alfabetização. Seu PIB *per*

Estado	Município	Histórico e atividades econômica
Rio Grande do Sul	Porto Alegre	*capita* é de R$ 43.457,67. (INSTITUTO BRASILEIRO DE GEOGRAFIA E ESTATÍSTICA, 2015). É uma cidade que cresce no setor terciário, especialmente no comércio e nos serviços, embora mantenha bom desempenho na indústria, na agricultura e na pecuária. Polo de atração de migrantes.
	Sananduva	Sananduva é localizado nos Campos de Cima da Serra (Região Nordeste). Caracteriza-se pelo cultivo de trigo, feijão, soja e pelo desenvolvimento de atividades ligadas à criação de suínos, aves e bovinos de corte e de leite. Seu PIB *per capita* é de R$ 27.731,43. (INSTITUTO BRASILEIRO DE GEOGRAFIA E ESTATÍSTICA, 2015).
São Paulo	Batatais	A atividade econômica do município de Batatais está voltada para a agricultura, em especial, para a cana-de-açúcar que sazonalmente constitui a principal fonte de renda das famílias em vulnerabilidade social, oriundas do Norte e Nordeste do país. Nota-se, no entanto, que o município apresenta somente 9,35% de vínculos empregatícios na área agrícola, em contrapartida aos 39,59% da indústria. Há crescente presença da indústria de confecção, constituindo-se novo espaço ocupacional para parcela da população. O PIB *per capita* é de R$ 24.193,62. (INSTITUTO BRASILEIRO DE GEOGRAFIA E ESTATÍSTICA, 2015).
	Guareí	Guareí, região administrativa de Sorocaba, emancipado em 1993. O município possui 20 comunidades rurais e dois assentamentos. Abriga dois presídios e Itapetininga, cidade vizinha, conta com duas penitenciárias, um Centro de Ressocialização e uma Unidade da Fundação Casa. São problemas identificados: a migração de famílias que trabalham no reflorestamento e moram em acampamentos sem estrutura ou se aglomeram na periferia. Mulher trabalhadora boia-fria, chefe de família. Trabalho precoce de adolescentes. Possui uma malharia e oferta de trabalho no corte de cana (reflorestamento em expansão). Há a Associação dos Plasticultores (plantio em estufas) em convênio com o Pronaf (Ministério da Agricultura) e o Banco da Terra (Ministério da Reforma Agrária e Prefeitura para financiamento de terra). O PIB *per capita* do município é de R$ 11.887,34. (INSTITUTO BRASILEIRO DE GEOGRAFIA E ESTATÍSTICA, 2015). Formada por pequenos produtores de frutas e outras produções voltadas ao consumo de sobrevivência. Recentemente entrou no município a lavoura de cana-de-açúcar.

Estado	Município	Histórico e atividades econômica
São Paulo	Mongaguá	Mongaguá é situada na região de Santos (litoral sul de São Paulo). Foi inicialmente habitada pelos índios guaranis, começando a ser percorrida em 1532 por colonizadores e missionários portugueses. Tornou-se pouso de viajantes que desfrutavam da boa qualidade da água e da abundância de peixes. Desenvolveu-se no século XX como balneário. Possui uma economia pautada no turismo, com períodos de pico no verão, com um PIB *per capita* de R$ 15.333,01. (INSTITUTO BRASILEIRO DE GEOGRAFIA E ESTATÍSTICA, 2015). O emprego formal está concentrado no setor de serviços e comércio.
	Nova Canaã Paulista	Nova Canaã Paulista foi emancipada em 1993. Formada por pequenos produtores de frutas e outras produções voltadas ao consumo de sobrevivência. Recentemente entrou no município a lavoura de cana-de-açúcar. O PIB *per capita* de Nova Canaã Paulista é de R$ 15.712,83. (INSTITUTO BRASILEIRO DE GEOGRAFIA E ESTATÍSTICA, 2015).
	Santo André	Santo André é um município densamente povoado, embora a população esteja concentrada, pois há no município uma extensa área de proteção de mananciais, já com algumas ocupações. A área, cortada pela represa Billings, perdeu poder econômico desde os anos 1980, em relação aos municípios vizinhos integrantes do ABCD, região conhecida pela existência de grandes indústrias e um dos berços do sindicalismo operário ligado a metalurgia. Santo André tem um PIB *per capita* de R$ 39.738,66. (INSTITUTO BRASILEIRO DE GEOGRAFIA E ESTATÍSTICA, 2015).
	São Paulo	São Paulo é a maior cidade do país e centro de uma das maiores regiões metropolitanas do mundo. A desigualdade socioeconômica é exponenciada em São Paulo pelo volume de seus habitantes. Esta densidade a torna diferente de outras cidades brasileiras, embora por seus números médios possua bom nível de desenvolvimento. Está dividida em 96 distritos — com densidade populacional por vezes da dimensão de um município de grande porte, a exemplo de Grajaú, que possui, segundo o Censo do IBGE de 2010, 360.787 habitantes. É uma cidade complexa, de grande concentração do capital, onde riqueza e pobreza convivem lado a lado. A exclusão social, econômica e cultural se concentra nas franjas da cidade à semelhança das periferias de outras metrópoles do Brasil. Possui 31 subprefeituras, antigas administrações regionais, com autonomia administrativa e responsabilidade para a gestão territorial e descentralizada de um conjunto de competências. Do ponto de vista econômico, a cidade é um

Estado	Município	Histórico e atividades econômica
São Paulo	São Paulo	*dinâmico centro industrial* e concentra mais de 1/3 do valor adicionado produzido pela indústria da região metropolitana. Centraliza cada vez mais as operações financeiras e sedia as maiores empresas de comunicação, com um PIB *per capita* de R$ 52.796,78. (INSTITUTO BRASILEIRO DE GEOGRAFIA E ESTATÍSTICA, 2015).
	Sumaré	Sumaré região metropolitana de Campinas. Possui alta densidade demográfica, com taxa geométrica de crescimento anual no período 2000/2006, de 2,29, maior que a região (1,92) e o Estado (1,52). Próximo às rodovias Anhanguera e Bandeirantes. Emancipou-se de Campinas em 1953, período em que muitas indústrias nacionais e estrangeiras se instalaram na cidade, provocando mudanças socioeconômicas e atraindo imigrantes, o que resultaria em acréscimo populacional significativo e um PIB *per capita* de R$ 45.632,87. (INSTITUTO BRASILEIRO DE GEOGRAFIA E ESTATÍSTICA, 2015).

Fonte: Elaborado pelas autoras, conforme informações de: INSTITUTO BRASILEIRO DE GEOGRAFIA E ESTATÍSTICA. *Cidades@*. Rio de Janeiro, 2015; FUNDAÇÃO GETÚLIO VARGAS. *Atlas do Bolsos dos Brasileiros:* a geografia das fontes de renda. Rio de Janeiro, 2009.

TABELA 4 ■ Distribuição por Município de Pessoas de 10 anos ou mais de idade com rendimento nominal mensal em Salário Mínimo (SM) e sem rendimento

Estado	Município	Pessoas de 10 anos ou mais de idade				
		Total	Rendimento nominal mensal %			
			Até ¼ de SM	Mais de ¼ de SM a ½ SM	Mais de ½ a 1SM	Sem rendimento
Maranhão	Caxias	124.924	10,22	8,39	27,57	37,41
	Chapadinha	57.343	9,93	8,54	22,86	46,48
	Morros	13.597	13,27	10,68	19,04	48,62
	Poção de Pedras	16.086	18,47	11,57	21,11	36,79
	São Luís	862.993	5,35	3,06	20,91	36,20
	Vargem Grande	38.348	10,18	9,16	17,14	54,62
Minas Gerais	Belo Horizonte	2.096.677	1,72	1,48	16,14	26,65
	Carbonita	7.773	8,74	7,46	30,16	30,50
	Congonhas	41.896	2,98	2,52	17,19	32,94
	Coronel Fabriciano	89.253	3,84	2,44	19,43	33,50
	Janaúba	56.134	7,02	6,49	29,67	33,53
	Limeira do Oeste	5.983	2,52	3,73	22,35	34,03

Estado	Município	Pessoas de 10 anos ou mais de idade				
		Total	Rendimento nominal mensal %			
			Até ¼ de SM	Mais de ¼ de SM a ½ SM	Mais de ½ a 1SM	Sem rendimento
Pará	Belém	1.188.026	4,23	3,02	20,42	37,09
	Castanhal	141.833	6,59	4,75	24,27	38,46
	Paragominas	76.343	6,74	4,82	21,65	39,17
	São João de Pirabas	16.372	13,16	8,42	20,87	46,23
	Tomé-Açu	43.610	6,50	7,76	24,64	41,00
	Ulianópolis	33.585	5,57	3,67	15,38	51,97
Paraná	Arapongas	90.181	1,38	1,92	14,18	26,30
	Cerro Azul	13.992	8,61	7,30	29,02	33,90
	Curitiba	1.531.838	1,31	1,12	9,49	25,68
	Ibiporã	41.559	2,25	2,19	17,63	31,92
	Londrina	440.897	1,76	1,64	14,99	26,38
Pernambuco	Carpina	63.414	7,85	4,84	27,50	38,66
	Caruaru	265.208	4,93	4,27	28,62	31,16
	Recife	1.336.198	4,99	3,31	20,89	33,08
	São Caetano	29.091	11,64	7,18	30,17	34,83
	Tamandaré	16.723	8,54	4,89	23,12	45,24
	Tracunhaém	10.756	10,28	4,70	30,76	40,20
Rio Grande do Sul	Bento Gonçalves	95.451	1,04	1,17	9,76	18,92
	Butiá	17.492	3,81	3,20	19,25	34,34
	Farroupilha	56.178	1,06	1,54	11,67	19,54
	Porto Alegre	1.246.317	1,41	1,33	11,89	24,44
	Sananduva	13.772	2,82	4,20	21,52	17,27
São Paulo	Batatais	49.369	2,35	2,05	14,62	28,81
	Guareí	12.942	7,83	2,90	12,12	36,35
	Mongaguá	39.371	3,31	2,78	15,55	36,08
	Nova Canaã Paulista	1.917	4,02	4,69	30,93	22,12
	Santo André	595.250	1,14	1,14	10,71	28,91
	São Paulo	9.783.868	1,04	10,43	10,43	31,95
	Sumaré	206.311	1,56	1,32	11,49	32,56

Fonte: Elaborada pelas autoras, conforme informações de: INSTITUTO BRASILEIRO DE GEOGRAFIA E ESTATÍSTICA. *Cidades@*. Rio de Janeiro, 2015.

Analisando os dados da tabela acima, verificamos que os cinco municípios que apresentaram as maiores concentrações de rendimento de até ¼ SM foram: Tracunhaém (10,28%), São Caitano (11,64%), São João de Pirabas (13,16%), Morros (13,27%), e Poção de Pedras (18,47%), seguindo-se dos cinco municípios com as maiores concentrações de rendimento de mais de ¼ a ½ SM: Chapadinha (8,54%), Vargem Grande (9,16%), São Paulo (10,43%), Morros (10,68%) e Poção de Pedras (11,57%); dos cinco municípios com as maiores concentrações de rendimento de mais de ½ a 1 SM encontram-se: Janaúba (29,67%), Carbonita (30,16%), São Caitano (30,17%), Tracunhaém (30,76%), Nova Canaã Paulista (30,93%). Todavia, a situação de maior precariedade foi registrada nos municípios que apresentaram maiores concentrações de pessoas de 10 anos ou mais de idade sem rendimento: São João de Pirabas (46,23%), Chapadinha (46,48%), Morros (48,62%), Ulianópolis (51,97%) e Vargem Grande (54,62%). Destes, três são municípios do Estado do Maranhão e os outros dois do Pará.

TABELA 5 ■ Distribuição por município da população residente alfabetizada de 5 anos ou mais de idade

Estado	Município	Total da população residente	População alfabetizada	
			Total	%
Maranhão	Caxias	155.129	103.049	66,43
	Chapadinha	73.350	47.792	65,16
	Morros	17.783	10.560	59,38
	Poção de Pedras	19.708	12.344	62,63
	São Luís	1.014.837	876.826	86,40
	Vargem Grande	49.412	29.468	59,64
Minas Gerais	Belo Horizonte	2.375.151	2.156.876	90,81
	Carbonita	9.148	6.990	76,41
	Congonhas	48.519	42.797	88,21
	Coronel Fabriciano	103.694	90.112	86,90
	Janaúba	66.803	53.154	79,57
	Limeira do Oeste	6.890	5.699	82,71

Estado	Município	Total da população residente	População alfabetizada	
			Total	%
Pará	Belém	1.393.399	1.220.693	87,61
	Castanhal	173.149	141.161	81,53
	Paragominas	97.819	73.862	75,51
	São João de Pirabas	20.647	14.171	68,63
	Tomé-Açu	56.518	39.826	70,47
	Ulianópolis	43.341	32.137	74,15
Paraná	Arapongas	104.150	91.962	88,30
	Cerro Azul	16.938	12.925	76,31
	Curitiba	1.751.907	1.592.551	90,90
	Ibiporã	48.198	41.425	85,95
	Londrina	506.701	447.561	88,33
Pernambuco	Carpina	74.858	58.414	78,03
	Caruaru	314.912	243.725	77,39
	Recife	1.537.704	1.320.793	85,89
	São Caetano	35.274	23.537	66,73
	Tamandaré	20.715	14.193	68,52
	Tracunhaém	13.055	8.993	68,89
Rio Grande do Sul	Bento Gonçalves	107.278	98.507	91,82
	Butiá	20.406	17.167	84,13
	Farroupilha	63.635	57.735	90,73
	Porto Alegre	1.409.351	1.277.572	90,65
	Sananduva	15.373	13.677	88,97
São Paulo	Batatais	56.476	50.037	88,60
	Guareí	14.565	12.733	87,42
	Mongaguá	46.293	40.195	86,83
	Nova Canaã Paulista	2.114	1.804	85,34
	Santo André	676.407	611.747	90,44
	São Paulo	11.253.503	10.033.341	89,16
	Sumaré	241.311	209.490	86,81

Fonte: Elaborada pelas autoras, conforme informações de: INSTITUTO BRASILEIRO DE GEOGRAFIA E ESTATÍSTICA. *Cidades@*. Rio de Janeiro, 2015.

Pela tabela acima, podemos verificar que os municípios com os menores percentuais de população alfabetizada foram: Morros (59,38%), Vargem Grande (59,64%), Poção de Pedras (62,63%), Chapadinha (65,16%) e Caxias (66,43%). Todos os cinco municípios do Estado do Maranhão. Enquanto os cinco municípios com os maiores percentuais de população alfabetizada foram: Porto Alegre (90,65%), Farroupilha (90,73%), Belo Horizonte (90,81%), Curitiba (90,90%) e Bento Gonçalves (91,82%), todos situados em Estados das Regiões Sul e Sudeste.

TABELA 6 ■ Distribuição por município dos domicílios permanentes por atendimento dos serviços básicos

Estado	Município	Domicílios permanentes particulares	Serviços básicos%			
			Lixo coletado	Existência de energia elétrica	Abastecimento de água	Esgotamento sanitário
Maranhão	Caxias	40.155	60,97	96,40	95,66	4,77
	Chapadinha	17.647	50,80	94,65	95,06	0,43
	Morros	3.772	30,01	85,92	83,70	1,03
	Poção de Pedras	5.305	41,36	97,55	99,00	9,75
	São Luís	276.812	91,16	99,83	98,24	44,98
	Vargem Grande	11.096	28,06	88,19	93,39	3,65
Minas Gerais	Belo Horizonte	762.075	99,50	99,96	99,86	94,63
	Carbonita	2.980	80,07	98,59	94,26	63,02
	Congonhas	14.070	97,56	99,69	99,23	76,90
	Coronel Fabriciano	31.615	98,36	99,80	99,54	86,83
	Janaúba	18.386	84,90	99,31	98,22	12,45
	Limeira do Oeste	2.277	70,44	95,21	99,56	55,56
Pará	Belém	368.877	96,72	99,76	99,44	36,53
	Castanhal	45.444	90,27	99,47	98,99	3,43
	Paragominas	24.967	87,66	98,87	98,70	1,84
	São João de Pirabas	5.043	40,91	91,65	97,12	0,30
	Tomé-Açu	13.565	61,21	90,15	92,47	0,74
	Ulianópolis	8.566	69,34	88,83	95,95	0,83

Estado	Município	Domicílios permanentes particulares	Serviços básicos%			
			Lixo coletado	Existência de energia elétrica	Abastecimento de água	Esgotamento sanitário
Paraná	Arapongas	33.148	97,41	99,95	99,96	42,21
	Cerro Azul	5.171	46,55	95,92	96,73	7,81
	Curitiba	575.899	99,91	99,96	99,90	92,08
	Ibiporã	15.157	96,13	99,94	99,87	89,56
	Londrina	164.917	98,08	99,85	99,81	77,67
Pernambuco	Carpina	21.438	84,46	99,58	95,67	3,01
	Caruaru	96.304	95,52	99,65	90,63	74,66
	Recife	470.754	97,86	99,86	98,65	54,17
	São Caetano	10.660	76,40	99,08	67,49	43,16
	Tamandaré	5.343	72,43	99,51	95,04	1,52
	Tracunhaém	3.648	80,24	99,64	85,75	18,53
Rio Grande do Sul	Bento Gonçalves	36.513	98,58	99,93	99,88	47,21
	Butiá	6.746	98,03	99,57	99,57	17,18
	Farroupilha	20.573	95,57	99,92	99,90	33,01
	Porto Alegre	508.456	99,72	99,90	99,65	85,37
	Sananduva	5.330	72,72	99,85	99,74	39,51
São Paulo	Batatais	17.740	96,85	99,95	99,99	95,20
	Guareí	3.689	88,64	99,21	99,59	53,59
	Mongaguá	14.588	99,03	99,40	99,23	32,45
	Nova Canaã Paulista	745	65,64	99,73	99,73	42,55
	Santo André	215.617	99,91	99,96	98,50	93,61
	São Paulo	3.574.286	99,79	99,95	99,56	90,93
	Sumaré	73.472	99,55	99,96	99,87	93,13

Fonte: Elaborada pelas autoras, conforme informações de: INSTITUTO BRASILEIRO DE GEOGRAFIA E ESTATÍSTICA. *Cidades@*. Rio de Janeiro, 2015.

Considerando a distribuição dos domicílios permanentes por município no que se refere ao atendimento dos serviços básicos, os dados da tabela acima permitem os seguintes destaques:

Os cinco municípios com os maiores percentuais de atendimento do **serviço de lixo coletado** foram: Belo Horizonte (99,50%), Sumaré (99,55%), Porto Alegre (99,72%), São Paulo (99,79%), Curitiba e Santo André, ambos com 99,91%, todos situados em Estados das Regiões Sul e Sudeste; enquanto os cinco municípios com os menores percentuais no atendimento deste mesmo serviço foram: Vargem Grande (28,06%), Morros (30,01%), São João de Pirabas (40,91%), Poção de Pedras (41,36%) e Cerro Azul (46,55%), somente o último situa-se num Estado da Região Sul.

Quanto à existência de **energia elétrica**, os municípios de maior acesso a esse serviço foram: Farroupilha (99,92%), Bento Gonçalves (99,93%), Ibiporã (99,94%), Batatais, Arapongas e São Paulo, os três com 99,95% e Belo Horizonte, Sumaré, Curitiba e Santo André todos com 99,96%. Os municípios com os menores percentuais, mas mesmo assim, superiores a 80%, foram: Morros (85,92%), Vargem Grande (88,19%), Ulianópolis (88,83%), Tomé-Açu (90,15%) e São João de Pirabas (91,65%).

O serviço de **abastecimento de água** também era ofertado quase integralmente para os seguintes municípios: Belo Horizonte (99,86%), Ibiporã e Sumaré, ambos com 99,87%, Bento Gonçalves (99,88%), Farroupilha e Curitiba ambos com 99,90%, Arapongas (99,96%) e Batatais (99,99%). Com menor percentual, mesmo assim com elevado percentual de atendimento, encontravam-se os seguintes municípios, Morros (83,70%), Tracunhaém (85,75%), Caruaru (90,63) e Tomé-Açu (92,47%), exceto São Caitano com apenas 67,49%.

O serviço de **esgotamento sanitário**, segundo dados da tabela acima, apresenta duas realidades bastantes extremas. Os cinco municípios melhor atendidos por esse serviço, todos das Regiões Sul e Sudeste, ostentando percentuais superiores a 90% (Curitiba 92,08%, Sumaré 93,13%, Santo André 93,61%, Belo Horizonte 94,63% e Batatais 95,20%), enquanto os cinco piores atendidos praticamente não dispuseram desse serviço: São João de Pirabas (0,30%), Chapadinha (0,43%), Tomé-Açu (0,74%),

Ulianópolis (0,83%) e Morros (1,03%), três são do Estado do Pará e dois do Estado do Maranhão.

TABELA 7 ■ Distribuição da população residente nos municípios pelo percentual de pobres e indigentes

Estado	Município	% da população indigente**	% da população pobre*
Maranhão	Caxias	37,96	66,88
	Chapadinha	50,40	76,74
	Morros	67,27	83,53
	Poção de Pedras	47,59	79,25
	São Luís	17,15	39,87
	Vargem Grande	59,79	84,31
Minas Gerais	Belo Horizonte	4,92	14,17
	Carbonita	26,22	58,46
	Congonhas	10,22	28,22
	Coronel Fabriciano	11,33	25,49
	Janaúba	22,76	50,23
	Limeira do Oeste	10,63	32,14
Pará	Belém	11,92	30,02
	Castanhal	17,80	45,30
	Paragominas	21,12	49,81
	São João de Pirabas	47,06	73,79
	Tomé-Açu	27,85	54,65
	Ulianópolis	20,39	49,88
Paraná	Arapongas	2,97	11,64
	Cerro Azul	35,36	60,64
	Curitiba	3,52	9,06
	Ibiporã	6,15	19,35
	Londrina	4,22	12,80

Estado	Município	% da população indigente**	% da população pobre*
Pernambuco	Carpina	24,45	52,09
	Caruaru	14,14	35,32
	Recife	13,56	31,51
	São Caetano	40,04	66,47
	Tamandaré	45,47	70,71
	Tracunhaém	31,14	66,82
Rio Grande do Sul	Bento Gonçalves	2,71	6,44
	Butiá	10,03	24,58
	Farroupilha	2,38	6,26
	Porto Alegre	4,28	11,33
	Sananduva	5,68	19,84
São Paulo	Batatais	2,97	9,95
	Guareí	6,35	25,56
	Mongaguá	13,37	25,19
	Nova Canaã Paulista	8,05	28,53
	Santo André	5,09	10,34
	São Paulo	5,60	12,06
	Sumaré	6,59	13,58

Fonte: Elaborada pelas autoras, conforme informações de: INSTITUTO DE PESQUISA ECONÔMICA APLICADA. *Ipeadata*. Rio de Janeiro, [20--?].

Notas: * Percentual de pessoas com renda domiciliar *per capita* inferior a R$37,75, equivalentes a ¼ do salário mínimo vigente em agosto de 2000.
** Percentual de pessoas com renda domiciliar *per capita* inferior a R$75,50, equivalentes a ½ do salário mínimo vigente em agosto de 2000.

Os dados da tabela acima indicam que os cinco municípios com os maiores percentuais de pobreza foram: São João de Pirabas (73,79%), Chapadinha (76,74%), Poção de Pedras (79,25%), Morros (83,53%) e Vargem Grande (84,31%), sendo estes mesmos municípios os que apresentaram os mais elevados percentuais de indigência: São João de

Pirabas (47,06%), Poção de Pedras (47,59%), Chapadinha (50,40%), Vargem Grande (59,79%) e Morros (67,27%). Desses cinco municípios, quatro são do Maranhão e um do Pará.

Por outro lado, os dados da tabela destacam que os cinco municípios com os menores percentuais de pobreza foram: Farroupilha (6,26%), Bento Gonçalves (6,44%), Curitiba (9,06%), Batatais (9,95%) e Santo André (10,34%) e consequentemente, estes também foram os cinco municípios que ostentaram o menor percentual de indigência: Farroupilha (2,38%), Bento Gonçalves (2,71%), Arapongas (2,97%), Batatais (2,97%) e Curitiba (3,52%). Todos esses municípios situam-se em Estados das Regiões Sul e Sudeste.

TABELA 8 ■ Incidência de famílias chefiadas por mulheres nos municípios

Estado	Município	% famílias chefiadas por mulheres
Maranhão	Caxias	45,4
	Chapadinha	38,1
	Morros	33,6
	Poção de Pedras	36,8
	São Luís	47,5
	Vargem Grande	40,2
Minas Gerais	Belo Horizonte	41,6
	Carbonita	31,4
	Congonhas	35,4
	Coronel Fabriciano	34,7
	Janaúba	31,4
	Limeira do Oeste	30,4
Pará	Belém	46,7
	Castanhal	40,5
	Paragominas	38,9
	São João de Pirabas	46,1
	Tomé-Açu	29,5
	Ulianópolis	42,8

Estado	Município	% famílias chefiadas por mulheres
Paraná	Arapongas	27
	Cerro Azul	18
	Curitiba	38,4
	Ibiporã	30
	Londrina	35,8
Pernambuco	Carpina	38,3
	Caruaru	43,8
	Recife	46,1
	São Caetano	37,2
	Tamandaré	38,4
	Tracunhaém	27
Rio Grande do Sul	Bento Gonçalves	36,2
	Butiá	44,2
	Farroupilha	31,2
	Porto Alegre	46,6
	Sananduva	21,2
São Paulo	Batatais	30
	Guareí	17,2
	Mongaguá	40,1
	Nova Canaã Paulista	26,7
	Santo André	36,9
	São Paulo	41,7
	Sumaré	34,2

Fonte: Elaborada pelas autoras, conforme informações de: INSTITUTO BRASILEIRO DE GEOGRAFIA E ESTATÍSTICA. *Estatística de gênero:* uma análise dos resultados do Censo Demográfico 2010. Rio de Janeiro, 2014. Série Estudos e Pesquisas. Disponível em:<http://www.ibge.gov.br/apps/snig/v1/index.html?loc=0>. Acesso em: 9 fev. 2017.

Considerando os dados da tabela acima, os dez municípios que apresentaram maior percentual de famílias chefiadas por mulheres foram: São Paulo (41,7%), Ulianópolis (42,8%), Caruaru (43,8%), Butiá (44,2%), Caxias (45,4%), São João de Pirabas e Recife, ambos com 46,1%, Porto Alegre (46,6%), Belém (46,7%) e São Luís (47,5%). Já os dez municípios que apresentaram os menores percentuais de famílias chefiadas por mulheres foram: Guareí (17,2%), Cerro Azul (18,0%), Sananduva (21,2%), Nova Canaã Paulista (26,7%), Arapongas e Tracunhaém ambos com 27,0%, Tomé-Açu (29,5%), Ibiporã e Batatais ambos com 30,0%, Limeira do Oeste (30,4%), Farroupilha (31,2%) e Carbonita e Janaúba ambos com 31,4%. Os dados evidenciaram que, mesmo os menores percentuais, situam-se num patamar que pode ser considerado elevado, de modo que em média tem-se 36,02% de famílias nos municípios onde foi realizada a pesquisa chefiadas por mulheres.

TABELA 9 ■ Índice de Desenvolvimento Humano Municipal — IDH-M por Município

Estado	Município	IDH-M
Maranhão	Caxias	0.624 médio
	Chapadinha	0.604 médio
	Morros	0.548 baixo
	Poção de Pedras	0.576 baixo
	São Luís	0.768 alto
	Vargem Grande	0.542 baixo
Minas Gerais	Belo Horizonte	0.810 muito alto
	Carbonita	0.638 médio
	Congonhas	0.753 alto
	Coronel Fabriciano	0.755 alto
	Janaúba	0.696 médio
	Limeira do Oeste	0.710 alto

Estado	Município	IDH-M
Pará	Belém	0.746 alto
	Castanhal	0.673 médio
	Paragominas	0.645 médio
	São João de Pirabas	0.539 baixo
	Tomé-Açu	0.586 baixo
	Ulianópolis	0.604 médio
Paraná	Arapongas	0.748 alto
	Cerro Azul	0.573 baixo
	Curitiba	0.823 muito alto
	Ibiporã	0.726 alto
	Londrina	0.778 alto
Pernambuco	Carpina	0.680 médio
	Caruaru	0.677 médio
	Recife	0.772 médio
	São Caetano	0.591 baixo
	Tamandaré	0.593 baixo
	Tracunhaém	0.605 médio
Rio Grande do Sul	Bento Gonçalves	0.778 alto
	Butiá	0.689 médio
	Farroupilha	0.777 alto
	Porto Alegre	0.805 muito alto
	Sananduva	0.747 alto
São Paulo	Batatais	0.761 alto
	Guareí	0.687 médio
	Mongaguá	0.754 alto
	Nova Canaã Paulista	0.715 alto
	Santo André	0.815 muito alto
	São Paulo	0.805 muito alto
	Sumaré	0.762 alto

Fonte: Elaborada pelas autoras, conforme informações de: PROGRAMA DAS NAÇÕES UNIDAS PARA O DESENVOLVIMENTO. *IDH:* rankings. Brasília, DF, 2013.

Os dados da tabela acima registram 4 municípios com muito alto desenvolvimento humano; 15, com alto desenvolvimento humano, 13 com médio desenvolvimento humano e 8 com baixo desenvolvimento humano.

Os 04 municípios com IDH-M classificados como de muito alto desenvolvimento humano foram as capitais dos Estados das regiões Sul e Sudeste: Belo Horizonte (0.810), São Paulo (0.805), Curitiba (0.823) e Porto Alegre (0.805) e o município de Santo André/SP (0815). Enquanto os 8 municípios classificados com IDH-M com baixo desenvolvimento humano, exceto Cerro Azul (0.573) no Paraná, os demais se situam em Estados das regiões Norte e Nordeste. Dois no Pará: São João de Pirabas (0.539) e Tomé Açu (0.586); dois no Estado de Pernambuco: São Caetano (0.591) e Tamandaré (0.593) e os demais três municípios ficam no Estado do Maranhão: Morros (0.548), Poção de Pedras (0.576) e Vargem Grande (0.542).

TABELA 10 ■ Órgãos Responsáveis pelo planejamento, coordenação e execução da Política de Assistência Social (PAS) no Município

Estado	Município	Órgão Gestor da PAS
Maranhão	Caxias	Secretaria Municipal de Assistência Social
	Chapadinha	Secretaria Municipal de Assistência Social
	Morros	Secretaria Municipal de Assistência Social
	Poção de Pedras	Secretaria Municipal de Assistência Social e Trabalho
	São Luís	Secretaria Municipal da Criança e Assistência Social -SEMCAS
	Vargem Grande	Secretaria Municipal de Assistência Social
Minas Gerais	Belo Horizonte	Secretaria Municipal Adjunta de Assistência Social
	Carbonita	Secretaria Municipal da Ação Social
	Congonhas	Secretaria Municipal de Desenvolvimento e Assistência Social
	Coronel Fabriciano	Secretaria Municipal de Assistência Social
	Janaúba	Secretaria Municipal de Promoção Social
	Limeira do Oeste	Secretaria Municipal de Promoção Social

Estado	Município	Órgão Gestor da PAS
Pará	Belém	Fundação Papa João XXIII — FUNPAPA
	Castanhal	PM — Secretaria Municipal de Assistência Social
	Paragominas	Secretaria Municipal de Assistência Social de Paragominas
	São João de Pirabas	Secretaria Municipal de Trabalho e Promoção Social — SEMTEPS
	Tomé-Açu	Secretaria Municipal de Trabalho e Assistência Social
	Ulianópolis	Secretaria Municipal de Assistência Social
Paraná	Arapongas	Secretaria Municipal de Assistência Social
	Cerro Azul	Secretaria Municipal de Assistência Social
	Curitiba	Fundação de Ação Social
	Ibiporã	Secretaria Municipal de Assistência Social
	Londrina	Secretaria Municipal de Assistência Social
Pernambuco	Carpina	Secretaria do Trabalho e Ação Social
	Caruaru	Secretaria da Criança, do Adolescente e de Políticas Sociais
	Recife	Secretaria de Desenvolvimento Social e Direitos Humanos
	São Caitano	Secretaria de Assistência Social
	Tamandaré	Secretaria Municipal de Assistência Social
	Tracunhaém	Secretaria de Desenvolvimento Social e Direitos Humanos
Rio Grande do Sul	Bento Gonçalves	Secretaria Municipal de Habitação e Assistência Social
	Butiá	Secretaria Municipal do Trabalho, Cidadania e Ação Social
	Farroupilha	Secretaria Municipal de Assistência Social e Cidadania
	Porto Alegre	Fundação de Assistência Social e Cidadania — FASC
	Sananduva	Secretaria Municipal de Assistência Social

Estado	Município	Órgão Gestor da PAS
São Paulo	Batatais	Secretaria Municipal de Assistência Social
	Guareí	Secretaria de Assistência e Desenvolvimento Social de Guareí
	Mongaguá	Diretoria de Assistência e Desenvolvimento Social
	Nova Canaã Paulista	Departamento de Assistência Social
	Santo André	Secretaria de Inclusão e Assistência Social de Santo André (P.M.)
	São Paulo	Secretaria Municipal de Assistência e Desenvolvimento Social
	Sumaré	Secretaria Municipal de Inclusão, Assistência e Desenvolvimento Social

Fonte: Elaborada pelas autoras, conforme informações de: BRASIL. Ministério do Desenvolvimento Social e Combate à Fome. Secretaria Nacional de Assistência Social. *Censo SUAS 2015:* gestão municipal. Brasília, DF, 2015. Disponível em:<http://aplicacoes.mds.gov.br/snas/vigilancia/index2.php>. Acesso em: 14 fev. 2017.

TABELA 11 ■ Distribuição dos Centros Regionais de Assistência Social (CRAS) e dos Centros Regionais Especializados em Assistência Social (CREAS) nos Municípios

Estados	Municípios	Número de CRAS cofinanciados	Número de CREAS cofinanciados
Maranhão	Caxias	6	1
	Chapadinha	3	1
	Morros	1	
	Poção de Pedras	2	1
	São Luís	20	5
	Vargem Grande	2	1
Minas Gerais	Belo Horizonte	33	9
	Carbonita	1	1
	Congonhas	1	1
	Coronel Fabriciano	3	1
	Janaúba	3	1
	Limeira do Oeste	1	0

Estados	Municípios	Número de CRAS cofinanciados	Número de CREAS cofinanciados
Pará	Belém	12	5
	Castanhal	5	1
	Paragominas	2	1
	São João de Pirabas	1	1
	Tomé-Açu	1	1
	Ulianópolis	1	1
Paraná	Arapongas	2	1
	Cerro Azul	1	0
	Curitiba	38	9
	Ibiporã	1	1
	Londrina	8	3
Pernambuco	Carpina	2	1
	Caruaru	10	2
	Recife	9	4
	São Caetano	2	1
	Tamandaré	1	1
	Tracunhaém	1	
Rio Grande do Sul	Bento Gonçalves	2	1
	Butiá	1	1
	Farroupilha	2	1
	Porto Alegre	17	7
	Sananduva	1	0
São Paulo	Batatais	1	1
	Guareí	1	
	Mongaguá	2	1
	Nova Canaã Paulista	1	
	Santo André	4	1
	São Paulo	52	27
	Sumaré	3	1
Total		260	96

Fonte: Elaborada pelas autoras, conforme informações de: BRASIL. Ministério do Desenvolvimento Social e Agrário. *Relatório de Informações Sociais:* Relatório de programas e ações do MDSA. Brasília, DF, 2016a. Disponível em:<http://aplicacoes.mds.gov.br/sagi-data/misocial/tabelas/mi_social.php>. Acesso em: 24 jan. 2017.

Pelos dados da tabela acima, verificamos que os 05 municípios que concentram o maior número de CRAS são: São Paulo (52), Curitiba (38), Belo Horizonte (33), São Luís (20) e Porto Alegre (17) e o maior número de CREAS: São Paulo (27), Belo Horizonte e Curitiba, ambos com 9, Porto Alegre (7), São Luís e Belém, ambos com 5 e São Caitano (4). Enquanto os municípios que contam com o menor número de CRAS são: Morros, Carbonita, Congonhas, Limeira do Oeste, São João de Pirabas, Tomé-Açu, Ulianópolis, Tamandaré, Tracunhaém, Sananduva, Batatais, Guarei, Nova Canaã Paulista todos com um CRAS. Quanto ao número de CREAS: Morros, Tracunhaém, Guarei e Nova Canaã Paulista não possuem nenhum CREAS e Limeira do Oeste, Cerro Azul e Sananduva possuem um CREAS, mas não cofinanciados.

No geral, todos os municípios onde foi realizada a pesquisa, conforme os dados da tabela, contavam com 260 CRAS e 96 CREAS, dados atualizados em janeiro de 2017.

TABELA 12 ■ A Realidade do Programa Bolsa Família (PBF) nos Municípios

Estado	Município	Estimativa de famílias pobres perfil PBF segundo Censo 2010	Total de famílias atendidas pelo PBF em dezembro de 2016	% de cobertura
Maranhão	Caxias	20.105	22.135	110,1
	Chapadinha	10.733	12.622	117,6
	Morros	2.603	3.093	118,8
	Poção de Pedras	3.240	3.467	107,0
	São Luís	77.096	86.311	112,0
	Vargem Grande	7.838	7.282	92,9
Minas Gerais	Belo Horizonte	79.528	60.954	76,6
	Carbonita	1.069	956	89,4
	Congonhas	2.133	1.322	62,0
	Coronel Fabriciano	5.943	4.573	76,9
	Janaúba	6.830	7.172	105,0
	Limeira do Oeste	444	485	109,2

Estado	Município	Estimativa de famílias pobres perfil PBF segundo Censo 2010	Total de famílias atendidas pelo PBF em dezembro de 2016	% de cobertura
Pará	Belém	96.125	113.138	117,7
	Castanhal	17.331	16.606	95,8
	Paragominas	9.836	10.918	111,0
	São João de Pirabas	3.226	3.496	108,4
	Tomé-Açu	6.774	8.184	120,8
	Ulianópolis	4.363	3.534	81,0
Paraná	Arapongas	2.638	2.159	81,8
	Cerro Azul	2.030	1.853	91,3
	Curitiba	40.444	29.701	73,4
	Ibiporã	2.284	1.699	74,4
	Londrina	14.507	16.940	116,8
Pernambuco	Carpina	8.735	9.264	106,1
	Caruaru	27.430	29.934	109,1
	Recife	117.340	103.695	88,4
	São Caetano	4.726	4.328	91,6
	Tamandaré	2.937	3.085	105,0
	Tracunhaém	1.979	2.324	117,4
Rio Grande do Sul	Bento Gonçalves	1.594	1.458	91,5
	Butiá	1.558	1.465	94,0
	Farroupilha	1.159	1.350	116,5
	Porto Alegre	45.580	51.039	112,0
	Sananduva	365	231	63,3
São Paulo	Batatais	1.851	1.650	89,1
	Guareí	460	532	115,7
	Mongaguá	2.900	3.417	117,8
	Nova Canaã Paulista	105	76	72,4
	Santo André	20.199	23.607	116,9
	São Paulo	500.686	479.696	95,8
	Sumaré	8.730	7.461	85,5

Fonte: Elaborada pelas autoras, conforme informações de: BRASIL. Ministério do Desenvolvimento Social e Agrário. *Relatório de Informações Sociais:* RI Bolsa Família e Cadastro Único. Brasília, DF, 2016b. Disponível em:<http://aplicacoes.mds.gov.br/sagi-data/misocial/tabelas/mi_social.php>. Acesso em: 24 jan. 2017.

Considerando que o Bolsa Família é um dos principais programas desenvolvidos no âmbito dos CRAS, pelos dados da tabela acima, verificamos que os 05 municípios com maior cobertura desse Programa, considerando as famílias pobres perfil Bolsa Família, conforme o Censo 2010, foram os seguintes: Tomé-Açu-PA (120,8%), Morros-MA (118,8%), Mongaguá-SP (117,8%), Belém-PA (117,7%), Chapadinha-MA (117,6%) (somente um município da região Sudeste, os demais das regiões Norte e Nordeste); enquanto os 5 municípios com as menores coberturas foram: Ibiporã-PR (74,4%), Curitiba-SC (73,4%), Nova Canaã Paulista-SP (72,4%), Congonhas-MG (62,0%), Sananduva-RGS (63,3%), todos são municípios das regiões Sul e Sudeste.

Referências

BRASIL. Ministério do Desenvolvimento Social e Agrário. *Relatório de Informações Sociais:* Relatório de programas e ações do MDSA. Brasília, DF, 2016a. Disponível em:<http://aplicacoes.mds.gov.br/sagi-data/misocial/tabelas/mi_social.php>. Acesso em: 24 jan. 2017.

BRASIL. Ministério do Desenvolvimento Social e Agrário. *Relatório de Informações Sociais:* RI Bolsa Família e Cadastro Único. Brasília, DF, 2016b. Disponível em:<http://aplicacoes.mds.gov.br/sagi-data/misocial/tabelas/mi_social.php>. Acesso em: 24 jan. 2017.

BRASIL. Ministério do Desenvolvimento Social e Combate à Fome. Secretaria Nacional de Assistência Social. *Censo SUAS 2015:* gestão municipal. Brasília, DF, 2015. Disponível em:<http://aplicacoes.mds.gov.br/snas/vigilancia/index2.php>. Acesso em: 14 fev. 2017.

FUNDAÇÃO GETÚLIO VARGAS. *Atlas do Bolsos dos Brasileiros:* a geografia das fontes de renda. Rio de Janeiro, 2009.

INSTITUTO BRASILEIRO DE GEOGRAFIA E ESTATÍSTICA. Cidades@. Rio de Janeiro, 2015.

INSTITUTO BRASILEIRO DE GEOGRAFIA E ESTATÍSTICA. *Estatística de gênero:* uma análise dos resultados do Censo Demográfico 2010. Rio de Janeiro, 2014.

Série Estudos e Pesquisas. Disponível em:<http://www.ibge.gov.br/apps/snig/v1/index.html?loc=0>. Acesso em: 9 fev. 2017.

INSTITUTO DE PESQUISA ECONÔMICA APLICADA. *Ipeadata.* Rio de Janeiro, [20--?].

PROGRAMA DAS NAÇÕES UNIDAS PARA O DESENVOLVIMENTO. *IDH:* rankings. Brasília, DF, 2013.

Sobre as Organizadoras

BERENICE ROJAS COUTO

Assistente Social. Doutora em Serviço Social pela PUC-RS. Desenvolveu estágio pós-doutoral, em 2016 na Universidade de Porto/Portugal. Professora Titular da Graduação e Pós-Graduação da Faculdade de Serviço Social da PUC-RS, na área das políticas sociais. Coordenadora do Núcleo de Estudos em Política e Economia Social (Nepes) do Programa de Pós-graduação da PUC-RS. Autora do livro *O direito social e a Assistência Social na sociedade brasileira: uma equação possível?* 4ª ed. (São Paulo: Cortez, 2010) e de vários artigos e capítulos de livros sobre o tema da Assistência Social.

MARIA CARMELITA YAZBEK

Assistente Social com doutorado em Serviço Social pela PUC-SP e Pós-doutoramento no Instituto de Estudos Avançados da USP. Atualmente é professora da Pós-Graduação em Serviço Social da PUC-SP da área de Fundamentos Teórico-Metodológicos do Serviço Social. Membro do Conselho Científico e Acadêmico da Faculdade de Serviço Social da UNLP-Argentina e pesquisadora 1A do CNPq. Docente de várias Universidades em Portugal, Argentina e África. Principais livros organizados e publicados: *Classes Subalternas e Assistência Social*, 7ª ed. São Paulo: Cortez, 2009; *Assistência na trajetória das políticas sociais brasileiras*, em coautoria com Sposati et al. São Paulo: Cortez, 11ª ed., 2010; *Políticas públicas de trabalho e renda no Brasil contemporâneo* (organizadora em coautoria com Maria Ozanira da Silva e Silva, São Paulo: Cortez, 2008); *A política social brasileira no século XXI: a prevalência dos programas de transferência de renda* (em coautoria com Maria Ozanira da Silva e Silva e Geraldo Di Giovanni), São Paulo: Cortez, 6a. ed., 2012; *Estudos do Serviço Social Brasil e Portugal*, organizadora em parceria com Aldaíza Sposati et al. São Paulo: Educ, 2002. Autora de capítulos de livros e de artigos em revistas especializadas na área do Serviço Social.

MARIA OZANIRA DA SILVA E SILVA

É Doutora em Serviço Social pela Pontifícia Universidade Católica de São Paulo. Desenvolveu estágio pós-doutoral no Núcleo de Estudos de Políticas Públicas da Universidade Estadual de Campinas. Pesquisadora Nível IA do CNPq. É professora do Programa de Pós-Graduação em Políticas Públicas da Universidade Federal do Maranhão (UFMA) e coordenadora do Grupo de Avaliação e Estudo da Pobreza e de Políticas Direcionadas à Pobreza (GAEPP — www.gaepp.ufma.br), onde desenvolve pesquisas sobre Políticas Sociais, com destaque à Política de Assistência Social e os Programas de Transferência de Renda. Vem desenvolvendo também estudos no campo da avaliação de políticas e programas sociais. Foi membro integrante do Comitê Assessor de Psicologia e Serviço Social junto ao CNPq (nas gestões 2003-2005 e 2008-2011); foi representante adjunta da Área de Serviço Social na CAPES (gestões 2002-2004; 2005-2007). É autora ou coautora dos seguintes livros publicados pela Cortez Editora, de São Paulo: *A Política Habitacional Brasileira: verso e reverso* (1989); *Refletindo a Pesquisa Participante*, 2ª ed., 1991; *Formação Profissional do Serviço Social*, 2ª ed., 1995; *Renda Mínima e Reestruturação Produtiva*, 1997; *O Serviço Social e o Popular*, 7ª ed., 2011; *Política Social Brasileira no século XXI: prevalência dos programas de transferência de renda*, 6ª ed., 2012; *Avaliando o Bolsa Família: unificação, focalização e impactos*, 2ª ed 2014; *O Bolsa Família no Enfrentamento à Pobreza no Maranhão e Piauí*, 2ª ed., 2013; Coordenadora e coautora dos seguintes livros, também publicados pela Cortez Editora, de São Paulo: *Comunidade Solidária: o não enfrentamento da pobreza no Brasil*, 2001; *Serviço Social, pós-graduação e produção do conheci-*

mento no Brasil, 2005; *Políticas públicas de trabalho e renda no Brasil contemporâneo*, 3ª ed., 2012); Os Programas de Transferência de Renda na América Latina e Caribe, 2014 e O Mito e Realidade no Enfrentamento à Pobreza na América Latina: Estudo comparado de Programas de Transferência de Renda no Brasil, Argentina e Uruguai, 2016, além dos seguintes livros publicados pela Vera Editora, de São Paulo: *Avaliação de políticas e programas sociais: teoria e prática*, 2ª reimpressão, 2010; e *Pesquisa Avaliativa*: aspectos teórico-metodológicos, 2ª ed., 2013, e *Políticas Públicas de enfrentamento à pobreza*, EDUFA, 2013. É também autora de vários capítulos de livros, artigos publicados em periódicos e trabalhos completos publicados em anais de eventos científicos nacionais e internacionais.

RAQUEL RAICHELIS

Assistente social, com doutorado em Serviço Social pela PUC-SP e pós-doutorado pela Universidade Autônoma de Barcelona. É pesquisadora do CNPQ e professora do Programa de Estudos Pós-Graduados em Serviço Social da PUC-SP, onde coordena o Núcleo de Estudos e Pesquisas Trabalho e Profissão. É pesquisadora da Coordenadoria de Estudos e Desenvolvimento de Projetos Especiais da PUC-SP (CEDEPE) nas áreas de gestão pública, políticas sociais e assistência social. Autora dos livros: *Legitimidade popular e poder público*, Cortez (1988); *Esfera pública e Conselhos de Assistência Social: caminhos da construção democrática*, 7ª ed., Cortez (2015); coorganizadora do livro *Gestão Social: uma questão em debate*, Educ/IEE-PUC-SP (1999); coautora dos Cadernos MDS, IEE/PUC-SP (2008): *Suas: configurando os eixos de mudança*, v. 1; *Planos de Assistência Social: diretrizes para sua elaboração*, v. 2; *Desafios da gestão do Suas nos municípios e estados*, v. 3; coautora e coorganizadora do livro: *A cidade de São Paulo: relações internacionais e gestão pública*, Educ (2009). Autora de capítulos de livros e de artigos publicados em revistas especializadas nas áreas de Serviço Social e Ciências Sociais.

LEIA TAMBÉM

CLASSES SUBALTERNAS E ASSISTÊNCIA SOCIAL

Maria Carmelita Yazbek

9ª edição revista e ampliada (2016)
256 páginas
ISBN 978-85-249-2515-3

Muito se tem estudado sobre a dominação e o dominador; todavia, pouco tem dito o dominado, o subalterno, sobre si mesmo. A obra vem colaborar para preencher essa lacuna. Mais que a fala, ela nos traz as representações dos subalternizados sobre sua subalternidade.

Resgatam-se os antigos dilemas dos anos 1960, da então chamada "cultura da pobreza" que até hoje embebe o pensamento brasileiro conservador e reduz o "povo" à acepção mais imediata e difusa de massas — sem sujeitos ou protagonistas —, cujo senso comum redunda no conformismo carmático expresso em frases tradicionais como: "nóis sofre porque Deus quer" ou "Deus é pai e vem nos acudir". Yazbek escancara o âmago da dignidade do pobre subalterno expresso no inconformismo conformado da subalternidade consentida.

Este livro foi impresso na
LIS GRÁFICA E EDITORA LTDA.
Rua Felício Antônio Alves, 370 – Bonsucesso
CEP 07175-450 – Guarulhos – SP
Fone: (11) 3382-0777 – Fax: (11) 3382-0778
lisgrafica@lisgrafica.com.br – www.lisgrafica.com.br

Dados Internacionais de Catalogação na Publicação (CIP)
(Câmara Brasileira do Livro, SP, Brasil)

Silveira, Regina Célia Pagliuchi da
Uma pronúncia do português brasileiro / Regina Célia Pagliuchi da Silveira. – São Paulo : Cortez, 2008.

Bibliografia.
ISBN 978-85-249-1392-1

1. Português – Brasil 2. Português – Fonética 3. Português – Pronúncia I. Título.

08-03516 CDD-469.81

Índices para catálogo sistemático:

1. Português brasileiro : Pronúncia : Lingüística 469.81
1. Pronúncia : Português brasileiro : Lingüística 469.81

UMA PRONÚNCIA DO PORTUGUÊS BRASILEIRO

EDITORA AFILIADA

Regina Célia Pagliuchi da Silveira

UMA PRONÚNCIA DO PORTUGUÊS BRASILEIRO

UMA PRONÚNCIA DO PORTUGUÊS BRASILEIRO
Regina Célia Pagliuchi da Silveira

Capa: aeroestúdio
Preparação de originais: Elisabeth Matar
Revisão: Maria de Lourdes de Almeida
Composição: Dany Editora Ltda.
Coordenação editorial: Danilo A. Q. Morales

Direitos para esta edição
CORTEZ EDITORA
Rua Monte Alegre, 1074 — Perdizes
05014-001 — São Paulo-SP
Tel.: (11) 3864-0111 Fax: (11) 3864-4290
E-mail: cortez@cortezeditora.com.br
www.cortezeditora.com.br

Impresso no Brasil — maio de 2008

Agradecimentos

Aos meus alunos, pelas contribuições dadas com suas dúvidas.

À minha família, pelas horas que lhe foram roubadas.

À Valeuska França Cury Martins, pelas contribuições dadas com suas discussões e pela revisão atenta feita ao texto.

À Maria José Nelo, pelo apoio dado, no momento do texto final.

À Aparecida Regina Sellan, pela leitura final do texto.

Sumário

Símbolos do alfabeto fonético (Convenção Brasil-Portugal, 1958)

1. Vogais orais

a	–	médio-palatal aberta	[káza]	"casa"
ạ	–	médio-palatal fechada	[kạ́ma]	"cama"
ę	–	pré-palatal aberta	[pę́]	"pé"
ẹ	–	pré-palatal fechada	[mẹ́za]	"mesa"
i	–	alveolar	[lí]	"li"
ǫ́	–	pós-palatal aberta	[dǫ́]	"dó"
ọ	–	pós-palatal fechada	[dọ́r̄]	"dor"
u	–	velar	[múla]	"mula"

2. Vogais velarizadas

á̸	-	[má̸ĺ̸]	"mal"
ę̸́	-	[mę̸́ĺ̸l]	"mel"
ẹ̸́	-	[vẹ̸́ŕ̸]	"ver"
í̸	-	[ví̸ŕ̸]	"vir"
ǫ̸́	-	[sǫ̸́ĺ̸]	"sol"
ọ̸́	-	[dọ̸́ŕ̸]	"dor"
ú̸	-	[kú̸ŕ̸]	"curta"

3. Vogais reduzidas

[a]	-	[mát[a]]	"mata"
[i]	-	[óž[i]]	"hoje"
[u]	-	[át[u]]	"ato"

4. Vogais nasais

ã	-	[lã́]	"lã"
ẽ	-	[sẽ́su]	"senso"
ĩ	-	[sĩ́]	"sim"
õ	-	[sṍ]	"som"
ũ	-	[nṹka]	"nunca"

5. Semivogais

y	-	[sáy]	"sai"
w	-	[nãw̃́]	"não"

6. Consoantes oclusivas orais

p	-	surda, bilabial	[pá]	"pá"
b	-	sonora, bilabial	[bál[a]]	"bala"
t	-	surda, alveolar-dental	[[i]stá]	"está"
d	-	sonora, alveolar-dental	[dá]	"dá"
k	-	surda, velar-palatal	[ká]	"cá"
g	-	sonora, velar-palatal	[gát[u]]	"gato"

7. Consoantes oclusivas nasais

m	-	bilabial	[má]	"ma"
n	-	alveolar-dental	[náta]	"nata"
ŋ̭	-	palatal	[úŋ̭a]	"unha"

8. Consoantes africadas

ts	-	surda, dental-alveolar	[pítsa]	“pizza”
tš	-	surda, alveolar-palatal	[tšía]	“tia”
dž	-	sonora, alveolar-palatal	[džía]	“dia”

9. Consoantes fricativas

f	-	surda, labiodental	[fá]	“fá”
v	-	sonora, labiodental	[vá]	“vá”
s	-	surda, sibilante alveolar-dental	[sá]	“Sá”
z	-	sonora, sibilante alveolar-dental	[zę]	“Zé”
š	-	surda, chiante palatal	[šá]	“chá”
ž	-	sonora, chiante palatal	[žá]	“já”

10. Consoantes laterais

l	-	sonora, alveolar-dental	[lá]	“lá”
l̬	-	sonora, palatal	[tál̬a]	“talha”

11. Consoantes vibrantes

r	-	sonora, vibrante simples, alveolar-dental	[ára]	“ara”
r̄	-	sonora, vibrante múltipla, alveolar	[kár̄u]	“carro”
ṝ	-	sonora, vibrante múltipla, velar	[káṝu]	“carro”
r̤̄	-	sonora, vibrante múltipla, uvular	[kár̤̄u]	“carro”

12. Velarizadores

ʎ̸	-	[ma̸ʎ̸]	“mal”
r̸̄	-	[má̸r̸̄]	“mar, mal”
w̸	-	[sá̸w̸dádi]	“saudade”

Notas de Silveira (1982)

1. os sons são transcritos entre colchetes - [kanáw];
2. os fonemas são transcritos entre barras - / kanáL /;
3. as letras são transcritas entre aspas - "canal";
4. os arquifonemas são transcritos com letras maiúsculas: / kanáL /;
5. os sons com maior duração estão transcritos com [:];
6. os sons interdentais serão transcritos com [-];
7. as formas acentuadas não-tônicas, em nível fonético, serão indicadas, quando necessário, com ['];
8. o português é uma língua de icto, portanto, as formas tônicas sempre serão acentuadas, ainda que não o sejam graficamente: [máw] - / maL / - "mal";
9. os exemplos aqui elencados têm por objetivo apresentar diferentes pronúncias do português falado no Brasil;
10. as semivogais são representadas por [y, w] por melhor se adequarem à impressão gráfica;
11. para [a], omitiremos a vírgula que indica abertura, já que é mais freqüente sua realização aberta; assim, evitamos um diacrítico.

Apresentação

Esta publicação revê estudos anteriormente abordados no livro *Estudos de fonética do português* (1982) e complementa-os com outros dados relativos ao português brasileiro, de forma a apresentar uma discussão sobre as diferenças existentes entre pronúncia idiomática e pronúncia estandardizada, além de situar bases articulatórias para uma pronúncia do português brasileiro e realçar nelas as que apresentam maiores dificuldades para serem adquiridas por falantes de outras línguas. O conteúdo apresentado destina-se àqueles que dão seus primeiros passos para iniciarem-se na ciência que trata dos sons lingüísticos do português e da pronúncia estandardizada no Brasil como suporte para professores do português brasileiro.

Nosso objetivo é propor uma pronúncia estandardizada do português brasileiro em confronto com outras pronúncias nativas. A proposta de investigação está situada na pesquisa e no ensino, a fim de atender tanto a falantes nativos quanto a falantes de outras línguas, dando continuidade aos estudos que vêm sendo realizados pelo Instituto de Pesquisas Lingüísticas "Sedes Sapientiae" para Estudos do Português (IP-PUC/SP).

Nesta publicação, preocupamo-nos com a natureza física do fenômeno lingüístico (sons), o que não quer dizer que o consideramos como algo apenas físico (substância), captável pelo sentido da audição ou mensurável em laboratórios. Entendemos o fenômeno lingüístico com uma complexidade de naturezas, como a neurológica, a física, a fisiológica, a lingüística, a cognitiva, a social, a ideológica, a histórica e a cultural.

Em se tratando de Fonética, acreditamos que o estudo de pronúncias implica um conhecimento da forma lingüística (fonema: conjunto de traços acústico-articulatórios invariáveis e suas regras combinatórias em sílabas e entonação segmental/supra-segmental). Caso contrário, o estudioso seria um afásico que percebe sons, mas não os reconhece como a expressão lingüística de signos que engrenam o fenômeno comunicativo em interações sociais. Tal fenômeno envolve dois sistemas com dimensões diferentes, seja de sons articulados (sistema lingüístico oral), seja de letras (sistema escrito).

A fim de situar nossos estudos fonéticos, apresentamos o circuito da fala, momento em que se estabelece a comunicação oral. O ato de fala compreende pelo menos a existência de:

- falante/ouvinte;
- conhecimento prévio de um sistema lingüístico que seja comum a ambos;
- domínio de bases articulatórias de pronúncia;
- mensagem produzida/compreendida;
- contexto lingüístico;
- contexto situacional;
- prática discursiva e condições de produção discursiva;
- intenção enunciativa;
- canal, as moléculas de ar do meio ambiente.

Essas etapas, no ato de fala, são de uma seqüência rapidíssima e, devido às diferentes naturezas da linguagem humana, poderíamos dizer que o ato de fala é um ato complexo formado pela multiplicidade de outros atos.

Situemos, inicialmente, o falante.

Na etapa cognitiva, a memória de trabalho constrói as representações mentais ocorrentes a partir da ativação de conhecimentos armazenados na memória de longo prazo, seja conhecimento social, seja conhecimento pessoal. Na memória de longo prazo social, situam-se diferentes sistemas de conhecimento, entre eles o lingüístico (conhecimentos da língua), o enciclopédico (conhecimentos de mundo) e o interacional (conhecimentos relativos a esquemas de interação comunicativa, tais como atos de fala, esquemas textuais, esquemas de contexto e de práticas sociais discursivas). Entre os conhecimentos de língua, estão os fonemas com suas regras silábicas e as representações sonoras-tipo (unidade sonora padrão na diversidade de pronúncias de um mesmo fonema), ou seja, as variedades de pronúncia e a pronúncia estandardizada de significantes de signos lingüísticos (segmentos lingüísticos), de acentuação, de entonação e de outros esquemas sonoros supra-segmentais.

No eixo da compreensão, a produção de sentidos decorre da ativação de conhecimentos da memória de longo prazo para a memória de trabalho que reconhece os sons ouvidos e segmenta o contínuo sonoro em sílabas, palavras, sintagmas, orações, períodos e textos, de forma a estabelecer um conjunto de relações com valores que produz os sentidos nos contextos discursivos.

Pelo eixo onomasiológico, a memória de trabalho estabelece relações entre os sentidos e os signos lingüísticos, significado e significante de signos lingüísticos, de modo a construir linearmente a mensagem, a partir das intenções do falante e do papel escolhido por ele para atuar na interação simbólica.

Na etapa fisiológica, o falante, por meio de estímulos do nervo recorrente, coloca em movimento os órgãos do aparelho fonador, responsáveis por dar substância sonora à forma fonológica selecionada. Assim, ele articula os sons lingüísticos, atualizando-os.

Na etapa acústica, os sons são propagados como efeitos acústicos pelas moléculas de ar do meio ambiente, resultantes das articulações realizadas pelo falante. Os sons se propagam por ondas periódicas (tons vocálicos) e aperiódicas (ruídos consonantais).

Situemos, agora, o ouvinte, para o qual a ordem das etapas é inversa em relação à do falante.

Na etapa acústica, os sons propagados pelas moléculas de ar do meio-ambiente, em ondas sonoras, são captados pela membrana timpânica.

Na etapa fisiológica, movimentam-se os órgãos do aparelho auditivo, para transmitir as vibrações ao cérebro, por meio da memória sensorial de curto prazo, a fim de que sejam construídas as representações mentais ocorrentes na memória de trabalho do ouvinte, com a ativação de conhecimentos sociais e individuais, armazenados na memória de longo prazo.

Na etapa cognitiva, as vibrações atingem o cérebro em busca da compreensão. O ouvinte recebe os significantes sonoros pela memória de curto prazo que é sensorial. Pelo eixo da produção de sentidos, sua inteligência estabelece um conjunto de relações que abstrai das variantes sonoras, os traços invariáveis (fonema). Tais variantes manifestam a expressão do signo de comunicação social recebido e os traços invariáveis de bases articulatórias padronizadas (conjuntos de hábitos articulatórios). Ao reconhecer o significante da palavra manifestada, busca-se o significado convencionado, socialmente, a ele e, por inferência, o ouvinte constrói sentidos, a fim de explicitar os implícitos, para compreender, discursivamente, a mensagem.

O pressuposto básico que orienta este estudo é que, dificilmente, um falante pronuncia um mesmo som de forma idêntica, em sua existência, embora sempre tenhamos a impressão de estarmos ouvindo um mesmo som. O aparelho fonador é uma invenção humana que soma dois outros aparelhos: o digestivo e o respiratório. Não há, para a fonação, notas prontas como há no piano. Cada emissão decorre de um esforço articulatório múltiplo que envolve o comando do nervo recorrente. Este tem natureza neurológica e é responsável por um conjunto de movimentos que produzirão a manifestação sonora de fonemas. Dessa forma, as pronúncias são plurais e individuais.

No entanto, cada grupo social pode ser identificado por sua pronúncia, como, por exemplo, cantores de axé, pregadores religiosos, apresentadores radialistas. Essa identificação é possível, pois há, além dos traços articulatório-acústicos invariáveis do fonema, um conjunto de outros traços sonoros que se repetem como uma norma grupal. Dependendo da região geográfica, há, também, a possibilidade de identificar pronúncias, tais como a pronúncia dialetal do carioca, do gaúcho, do caipira. Dependendo, ainda, da nação, há características de pronúncia que identificam a fala de um brasileiro como sendo diferente da fala de um português ou de um africano.

Logo, há uma unidade padrão, na diversidade de pronúncias. Esta pesquisa toma por base a pronúncia dos apresentadores de notícias da TV Globo, que, progressivamente, devido a seu poder de acesso ao público nacional e internacional, tem sido agente de estandardização da pronúncia brasileira.Tal pronúncia é representada tanto por nativos quanto por estrangeiros como padrão de grau *ótimo*, em nossa contemporaneidade, de forma a propiciar que apresentadores de outros canais televisivos busquem imitá-la, assim como membros de diferentes grupos sociais.

Para situarmos Fonética e Fonologia nos estudos lingüísticos, faremos uma distinção entre elas. A Fonologia estuda os fonemas (traços invariáveis, formas) que estão no conhecimento prévio do falante/ouvinte, isto é, no conhecimento dos traços fonológicos das expressões de signos lingüísticos do sistema oral da língua, que antecede ao atual momento de comunicação. A Fonética estuda os sons lingüísticos, ou seja, os sons que dão substância às formas fonológicas, portanto, de natureza física, produzidos pelo aparelho fonador e percebidos pelos órgãos auditivos, no momento da interação comunicativa.

Outras disciplinas lingüísticas tratam dos sons, como a Sociolingüística que estuda, qualitativamente, entre outros objetos, a pronúncia como elemento de variedades/variações lingüísticas, identificando-as, descrevendo-as e explicando-as pelo social. Já a Dialetologia trata, quantitativamente, da produção sonora, a fim de identificar as normas (freqüências) de realização de um indivíduo, de um grupo social, de uma região geográfica e de uma nação.

Como os sons lingüísticos são definidos por uma relação de causa fisiológica e efeito acústico, temos as seguintes dimensões: a Fonética Articulatória ou Fisiológica, que estuda a produção dos sons pelas articulações do falante, e a Fonética Acústica, que estuda as vibrações propagadas e captadas pelo ouvinte. Assim, por exemplo: em se tratando de Fonética Articulatória ou Fisiológica, define-se vogal como a livre passagem do ar pelo canal bucal, diferenciando-se da consoante que, para sua articulação, apresentará impedimento à saída do ar, ocasionado pelo encontro de órgãos articuladores. Se articularmos a vogal [a], podemos verificar que a corrente de ar sai livremente, mas o mesmo não acontece com [p], pois os lábios inferior e superior estão unidos por uma oclusão, de forma a oferecer obstáculo à saída do ar. O falante, ao aplicar força para a expulsão da corrente de ar, produzirá uma explosão ao romper a oclusão. Por isso, articulatoriamente, [a] é vogal e [p] é consoante (oclusão explosiva).

Em se tratando de Fonética Acústica, define-se vogal por ser soante, isto é, resultante de ondas periódicas, ao passo que a consoante, como o próprio nome diz, soa com a vogal e é resultante de ondas aperiódicas. A vogal pura, a que tem o tom, é [a] e os ruídos puros consonantais são [p, t, k], pois são surdos e explosivos não podendo soar sem o apoio de uma soante.

A tradição de nossa gramática proposta para o ensino, no Brasil, apesar de muitas vezes usar uma terminologia acústica (por exemplo: consoante, timbre), descreve os traços articulatórios do falante, tendo por base o dialeto carioca, pois objetiva impor uma unidade na variabilidade de pronúncias brasileiras. Logo, a descrição proposta decorre de uma pronúncia institucionalizada, ou seja, idiomática. Nossa descrição será articulatório-acústica, uma vez que busca as articulações realizadas no aparelho fonador, pelo falante, e também os efeitos acústicos, captados pelo ouvinte, já que é a partir da percepção desses traços que o falante/ouvinte, além de reconhecer as formas lingüísticas nos traços sonoros, é capaz de identificar, socialmente, o falante, situando-o em um determinado grupo social.

Estes estudos de pronúncia do português brasileiro compreendem a descrição de sons lingüísticos a partir da variedade estandardizada e de algumas variedades/variações encontradas no Brasil. Buscamos, principalmente, bases articulatórias-tipo em vez de matizes individuais. Outras publicações seguirão a esta até que possamos obter um conjunto de estudos que nos leve à descrição do português brasileiro.

Agradeceremos ao leitor por nos enviar críticas e sugestões. Endereço: Instituto de Pesquisas Lingüísticas "Sedes Sapientiae" para Estudos do Português (IP-PUC/SP) – Rua Ministro Godói nº 1181, São Paulo, SP, 05015/001, ou para o Programa de Estudos Pós-Graduados em Língua Portuguesa – Rua Monte Alegre nº 984, 4º andar, PUC/SP, 05014/001, São Paulo, SP.

Capítulo 1

Considerações sobre uma pronúncia estandardizada para o português brasileiro

Este capítulo apresenta a questão da pronúncia estandardizada para o português brasileiro, diferenciando-a de outras pronúncias, inclusive da pronúncia idiomática, imposta, politicamente, para a nação. Para tanto, é necessária uma visão multidisciplinar, pois propõe diferenciar o que é selecionado e imposto pelo poder político como idioma do que é selecionado como grau ótimo pela preferência nacional.

1.1. Considerações iniciais

Tratar da pronúncia do português brasileiro é uma questão problemática, mesmo porque nossas variedades/variações sonoras ainda não foram totalmente descritas e explicadas para poder construir-se um modelo fonético-fonológico de nossos eventos lingüísticos, baseado na consideração de dados observados em contextos de produção.

Tal fato decorre, como se sabe, de a investigação fonética e fonológica, no Brasil, ter sido privilegiada, durante os estudos lingüísticos estruturalistas, de forma unidisciplinar, com a preocupação voltada para a descrição do sistema abstrato da língua; e, durante os gerativistas, para a explicação da linguagem, com o modelo componencial da gramática da competência lingüística de um falante ideal. Assim sendo, o uso oral efetivo da língua pela pronúncia dos falantes brasileiros não foi devidamente considerado.

Apenas a partir da década de 60, com uma visão pragmática, de caráter multidisciplinar, a preocupação dos estudiosos de língua volta-se para o uso, considerando-se o texto, o discurso e a conversação. Assim, alguns modelos teóricos e metodológicos para o estudo dos sons passam a ser construídos, como a fonologia natural, a métrica, a prosódica, a lexical e a geometria de traços. Todavia, no que se refere ao ensino da fonética portuguesa, há muitas questões que esperam respostas, pois, segundo a gramática tradicional, a parte dedicada à Fonética vem sendo tratada de forma unidisciplinar: isolada da Morfologia e da Sintaxe, sem considerar o léxico e os sentidos, nem a complexidade da interação discursiva e de suas condições de produção.

No entanto, se considerarmos tal complexidade, poderemos entender que o uso efetivo de uma língua tem relações intrínsecas com a pronúncia, o que permite considerá-la um dos fatores de identidade lingüística de uma nação. Nesse sentido, o uso efetivo da língua manifesta-se por um conjunto de variedades/variações lingüísticas que caracterizam os diferentes grupos sociais de um mesmo ponto ou de diferentes pontos geográficos de um país. Apesar disso, há uma unidade que pode ser definida como regular no tempo e no espaço, de modo a identificar os falantes nativos de uma língua.

No que se refere ao português falado no Brasil, há uma unidade, nas variedades/variações de bases articulatórias brasileiras, reconhecida pelos falantes nativos e estrangeiros como uma identidade da pronúncia do Brasileiro, na medida em que reflete a identidade nacional do nosso povo, por sua identidade lingüística. Tal unidade, nas variações lingüísticas, apresenta-se como resultado de um filtro que fixa, condensando, as representações mentais sonoras-tipo de nossa língua, processadas na memória dos indivíduos que as conhecem.

Essas representações são importantes para caracterizar o aspecto fonético da nossa pronúncia estandardizada, pois, ao serem ativadas por falantes nativos e estrangeiros, constroem, memorialmente, expectativas do que se ouvirá e, portanto, do que se deve pronunciar. Conseqüentemente, a ruptura com essas expectativas identifica a pronúncia do estrangeiro e a pronúncia de grupos sociais brasileiros desprestigiados ideologicamente.

1.2. Por uma pronúncia estandardizada do português brasileiro

Considerando o exposto, o ensino da pronúncia não se resume a questões metodológicas, pois faz-se necessário, também, um tratamento teórico.

Nesse sentido, desde que se considere a pronúncia no ensino formal do português brasileiro, ocorrem várias questões, por exemplo: qual pronúncia ensinar? O que é material autêntico para o ensino? Como considerar a questão da idiomaticidade em relação às representações sonoras-tipo da identidade lingüística do brasileiro?

Para responder a essas perguntas, foi desenvolvida, sob coordenação da profa. dra. Regina Célia P. da Silveira, uma investigação, pelo Núcleo de Pesquisa e Ensino de Português/Língua Estrangeira, no Instituto de Pesquisas Lingüísticas "Sedes Sapientiae" da PUC/SP (NUPPLE-IP-PUC/SP). Os informantes eram falantes nativos e falantes de outras línguas (tanto de distanciamento quanto de interface com a língua portuguesa), sendo que estes últimos estavam em estado de interlíngua e encontravam-se em exposição ao português brasileiro e, também, com ensino formal, em São Paulo.

Foi realizada uma série de gravações com diferentes variedades (padrão gramatical normativo, padrão real e padrão nativo) e com diferentes variedades/variações geográficas e sociais, compreendendo, por exemplo, a pronúncia de contadores de casos, cantores sertanejos e de outras músicas populares brasileiras, apresentadores de noticiários locais e nacionais, políticos, apresentadores de anúncios publicitários, professores universitários e participantes de mesas-redondas.

Os informantes deveriam, ao ouvir essas gravações, indicar qual pronúncia consideravam a "melhor" e que teriam como expectativa adquirirem. Após várias sessões, de forma geral, tanto os nativos quanto os estrangeiros atribuíram o grau *ótimo* à pronúncia dos apresentadores do Jornal Nacional da TV Globo.

Esse resultado criou um novo problema a ser investigado, ou seja, por que a pronúncia dos apresentadores da TV Globo foi eleita entre as demais?

Foram realizadas várias gravações e transcrições dessa pronúncia eleita pelos informantes. Depois das análises realizadas com o material coletado, os resultados obtidos indicaram que há uma complexidade para a caracterização de uma pronúncia identitária brasileira, pois ela só pode ser descrita e explicada por diferentes prismas teóricos. Assim como os conceitos de discurso, linguagern, interação, cultura, ideologia e sociedade, os conceitos de pronúncia, estandardização e idiomaticidade são, essencialmente, fluidos. Esses conceitos são complexos e abarcam aspectos multidisciplinares, tais como o lingüístico, o cognitivo, o social, o ideológico e o histórico, para dar conta de uma escala avaliativa projetada sobre uma pronúncia, de forma a atribuir o grau ótimo e estandardizá-la pela preferência dos ouvintes.

A seguir, são apresentados os diferentes prismas tratados na pesquisa realizada, a fim de explicar a pronúncia eleita.

1.3. Diferentes prismas para o tratamento de uma pronúncia padrão

A pronúncia relativa à produção sonora de um falante é muitíssimo variável. Estudos da fala propiciaram entender que esta tanto apresenta uma constância, pela repetição de elementos, quanto uma variação constante deles. Dessa forma, os estudos lingüísticos propuseram a noção de registro, para se entender a fala. Por registro entendem que a variabilidade da fala decorre de mudanças relativas ao eu/tu, aqui e agora. O eu varia sua pronúncia, por exemplo, devido a estados físicos (como a rouquidão), fisiológicos (como problemas respiratórios) e emocionais (como a alegria/o medo); o tu varia, por exemplo, devido à intimidade, ao distanciamento que o eu tem em convívio com o tu, propiciando a variação de pronúncia do falante. O mesmo ocorre com o aqui, que é o lugar onde se instaura a fala e varia de acordo com a intimidade da casa e dos cenários de cerimoniais; e com o agora que propicia a variação de pronúncia, por exemplo, falar da morte de um ser amado no momento em que ela ocorre ou após dez anos.

A análise de transcrições realizadas com gravações de diferentes registros de um falante indicou que há elementos que se repetem em diferentes registros e outros que são específicos de um registro. Do ponto de vista quantitativo, os elementos repetidos constroem a norma individual, o idioleto. A pronúncia idioletal também é designada a "cor da voz" e é ela que permite, por exemplo, que um ouvinte reconheça quem está falando ou que, por uma análise laboratorial, se identifique uma voz.

Fenômeno semelhante ocorre com um grupo social de pessoas. Embora cada uma delas tenha sua pronúncia idioletal, é possível de se reconhecer, por exemplo, a pronúncia de grupos de baixo e de alto nível de escolaridade. Dessa forma, é possível identificar pronúncias grupais.

O mesmo ocorre com regiões geográficas. Embora em cada uma delas haja uma grande diversidade de grupos sociais, há uma norma geográfica designada dialeto, com uma pronúncia dialetal e diferentes falares regionais.

Poderíamos, ainda, dizer que há um padrão nacional que diferencia o uso lingüístico do brasileiro do uso de falantes de outros países lusófonos.

Logo, há uma unidade na diversidade de pronúncias nativas, para a qual se atribui o grau ótimo, que pode ser explicada por diferentes prismas.

Com uma visão pragmática para os estudos lingüísticos, que é multidisciplinar, a língua é observada em seu uso efetivo, situando-se a fala na relação texto e contexto de produção, para o tratamento do discurso.

Com base nessa visão, consideraremos uma pronúncia estandardizada brasileira. Assim, é necessário colocar a questão da pronúncia de forma a requerer o exame dos fenômenos lingüísticos por outras metodologias (qualitativas e quantitativas), a fim de dar conta de fenômenos humanos sócio-histórico-culturais, com naturezas diversificadas e complexas, mantendo relações diretas com o político e com o ideológico.

Alguns prismas são apresentados para contribuir na fundamentação do que seja a pronúncia padrão *standard* como identidade lingüística brasileira, avaliada com grau *ótimo*, como variedade de prestígio e unidade imaginária na diversidade de variações lingüísticas brasileiras. Esses prismas são intrinsecamente inter-relacionados, na medida em que um se define pelo outro, e separá-los é apenas uma questão de tratamento.

1.3.1 O prisma lingüístico

Durante o estruturalismo lingüístico, que se desenvolveu, unidisciplinarmente, com a atenção voltada para o sistema da língua ou para a gramática da competência de um falante ideal, o *ótimo* para a pronúncia foi, do ponto de vista lingüístico, relacionado à realização de traços do fonema. Nesse sentido, não houve a preocupação com as variedades/variações de pronúncia dos diferentes grupos nativos, explicadas pelo social.

Assim Mattoso Câmara Jr. (1964: 288-289) a conceituou:

> *Pronúncia — impressão acústica geral, produzida pela atividade da fonação numa língua dada. Abrange em seu conceito todos os fatos fônicos, de que tratam separadamente a fonologia, a fonêmica e a ortoépia, incluindo ainda as peculiaridades do sotaque, quer regionais, quer individuais. Do ponto de vista ortoépico, a pronúncia pode ser: a) cuidada ou vulgar, b) precisa ou relaxada. A pronúncia cuidada e precisa corresponde ao* ótimo *das oposições e correlações de fonemas e das variações posicionais.*

Nesse sentido, o grau "ótimo" da pronúncia é identificado pela realização sonora que permite reconhecer as oposições e correlações fonológicas, assim como as variantes posicionais, pela norma nacional brasileira. Não há, portanto, uma explicação que tome por fundamento o social.

Em *Estudos de fonética do idioma português* (Silveira, 1982), os aspectos da pronúncia do brasileiro estão centralizados nas bases articulatórias e nos fenômenos de freqüência de uso, resultantes do cancelamento de variações individuais e/ou grupais. Tais bases articulatórias são relativas a conjuntos de hábitos articulatórios adquiridos pelos falantes que caracterizam constâncias de realização sonora dos usuários nativos de uma língua. Do ponto de vista do ouvinte, as bases articulatórias constroem uma impressão acústica que propicia aos indivíduos identificarem os efeitos sonoros, pensando que estão ouvindo sempre um mesmo som, embora este seja variável.

Do ponto de vista quantitativo, as bases articulatórias são relativas a normas individuais, grupais, regionais e nacionais.

1.3.2 O prisma cognitivo

Pelas contribuições recebidas das Ciências da Cognição, sabemos que o homem, no contato com as coisas e acontecimentos do mundo, percebe-os como realidade, na medida em que os focaliza sob um determinado ponto de vista, representando-os mentalmente. Assim, ele constrói suas formas de conhecimento que são armazenadas na memória de longo prazo. Tal conhecimento pode ser tanto social, correspondente ao marco das cognições sociais, quanto individual, decorrente de experiências pessoais.

Nesse sentido, o processo de escutar e falar implica não só a identificação e a reprodução de processos lingüísticos e sociais, mas também de processos cognitivos para construir, com contemporaneidade, a representação mental das interações comunicativas.

Denhière e Baudet (1992), ao tratarem da estratégia de inferência, diferenciam duas categorias de representação cognitiva: a representação mental ocorrente e a representação mental-tipo. No que se refere à pronúncia, podemos dizer que a ocorrente é transitória para explicar os comportamentos observáveis dos indivíduos, ou seja, é a que se produz na mente de uma pessoa, memória de trabalho, quando ouve alguém falar, representando mentalmente sua pronúncia. A representação tipo é concebida como estados mentais, isto é, estruturas de memória persistentes que são ativadas pelas pessoas, atribuindo a ela existência. Essa representação tipo possibilita explicar a construção de representações ocorrentes. Por exemplo, os falantes nativos e os aprendizes do português brasileiro ativam suas representações sonoras-tipo, relativas a padrões de pronúncia, permitindo que identifiquem, avaliem e representem para si, no momento da interação comunicativa, qual a pronúncia que estão ouvindo.

Esse processamento propicia que os aprendizes nativos de outras línguas sejam considerados estrangeiros pelos brasileiros ou, ainda, em qual grupo social regional está inserido o falante. Por haver discriminação, tanto professores quanto alunos tentam a desestrangeirização da pronúncia, antes que ela se fossilize.

A TV Globo, no Brasil e no exterior, é um foco de irradiação lingüística importante. A pronúncia do "globês" tem o poder de construir nos telespectadores representações sonoras-tipo que passam, cognitivamente, a caracterizar aspectos de uma identidade nacional. Dessa forma, tal pronúncia constrói um poder simbólico na sociedade.

1.3.3 O prisma social

Uma sociedade é constituída, historicamente, pela diversidade de grupos que se caracterizam por vários fatores como faixa etária, profissão, grau de escolaridade, poder aquisitivo, econômico e político. Assim, o tratamento sociolingüístico está, privilegiadamente, relacionado à correlação linguagem-contexto social (relações sociais).

Heye (1990: 50), ao tratar da importância da Sociolingüística no ensino da língua portuguesa, considera dois grupos sociais diferenciados pelo nível de escolaridade. Atribui a variedade nativa aos usuários de baixo nível de escolaridade e afirma que é a "*variedade que o falante adquire informalmente antes de começar o processo de escolarização, em geral, restrito ao uso oral em situações informais com membros de seu grupo convivencial*"; já o uso lingüístico de classes sociais escolarizadas e mais privilegiadas é tratado por duas outras variedades: o padrão real, que é oral, e o padrão normativo, que é escrito:

> a língua padrão real é a variedade que o falante de classe social mais privilegiada aprende em casa e posteriormente na escola, sendo usada na fala informal entre pessoas social e materialmente privilegiadas; a língua padrão normativa é a variedade que é objeto do ensino formal, mas que não se ouve na fala oral coloquial, mesmo entre as classes mais privilegiadas. Por gozar de grande prestígio, esta é a variedade que as pessoas instruídas tentam cultivar na escrita.

Sabe-se, também, que os diferentes grupos sociais de uma nação podem ser caracterizados sócio-ideologicamente, em um determinado momento histórico, por suas variedades/variações lingüísticas, segundo as quais a pronúncia é um fenômeno representativo da identidade desses grupos, prestigiando-os ou discriminando-os. Logo, a pronúncia, no uso efetivo da língua, possibilita aos indivíduos terem representações mentais sonoras, capazes de identificar quem fala, pelo seu uso social de língua.

1.3.4 O prisma ideológico

Antes mesmo de o uso lingüístico ser tratado como discurso, a partir da ideologia de classes dominantes, Schuchardt (1885), contestando a noção de lei fonética cega e necessária, propõe que uma língua *se* manifesta por diferentes falas que se influenciam, reciprocamente, sem chegar a suprimir as diferenças existentes, porque a moda também atua com força irresistível. A maneira de falar das pessoas influentes, aquelas que são consideradas *superiores* (por terem prestígio) pelos outros falantes, é aceita ou imitada de maneira incontida. Essa influência de determinadas pessoas sobre a fala de uma comunidade foi designada "foco de irradiação lingüística" e vista na teoria das ondas como um centro de irradiação de ondas que, progressivamente, passa a influenciar outros centros, com contemporaneidade.

Atualmente, a questão da ideologia foi inserida pela Análise do Discurso para o exame dos fenômenos de comunicação interacional. Assim sendo, para o estudo da pronúncia, é necessário considerar qual variedade lingüística, por razões diversas, tem prestígio social na nação, de forma a determinar graduações do *ótimo* ao *ruim*.

Para Cardona (1988: 249), a pronúncia é "*termo não técnico para indicar a realização fonética efetiva por parte de um falante, de uma comunidade: pronúncia defeituosa; pronúncia correta italiana*".

Por essa razão, é comum que as pessoas, ao ouvirem alguém falar, emitam opiniões, por exemplo, "a sua pronúncia é perfeita ou correta; a sua pronúncia é horrível".

Portanto, é necessário verificar qual é o grau *ótimo* atribuído a hábitos articulatórios dos brasileiros, a fim de mostrar uma pronúncia padrão que seja identificada por nativos e estrangeiros como identitária do brasileiro. Tal identidade apresenta-se como uma unidade na diversidade dos hábitos articulatórios de nossos falantes, em um determinado momento histórico, caracterizando, oralmente, o português brasileiro em relação ao português falado nas demais nações lusófonas.

Muito se tem discutido entre professores de língua estrangeira sobre qual variedade lingüística ensinar. De forma geral, todos concordam que o aprendiz de uma outra língua já conhece, de sua língua materna, uma variedade padrão oral e escrita. Por essa razão, estão de acordo que o ensino formal deve estar voltado para as variedades padrão oral e escrita da língua-alvo.

Ao contrário, pouco se tem discutido a respeito de qual pronúncia o aprendiz de português brasileiro tem como expectativa adquirir e o professor tem ensinado a sua própria pronúncia. Os resultados de nossa pesquisa indicam que a pronúncia relevante é a da TV Globo, uma vez que, no momento, é o canal de comunicação de massa com maior alcance e o mais prestigiado, em nossa nação e no exterior, divulgando uma variedade brasileira, o globês, que passa a ser foco de irradiação e padrão copiado não só por pessoas como também por outros canais televisivos.

Nesse sentido, passa a ter o poder de divulgar representações de nossa realidade, inclusive o poder de levar nativos e estrangeiros a construir representações mentais sonoras-tipo, caracterizando aspectos de uma identidade lingüística, ou seja, uma unidade, na diversidade de variações fonéticas de diferentes grupos sociais, de forma a construir um poder simbólico na sociedade. Logo, o foco de irradiação de prestígio é relevante para a caracterização de uma identidade de pronúncia.

Os resultados obtidos de nossa pesquisa propiciaram caracterizar o "globês" como uma pronúncia padrão que resulta do privilégio de certas bases articulatórias do paulistano, devido a seu prestígio social, com o cancelamento de outras bases que são rejeitadas pelos telespectadores.

1.3.5 O prisma idiomático

Os estudos sobre o idioma têm por ponto de partida que a língua reflete a identidade nacional pela identidade lingüística, na medida em que há um filtro político imposto por meio do qual se vê, pensa-se e exprime-se. Assim, a língua em seu uso efetivo é um verdadeiro espelho cultural, político e ideológico que fixa as representações simbólicas e torna-se o eco dos estereótipos, ao mesmo tempo que os alimenta e as mantém.

Matoso Câmara Jr. (1964: 188) considerou o idioma no prisma político:

> idioma é o termo com que se insiste na unidade lingüística inconfundível de uma nação em face das demais. Enquanto o conceito de língua é relativo e se aplica a uma língua comum, a um dialeto, a um falar, a uma gíria e até a um idioleto, o idioma só se refere à língua nacional, propriamente dita, e pressupõe a existência de um estado político, do qual seja a expressão lingüística.

Coseriu (1990: 42) situa o idioma no prisma histórico, uma vez que ele e a língua já são identificados historicamente como tal por seus próprios falantes e pelos falantes de outras línguas. Para o autor, tratar do idioma requer três considerações: diferenças no espaço geográfico, diferenças entre estratos sociais (comunidades socioculturais) e diferenças entre os tipos de modalidades expressivas, segundo os tipos de circunstâncias do falar.

Por um lado, uma língua é mais do que se pode inferir de um conjunto de enunciados efetivamente realizados, pois, qualquer que seja a dimensão desse conjunto, ele será sempre limitado, enquanto conjunto, pelas condições específicas de produção de algum dos seus enunciados. Por outro lado, uma língua é menos — e, por vezes, torna-se mais — do que podem prever as regras de um dado modelo gramatical, na medida em que há enunciados cujas condições específicas de formação, pelo menos parcialmente, desautorizam as regras. Assim, há uma discrepância na relação entre uma língua e seus enunciados, visto que o espaço da língua e o espaço dos seus enunciados não são contemporâneos. Se, enquanto falantes, os indivíduos sentem-se contemporâneos em relação a esses espaços, é porque o efeito da "idiomaticidade" afeta-os.

A idiomaticidade, segundo Dias (1993), é relativa a um sujeito empírico, um sujeito que se situa e situa o outro em relação a um tempo e a um espaço. É em relação a esse sujeito que a língua é percebida como idioma. Assim sendo, a concepção de idioma é a de contemporaneidade, de percepção comum que o grupo tem da língua. Nesse sentido, o que está em jogo é a adequação entre a língua e um modo de ser da língua, um modo de ser que proporciona a visibilidade do caráter do brasileiro. Como idioma, a língua é percebida no mesmo espaço em que se configura uma imagem peculiar da natureza de uma nação, ou seja, do que é imposto institucionalmente a seus habitantes.

No prisma idiomático, é interessante observar que a questão de se estabelecer um padrão fonético para o português brasileiro, a fim de criar uma instância de controle para as variabilidades de pronúncia, propiciou a realização de dois congressos, respectivamente, em 1936 e 1957, quando foi discutido sobre qual pronúncia deveria ser institucionalizada para a língua falada e a língua cantada. O resultado obtido indicou o dialeto carioca, como padrão idiomático. Este está descrito na parte fonética das gramáticas tradicionais brasileiras, para ser imposto pela instituição escola, em nosso país. Após esses congressos, uma pronúncia identitária brasileira não chamou mais a atenção de políticos nem de lingüistas.

1.4. Do padrão idiomático ao padrão estandardizado: em busca de uma pronúncia padrão do português brasileiro

A diferença entre padrão idiomático e padrão estandardizado é uma preocupação recente dos estudiosos de políticas lingüísticas, embora haja muitos estudos que não fazem, ainda, essa distinção.

Os vocábulos "estandardização" e "standard" já estão registrados em dicionário. Segundo Aurélio: "*estandardizar: do inglês standard — padrão; pelo francês standardiser — padronizar; português estandardizar — ato ou efeito de padronizar*".

Em se tratando de políticas lingüísticas, Calvet (2002) situa-as no campo em que são elaboradas de forma a focalizar o que concerne à intervenção nas línguas e nas relações entre as línguas no quadro dos Estados.

Para o autor (idem: 145-146):

> "Política lingüística" é um conjunto de escolhas conscientes referentes às relações entre língua(s) e vida social; e "planejamento lingüístico", a imple-

mentação prática de uma política lingüística, em suma, a passagem ao ato. Não importa para qual grupo se possa elaborar uma política lingüística: fala-se, por exemplo, "de políticas lingüísticas familiares"; pode-se também imaginar que uma diáspora se reunisse em um congresso para decidir uma política lingüística. Mas, num campo tão importante quanto as relações entre língua e vida social, só o Estado tem o poder e os meios de passar do estágio do planejamento, para pôr em prática suas escolhas políticas.

Nesse sentido, o termo "idioma" é compreendido como um estado político de língua resultante do poder do Estado brasileiro para colocar em prática sua escolha política. Por essa razão, a parte "Fonética" das gramáticas brasileiras tradicionais, segundo a NGB, traz a descrição dos sons, a partir do dialeto carioca.

Tratar da pronúncia idiomática do brasileiro é tratar de uma unidade imposta como controle da diversidade de pronúncias, representativas de diferentes grupos sociais que povoam o Brasil.

Considerar a língua como fenômeno social e cultural, no âmbito de regiões geográficas urbanas e rurais, em busca de uma identidade de pronúncia, é enfrentar questões complexas que exigem multidisciplinaridade.

Na realidade, como já foi indicado, o que se constata, no uso efetivo da língua, é uma gama de variedades lingüísticas, que se apresentam como freqüências de realizações (normas), relativas às classes sociais a que pertencem os usuários da língua, diferenciando-se por idade, nível de escolaridade, atividades profissionais, situação geográfica etc. Além disso, os indivíduos que usam uma determinada variedade lingüística apresentam variações, pois a fala de cada um deles (norma individual, idioletal e desvios) pode diferir, consideravelmente, da fala dos demais que usam a mesma variedade.

Essas variações, embora casuais, não são livres, como foram consideradas, anteriormente, pelos dialetólogos, mas estão determinadas por fatores extra e intralingüísticos, mesmo no nível do idioleto. Logo, embora não se possa predizer em que ocasiões as variações (como o indivíduo falará desta ou daquela maneira) podem ocorrer, é possível mostrar que, dependendo do grupo social a que pertença o indivíduo, ele usará uma ou outra variação, numa dada situação.

Nesse sentido, segundo Heye (1990), no que se refere ao nível de escolaridade, há três variedades lingüísticas: a variedade nativa (apenas oral, definida por baixo ou nenhum nível de escolaridade), a variedade padrão real (oral e definida pelo alto nível de escolaridade) e a variedade padrão normativa (escrita e definida pelo alto nível de escolaridade).

Segundo Calvet (2002: 148), "*a política lingüística suscita problemas de controle democrático (não deixar os que tomam decisões fazer o que lhes der na telha) e de interação entre a análise das situações feita pelas instâncias de poder e a análise, quase sempre intuitiva, feita pelo povo*".

Assim sendo, Calvet trata a padronização de uma língua, diferenciando duas gestões: *in vivo* e *in vitro*. Esta última é relativa à intervenção política para controlar as variedades nas práticas sociais. A gestão *in vivo* refere-se ao modo como as pessoas, cotidianamente confrontadas com problemas de comunicação, resolvem cada situação. Assim sendo, o autor diferencia a política lingüística "espontânea", *in vivo*, que depende da escolha popular, da *in vitro,* que decorre da escolha dos planejadores que participam do poder do Estado.

Segundo a Sociolingüística, o objeto de estudo da Lingüística não é apenas a língua ou as línguas, mas como a comunidade social reage a seus diferentes usos. Esse ato ou efeito de padronizar faz com que a pronúncia, avaliada com o *ótimo* por nativos e estrangeiros, torne-se uma arquinorma que pode servir de parâmetro para diagnosticar as dificuldades de pronúncia existentes para aprendizes do português brasileiro. Além disso, pode ser usada como material autêntico para o ensino da pronúncia estandardizada.

Ilari e Basso (2006) tratam da definição de uma norma "brasileira" e consideram que é comum que os falantes procurem definir e consagrar modelos de uso, na medida em que, em todas as situações lingüísticas socialmente relevantes, as pessoas procuram seguir modelos privilegiados pelo(s) grupo(s) social(ais). Isso é uma forma de reforçar a adesão de certos grupos sociais ao uso que é considerado de prestígio para eles.

Esses resultados e considerações conferem com Silveira (1998b), ao tratar do "globês" como uma pronúncia identitária para o português brasileiro, a fim de preencher as lacunas e atender às dificuldades existentes no ensino de nossa pronúncia para falantes de outras línguas. Segundo a autora, a pronúncia estandardizada é uma arquinorma televisiva, irradiada pela TV Globo, resultante do longo alcance geográfico dessa rede de televisão e de sua aceitabilidade por parte dos falantes/ouvintes do português brasileiro, tanto em território nacional quanto internacional, ainda que não a usem, efetivamente.

A descrição realizada por Silveira indica que essa pronúncia foi construída com a neutralização de traços articulatórios específicos de nossas variedades/variações lingüísticas orais, apresentando-se como uma variável mais neutra, com o objetivo de ser amplamente aceita por falantes/ouvintes do português brasileiro, de forma a conseguir um grande público de telespectadores, ainda que estes apresentem variações lingüísticas diferentes. O fato de ter amplo acesso geográfico diário, nacional e internacional, propiciou que essa arquinorma, progressivamente, devido ao "prestígio" que a Globo tem com os telespectadores, fosse instaurada como uma unidade na diversidade de pronúncias dos diferentes grupos lingüísticos sociais e geográficos. Essa arquinorma passa a ser reconhecida por nativos e estrangeiros como a pronúncia mais representativa do brasileiro e, ideologicamente, avaliada com o grau ótimo de aceitabilidade. Nesse sentido, passa a ser, política e ideologicamente, reconhecida, neste momento histórico, como uma pronúncia padrão identitária.

1.5 Considerações finais

Ao se encerrar este capítulo, apresentamos algumas considerações e estatísticas sobre a TV Globo, para legitimar os argumentos utilizados, além de uma orientação para o ensino da pronúncia estandardizada do português brasileiro.

1.5.1 A televisão e a Rede Globo

A televisão é o veículo de comunicação de massa mais prestigiado pela população brasileira, sendo que o Jornal Nacional é visto, diariamente, por mais de 40 milhões de pessoas — de acordo com as informações publicadas pela Rede Globo (2001). Embora saibamos que o rádio atinge a maioria do público brasileiro, sua forma de ação é capilarizada. Logo, para muitos brasileiros, o jornal televisivo mostra-se, praticamente, como a única forma de acesso às informações — regionais, nacionais e internacionais — e o Jornal Nacional, exibido no horário nobre (por volta das 20 horas), apresenta alto índice de audiência, normalmente, muito fiel ao programa.

De acordo com Lins da Silva (1985: 27-28):

> *O Brasil é uma sociedade cuja indústria gira em torno da televisão. Embora o rádio ainda seja o meio de comunicação de maior penetração, a televisão é* mais *influente. (...) E quem é a televisão brasileira? A Rede Globo de Televisão continua sendo a rainha inquestionável...*

Nas últimas décadas, de acordo com os dados recentemente divulgados pelo Instituto Brasileiro de Geografia e Estatística (IBGE), por meio do estudo denominado Perfil dos Municípios Brasileiros-2000, o crescimento do alcance e o agigantamento do poder de influência da televisão sobre todo o território nacional é um fenômeno certamente sem paralelo em qualquer outro lugar do mundo.

Essas porcentagens chegam a ser, de fato, fantásticas: 98,3% das cidades do país captam imagens de uma rede de televisão. Mais ainda: conforme o depoimento dado pelo pesquisador da instituição, Antônio Alkmin dos Reis, é possível que haja um percentual de 100%: "*Não conseguimos informações dos demais municípios e, por isso, esse porcentual pode chegar a 100%*".

A televisão tem, portanto, o poder de transmitir um manancial formidável e quase ininterrupto de informações para as regiões mais longínquas, isoladas e atrasadas do país e de outros países. Além disso, tem a capacidade de uniformizar os padrões de gosto, de comportamento, de consumo (mais apropriado seria dizer sonhos de consumo), tanto quanto os valores éticos e estéticos das comunidades. Conseqüentemente, no que se refere à pronúncia estandardizada do português brasileiro, a televisão exerce uma forte influência.

É interessante observar que o IBGE (2000) revela que os cinemas estão presentes em apenas 7% das cidades brasileiras; os teatros, em 14%; os museus, em 16%. Mas, com certeza, por influência da própria televisão, as videolocadoras existem em nada menos do que 64% dos municípios, ou seja, em 3517 cidades, enquanto as livrarias só existem em 1946 cidades. É verdade que, se ligados às lojas de discos, de fitas e de CDs, os locais que vendem livros podem ser encontrados em cerca de 35% das nossas cidades — constatação comparável à de que existem estações de rádio FM em cerca de 34% das cidades (enquanto as AMs não estão presentes em mais do que 20%). (Cf. Bello-Bisson, 2001)

A distribuição do número de cidades que captam imagens de televisão, pelas principais redes brasileiras de tevê, mostra a seguinte situação (IBGE, 2000): a Rede Globo detém ampla liderança, com o porcentual fabuloso de 98% dos municípios alcançados pelo seu sinal. Em seguida, vem o Sistema Brasileiro de Televisão (SBT), com 88%, seguido da TV Bandeirantes, com 75%.

Esses porcentuais já dão uma idéia clara do potencial de influência dessas emissoras — especialmente da que detém, por larga margem, a liderança de audiência — na cultura, na aquisição de conhecimento, no desenvolvimento — ou não — do espírito crítico, no comportamento cotidiano e, enfim, na vida dos habitantes, distribuídos por todo o imenso território nacional.

É claro que, se já é grande a responsabilidade das maiores redes de emissoras de televisão na formação, educação e no comportamento dos habitantes de todas as regiões do País, naquelas em que o sinal de tevê torna-se a única opção de cultura, informação e lazer, para as famílias, a responsabilidade social desses veículos se multiplica.

No que se refere ao acesso social para se delimitar a instância de controle, atualmente, conforme informações obtidas pelo IBOPE Monitor (Saito, 2000), o Jornal Nacional é o de maior audiência no País e a Rede Globo, entre as emissoras brasileiras, é a primeira em audiência e em número de afiliadas, trabalhando com tecnologia avançada e exportando muitos de seus produtos.

Os resultados obtidos pelo IBOPE Monitor a respeito da Rede Globo e sua audiência nos horários de "pico" conferem os resultados obtidos por Silveira com seus informantes. Dessa forma, mesmo considerando o caráter ativo das diferentes "leituras" dos produtos televisivos, como apontam diversos estudos de recepção (Lins da Silva, 1985), não há como negar o papel dessa Rede na condição de veículo da indústria cultural na difusão de padrões culturais para todo o país.

1.5.2 Uma proposta para facilitar a aquisição da pronúncia estandardizada do português brasileiro

No que se refere ao ensino da pronúncia para estrangeiros, os manuais didáticos existentes apresentam muitas lacunas. Isso tem propiciado grandes dificuldades para o ensino; conseqüentemente, os aprendizes estrangeiros apresentam problemas para a aquisição de bases articulatórias segmentais e curvas entonatórias supra-segmentais.

Propõe-se que sejam feitas gravações pelos alunos dos apresentadores dos jornais da TV Globo e que elas sejam vistas como material autêntico para o ensino da pronúncia estandardizada.

Para trabalhar esse material, serão dados os seguintes passos:

1. transcrever em letras a gravação oral;
2. marcar sinais, nas letras, relativos à pronúncia das vogais e consoantes;
3. traçar curvas entonatórias no material escrito, de forma a marcar a entonação acentual da palavra, a entonação de junturas internas (derivações e flexões) e externas; a entonação dos sintagmas (nominal e verbal); a entonação frasal; e a entonação estilística;
4. o aluno deve ouvir a gravação do apresentador do jornal, lendo as marcações feitas por ele, com o auxílio do professor;
5. gravar a leitura do aluno e seguir o mesmo método de transcrição utilizado para a fala do apresentador do jornal;
6. confrontar as duas transcrições e caracterizar as dificuldades do aluno;

7. elaborar um conjunto de exercícios para diminuir as dificuldades do aluno;
8. repetir esse exercício constantemente para conferir sucessos e fracassos na aquisição da pronúncia.

Em sala de aula, dar consciência ao aluno da pronúncia estandardizada brasileira, descrevendo-a, explicando-a e exercitando-a, para desenvolver o senso muscular e ativar as bases articulatórias de sua língua matema para transferi-las, facilitando a aquisição da oralidade; indicar as bases articulatórias desconhecidas pelo aluno e exercitá-lo para poder adquiri-las, sem interferência; finalmente, dar consciência da pronúncia preferencial brasileira ao mesmo tempo em que tomam consciência de que eles têm em, seus países, uma pronúncia própria preferencial e que é preciso identificá-la.

Segundo Almeida Filho (1997: 13),

> Abordar ou ocupar-se do ensino de uma nova língua significa, entre outras coisas, tratar de enfocar, conceber, dar direção, aproximar-se de, acercar-se de, encaminhar, dar forma e sentido à tarefa de auxiliar profissionalmente aqueles que se candidatam a aprender essa língua-alvo.

Nesse sentido, facilitar a desestrangeirização é dar ao aprendiz a consciência de suas dificuldades de pronúncia, pois ele, de forma geral, acredita que está pronunciando como os nativos da língua-alvo. Ao ouvir a gravação de sua pronúncia, confrontada com a dos apresentadores da TV Globo, propicia que o aluno identifique suas dificuldades e confronte as bases articulatórias de sua pronúncia da língua materna com as da língua-alvo. Com isso, ele utiliza o que já sabe da língua materna e transfere para a aquisição da nova oralidade. Ao mesmo tempo, é necessário exercitar o que desconhece para adquirir novas bases articulatórias, construindo novas representações sonoras-tipo, para serem armazenadas em sua memória de longo de prazo.

A aquisição da pronúncia é muito importante para a desestrangeirização do aprendiz. Faz-se necessário, porém, diferenciar o momento desse ensino para alunos que têm a língua materna com interface e com distanciamento da língua portuguesa. No caso de línguas de distanciamento, o ensino da pronúncia deve ser realizado do estágio intermediário em diante. Porém, para línguas de interface, o aprendiz nunca pode ser considerado iniciante, pois, desde seus primeiros contatos com falantes do português, já entende *e* faz-se entender. Por essa mesma razão, de forma geral, tanto brasileiros quanto hispano-americanos não se preocupam em buscar um ensino formal para a aquisição da outra língua de interface, fossilizando o estágio de interlíngua, por exemplo, o "portunhol". Nesse caso, desde os primeiros contatos corn a língua-alvo, é preciso considerar o ensino da pronúncia a fim de evitar a fossilização articulatória, já que não há interferências comunicativas graves.

Para finalizar: dar atenção ao ensino da pronúncia é considerar o direito lingüístico do aprendiz, com dignidade e respeito, dando a ele orientação fonético-fonológica adequada. Isso os ajuda a aprimorar a inteligibilidade do português brasileiro, motivando-os para aquisição e cultivo de uma pronúncia que contribua para a intercompreensão. Conclui-se que, com uma abordagem interculturalista, essas tarefas serão facilitadas, pois o aprendiz passa a ter a consciência da nova língua que está adquirindo ao mesmo tempo em que toma consciência da sua própria e de suas funções sociointeracionais comunicativas.

Capítulo 2

O aparelho fonador e a produção de traços articulatório-acústicos

Este capítulo apresenta noções básicas de anatomia e fisiologia do aparelho fonador, a fim de fundamentar, para o leitor, a descrição articulatória dos sons do Português brasileiro, em sua pronúncia estandardizada.

2.1. Constituição do aparelho fonador

Uma das primeiras manifestações do ser humano é a comunicação, a fim de inteirar-se com o mundo social. Para isso, ocorre o aparecimento da linguagem humana que soma dois aparelhos biologicamente já existentes: o respiratório e o digestivo.

Do ponto de vista articulatório, ocorrem, no falante, novas funções para os órgãos já existentes:

- o produtor;
- o condutor;
- o vibrador;
- o ressoador;
- o articulador.

Assim, a matéria, que será a substância oral da forma fonológica, está selecionada.

2.2. O produtor

O produtor é constituído pelos pulmões e músculos respiratórios que, acionados por uma série de elementos e fatores, provocam a inspiração e a expiração, produzindo-se, assim, momentos necessários ao ato fonatório.

São elementos do produtor: o fole, o ato respiratório e a corrente de ar.

2.2.1. O fole

O conjunto formado pelas paredes da caixa torácica, os pulmões, a pleura, o diafragma e os músculos intercostais internos e externos recebe o nome de fole. Tal denominação deve-se ao fato de seu funcionamento lembrar o de um fole que se expande apenas na parte inferior. Quando acionado, possibilita a respiração e, conseqüentemente, produz a corrente de ar para o ato de fala.

Esse conjunto compreende:

A *caixa torácica*, que é formada, posteriormente, pela coluna vertebral e, anteriormente, pelo osso esterno. Do osso esterno saem doze pares de costelas que se ligam à coluna vertebral pelas vértebras, formando arcos. Essa armação é móvel, pois as doze costelas articulam-se para trás com a ajuda das vértebras dorsais e, para frente, por intermédio das cartilagens costais.

Os *pulmões*, em número de dois, que estão contidos na caixa torácica e, além de outras funções para o organismo humano, são essenciais para a respiração. O volume de ar dos pulmões varia de falante para falante, mas sempre aumenta na inspiração e diminui na expiração. No interior de cada um dos pulmões estão os brônquios intrapulmonares. No exterior deles, estão dois brônquios, cada brônquio extrapulmonar penetra no pulmão pelo hilo e percorre-o na maior parte de sua extensão.

A *pleura*, que é uma fina e macia membrana que, por recobrir os pulmões, diminui o atrito durante a respiração. Os pulmões estão intimamente ligados às paredes da cavidade torácica, apenas a pleura separa-os.

O *diafragma*, que é um dos músculos principais para o funcionamento do fole. A parte superior entra em contato com os pulmões e com a pleura. Esse músculo abaixa durante a inspiração e sobe na expiração. Quando o diafragma abaixa, é formada uma pressão negativa nos pulmões e o ar entra, de forma a ocupá-los. Quando o diafragma sobe, na expiração, diminui-se o volume pulmonar e o ar contido nos pulmões sai ativamente.

Os *músculos intercostais*, que são formados por fibras que se contraem, provocando o abaixamento das costelas. A restauração do tórax a seus diâmetros primitivos é naturalmente acompanhada de movimentação na capacidade pulmonar. Os músculos internos intercostais recebem estímulos alternados, por meio dos nervos intercostais, de forma a possibilitar, assim, o elevar e abaixar das costelas durante a inspiração e a expiração.

2.2.2. A respiração

Tanto na respiração vital, quanto na fônica, a corrente de ar, para dentro e para fora dos pulmões, depende das alterações que ocorrem na caixa torácica. Os pulmões acompanham a movimentação na caixa torácica. Assim, podemos dizer que os pulmões têm papel passivo e são os receptores da corrente de ar que é absorvida ou expelida de acordo com a contração e a expansão dos limites torácicos.

A respiração compreende dois momentos: a inspiração e a expiração.

Denomina-se *inspiração* o momento da entrada da corrente de ar pelas cavidades nasais e bucais até atingir os pulmões. Esse momento se dá pelo abaixamento do diafragma e pela ação dos músculos intercostais que levantam as costelas de forma a projetar o osso esterno para frente, ampliando, assim, a parte inferior da caixa torácica.

Denomina-se *expiração* o momento em que entram em ação os músculos intercostais internos e dorsais, produzindo o abaixamento das costelas em relação à coluna vertebral. A restauração do tórax é acompanhada de uma redução na capacidade pulmonar. Quando o diafragma se eleva, a árvore brônquica, altamente elástica, volta ao comprimento anterior e o hilo pulmonar sobe. A corrente de ar vem dos pulmões, passa pelos órgãos fonadores até sair pela boca e/ou pelo nariz.

Os sons do português, em qualquer país lusófono, são produzidos durante a expiração. Todavia, há línguas em que, para a produção sonora, os falantes utilizam o momento inspiratório. Essas produções recebem o nome de "cliques" e são comuns em línguas africanas. Para falantes da língua portuguesa, encontramos "cliques" quando falam chorando, soluçando ou ainda em uma emissão padronizada não-fonológica [st], seguida ou não pelo balançar da cabeça que equivale à expressão lingüística "não". Descrevemos esse "clique" como um sibilar seguido de uma explosão dental, ou seja, pela entrada do ar passando entre a língua e alvéolos superiores [s], produzindo um efeito que lembra um sibilo seguido de um estalar da língua com os dentes superiores, conseqüência da inspiração entrecortada pelo separar desses órgãos.

2.2.3. A corrente de ar

A corrente de ar é a força motriz dos sons articulados e está estreitamente ligada ao movimento respiratório. Sem a corrente de ar, não há fonação.

A respiração fônica, adaptação criada pelo sujeito falante por meio da inteligência humana, difere da vital, que é inerente à natureza animal. Durante a fonação, o ritmo inspiração-expiração é modificado e a respiração é controlada para adaptar seus efeitos às exigências sonoras. Para a língua portuguesa, o tempo inspiratório deve ser rápido e o expiratório, alongado o mais possível.

No que se refere à diferença entre a fala e o canto, os estudos realizados indicam que, para a fonação espontânea, a respiração tem uma predominância torácica, ao passo que para o canto será mais abdominal.

Em uma breve síntese do trajeto da corrente de ar, para a produção de sons do português brasileiro, temos: a corrente de ar expirada sai dos pulmões devido à redução da capacidade da caixa torácica, passa pelos brônquios, traquéia e atinge a laringe. Aí tomará características de surdez (glote aberta) ou de sonoridade (glote fechada e vibração das cordas vocais). Ao chegar à faringe, devido a movimentos da úvula, ou ressoa apenas na cavidade bucal com a obstrução das fossas nasais (som oral) ou, na cavidade bucal e nasal (som nasal), com a liberação das fossas nasais: dessa forma, sai ou só pela boca, ou pela boca e pelas fossas nasais.

Conforme alcança o ambiente, para a produção de vogais, a passagem de ar encontrará o canal bucal aberto; para a produção de consoantes, a passagem de ar encontrará um estreitamento/obstrução e, de acordo com sua saída, será modificado por marcas dos modos de articulação.

A maior força com que a corrente de ar é expelida para a produção de sons vocálicos produz o acento. O contraste entre sílaba acentuada e inacentuada caracteriza a língua portuguesa como língua de intensidade ou de icto.

2.3. O condutor

O condutor é formado por um conjunto de tubos do aparelho fonador que são responsáveis pelo percurso da corrente de ar. Esses tubos variam de tamanho e forma e são denominados: brônquios, traquéia, laringe, faringe, boca e fossas nasais.

2.3.1. Brônquios

Os brônquios são resultantes da bifurcação da traquéia, distinguindo-se um à direita e outro à esquerda. Ambos dirigem-se obliquamente para baixo até atingirem o hilo do pulmão correspondente. O brônquio esquerdo é mais longo que o direito e menos oblíquo. Ambos são divididos em duas porções: brônquio extrapulmonar e intrapulmonar.

Cada brônquio em sua porção extrapulmonar, ou brônquio principal, penetra no pulmão, no hilo pulmonar. A porção intrapulmonar percorre o pulmão em quase toda a sua extensão, seguindo obliquamente de cima para baixo, de dentro para fora, de frente para trás, penetrando nos segmentos e nos lobos pulmonares de onde bifurcam do ramo principal (brônquio tronco) e formam, assim, novos braços, conservando, cada um, sua independência.

Os brônquios, quando penetram nos segmentos pulmonares, recebem o nome de brônquios segmentares. À medida que o brônquio tronco ou principal desce pelo interior pulmonar, diminui de calibre. Os brônquios conservam a individualidade em quase toda a extensão. Na parte final reduzem-se a menos de 1 mm de diâmetro e, já sem cartilagem, são denominados bronquíolos.

Devido à semelhança com a forma de uma árvore, o conjunto brônquico é chamado árvore brônquica. Para a fonação, esse conjunto funciona como condutor da corrente de ar, levando-a para dentro e para fora dos pulmões.

2.3.2. Traquéia

A traquéia é um outro tubo do aparelho fonador. Para a fonação, funciona como condutor da corrente de ar dos brônquios (bifurcação na parte inferior) para a laringe (na parte superior).

A traquéia é um canal único, formado por anéis cartilaginosos que a tornam irregular. A traquéia, como a laringe, está situada na frente do canal alimentar, o esôfago. Inicialmente, a traquéia ocupa a parte inferior do pescoço e depois penetra no tórax.

Como condutor, na inspiração, a traquéia conduz o ar da laringe para os brônquios e, na expiração, o trajeto é inverso. Por ser elástico, esse tubo acompanha a laringe em seus movimentos.

2.3.3. Laringe

Como condutor, a laringe é um tubo musculocartilaginoso que leva a corrente de ar da faringe para a traquéia e vice-versa. Para a fonação, a laringe tem como papel prioritário o de vibrador; o papel de condutor da corrente de ar é secundário.

2.3.4. Faringe

Como condutor, a faringe é um tubo musculomembranoso, situado no pescoço, ligado inferiormente por um lado à laringe e por outro, ao esôfago. Na parte superior, comunica-se com as cavidades nasal e bucal. Para a fonação, o papel prioritário da faringe é o de ressoador; o papel de condutor da corrente de ar é secundário.

2.3.5. Cavidades oral e nasal

Como condutores, são estas cavidades (boca e fossas nasais) que permitem a entrada e a saída da corrente de ar, no aparelho fonador. Para essas duas cavidades, o papel de ressoador é prioritário; o papel de condutor para elas, na fonação, é secundário.

Além disso, na boca, encontramos os órgãos articuladores que, com seus cada som.

2.4. O vibrador

A laringe tem o papel de vibrador. É nela que se define um dos traços básicos dos sons do português brasileiro: sonoridade e surdez. O português brasileiro caracteriza-se por ser bastante sonoro, pois temos, como articulações surdas, apenas oito unidades [p, t, k, f, s, š, ts, tš], todas as demais são sonoras.

Para a produção da sonoridade, há uma ordem de comando do nervo recorrente que parte do cérebro. Esse nervo, em número de dois, contém fibras destinadas aos músculos, que comandam a abertura ou o fechamento da glote (espaço contido entre o par de pregas vocais). Quando a glote está aberta, isto é, as cordas vocais separadas, o som produzido é surdo; quando, porém, a glote está fechada, isto é, as cordas vocais unidas, a corrente de ar expelida força a passagem produzindo vibrações horizontais e verticais que caracterizam o som sonoro.

Passamos a descrever a laringe, para, depois, explicar o funcionamento como vibrador.

A laringe compõe-se de:

- cartilagens que constituem seu esqueleto;
- articulações e ligamentos que unem as diversas cartilagens;

- músculos que movimentam as cartilagens;
- mucosa que a recobre interiormente.

A laringe limita-se, anteriormente, com a cartilagem tireóide e, posteriormente, com a cricóide. Fixa-se à traquéia, na parte inferior; à faringe, na superior; e por um certo número de músculos e ligamentos está presa, de um lado, ao osso hióide e, de outro, à base do tórax.

2.4.1. Cartilagens da laringe

A laringe é composta por cartilagens, a saber:

- uma cricóide: o primeiro anel da traquéia, modificado para suportar a laringe;
- duas aritenóides: pequenas pirâmides triangulares que têm o cimo livre e a base sobre a cricóide, onde aparecem duas apófises, uma externa, chamada apófise muscular, pois sobre ela fixam-se os músculos motores, e uma anterior, chamada apófise vocal, pois dá inserção à corda vocal (prega inferior);
- uma tireóide: cartilagem formada por duas lâminas laterais, a face anterior forma o "pomo-de-adão" e a posterior, um ângulo no qual se inserem as cordas vocais;
- uma epiglote: cartilagem elástica, unida à língua e ao osso hióide, cujos movimentos de levantar e abaixar permitem a respiração e a deglutição, pois separam o aparelho digestivo do respiratório (durante a deglutição, deita sobre a laringe e permite, dessa forma, que o alimento penetre pelo esôfago).

Há ainda outras cartilagens, tais como a de Santorini, de Morgagnie e de Wrisberg. Porém, para a produção da sonoridade participam a tireóide, a cricóide e as duas aritenóides, que constituem o esqueleto da laringe, na região glótica.

Para melhor compreensão, poderíamos comparar a cricóide com o aro de um anel que tem, na frente, uma pedra engastada. Essa pedra é a tireóide. Na parte posterior, as aritenóides correspondem a dois ganchos, situados, um de cada lado, sobre a cricóide.

Essas cartilagens são revestidas de tecido mucoso. Na altura da tireóide, esse tecido forma duas pregas duplas (uma beijando a outra) de cada lado e elas estão fixadas, na tireóide, formando, de cada lado do tubo laríngeo, dois ventrículos (espaço entre a prega superior e a inferior) cujas pregas encontram-se na frente, mas terminam antes de se encontrarem atrás.

A figura formada pode ser comparada às pálpebras dos olhos, sem os cílios. As duas superiores, uma de cada lado do tubo, são as falsas cordas vocais. As duas inferiores são as cordas vocais verdadeiras e nelas estão fixados os ganchos das aritenóides. Na altura das aritenóides, as pregas duplas se encontram, de forma a fechar os ventrículos de Morgagni, dando a cada um deles, uma forma arredondada.

Visualizando, temos:

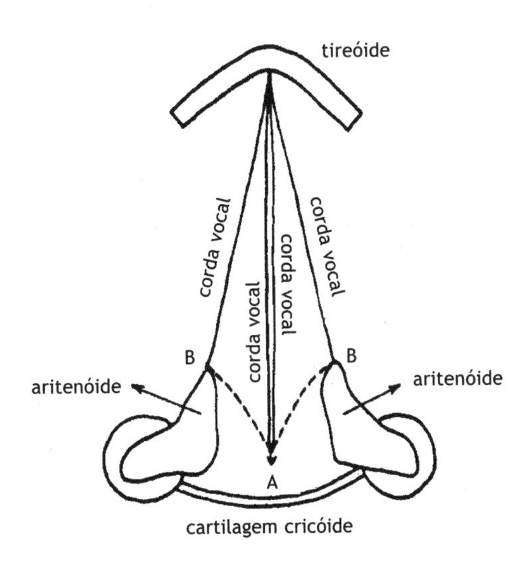

Figura 2.1

A - As aritenóides movimentam-se sobre a cricóide, levando as cordas vocais a fecharem a glote, na linha central
B - As aritenóides estão representadas com as cordas vocais, em posição do ato respiratório normal, glote aberta.

2.4.2. Músculos da laringe

Os músculos da laringe dividem-se em intrínsecos e extrínsecos. Para a fonação, os intrínsecos são importantes, ao passo que os extrínsecos não tomam parte direta.

No ato fonatório, os músculos intrínsecos participam como:

- músculos tensores das cordas vocais;
- músculos dilatadores da glote;
- músculos constritores da glote;
- músculo vocal.

Esses músculos estão dispostos de tal forma que ligam a tireóide à cricóide e a aritenóide à cricóide, enquanto que o músculo vocal situa-se dentro da prega vocal. Assim, podemos dizer que há uma glote cartilaginosa (esqueleto formado pelas cartilagens) e uma glote membranácea.

Os músculos têm por função movimentar o complexo glotal (espaço entre as cordas vocais) para que a glote esteja aberta, semi-aberta ou fechada.

Na posição de repouso, a glote está aberta, pois as cordas vocais estão encostadas na parede da laringe. Na inspiração, por mecanismo reflexo, o músculo crico-aritenoideano posterior abre ainda mais a glote, para permitir o livre trânsito do ar. Os outros músculos fecham a glote, colocando as cordas vocais em tensão, para que elas se afastem da parede da laringe e unam-se de modo a fechar o tubo laríngeo. A corrente de ar expelida, ao encontrar a obstrução, força a passagem pela glote fechada. Dessa forma, as cordas vocais vibram separando-se pela força do ar e tornando a unirem-se pelo comando dos músculos, produzindo, assim, a sonoridade.

Em certos momentos, o músculo crico-aritenoideano lateral pode também fechar a glote membranácea, enquanto a glote cartilaginosa permanece aberta. Essa situação apresenta-se quando o falante sussurra.

A fim de que possamos compreender a importância dos músculos, estabeleceremos um paralelo entre as cordas vocais e as cordas de um violão. Há diferença, todavia, na medida em que a glote é um espaço que tem uma abertura triangular, pois, na parte anterior, inserem-se as cordas vocais, na tireóide que é uma cartilagem; e, na parte posterior, inserem-se nas aritenóides que são duas, estando cada uma de um lado da cricóide (ver o gráfico das cartilagens da laringe, Figura 2.1). Em um violão, há registros controladores do tom e da afinação; na laringe, os músculos tensores têm o papel dos registros de cordas do violão e, assim, movimentam as cordas vocais para a abertura e fechamento da glote, dando maior ou menor tensão às cordas vocais, de forma a responsabilizar-se pelas vibrações horizontais.

2.4.3. Faces da laringe

Para a fonação, interessa-nos a face interna da laringe, ainda que esta apresente também uma face externa. Na face interna estão as cordas vocais, as pregas vestibulares ou ventriculares, os ventrículos e a glote.

2.4.3.1. As cordas vocais

As cordas vocais constituem o vibrador. Formadas pelo músculo vocal e recobertas por ligamentos, as cordas vocais são, em verdade, as duas pregas inferiores de dois pares de pregas situados um de cada lado da face interna da laringe.

A seguir, buscamos visualizar a face interna da laringe por um gráfico. Tal representação é mostrada como se houvesse sido dado um corte no tubo laríngeo.

O estímulo, que parte do cérebro, desce pelo nervo recorrente e vem atuar em cada uma das pregas inferiores musculomembranosas. Na frente, as cordas vocais estão fixadas no ângulo da cartilagem tireóide e, atrás, na apófise vocal das aritenóides. Ao vibrarem, pelo movimento dos músculos laríngeos, abrem e fecham a glote, vibrando vertical e horizontalmente.

Logo, as pregas superiores (dos dois pares) são denominadas falsas cordas vocais ou pregas vestibulares, por não terem papel importante para

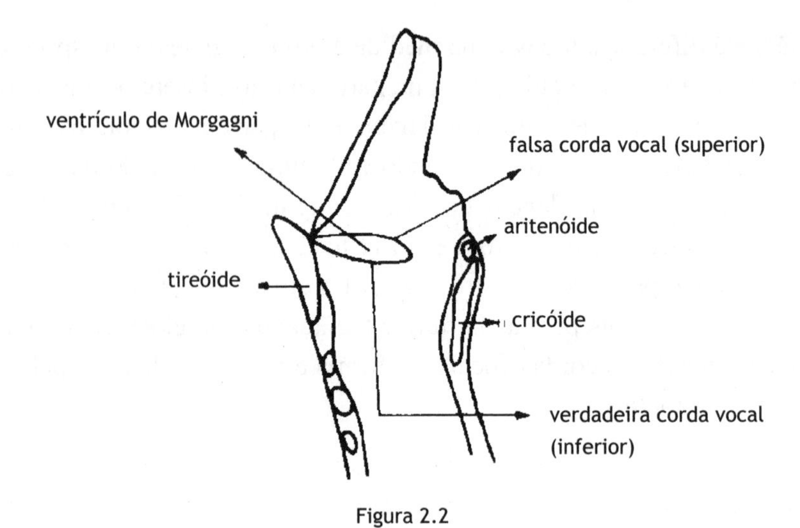

Figura 2.2

a fonação. Em cada par de pregas, temos uma superior e uma inferior separadas pelo ventrículo, pequena cavidade.

2.4.3.2 Glote

O espaço delimitado entre as cordas vocais é denominado glote. Essa espécie de fenda tem uma função respiratória e outra vocal. Sua forma é variada e depende da posição tomada pelas cordas vocais. Se a glote estiver aberta, o som é surdo; se fechada, o som é sonoro.

2.4.3.3 Atividade do vibrador

O influxo nervoso que comanda a voz e a classificação dos sons depende do recorrente, nervo motor da laringe. Logo, as vibrações das cordas vocais não são criadas unicamente pela passagem do ar, pois, nesse caso, não haveria distinção entre som surdo e sonoro.

As cordas vocais contraem-se sob o efeito do influxo nervoso que vem ativar as fibras musculares do tiro-aritenoideano interno. Ao contraírem-se, essas fibras auxiliam a corrente de ar a separar as cordas vocais, permitindo que a pressão do ar subglótico insinue-se entre elas. A reação elástica que nasce, nesse momento, pela contração dos músculos, leva-as a unirem-se novamente. Nessa posição, permanecem até que um novo influxo do recorrente as atinja.

Assim sendo, o mecanismo de produção da sonoridade é dado pela freqüência dos influxos do nervo recorrente, fazendo com que as fibras do músculo vocal se contraiam e descontraiam sobre as inserções contidas na margem livre das cordas vocais, de forma a levá-las a vibrar com maior ou menor intensidade. Do conflito entre a pressão respiratória e a elasticidade das cordas vocais nasce o som complexo laríngeo cujo efeito é a sonoridade. Quanto maior for a tensão, mais agudo será o som e quanto menor for a tensão, mais grave; quanto maior for a freqüência das vibrações, mais intenso (acentuado) e quanto menor for a freqüência das vibrações, menos intenso (inacentuado).

Enfim o som será sonoro quando o encontro das verdadeiras cordas vocais formarem o som complexo, ao vibrarem com a passagem do ar. O som será surdo quando a glote estiver aberta e a passagem de ar, livre. O processo vibratório realiza-se segundo uma espécie de "memória muscular", com precisão e certeza espantosas.

Segundo Molles e Vallancien (1966: 88): "*Cette mémoire musculaire est bien connule des pianistes et violonistes qui exécutent le mouvement exact réclamé par son désire, sans prendre conscience. C'est purement un mouvement musculaire très exactement automatisé*". Uma tradução seria: "Esta memória muscular é bem conhecida dos pianistas e violonistas que executam o movimento exato exigido pelo desejo, sem tomar consciência. É puramente um movimento muscular muitíssimo automatizado".

Essa memória muscular fará com que as cordas vocais apresentem certa tensão, produzindo determinadas resistências à passagem do ar, que também variará em sua pressão subglótica. Assim, cada aparelho fonador tem um tom de voz, mas isso não o impede de produzir sons mais agudos ou mais graves, mais baixos ou mais altos, mais afinados ou desafinados, com múltiplas variações.

2.4.4. O som laríngeo

O som laríngeo nasce, como todo som, de um movimento vibratório causado por uma pressão e uma tensão. Especifiquemos:

- uma pressão, originada do ato expiratório, na região subglótica;
- uma posição fônica das cordas vocais, devido à ação dos músculos que comandam os movimentos dessas cordas.

As cordas vocais unidas, fechando a glote, constituem o vibrador, com o auxílio do agente, pressão subglótica.

Toda vibração resulta do deslocamento de um corpo de sua posição de repouso para uma posição de afastamento (amplitude).

As cordas vocais ficam na horizontal, pela tensão dos músculos que as comandam, fechando a glote.

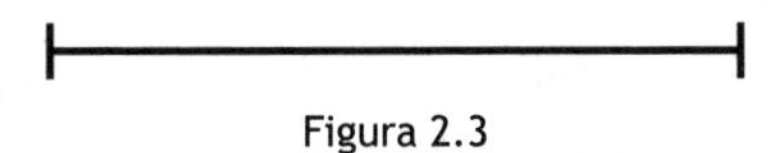

Figura 2.3

Quando uma força é aplicada sobre o corpo vibratório, desloca-o da posição de repouso para a de afastamento. Essa distância depende do grau de força aplicado para deslocá-la de sua posição de repouso, isto é, a força com que a corrente de ar é expelida, a partir da pressão subglótica, criada pelo movimento de fechar do fole. Força-se, dessa forma, a passagem da corrente de ar, fazendo com que as cordas vocais, unidas em posição horizontal, saiam da posição de repouso para a de afastamento (amplitude).

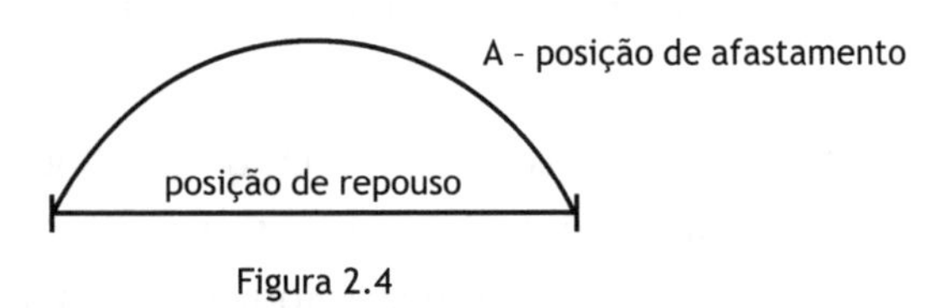

Figura 2.4

Ao atingirem a posição de afastamento, as cordas vocais retornam à posição de repouso e, por uma lei física, ultrapassam-na, para atingir a mesma distância do afastamento anterior, só que agora em sentido inverso e retornam, novamente, à posição de repouso. Dessa forma, completam um ciclo vibratório de onda periódica.

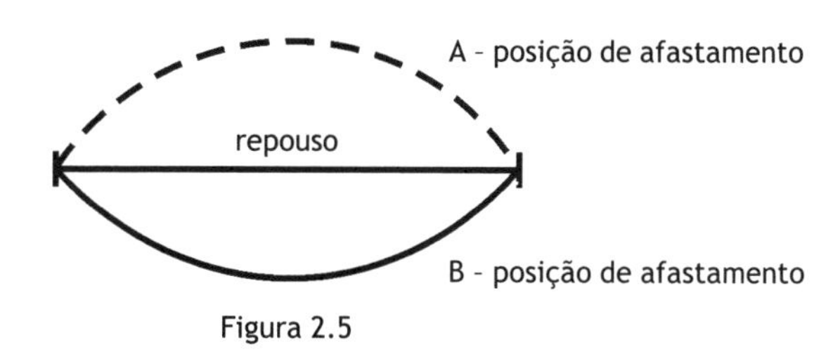

Figura 2.5

Em cada ciclo, a distância do afastamento para a posição de repouso diminui (similar ao movimento de um pêndulo). Assim, as cordas vocais seguem vibrando, de ciclo em ciclo, até pararem, ao perderem a velocidade. Essa vibração da corda inteira recebe o nome de som fundamental.

Segundo Quilis e Fernández (1966:18), o nervo recorrente *por un lado actúa sobre el diafragma, comprímiéndolo sobre los pulmones, que envían de esta manera el aire necesário para la fonación, y por otro lado, actúa sobre las cuerdas. vocales, haciendo que se estrechen más o menos, o que se junten totalmente y comiencen a vibrar.* Uma tradução seria: "por um lado atua sobre o diafragma, comprimindo-o sobre os pulmões que enviam desta maneira o ar necessário para a fonação e, por outro lado, atua sobre as cordas vocais, fazendo com que se estreitem mais ou menos ou que se juntem totalmente e comecem a vibrar".

Por isso, as cordas vocais vibram verticalmente (para cima e para baixo da posição de repouso), mas, a cada movimento de tensão e distensão, que as afasta e as aproxima, produzem ainda vibrações horizontais concomitantes.

Ao vibrarem, as cordas vocais produzem o tom laríngeo (fundamental) e as demais vibrações múltiplas (harmônicos). O tom laríngeo tem características acústicas distintas na dependência da amplitude e da freqüência dessas vibrações.

A distância da posição de repouso até o ponto de afastamento alcançado pelo corpo vibrante denomina-se amplitude.

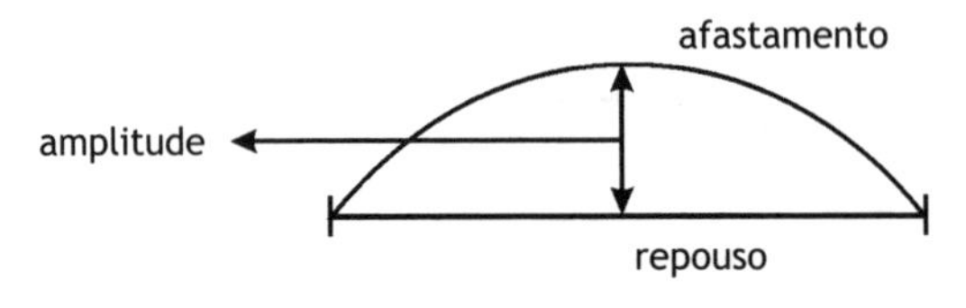

Figura 2.6

A amplitude, sendo regular em cada ciclo, forma as ondas periódicas (característica acústica das vogais).

A freqüência é definida pelo número de vibrações duplas, ou seja, posição de repouso1, afastamento 1, repouso2, afastamento 2, e assim por diante, sendo que todos os afastamento têm sempre medida idêntica. Tal medida é designada amplitude, em cada vibração dupla, que é chamada período ou ciclo.

Cada corpo vibrante tem sua freqüência própria e esta é determinada pelo peso, tensão, volume, forma, tamanho. Um corpo grande vibra mais lentamente que um pequeno; um corpo frouxo vibra mais lentamente que um esticado e assim por diante.

Os corpos formados por moléculas, ao entrarem em vibração, produzem sons complexos.

Podemos diferenciar som simples de som complexo. O som simples ocorre como resultado de uma onda simples. Observemos o gráfico:

Figura 2.7

Dificilmente podemos obter um som simples e conseguimo-lo com o auxílio de instrumentos.

As cordas vocais são formadas por moléculas. Esse conjunto, ao vibrar, produzirá um som complexo, ou seja, o fundamental e seus múltiplos (harmônicos), que vibram ao mesmo tempo. Inicialmente, a corda inteira vibra e essa vibração (distância da posição de repouso para a posição de afastamento) vai diminuindo de amplitude por ciclo, até parar, formando um som fundamental.

Este gráfico representa a vibração de um som fundamental:

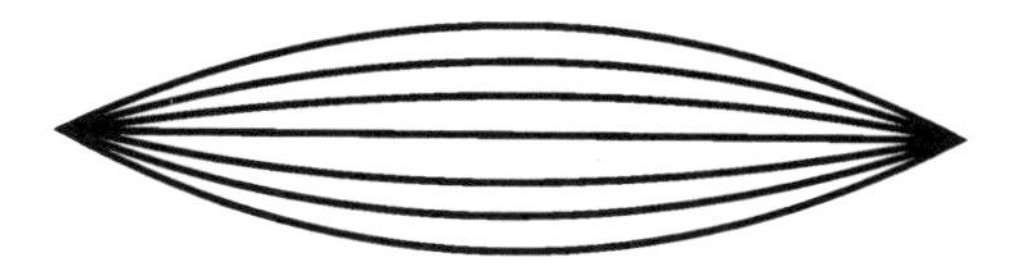

Figura 2.8

Ao vibrar a corda inteira, na região em que esteve mais afastada da posição de repouso, divide-se a vibração em duas metades, que vibram, juntamente com o fundamental, até parar, formando o primeiro harmônico.

Este gráfico representa a vibração das metades, primeiro harmônico:

Figura 2.9

Assim, os harmônicos são produzidos pelas vibrações das metades, dos terços, dos quádruplos etc., até que cada parte vibre por sua vez e, concomitantemente, com todas as demais.

Este gráfico representa a vibração dos terços:

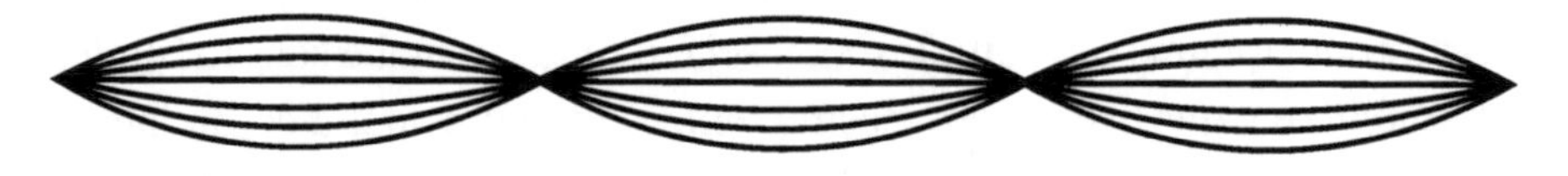

Figura 2.10

Isso quer dizer que, se o fundamental vibra a 100 c.p.s. (ciclos por segundo), a segunda onda ou primeiro harmônico, a 200 c.p.s., pois é o múltiplo da metade; a terceira, a 300 c.p.s., e assim por diante.

As explicações dadas aqui a respeito do mecanismo e produção acústica do som laríngeo, além dos gráficos, são obtidas por estudiosos, graças a filmes, feitos em uma cadência muito rápida de até quatro mil imagens por segundo. Embora haja muitos estudos já realizados, o mecanismo de vibração do som complexo laríngeo ainda apresenta problemas a serem resolvidos.

2.5. Componentes acústicos dos sons

Passamos, a seguir, a algumas considerações a respeito dos componentes acústicos do som, por serem necessárias para a compreensão das descrições posteriores.

Como já indicamos, o som produzido pelas cordas vocais resulta de vibrações verticais e horizontais, que produzem a amplitude e a freqüência do som laríngeo. Esse som é composto por:

- *tom*: também chamado som fundamental, é o resultado do número de vibrações completas das cordas vocais por unidade de tempo. O tom tem relação direta com a freqüência e dele depende a entonação (variações melódicas da voz);
- *altura*: depende da rapidez com que se abre e fecha a glote, estando, portanto, também relacionada à freqüência. As possibilidades de regular a rapidez de vibração das cordas vocais, isto é, de mu-

dar a altura do tom laríngeo, são em parte individuais, pois dependem da idade, do sexo etc. Quanto mais forem compridas, pesadas e frouxas, mais grave é o tom; caso contrário é cada vez mais agudo;

- *timbre*: resulta de como os harmônicos do som fundamental se conformam, dependendo do volume e da abertura das cavidades de ressonância supraglóticas.
- *intensidade*: depende da amplitude da vibração total, isto é, da soma das amplitudes de todos os harmônicos. As variações de intensidade são realizadas de duas maneiras, em princípio, diferentes:
  - — com a ajuda dos músculos respiratórios, a pressão do ar subglótico pode aumentar, conseqüentemente, a amplitude das vibrações aumenta e o som torna-se forte, acentuado; caso contrário, fraco, inacentuado;
  - — com a ajuda dos músculos que coordenam o movimento das cartilagens da laringe, tiro-aritenoideano e crico-aritenoideano, a glote pode ficar muito fechada. Quanto mais fechada, mais intenso é o som; caso contrário é menos intenso. O som intenso, forte, constitui as vogais acentuadas; o som menos intenso, fraco, as vogais inacentuadas. A intensidade é importante traço articulatório-acústico para o Português, por ser uma língua de icto ou de acento ou, ainda, de intensidade.
- *duração*: é o tempo que se emprega para a emissão de um som, de forma a produzir vibrações longas ou breves que caracterizam as línguas de quantidade.

2.6. A formação dos sons do português e o vibrador

O vibrador forma os sons na etapa inicial da fonação. A partir de como ocorrem as vibrações das cordas vocais, é possível estabelecer uma tipologia para as línguas:

- línguas tonais, que têm por base os sons graves e agudos;
- línguas de duração, que têm por base os sons longos e breves;
- línguas de intensidade, que têm por base os sons acentuados e inacentuados.

A língua portuguesa é de intensidade, dessa forma, seus sons que manifestam os traços invariáveis dos fonemas decorrem:

- de vibrações produzidas pelos movimentos verticais e horizontais das cordas vocais, responsáveis pela sonoridade dos sons de uma língua. O português é essencialmente sonoro, pois de seus 33 fonemas apenas seis são surdos /p, t, k, f, s, š, /, por exemplo: "pá, está, cá, fá (nota musical), sé, chá";
- de sons surdos produzidos quando a glote está aberta, isto é, as cordas vocais estão separadas. A corrente de ar expirada, ao passar por ela, produzirá poucas vibrações. Os sons surdos do Português, encontrados no Brasil, são: [p, t, k, f, s, š] que são bases articulatórias que realizam nossos seis fonemas surdos. Encontramos, ainda, dois sons africados surdos: [tš, ts] em [tšía, pítsa]: "tia, pizza";
- da emissão das vogais reduzidas do português brasileiro [$^{i\ a\ u}$] quando a glote está fechada, mas a corrente de ar tem fraca pressão, produzindo-se, assim, uma baixa freqüência e diminuída amplitude vibratória. Nesse caso, teremos sons ensurdecidos, mas não surdos, como notam alguns autores;
- de a corrente de ar passar pela glote e esta produzir um sopro, formando o som aspirado [r^h] que é pronunciado no português brasileiro, como variante da vibrante múltipla, por falantes caiçaras: [r^hádyu, mẹ́r^hmu]: "rádio, mesmo".

2.7. O ressoador

As caixas de ressonância supraglóticas (os ventrículos, a faringe, a boca e as fossas nasais) constituem o ressoador. O fenômeno da ressonância é uma das noções fundamentais da Fonética que se define pelo reforço de vibrações já existentes. No ato fonatório, o som complexo é formado, na laringe, pelas vibrações das cordas vocais. Para que haja ressonância, é necessário que a freqüência do corpo ressoador esteja na mesma do corpo vibrador.

Assim, as cordas vocais, ao vibrarem, produzem movimentos que darão a freqüência da vibração do som em questão. Essas vibrações levam a movimentar os corpos elásticos que se encontram na passagem das ondas sonoras. Inicialmente, a cavidade faríngea, espécie de ressoador que modifica as ondas sonoras, dirige-as para:

- a caixa de ressonância bucal: na boca com as fossas nasais fechadas, pelo levantamento da úvula, produz-se o som oral;
- as caixas de ressonância bucal e nasal: na boca e nas fossas nasais com as fossas nasais abertas, pelo abaixamento da úvula, produz-se o som nasal.

Pela ressonância, é possível reforçar qualquer freqüência de um som complexo e, dessa forma, modificar o timbre. Se os ressoadores reforçam harmônicos altos, temos um som de timbre claro. É o caso das vogais anteriores do português: [ę́, ẹ, i] e suas variações. Se o reforço é dado nos harmônicos baixos, o som torna-se grave, como nas nossas vogais posteriores: [ǫ́, ọ, u] e suas variações em que o timbre se torna obscuro ou sombrio.

Os ressoadores orais são modificados com a ajuda de movimentos executados pelos órgãos móveis que constituem as cavidades supraglóticas, variando em forma e volume e exercendo, assim, as mais diferentes influências ressoadoras sobre o som complexo laríngeo.

O esforço de reforçar certas freqüências e enfraquecer outras recebe, em Fonética Acústica, o nome de Filtro.

2.7.1. Os ventrículos

Na região supraglótica, estão situados os ventrículos, duas pequenas cavidades, uma de cada lado da laringe, entre o par de pregas superior e inferior. Essas pequenas cavidades, por vezes, podem ter papel de ressoadores.

2.7.2. A faringe

A faringe nada mais é que a parte profunda da boca. Constitui-se como um tubo musculomembranoso com direção vertical, tendo na parte inferior ligação com: (1) o aparelho respiratório, pela laringe e (2) o aparelho digestivo, pelo esôfago. O controle entre o digestivo e o respiratório é feito pela epiglote, que se situa na parte superior da laringe. Durante a respiração, a epiglote está levantada e, na deglutição, deita-se sobre o tubo laríngeo, a fim de que o alimento entre no esôfago.

Na parte superior, está a cavidade rinofaríngea que liga a faringe às fossas nasais. A cavidade bucal está separada da cavidade faríngea pelos movimentos da língua, auxiliada pelos órgãos que limitam a faringe: véu palatino e úvula.

Em termos vocais, o canal faríngeo compreende o espaço virtual delimitado pelas paredes lateral e posterior, além da base da língua. Essas paredes são revestidas de uma musculatura muito ágil: músculos constritores superior, médio e inferior. O músculo constritor inferior comporta três ligações laringeanas com a cricóide, com a aritenóide e com a tireóide. Esse músculo inferior serve para elevar a laringe, para constringi-la e para auxiliar, também, na colocação das cordas vocais, em posição fônica.

2.7.3. A boca

A cavidade bucal é formada por duas porções ósseas, designadas maxilares superior (fixo) e inferior (móvel), revestidas por paredes elásticas e móveis, as bochechas e, na frente, circunscrevendo-a, os lábios.

Pela movimentação de seus órgãos, a boca é uma cavidade irregular e está situada entre as fossas nasais e a região sub-hioideana, em forma oval. Na frente, a boca comunica-se com o meio exterior, por um orifício (ordinariamente fechado) que é circunscrito pelos lábios. Atrás, abre-se para a faringe.

As arcadas dentárias dividem a boca em duas partes:

- vestíbulo da boca, situado fora das arcadas, entre elas e a face interna das bochechas e lábios;
- a boca propriamente dita, dentro das arcadas dentárias.

O movimento de abertura da boca está condicionado pelo maior ou menor abaixamento do maxilar inferior, produzindo, assim, no português brasileiro, as vogais abertas [ę́, a, ǫ́], as vogais fechadas [ẹ, ạ, ọ], as vogais muito fechadas [i, u]. Diferenciam, também, as vogais fechadas [i, u] das semivogais [y, w].

Os movimentos de abertura da boca caracterizam, ainda, as articulações oclusivas e as constritivas. Os graus de abertura da boca relacionados com os movimentos da língua, do véu palatino e dos lábios possibilitam as mudanças constantes da cavidade irregular da boca, de forma a provocar, assim, ressonâncias distintas.

Caso a corrente de ar ressoe apenas na cavidade bucal, teremos os sons orais. Caso ressoe na boca e fossas nasais, os sons serão nasais.

2.7.4. As fossas nasais

Com a ajuda das fossas nasais, os sons orais recebem mais um formante e tornam-se nasais.

Como já foi dito, as cavidades nasais situam-se acima da cavidade bucal (maxilar superior), tendo comunicação com o tubo faríngeo pela cavidade rinofaríngea. Esse orifício está aberto ou fechado conforme os movimentos dos músculos do véu palatino que levantam ou abaixam a úvula.

Quando a úvula estiver levantada, a cavidade rinofaríngea permanecerá fechada e a corrente de ar sairá apenas pela boca, produzindo sons orais. Se a úvula estiver abaixada, a cavidade rinofaríngea permanecerá aberta e a corrente de ar sairá um pouco pelas fossas nasais e um pouco pela boca, constituindo as ressonâncias dos sons nasais. Há poucos sons nasais, no português brasileiro, os orais são em maior número. São nasais: [m, n, n̮, ã, ẽ, ĩ, õ, ũ]. Também são nasais as semivogais [y, w] quando antecedidas por vogal nasal, ao formar um encontro vocálico da mesma sílaba, como em [pãw]: "pão".

Os gráficos representam os ressoadores dos sons orais e dos nasais:

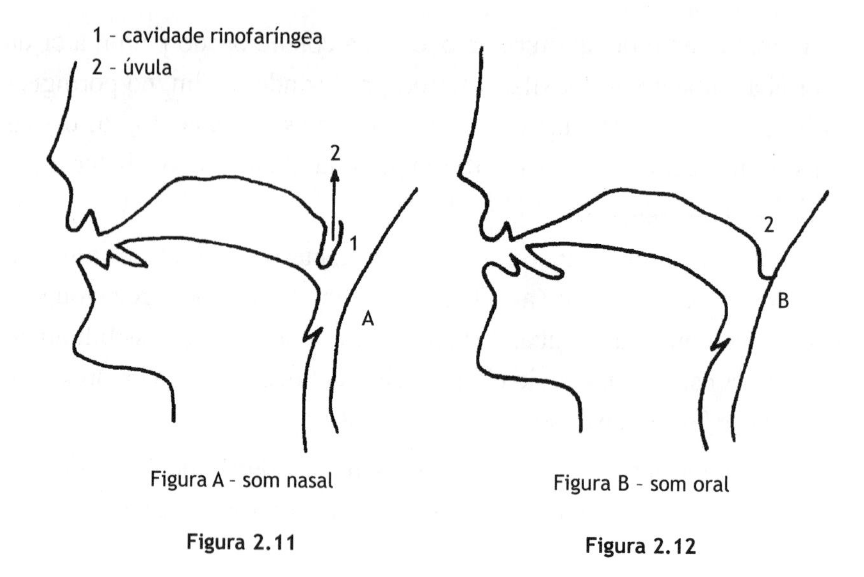

Figura A - som nasal

Figura 2.11

Figura B - som oral

Figura 2.12

A Figura 2.11 visualiza a formação do som nasal e a Figura 2.12, do som oral.

2.8. O articulador

O articulador compreende os órgãos situados na boca, responsáveis pela realização dos traços articulatório-acústicos característicos de cada som.

Conforme a mobilidade dos órgãos articuladores, podemos classificá-los em:

- ativos: maxilar inferior e dentes, língua, lábios e úvula;
- mais ou menos passivos: véu palatino;
- passivos: maxilar superior e dentes, alvéolos e palato.

2.8.1. Maxilar inferior

Há mobilidade do maxilar inferior, devido à articulação têmporo-maxilar que compreende uma articulação inferior pertencente ao maxilar inferior e uma superior, ao temporal. Conforme os movimentos de abertura e fechamento da cavidade bucal, os sons do português brasileiro classificam-se em:

- abertos;
- ligeirissimamente fechados;
- ligeiramente fechados;
- menor fechamento;
- maior fechamento.

Os dentes do maxilar inferior, seus alvéolos e gengiva não têm papel integrante na articulação dos sons, a não ser para completar as paredes da caixa de ressonância bucal.

2.8.2. A língua

A língua é um órgão musculoso muito ágil, situado no espaço parabólico que as arcadas dentárias descrevem. É, sem dúvida, o órgão articulador principal para a fonação e suas formas são variadíssimas.

Na articulação dos sons, podemos descrever a língua por partes:

- *ápice* ou ponta da língua é uma região de grande mobilidade que consegue tocar quase todas as regiões da cavidade bucal, a partir do palato mole. A ponta da língua articula os sons anteriores (centrais e marginais silábicos) do português brasileiro, de forma a classificá-los, conforme a região superior da boca, para onde se dirige, como: dentais, alveolares e pré-palatais;
- *dorso* ou parte média da língua é responsável pela articulação de sons mediais (centrais e marginais silábicos), de forma a classificá-los como palatais;
- *pós-dorso* ou parte quase faríngea forma com o véu palatino uma espécie de registro para a corrente de ar. Quando o pós-dorso está abaixado e o véu palatino erguido, a corrente de ar sai pela boca; caso contrário, pelas fossas nasais. Essa região é responsável pela

articulação dos sons posteriores (centrais ou marginais silábicos) e classifica-os como velares.

2.8.3. Os lábios

Os lábios são pregas musculomembranosas, situadas na parte anterior da boca, em número de dois: superior e inferior. Como articuladores, os lábios são responsáveis pela produção dos sons labiais do português brasileiro.

Para a articulação das vogais, os lábios tomam posição retraída, nas anteriores [ę́, ę, ẽ, i, ĩ]; posição neutra, nas mediais [ã, a]; e arredondada, nas posteriores [ǫ́, ọ, õ, u, ũ]. Para as marginais silábicas, articulam as oclusivas bilabiais [p, b, m] e as constritivas labiodentais [f, v]. Participam, ainda, de todos os demais sons, na formação da caixa de ressonância oral.

2.8.4. O maxilar e os dentes superiores

Como já foi dito anteriormente, o maxilar superior é um osso muito resistente e fixo, atravessado por um grande número de nervos. Apresenta na borda livre, os dentes superiores, inseridos nos respectivos alvéolos e gengiva.

Ao contrário dos dentes inferiores, os superiores formam regiões de articulação dos sons, classificando-os como dentais, labiodentais [f, v], linguodentais ou dentaisalveolares: [t, d, n, s, z, l, r, r̄].

Os dentes incisivos formam a região do articulador. Os demais dentes superiores servem de ponto de apoio para as bordas laterais da língua durante a articulação de vários outros sons.

2.8.5. Os alvéolos

As cavidades alveolares recebem os dentes, que aí são implantados. Cada dente tem seu próprio alvéolo, por isso os alvéolos não são regiões de articulação, pois os dentes os ocupam. Porém, suas bordas salientes pela ocupação do dente, na arcada superior, são zonas de articulação para certos sons centrais e marginais silábicos que, genericamente, são classificados como alveolaresdentais ou alveolares: [n, s, z, l, r, r̄, i, ĩ, y].

2.8.6. A abóbada palatina

A abóboda palatina constitui a parte superior da cavidade bucal que começa, na parte anterior, com a região dental-alveolar e termina atrás, com o véu palatino.

A região do palato tem a forma de uma abóbada, por isso recebe o nome de abóbada palatina, sendo côncava no sentido transversal e ântero-posterior. Essa região é dura, manifestada por tecidos ósseos, mas, na parte final, torna-se mole e bastante móvel, recebendo o nome de véu palatino.

A *região palatal* pode ser dividida em três partes, a saber:

- *pré-palato*: região logo após a alveolar dos incisivos superiores, onde são articulados os sons classificados como pré-palatais, tais como: centrais vocálicos [ę́, ẹ, ẽ] e marginais silábicos consonantais [n, l, s, z];
- *médio-palato*: região lisa que segue ao pré-palato e onde são articulados os sons classificados como médio-palatais, tais como: centrais vocálicos [a, ã, ª] e marginais silábicos [n̮, l̮, š, ž];
- *pós-palato*: a região mais côncava da abóbada palatina situada entre o médio-palato e o véu palatino, onde se articulam os sons classificados como pós-palatais, tais como: centrais vocálicos [ǫ́, ọ, õ] e marginais silábicos consonantais [k, g].

2.8.7. O véu palatino

O véu palatino é um conjunto músculo-membranoso que, na parte anterior, está ligado ao pós-palato e, na posterior, é inclinado e termina, verticalmente, numa porção chamada úvula.

A região velar ou do véu palatino é móvel e contrai-se em movimentos para baixo e para cima. Quando abaixa, o véu palatino entra em contato com o pós-dorso da língua e intercepta a comunicação da cavidade bucal com a faríngea.

O véu palatino é articulador de vários sons centrais e marginais silábicos que são classificados como velares, dentre eles [u, w, k, g].

2.8.8. A úvula

Denomina-se úvula o prolongamento vertical do bordo posterior do véu palatino. Para o português falado no Brasil, a úvula articula a vibrante múltipla classificada como uvular [r̤̄].

Como já foi indicado, participa, também, da oralidade e nasalidade, pois, dependendo de estar levantada ou abaixada, obstrui ou dá passagem à corrente de ar para as fossas nasais.

2.8.9. Um gráfico dos articuladores

A Figura 2.13 ilustra o conjunto de articuladores demonstrados a fim de melhor visualizar sua localização bucal.

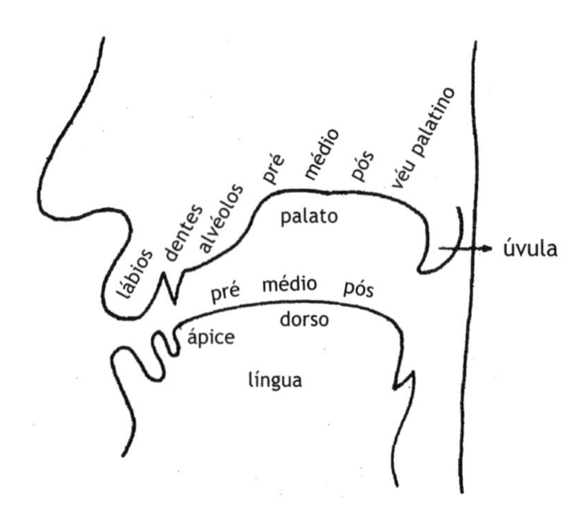

Figura 2.13

2.8.10. Os articuladores e os formantes

As caixas de ressonância bucal, faríngea e nasal determinam características específicas dos sons, diferenciando timbres. Chamamos de formantes, as freqüências ou grupo de freqüências atribuídas a essas caixas de ressonância que reforçam o som laríngeo no harmônico necessário para que se obtenha o timbre desejado.

Para a pronúncia estandardizada do português brasileiro, em geral, há dois formantes que resultam dois ressoadores orais: faringe e boca. Ocasionalmente, um terceiro formante ocorre pela participação das fossas nasais.

Os articuladores modificam os ressoadores e, dependendo do tamanho dos formantes orais, obtêm-se dois tipos acústicos:

- tipo *compacto*: que pode ser constatado em um espectrograma, em que os dois formantes principais ocupam o meio do espectro em um lugar intermediário, portanto, neutro. É o caso da vogal [a] e suas modificações. Esse tipo resulta do reforço de vibrações por dois ressoadores de tamanho semelhante, pois a cavidade oral está dividida em duas caixas de ressonância de tamanhos equivalentes, pelo levantamento do dorso da língua em direção ao médio-palato. As freqüências obtidas são compactas, pois as caixas de ressonância são de tamanho semelhante.

Observemos, na Figura 2.14, o gráfico da vogal medial [a]:

(1) caixa de ressonância faríngea = (2) caixa de ressonância bucal

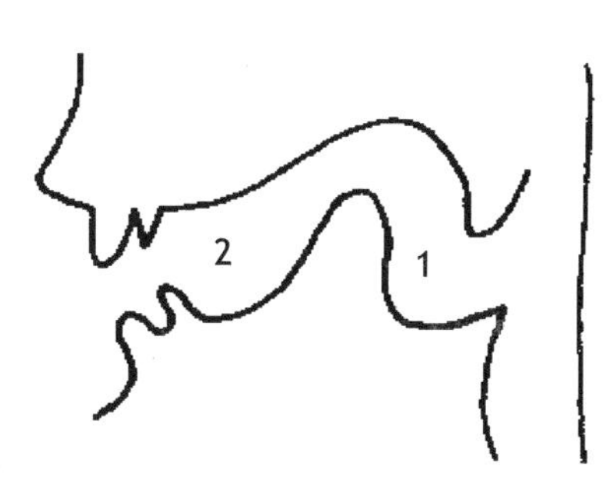

Figura 2.14

- tipo *difuso*: pode ser observado em um espectrograma em que os dois formantes principais encontram-se nitidamente separados um do outro, cada qual em uma extremidade do espectro. É o caso de [i, u], em que se obtém o reforço das freqüências, em caixas de ressonância de tamanhos diferentes.

Observemos a Figura 2.15, relativa à vogal anterior [i]:

(1) a caixa de ressonância faríngea é grande;

(2) a caixa de ressonância oral é pequena.

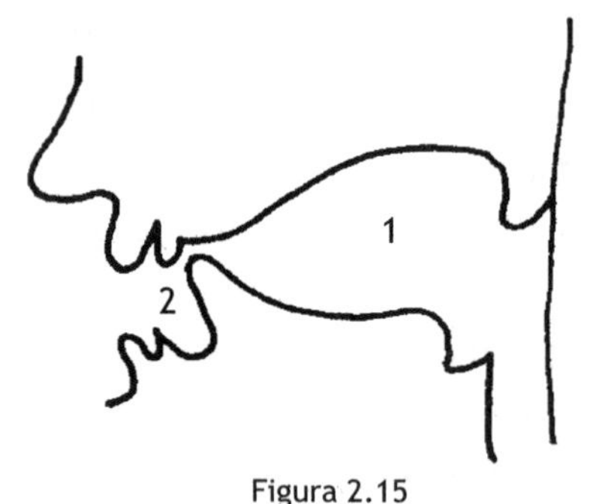

Figura 2.15

A língua dirige-se para a frente, em direção aos alvéolos, dividindo uma caixa de ressonância anterior, pequena, bucal e outra posterior, grande, faríngea. Esses grupos de freqüência produzem um timbre claro e agudo.

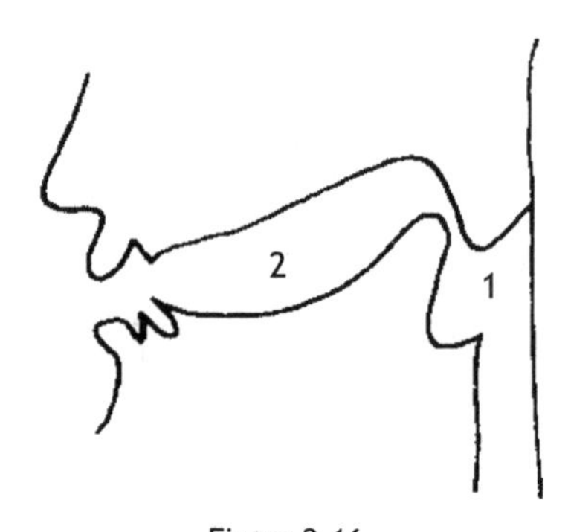

Figura 2.16

Observemos a Figura 2.16, relativa à vogal posterior [u]:

(1) a caixa de ressonância faríngea é pequena;

(2) a caixa de ressonância oral é pequena.

A língua dirige-se para trás, em direção ao véu palatino, dividindo uma caixa de ressonância anterior bucal grande e outra posterior, pequena, faríngea. Esses grupos de freqüência, resultantes dos ressoadores, produzem um timbre grave ou obscuro.

Os sons da língua portuguesa, assim como em outras línguas, são organizados por um sistema vocálico com dupla oposição, por exemplo:

- entre compacto e difuso [a-i, a-u];
- entre difuso agudo e difuso grave [i-u].

Assim, os articuladores e os ressoadores permitem realizar uma série de vogais agudas [i, ẹ, ę́] que, gradativamente, vai-se tornando compacta [a] para depois formar, também gradativamente, uma série de vogais graves [ǫ́, ọ, u].

Essa dupla oposição é enriquecida com uma série particular de vogais nasais, caracterizada pela soma do formante nasal e por certa modificação dos formantes dos ressoadores bucal e faríngeo: [ĩ, ẽ, ã, õ, ũ].

2.8.11. Os tipos articulatórios

Os tipos articulatórios caracterizam os sons do português brasileiro, nos nódulos silábicos, conforme a oposição abertura-estreitamento existente no canal bucal e que é resultante, respectivamente da separação e do encontro dos órgãos articuladores.

Podemos classificar os tipos articulatórios em:

- abertura do canal bucal pela posição dos órgãos articuladores: vogais;
- ligeiríssimo estreitamento do canal bucal: semivogais;
- ligeiro estreitamento: consoantes líquidas;

- estreitamento: consoantes constritivas;
- oclusão: consoantes oclusivas.

O som articulado, com a abertura do canal bucal, é vocálico e ocupa o nódulo central silábico (C). Os demais ocupam os nódulos marginais silábicos que podem ser iniciais ou finais, em relação à central. Dependendo de maior ou menor estreitamento, ocupam as marginais iniciais ou finais absolutas (Mia, Mfa) ou os nódulos marginais iniciais ou finais relativos (Mir, Mfr).

É do maior ou menor estreitamento no canal bucal que obteremos ondas aperiódicas (amplitudes diferentes) e periódicas (amplitudes iguais), caracterizando, assim, respectivamente, os ruídos consonantais e os tons vocálicos.

Em síntese, o aparelho fonador é um conjunto complexo de articulações que produz efeitos acústicos, a partir da produção articulatória do falante. Esses efeitos são transmitidos, pela vibração das moléculas de ar, até atingir o aparelho auditivo do ouvinte e chegar à sua memória sensorial, dando entrada aos sons, na memória de trabalho. Para o processamento sonoro, na construção da representação mental ocorrente, são ativadas, na memória de longo prazo, as representações sonoras-tipo, de forma a identificar os sons processados, para atribuir a eles sentidos, expandindo e reduzindo a informação processada.

Capítulo 3

Sons vocálicos do português falado no Brasil

Este capítulo tem por objetivo a descrição e classificação das vogais a partir das bases articulatórias do padrão estandardizado, ainda que se considerem também outras bases regionais.

Os sons lingüísticos do português, em quaisquer de suas pronúncias, são produzidos durante a expiração e, dependendo dos traços articulatório-acústicos que vão caracterizando as ondas sonoras durante o trajeto de percurso para atingir o meio ambiente, podemos descrevê-los e classificá-los.

3.1. Descrição e classificação das vogais do português brasileiro estandardizado quanto à laringe: o acento vocálico

Todas as vogais são sonoras. A sonoridade resulta de movimentos articulatórios que fazem vibrar as cordas vocais, produzindo, como efeito acústico, um som complexo, formado pelo fundamental e os harmônicos em ondas periódicas, isto é, com amplitudes idênticas em cada ciclo.

Para tanto, as cordas vocais estão unidas devido ao estímulo do nervo recorrente que parte do cérebro. As aritenóides deslocam-se sobre a cricóide para o centro do tubo laríngeo, levando com elas as extremidades das cordas vocais inferiores, pois, na parte anterior, estão fixadas à cartilagem tireóide.

Fecha-se o tubo laríngeo e a corrente de ar vinda dos pulmões pelos condutores — os bronquíolos, os brônquios, a traquéia e a parte inferior da laringe — não consegue ultrapassar a parte média desse órgão por causa do obstáculo formado na glote. Ao forçar a passagem da corrente de ar, movimenta-se o fole diminuindo a capacidade do volume de ar contido nele.

As cordas vocais entram em vibrações ao mesmo tempo verticais (para cima e para baixo da posição de repouso das cordas vocais dependendo da força empregada para expelir o ar) e horizontais (abrindo e fechando a glote) devido aos estímulos nervosos do recorrente. O acento é causado pela força (tensão) do ato expiratório, que produz a qualidade sonora da intensidade.

3.1.1. Traços articulatório-acústicos do acento em português

Se definirmos o acento, em Português, como a maior intensidade com que a emissão de uma vogal contrasta com as demais, em expressões de signos lingüísticos, situamos a natureza fonética nas particularidades individuais de cada falante, relacionando essa natureza com o aparelho fonador e, especificamente, com o vibrador. Por outro lado, não podemos admitir a emissão da fala, isolando os fenômenos articulatórios dos acústicos.

A fim de entendermos melhor a natureza fonética do acento, lembramos algumas noções já abordadas no capítulo anterior. O som é um efeito acústico, provocado pelo movimento de um corpo vibrador, que se propaga em determinado meio ambiente. O movimento compreende o deslocamento do corpo no espaço, a partir de sua posição de repouso até encontrar a posição de afastamento. Para que tal movimento se realize, é necessário que uma força seja aplicada sobre o corpo, fazendo-o vibrar.

No caso dos sons vocálicos articulados pelo aparelho fonador humano, o corpo vibrante são as cordas vocais e o meio ambiente, o ar. A força aplicada sobre as cordas vocais é a pressão subglótica, dependente de movimentos dos órgãos que constituem o fole: receptores, condutores e ativadores da corrente de ar, pois eles controlam a força e a quantidade de ar expelida.

Os movimentos do fole permitem os atos da inspiração e expiração, por ampliar e diminuir a capacidade do volume de ar recebido nos pulmões. São os movimentos do fole que, no ato expiratório, levam a corrente de ar a provocar as vibrações verticais das cordas vocais (para cima e para baixo da posição de repouso = amplitude), enquanto a tensão e distensão musculares são responsáveis pelas vibrações horizontais, tornando a laringe vibrador.

As cordas vocais, ao vibrarem, produzem quatro qualidades para o som lingüístico: altura, duração, timbre e intensidade.

A **altura** de um som resulta de sua freqüência, isto é, do número de vezes que as cordas vocais vão e voltam, por segundo, ultrapassando sua posição de repouso. A mesma freqüência de vibração resulta sempre no mesmo tom. Devido à altura, os sons são graves ou agudos.

Esses efeitos acústicos têm causas articulatórias em particularidades do corpo vibrante: um corpo pesado tem menor freqüência que um outro mais leve; da mesma forma que um corpo comprido, oferecendo mais resistência para vibrar, terá, vibrando, freqüência mais baixa que um corpo curto. Por isso, os tons da voz do homem (a "muda vocal", ocorrida na puberdade, desenvolve a cartilagem tireóide que passa a oferecer mais peso às cordas vocais) serem graves; os tons da voz feminina, em geral (como não ocorre esse processo), são mais agudos. A altura seria pertinente para a descrição das línguas tonais. No português, idioma de icto, grave e agudo são variantes individuais ou estilísticas.

A **duração** é abstraída da quantidade de tempo que dura a vibração das cordas vocais. Por meio dessa característica acústica, os sons articulados, na laringe, diferenciam-se em longos e breves, definindo os idiomas de quantidade, como acontecia com o latim. Para o português, idioma de icto, a duração é supra-segmental e constitui variantes individuais, estilísticas ou regionais.

O **timbre** depende do volume das caixas de ressonância do aparelho fonador: laringe, faringe, boca e fossas nasais. Costuma-se denominar o timbre como a "cor da voz", porque a laringe, cavidade glótica ressoadora, além de vibrador, permite grande variabilidade de produção sonora, graças às movimentações de suas cartilagens, controladas pelos músculos que as acionam. Como a variabilidade ocorre com todos os ressoadores, cada falante apresenta características pessoais quanto à voz. As vogais do português, quanto ao grau de abertura, diferencia-se pelo timbre.

A **intensidade** é o efeito acústico que decorre da força (pressão) do ato expiratório, produzindo maior ou menor afastamento da posição de repouso das cordas vocais. Pela intensidade, o ouvido percebe os sons fortes e fracos, por isso mesmo a intensidade relaciona-se à amplitude, que é a distância entre a posição de repouso e a de afastamento. Quanto maior for a intensidade, maior a amplitude, e vice-versa (ver capítulo 2). As vogais, com relação à intensidade, podem ser acentuadas e inacentuadas. Essa qualidade acústica das vogais define os idiomas acentuais ou de icto, como o português. O contraste entre sílaba acentuada e inacentuada é gerador de signos: / sábya, sabía, sabyá /. Em idiomas de icto, a sílaba acentuada tem um paradigma vocálico distinto do da sílaba inacentuada.

3.1.2. Os quatro graus de força do acento em português

Os sons vocálicos que articulamos e ouvimos são multiplamente variáveis e, como já o dissemos, nenhum falante repete um mesmo som. Porém, essa variabilidade acentual vocálica pode ser classificada em quatro graus de força, dependendo das bases articulatórias do português falado no Brasil (bases articulatórias são conjuntos de hábitos articulatórios que caracterizam as sociedades lingüísticas).

A fim de descrevermos esses quatro graus e classificarmos as vogais quanto ao acento, didaticamente propomos: grau 4, grau 3, grau 2 e grau 1. Esses quatro graus de força com que o fole expele a corrente de ar, variando a pressão subglótica, têm relação com a percepção acústica dos ouvintes de língua materna no Brasil, isto é, apesar de nossas vogais serem variáveis quanto à intensidade (complexidade do ato da fala), sempre temos a impressão acústica de distinguirmos quatro graus acentuais, o que nos leva a crer que esse critério possa descrever a base articulatória do acento do português falado por brasileiros.

Os resultados obtidos da transcrição e análise de um *corpus* (cem horas de gravação de diferentes registros, classificados em idioletos, gírias e dialetos) possibilitaram-nos, após muitos anos de pesquisa, classificar as vogais do português, produzidas por falantes brasileiros, em:

3.1.2.1 Grau 4 — Vogais acentuadas tônicas

As vogais acentuadas tônicas são aquelas produzidas com maior força de expulsão da corrente de ar com efeito acústico de maior intensidade, contrastando a sílaba tônica com as demais sílabas de um signo do nosso código oral de comunicação social.

Exemplo: [lápis, kará] — "lápis, cará"

3.1.2.2 Grau 3 — Vogais acentuadas não-tônicas

As vogais acentuadas não-tônicas são as vogais fortes, produzidas com grande força de expulsão da corrente de ar, mas que não contrastam a sílaba tônica das átonas fonológicas.

As causas da atualização da vogal acentuada não-tônica são de origem fonética, posições fonológicas sincréticas, fonoestilística ou morfofonológica.

a. Fonéticas

A causas fonéticas decorrem de bases articulatórias produzidas com o acréscimo de elementos de forma a apresentar dificuldades para a sua produção com uma baixa força na corrente de ar expelida.

- Palavras polissílabas pouco freqüentes em nossa língua

O acento ocorre na oxítona, paroxítona (mais freqüente) e proparoxítona (menos freqüente). Nas expressões de signos, são conhecidas pelos nossos falantes/ouvintes pela seqüência acentual dessas cadeias.

No caso de uma palavra com um grande número de sílabas, nossos falantes, que têm o hábito de acentuar uma cadeia entonatória, produzem acento de grau 3 em uma vogal, ainda que ela não seja a tônica da expressão do signo. Por exemplo, paralelepípedo:

[pàralẹlẹpípidu], ou
3 4

[paràlẹlẹpípidu], ou
3 4

[paralèlẹpípidu], ou ainda menos freqüente;
3 4

[paralẹlèpípido].
3 4

• Encontros vocálicos

Os encontros vocálicos compreendem a seqüência de vogal antecedida ou não de semivogal e seguida ou não de semivogal. Assim:
semivogal + vogal = [dyábọ] — "diabo";
vogal + semivogal = [páy] — "pai";
semivogal + vogal + semivogal = [myáw] — "miau" (onomatopéia).

As semivogais ocupam a posição de marginais relativas (inicial ou final) na sílaba:

M_{ir}	C	M_{fr}
d y	á	
p	á	y
m y	á	w

As semivogais têm também características vocálicas, além das consonantais e, portanto, requerem, ao serem articuladas, uma maior força da corrente expiratória, caso contrário não serão audíveis. Todas as vogais de encontros vocálicos serão acentuadas, ainda que não tônicas. Por ex.: [mísìw], "míssil", [míssèys] — "mísseis".
4 3 4 3

• A nasalidade

As vogais nasais são articuladas e seus efeitos acústicos resultam de três caixas de ressonância. Portanto, a força da corrente de ar terá de ser

maior, caso contrário as três caixas de ressonância não produzirão efeitos acústicos satisfatórios. Por exemplo: [ímã] — "ímã".
4 3

No caso dos ditongos nasais, a força amplia-se, pois são duas causas fonéticas somadas: [bẽ́sãw̃] — "bênção". Popularmente, é comum ouvirmos a silabada [bẽsãw̃́].

• Vogais em sílaba travada

Chama-se sílaba travada quando termina em consoante e a seguinte começa por consoante. A força expiratória recai sobre a vogal que é a central silábica. No caso de sílaba travada não-tônica, é necessário que haja certo volume de ar expirado, caso contrário a consoante final silábica não será audível. Por exemplo: [ĩ́pař] "ímpar" (essa é uma das causas fonéticas que regem as regras de acentuação ortográfica: "acentua-se, graficamente, a paroxítona terminada nas consoantes l, r, x, n, ps). Essa mesma causa pode ser encontrada nas vogais velarizadas, pela presença dos velarizadores.

b. Posições fonológicas sincréticas

A língua portuguesa define-se por um sistema fonológico acentual (acentuada/inacentuada) e, por essa razão, é descrita por dois paradigmas vocálicos. Cada um desses paradigmas é composto por um número diferente de fonemas: a sílaba acentuada, no que se refere ao oral, apresenta-se com sete vogais / a, ę́, ẹ, i, ǫ́, ọ, u /; no que se refere ao nasal, cinco vogais / ã, ẽ, ĩ, õ, ũ /; a sílaba inacentuada, no que se refere ao oral, apresenta-se com três vogais, sendo dois arquifonemas / a, I, U /, no que se refere ao nasal, também, três vogais, sendo dois arquifonemas / ã, Ĩ, Ũ /.

O termo sincretismo é definido como uma posição não ocupada por todos os fonemas que mantêm correlação entre si. Logo, havendo sincretismo ocorre a perda da oposição dos traços fonológicos e o arquifonema.

Por essa razão, / I / pode ser articulado por [ę́, ẹ, i], dependendo da variedade lingüística, como: [mẹnínᵘ], [mẹ̀nínᵘ], [minínᵘ]. As vogais / ę́, ǫ́ / só ocorrem em sílabas tônicas, pois, nas demais, estão em sincretismo. Porém, certas normas regionais realizam o fonema / ẹ / por [ę]. Quando essa variação ocorre, é acentuada não-tônica. A pronúncia estandardizada dos apresentadores da TV Globo é, em posição pré-tônica, / I / por [ẹ, i] e / U / por [ọ, u] conforme as letras que o grafam ortograficamente.

c. Fonoestilísticas

As causas fonoestilísticas dependem da intenção de o falante manifestar sua atitude por meio da intensidade vocálica. Por exemplo: um falante x para um ouvinte y, expressando sua atitude de irritação emite: [bá : sta] — "basta".

d. Morfofonológicas

Na formação de famílias de palavras a partir de uma base de derivação ou de composição, um novo acento tônico será marcado, porém o primitivo da base é mantido em grau 3, no grupo de força acentuado.

Por exemplo: [kafèzíṇu] — "cafezinho" ou [guàr̄dašúva] "guarda-chuva".

3.1.2.3 Grau 2 — Vogais inacentuadas átonas

As vogais inacentuadas átonas são aquelas produzidas com uma força média de expulsão da corrente de ar, também chamadas vogais átonas.

A classificação dessas vogais se dá pela posição ocupada em relação à tônica, daí: pré-tônicas ou antetônicas e pós-tônicas.

Por exemplo: pré-tônica [kará] — "cará";

pós-tônica: [lã́pad^{a}] — "lâmpada".

3.1.2.4 Grau 1 — Vogais inacentuadas reduzidas

As vogais inacentuadas reduzidas são emitidas com um pequeno esforço expiratório e ocorrem como variantes dialetais que dependem de certos contextos fônicos, a saber:

- átona final: [káz^{a}, ín^{u}, ọ́ž^{i}] — "casa, hino e hoje";
- inicial de "s impuro": [^{i}stá] — "está";
- apoio de grupo consonantal impróprio: [áp^{i}ta, ák^{i}nẹ] — "apta, acne".

O conjunto desses quatro graus permite-nos descrever as bases articulatórias acentuais do português falado no Brasil. (Para maiores informações consultar Buongermino, Regina, *Um estudo do acento, em português*, dissertação de mestrado, PUC/SP, 1978.)

Por meio da análise dos sons vocálicos, é possível fazer as seguintes observações quanto ao acento, no padrão estandardizado.

a) As vogais orais acentuadas tônicas não se realizam no ato da fala por variações de zona de emissão: [pá, pę́, pọ́, lí, nu] — "pá, pé, pó, li e nu", com exceção de / a + consoante nasal /, que tem realização fechada: [ạ], [ạ́n^{u}], [tạ́mar^{a}] — "ano, tâmara".

b) As vogais nasais acentuadas tônicas, dependendo de serem oxítonas, ditongam-se:

/ ẽ́ / — [tẽ́ỹ, tãbẽ́ỹ, nĩgẽ́ỹ] — "tem, também, ninguém";

/ ṍ / — [bṍw̃, batṍw̃, masṍw̃] — "bom, batom, maçom".

— as vogais nasais acentuadas tônicas, se forem paroxítonas ou proparoxítonas, ora ditongam-se, ora não:

/ ẽ́ / — [ẽ́, êy], [mẽ́ta, mẽ́ỹta], [idẽ́tiku, idẽ́ỹtiku] — "menta, idêntico";

/ ṍ / — [ṍ, ṍw̃], [tṍba, tṍw̃ba], [gṍdọla, gṍw̃dọla] — "tomba, gôndola".

— apenas a vogal nasal /ã/ não é ditongada em nenhuma posição tônica: [fã́, mã́ta, lã́pada] — "fã, manta, lâmpada".

c) As vogais nasais acentuadas não-tônicas podem ser atualizadas por uma série de variantes livres ou combinatórias:

/ ã / — [ímã, falárãw̃, faláru] — "ímã, falaram";

/ ẽ / — [garážẽỹ, garáži, garáž ^{i}] — "garagem"

[ẽỹkṍw̃tru, ĩkṍw̃tru] — "encontro";

/ õ / — [mõw̃tádu, mũtádu] — "montado".

d) As vogais orais inacentuadas podem ser atualizadas por uma série de variações livres ou dependentes do contexto:

/ a / — [át^{a}, pra] — "ata, para";

/ ê / — [mẹnínu, mẹnínu, minínu, m^{i}nínu] — "menino".

— as vogais inacentuadas reduzidas, variações contextuais, ocorrem no padrão estandardizado e em outras variações regionais.

e) Acento, em português, tem posição livre, por essa razão usamos:

— oxítonas [kafę́] — "café";

— paroxítonas [káza] — "casa";

— proparoxítonas [místiku] — "místico".

Em português, o maior número de palavras são paroxítonas e as mais raras são proparoxítonas.

f) As palavras átonas em português são apenas morfemas gramaticais. Todos os lexemas são acentuados, visto o acento ser um dos traços contrastivos geradores do léxico. Quando átonas (gramaticais), essas formas são dependentes do acento dos lexemas com os quais se unem em um "grupo de força". Exemplo: "a" pronome pessoal [aví, ví^{a}] em "eu a vi, vi-a".

Quando a palavra é proparoxítona, ao ser unida a uma forma átona, no "grupo de força", ocorre o acento na quarta sílaba.

Exemplo: [falávamusḽi] — "falávamos-lhe".

g) Apesar de as gramáticas tradicionais não proporem uma denominação para a quarta sílaba (a partir da sílaba final), ela é acentuada tônica. Manifesta-se em encontros consonantais impróprios. Exemplo: [tę́kiniku, kápsula] / tę́kniku / "técnico, cápsula".

h) As vogais / ę́, ǫ́ / são sempre acentuadas, podendo ser o elemento central de sílabas iniciais, mediais ou finais. São atualizadas pela mesma base articulatória. Todavia, pela derivação, perdendo o acento, mudam o grau de abertura, com articulação fechada.

Exemplo: [kadę́ṙnu, kadẹṙnẹ́ta] — "caderno, caderneta"

[vitǫ́rya, vitọryọ́zu] — "vitória, vitorioso".

i) As línguas recebem classificação tendo por ponto de partida a produção sonora na glote. Dessa forma, são classificadas em: línguas tonais, devido à altura (grave e agudo); línguas de acento, devido à intensidade (forte e fraco); e línguas de duração (longo e breve). Nas línguas de intensidade, o acento não é opositivo e, sim, contrastivo (pré-tônica, tônica e pós-tônica). As línguas de acento são, também, designadas línguas de icto ou intensidade. O português é uma língua de icto, porém nossa gramática tradicional usa, para o estudo do acento, a mesma terminologia da gramática grega, que tratava de uma língua tonal. Por isso, usamos o termo tônico (tom), átono (sem tom) e os compostos: oxítona (tom agudo), paroxítona (ao lado do tom), proparoxítona (antes do tom). Essa terminologia, para uma língua de icto, é imprópria, mas foi empregada por causa de nossa tradição gramatical.

3.1.3. Quanto à laringe, as vogais do português falado no Brasil classificam-se em:

3.1.3.1 Grau 4

a) O triângulo vocálico oral é descrito por 8 vogais, as linhas verticais mostram o grau de abertura; as horizontais, a zona de emissão:

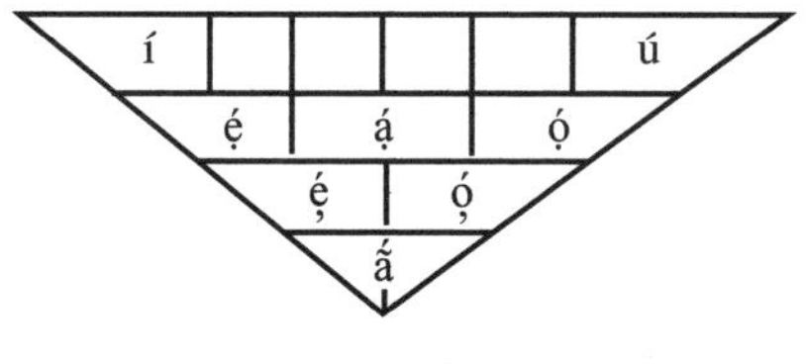

Figura 3.1

b) O triângulo vocálico nasal é descrito por 5 vogais:

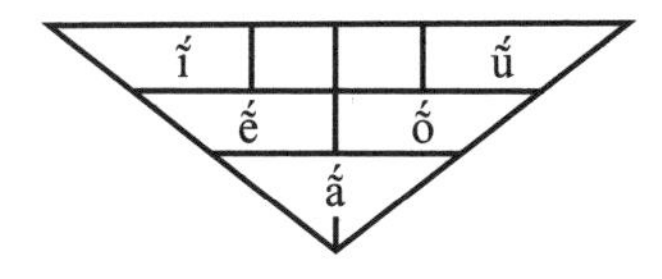

Figura 3.2

3.1.3.2 Grau 3

Os triângulos vocálicos oral e nasal apresentam variantes que, somadas, resultam no mesmo número 8 para as vogais orais e 5 para as nasais.

3.1.3.3 Grau 2

a) O triângulo vocálico oral é descrito por 5 ou 6 vogais, apesar de a maior freqüência dar-se com 3 vogais em várias normas regionais:

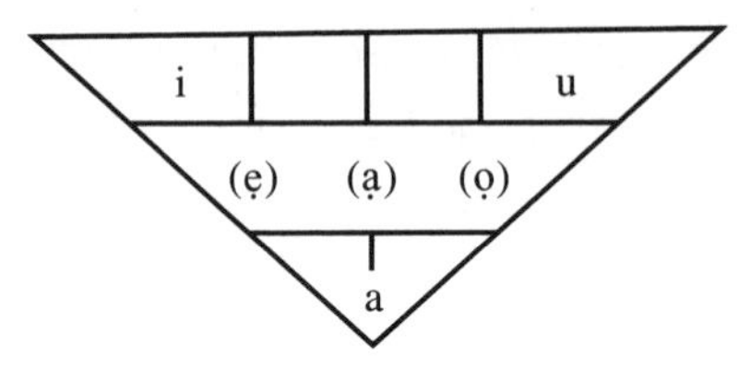

Figura 3.3

b) Os triângulos vocálicos nasais pré-tônico e pós-tônico são descritos por 5 vogais, desde que elas não estejam em posição final absoluta: [ã, ẽ, ĩ, õ, ũ] (substituindo-se as vogais orais pelas nasais, teríamos o mesmo triângulo da Figura 3.3).

c) O triângulo vocálico nasal pós-tônico, em final absoluto de palavra, é descrito por:

— quando medial, a presença da vogal [ã] ocorre com as seguintes variações: [ã], como em [ímã] — "ímã"; [ãw], como em [falárãw] — "falaram"; [a] desnasalada, como em [íma] — "ímã";

— quando anteriores [ẽỹ, ĩ]. A vogal [ẽ] ditonga-se em [ẽỹ], como em [arážẽỹ] — "aragem"; pode ser, também, realizada com a desnasalização, como em [garáži] — "garagem". A vogal [ĩ] é de baixíssima freqüência e ocorre em palavras estrangeiras como [kárĩ] — "Karin";

— quando posterior [ũ], também, é de baixíssima freqüência e ocorre com palavras latinas, como em [fọ́rũ] — "fórum".

Em síntese, podemos dizer que, em relação à freqüência, as vogais nasais de grau 2, pós-tônicas, e final absoluta de palavra, reduzem-se a uma única vogal [ã].

3.1.3.4 Grau 1

O triângulo vocálico oral, em posição final absoluta, é descrito por apenas 3 vogais (reduzidas):

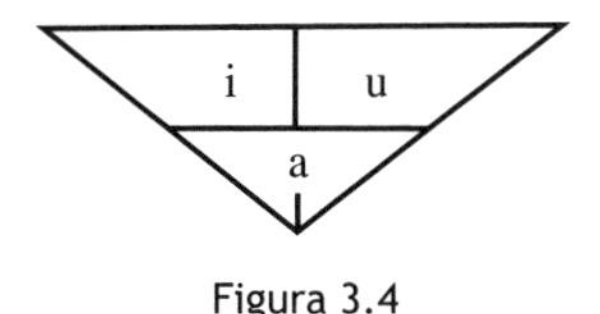

Figura 3.4

3.2 Descrição e classificação das vogais do português brasileiro estandardizado, quanto à faringe

As vogais adquirem características de oralidade ou nasalidade. As ondas sonoras, ao saírem da laringe, passam a ser modificadas pelos ressoadores: oral (faringe e boca, parte posterior e anterior do canal bucal) e nasal (fossas nasais). Ver no capítulo 2, aparelho fonador — ressoadores. Os sons surdos sempre são orais, não existe som surdo nasal.

O tubo faríngeo apresenta, na parte superior, ligação com as fossas nasais pela cavidade rinofaríngea que permanece aberta durante a respiração. No entanto, ao emitirmos sons lingüísticos do português, essa cavidade pode estar aberta ou fechada, graças aos movimentos dos músculos do véu palatino, que permitem o levantamento da úvula e, conseqüentemente, o fechamento dessa cavidade.

3.2.1 Vogais orais

Durante a emissão das vogais orais, a úvula está levantada, fechando a cavidade rinofaríngea e as ondas sonoras saem pelo canal bucal ressoando em duas caixas que se formam dependendo da posição dada à língua:

posterior-faríngea e anterior-bucal. Esse mecanismo ressoador formará os sons compactos e os sons difusos, sem modificar muito o aspecto periódico das ondas sonoras vindas da laringe.

Os sons vocálicos são compactos quando as caixas de ressonância faríngea e bucal são divididas pela língua em tamanhos semelhantes: [a], a língua eleva-se no centro do canal bucal em direção à zona médio-palatal. Esse som é também chamado tom puro, pois suas ondas sonoras são sempre periódicas, isto é, o som complexo da laringe é efeito acústico de movimentos verticais e horizontais pelas cordas vocais, mas com a mesma amplitude por ciclo. Essas ondas periódicas ressoam em caixas de tamanho semelhante, reforçando o caráter periódico das ondas que são propagadas em conjuntos de freqüências vizinhos.

Os sons vocálicos são difusos quando há diferença de tamanho das caixas ressoadoras: faríngea e bucal. A língua, quando se dirige para a parte anterior do canal bucal, divide-o em uma caixa de ressonância maior na faringe, na parte posterior, e em uma caixa menor bucal, na parte anterior.

As vogais anteriores [ę, ẹ, i], apesar de variar o tamanho das caixas (pré-palatal alveolar), apresentam sempre a caixa faríngea maior em relação à bucal, produzindo os sons difusos, límpidos. Tais sons são mais audíveis, visto ressoarem, inicialmente, na caixa maior, depois na menor, o que os torna, gradativamente, mais agudos, na série anterior.

As vogais posteriores [ǫ́, ọ, u] também apresentam variação no tamanho das caixas, mas sempre a faríngea será menor em relação à oral, produzindo, assim, os sons difusos obscuros ou sombrios, menos audíveis em seus efeitos acústicos, pois ressoam, inicialmente, na caixa menor, abafando muitas vibrações, e depois na maior, tornando-os, na série posterior, gradativamente, mais graves.

A oralidade vocálica é, portanto, efeito articulatório-acústico, produzido pelas ressonâncias de duas caixas: faríngea e bucal. Todas as vogais do português são orais, com exceção das variantes dos cinco fonemas vocálicos nasais.

3.2.2. Vogais nasais

Os sons vocálicos nasais diferenciam-se dos orais pela presença de uma terceira caixa de ressonância: a nasal. Articulatoriamente, a úvula está abaixada, dando passagem à corrente de ar pela cavidade rinofaríngea.

3.3. Descrição e classificação das vogais do português brasileiro estandardizado, quanto ao grau de abertura

O canal bucal varia de tamanho, pois o maxilar inferior é móvel, graças aos músculos que controlam esses movimentos, permitindo que esse canal seja ampliado ou diminuído.

A variação do grau de abertura da boca possibilitou a Hellwag a seguinte classificação, apresentada pelos gramáticos, no Brasil. As linhas verticais indicam a variação dos graus de abertura:

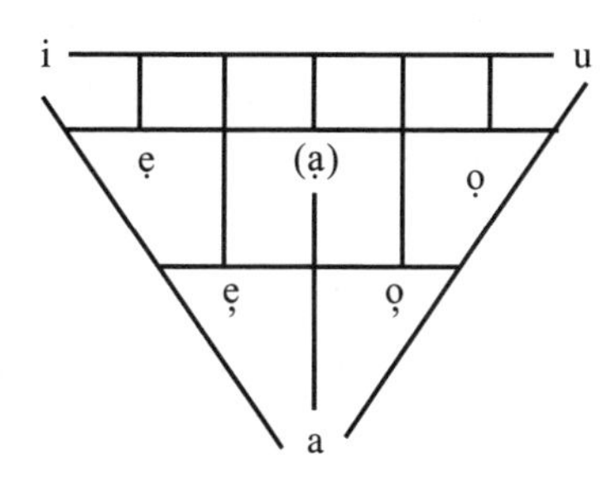

Figura 3.5

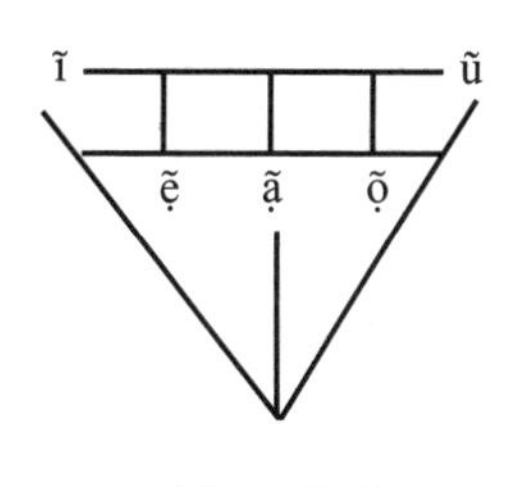

Figura 3.6

As linhas horizontais representam a zona de emissão, descrevendo as vogais em anteriores, mediais e posteriores (ver 2.1.4), ao passo que as linhas verticais tentam visualizar as diferenças de graus de abertura.

Com base no gráfico de Hellwag, classificamos as vogais como se segue:

3.3.1. Vogais abertas

São vogais abertas: [a, ę, ǫ́] — [pá, pę́, pǫ́] — "pá, pé, pó".

Chamam-se vogais abertas as que são articuladas com um grau de abertura amplo, pois o maxilar inferior encontra-se afastado do superior. Apesar de essas três vogais serem abertas, em [a], a abertura é um pouco maior.

3.3.2. Vogais fechadas

São vogais fechadas:

- orais [ạ, ẹ, ọ] — [ạ́ma, ẹ́ma, ọ́ma] — "ama, ema, oma";
- nasais [ã, ẽ, õ] — [tã́tọ, tẽ́tọ, tṍtọ] — "tanto, tento, tonto".

Chamam-se vogais fechadas porque há uma diminuição do grau de abertura causada pela aproximação do maxilar inferior em relação ao superior. É interessante fazermos algumas observações.

a) Muitos autores não descrevem a vogal [ạ] como fechada, classificam-na entre as nasais. O motivo decorre da posição no contexto fônico, pois, em posição tônica, [ạ] é variante combinatória e só ocorre antes de consoantes nasais: [ạ́ma, ạ́na, asạ́n̬a] — "ama, Ana, assanha". Não queremos dizer com isso que muitos falantes, ao articular a vogal / ạ / nessa posição tônica, não o possam fazer com ressonâncias nasais, mas, nesse caso, os traços articulatório-acústicos são diferentes: [ã́ma, ã́na, asã́n̬a].

Em posição átona, o grau fechado que atualiza / a /, antecedendo consoante nasal, é variante livre, isto é, pode ser atualizado por um grau aberto ou fechado: [anę́w, ạnę́w] "anel". Por vezes, nasalado [ãnę́w].

b) As vogais nasais têm sua base articulatória, no padrão estandardizado brasileiro com o grau fechado: [ã, ẽ, õ], por essa razão, nossa transcrição fonética contenta-se com a presença apenas do til. No entanto, é possível ouvirmos a articulação dessas vogais com grau aberto, por estrangeiros que não adquiriram ainda bases articulatórias de pronúncia da língua-alvo: [nã́w].

3.3.3. Vogais muito fechadas

São vogais muito fechadas:

- orais [i, u]: [lís, lús] — "lis, luz";
- nasais [ĩ, ũ]: [sĩ́, tṹba] — "sim, tumba".

Chamam-se vogais muito fechadas, pois a abertura entre o maxilar inferior e o superior é muito pequena.

3.4. Descrição e classificação das vogais do português brasileiro estandardizado, quanto à zona de emissão

O grau de abertura foi abordado separado da zona de emissão por uma questão descritiva, pois as caixas de ressonância são montadas por articulações concomitantes, auxiliadas pelas bochechas e lábios. Chama-se zona de emissão a região para a qual a língua se dirige na parte superior do canal bucal.

Como já dissemos anteriormente, nunca um mesmo falante articula de maneira idêntica o mesmo som, uma vez que varia o ponto exato para onde se dirige a língua, mas há uma zona de emissão que não pode ser ultrapassada, pois soará outra vogal. Para a articulação vocálica, não há encontros dos órgãos articuladores (passivos e ativos), eles apenas se aproximam, sempre com um grau de abertura (maior ou menor), possibilitando a passagem livre — para o meio ambiente — da corrente de ar entre as caixas de ressonância.

Por esse motivo, para as vogais, chamaremos zona de emissão essa aproximação dos órgãos articuladores; para as consoantes, denominaremos ponto de articulação, a fim de indicar que, apesar de não se encontrarem em uma mesma região, há sempre um tocar entre eles, durante um certo momento, apresentando, assim, um impedimento para a saída da corrente de ar. (Ver capítulo 2, órgãos articuladores.)

A partir das diferentes zonas de emissão existentes no canal bucal, classificaremos os sons vocálicos do português falado no Brasil:

3.4.1. Vogais anteriores

São vogais anteriores as quase-alveolares e as pré-palatais.

3.4.1.1 Vogais quase-alveolares: [i, ĩ]

Chamamos essas vogais de quase-alveolares a fim de distingui-las da semivogal [y]. Define-se a semivogal pela aproximação maior entre os órgãos articuladores, na mesma zona de emissão, adquirindo, desse modo, características consonantais.

Na articulação das vogais quase-alveolares, a parte anterior da língua dirige-se para os alvéolos superiores, dividindo o canal bucal do laríngeo em duas caixas de ressonância orais de tamanhos diferentes: a bucal, pequena, e a faríngea, grande, produzindo, assim, um som difuso límpido: [lí], ou com o acréscimo do formante nasal: [sĩ́].

3.4.1.2 Vogais pré-palatais: [ę, ẹ, ẽ]

Na articulação das vogais pré-palatais, a parte anterior da língua dirige-se para a região pré-palatal, dividindo o canal bucal em caixas de ressonância orais de tamanhos diferentes: a bucal um pouco menor que a faríngea, produzindo um som difuso, límpido.

As articulações variáveis entre [ę, ẹ] decorrem do grau de abertura da boca:

[ę] — vogal aberta, pré-palatal: [sę́] — "sé";

[ẹ] — vogal fechada, pré-palatal: [sẹ́] — "sê".

As diferenças entre [ẹ, ẽ] resultam das caixas de ressonância:

[ẹ] — vogal pré-palatal, fechada, oral (caixas de ressonância: faríngea e oral): [mẹ́ta] — "meta";

[ẽ] — vogal pré-palatal, fechada, nasal (caixas de ressonância: faríngea, oral e nasal): [mẽ́ta] — "menta".

3.4.2. Vogais mediais

São vogais médio-palatais: [a, ạ, ã].

Na articulação das vogais médio-palatais, a parte medial da língua dirige-se para o médio-palato, dividindo o canal bucal do laríngeo em duas caixas de ressonância de tamanhos semelhantes. Assim, é produzido o som compacto, tom puro, na articulação de [a].

As articulações variáveis entre [a, ạ] decorrem do grau de abertura da boca:

[a] — vogal médio-palatal, aberta: [átu] — "ato";

[ạ́] — vogal médio-palatal, fechada: [ạ́nu] — "ano".

As articulações variáveis entre [ạ, ã] decorrem das ressonâncias:

[ạ] — vogal médio-palatal, fechada, oral (caixas de ressonância: faríngea e oral): [ạ́na] — "Ana";

[ã] — vogal médio-palatal, fechada, nasal (caixas de ressonância: faríngea, oral e nasal): [ã́ta] — "anta".

3.4.3. Vogais posteriores

São vogais posteriores as vogais pós-palatais e as quase-velares.

3.4.3.1 Vogais pós-palatais: [ǫ́, ọ, õ]

A articulação das vogais pós-palatais compreende a parte posterior da língua dirigindo-se para o pós-palato, dividindo o canal bucal em caixas de ressonância diferentes: a bucal um pouco maior que a faríngea, produzindo um som difuso obscuro.

As articulações variáveis entre [ǫ́, ọ] resultam da diferença de grau de abertura da boca:

[ǫ́] — vogal aberta, pós-palatal: [nǫ́] — "nó";

[ọ] — vogal fechada, pós-palatal: [nọ] — "no".

As diferenças variáveis entre [ọ́, õ] são ocasionadas pela caixa de ressonância:

[ọ] — vogal fechada, pós-palatal, oral (caixas de ressonância: oral e faríngea): [dọ́] — "do";

[õ] — vogal fechada, pós-palatal, nasal (caixas de ressonância: oral, faríngea e nasal): [dṍ] — "dom".

3.4.3.2 Vogais quase-velares: [u, ũ]

Chamamos essas vogais de quase-velares a fim de distingui-las das articulações da semivogal [w], pois, para a semivogal, há maior aproximação dos órgãos articuladores nessa mesma zona de emissão, adquirindo, assim, características consonantais.

Na articulação das vogais quase-velares, a parte posterior da língua dirige-se para o véu palatino, dividindo o canal bucal do lado laríngeo em duas caixas de ressonância orais de tamanhos diferentes: a bucal, ampla; e a laríngea, pequena, produzindo um som difuso e obscuro: [nú] — "nu", ou com o acréscimo do formante nasal: [rṹ] — "rum".

A diferença articulatória entre [u, ũ] depende das caixas de ressonância:

[u] — vogal fechada, quase-velar, oral (caixas de ressonância: oral e faríngea): [múdu] — "mudo";

[ũ] — vogal fechada, quase-velar, nasal (caixas de ressonância: oral, faríngea e nasal): [mṹdu] — "mundo".

3.4.4. Considerações sobre a zona de emissão

A respeito da zona de emissão das vogais do português falado no Brasil, duas considerações se fazem necessárias.

3.4.4.1 Padrão estandardizado

As vogais inacentuadas em posição final absoluta de palavras são reduzidas [$^{i, a, u}$]. Como já vimos ao tratar do acento (grau 1), essas vogais são variações contextuais, pois só ocorrem em determinadas posições: as três vogais reduzidas em posição final absoluta e a reduzida [^{i}] apoiando grupos consonantais impróprios como em [áp^{i}tọ, p^{i}nẹ́w] — "apto e pneu"

Quanto à zona de emissão, simplesmente classificamos essas vogais em: [^{i}] — vogal reduzida, anterior: [ọ́ž^{i}] — "hoje"

Não há para essa articulação uma zona de emissão bem delineada, por isso ora soa [^{e}], ora [^{i}]; portanto, ao tentarmos ouvir gravações feitas, ora percebemos a pré-palatal, ora a quase-alveolar.

Ao transcrevermos [^{i}] não queremos dizer que seja alveolar em sua base articulatória, mas que, simplesmente, adotamos como transcrição uma articulação vocálica de grau 1 de força que é realizada na parte anterior da boca. Por isso, ora ouvimos [ọ́žẹ], ora [ọ́ž^{i}].

Ao transcrevermos [^{a}], não queremos dizer que a vogal emitida seja aberta. O grau de abertura não é bem definido, devido ao grau 1 acentual, mas a zona de emissão é medial, portanto, ora ouvimos [a], ora [^{a}]. A transcrição da vogal [a] refere-se à vogal de grau 1 acentual realizada na zona médio-palatal, porém não há preocupação em diferenciar o grau de abertura. Assim, ora ouvimos [káza], ora [káz^{a}].

Ao transcrevermos [^{u}], não queremos dizer que essa vogal reduzida de grau 1 acentual seja quase-velar, pois sua zona de emissão não é bem definida, ora quase-velar [ạ́n^{u}], ora pós-palatal [ạ́n^{o}], mas simplesmente nos referimos à vogal reduzida de grau 1 acentual, articulada na zona de emissão posterior.

3.4.4.2 Padrão regional

As vogais velarizadas são realizadas por falantes brasileiros em certas áreas geográficas e, de forma geral, fazem parte do, tradicionalmente designado, dialeto caipira que está situado em diferentes regiões do Brasil.

Os velarizadores fonológicos são [l, r, w], porém, ao serem atualizados, percebemos os efeitos acústicos de uma vibrante retroflexa que altera a zona de emissão vocálica para a região posterior da boca, salvo exceções:

[má̸l̸] — "mal";

[dọ̸́r̸] — "dor";

[sá̸w̸dád^{i}] — "saudade".

As vogais velarizadas resultam de mudança nas caixas acústicas orais, pois a língua posiciona-se de tal modo que há ressonância posterior ampla em relação à caixa anterior.

Esses sons são também chamados cacuminais. O alfabeto fonético (Convenção Brasil/Portugal) convenciona um traço oblíquo sobre a vogal velarizada, a fim de indicar que houve mudança nas caixas de ressonância orais, e também sobre os velarizadores (os fonemas / l, r̄, w / que seguem as vogais velarizadas), pois indicam que não foram realizados em suas bases articulatórias.

3.5. Descrição e classificação das vogais do português brasileiro estandardizado, quanto à posição dos lábios

Como sabemos (ver capítulo 2), os lábios também são articuladores ativos que produzem efeitos acústicos devido ao tamanho e formato da cavidade que expira, em uma última instância, a corrente de ar para o meio ambiente.

Quanto à posição dos lábios, podemos classificar as vogais do padrão estandardizado do português brasileiro como se segue.

3.5.1. Retrácteis

Chamam-se retrácteis todas as vogais anteriores, pois são articuladas com os lábios retraídos, em posição de sorriso: [i, ^{i}, ĩ, ę, ẹ, ẽ].

Por exemplo: [ví, ọ́z^{i}, vĩ́, pę́, vẹ́, nẽ́] — “vi, hoje, vim, pé, vê, nem”

3.5.2. Neutras

As vogais neutras são definidas a partir da posição neutra dos lábios (nem para trás, nem para frente). As vogais neutras são: [a, ạ, ã, ^{a}].

Por exemplo: [átu, ạ́nu, ã́ta, mẹ́z^{a}] — “ato, ano, anta, mesa”.

3.5.3. Labializadas

As vogais labializadas são também classificadas como arredondadas, pois, nas articulações posteriores [ǫ́, ọ, õ, u, ũ], os lábios projetam-se para a frente em forma de bico. Dessa forma, todas as vogais posteriores, em português, são labializadas ou arredondadas: [dǫ́, dọ́, dṍ, nú, nṹ] — "dó, do, dom, nu, num".

3.6. Modelo de descrição vocálica de sons do português falado no Brasil (bases articulatórias variáveis)

Apesar de termos classificado as vogais dependendo das articulações dos órgãos do aparelho fonador a fim de produzir determinados efeitos acústicos, faremos agora a descrição das vogais a partir de determinados traços articulatório-acústicos adquiridos durante o percurso da expiração. Seguindo a ordem de anteriores, mediais e posteriores, podemos ter a seguinte descrição, sem nos preocuparmos com as variações de matizes, mas atentos às bases articulatórias:

[ⁱ] — vogal ensurdecida, reduzida, de grau 1 acentual, oral, retráctil, anterior, difusa, límpida: [ǫ́žⁱ] — "hoje";

[i] — vogal sonora, átona, de grau 2 acentual, oral, muito fechada, anterior, quase-alveolar, retráctil, difusa, límpida: [inátu] — "inato";

[i] — vogal sonora, acentuada não-tônica, de grau 3, oral, muito fechada, anterior, quase-alveolar, retráctil, difusa, límpida: [mítu], [mìtọlǫ́žiku] — "mito, mitológico";

[i] — vogal sonora, acentuada tônica, de grau 4, oral, muito fechada, anterior, quase-alveolar, retráctil, difusa, límpida: [fíla] — "fila";

[ĩ] — vogal sonora, acentuada tônica, de grau 4, nasal, muito fechada, anterior, quase-alveolar, retráctil, difusa, límpida: [fĩ́] — "fim";

[ĩ] — vogal sonora, acentuada não-tônica, de grau 3, nasal, muito fechada, anterior, quase-alveolar, retráctil, difusa, límpida: [mĩ́tu, mĩ̀tídu] — "minto, mentido";

[i] — vogal sonora, acentuada tônica, de grau 4, oral, muito fechada, quase-alveolar, velarizada, retráctil, difusa, menos límpida: [mɨ́ɫ] — "mil";

[i] — vogal sonora, acentuada não-tônica, de grau 3, oral, muito fechada, quase-alveolar, velarizada, retráctil, difusa, menos límpida: [fɨɫtrá] — "filtrar";

[ẹ] — vogal sonora, acentuada tônica, de grau 4, oral, fechada, anterior, pré-palatal, retráctil, difusa, límpida: [mẹ́ta] — "meta";

[ę] — vogal sonora, acentuada tônica, de grau 4, oral, aberta, anterior, pré-palatal, retráctil, difusa, límpida: [mę́ta] — "meta";

[ẽ] — vogal sonora, acentuada tônica, de grau 4, nasal, fechada, anterior pré-palatal, retráctil, difusa: [mẽ́ta] — "menta";

[ẽ] — vogal sonora, acentuada não-tônica, de grau 3, nasal, fechada, anterior, pré-palatal, retráctil, difusa: [mẽtǫ́w] — "mentol";

[ẹ] — vogal sonora, acentuada não-tônica, de grau 3, oral, fechada, anterior, pré-palatal, retráctil, difusa, límpida: [sę́řtu, sẹřtẹ́za] — "certo, certeza";

[ę] — vogal sonora, acentuada não-tônica, de grau 3, oral, aberta, anterior pré-palatal, retrátil, difusa, límpida: [kafę́], [kafę̀zíṋu] — "café, cafezinho";

[ẹ] — vogal sonora, inacentuada átona, de grau 2, oral, fechada, anterior, pré-palatal, retráctil, difusa, límpida: [ẹmítẹ] — "emite";

[ę] — vogal sonora, acentuada tônica, de grau 4, oral, aberta, anterior, pré-palatal, retráctil, difusa, límpida: [ę́ra] — "era";

[ę] — vogal sonora, acentuada tônica, de grau 4, oral, aberta, velarizada, pré-palatal, retráctil, difusa: [sę́ɫ̄tu] — "certo";

[ę] — vogal sonora, acentuada não-tônica, de grau 3, oral, aberta, velarizada, pré-palatal, retráctil, difusa: [pę́ɫ̄tu, pę̀ɫ̄tíṋu] — "perto, pertinho";

[ẹ] — vogal sonora, acentuada tônica, de grau 4, oral, fechada, velarizada, pré-palatal, retráctil, difusa: [vẹ́r̄di] — "verde";

[ẹ] — vogal sonora, acentuada não-tônica, de grau 3, oral, fechada, velarizada, pré-palatal, retráctil, difusa: [sẹ́r̄tu, sẹr̄tẹ́za] — " certo, certeza";

[a] — vogal sonora, acentuada tônica, de grau 4, oral, aberta, medial, médio-palatal, neutra, compacta: [pá] — "pá";

[a] — vogal sonora, acentuada não-tônica, de grau 3, oral, aberta, medial, médio-palatal, neutra, compacta: [pá, pàzíṇa] — "pá, pazinha";

[a] — vogal sonora, inacentuada átona, de grau 2, oral, aberta, medial, médio-palatal, neutra, compacta: [atọ́la] — "atola";

[ª] — vogal ensurdecida, inacentuada, reduzida, de grau 1, oral, medial, neutra, menos compacta: [átª] — "ata";

[ạ] — vogal sonora, acentuada tônica, de grau 4, oral, fechada, medial, médio-palatal, neutra, menos compacta: [ạ́nu] — "ano";

[ạ] — vogal sonora, acentuada não-tônica, de grau 3, oral, fechada, medial, médio-palatal, neutra, menos compacta: [banạ́na, banạ́náda] — "banana, bananada";

[ạ] — vogal sonora, inacentuada átona, de grau 2, oral, fechada, medial, médio-palatal, neutra, menos compacta: [ạnẹ́w] — "anel";

[a] — vogal sonora, acentuada tônica, de grau 4, oral, aberta, velarizada, médio-palatal, neutra, menos compacta: [amár̄] — "amar";

[a] — vogal sonora, acentuada não-tônica, de grau 3, oral, aberta, velarizada, médio-palatal, neutra, menos compacta: [màrdádi] — "maldade";

[ã] — vogal sonora, acentuada tônica, de grau 4, nasal, fechada, medial, médio-palatal, neutra, menos compacta: [fã́] — "fã";

[ã] — vogal sonora, acentuada não-tônica, de grau 3, nasal fechada, medial, médio-palatal, neutra, menos compacta: [mãtę̃w] — "mantel";

[ǫ́] — vogal sonora, acentuada tônica, de grau 4, oral, aberta, posterior, pós-palatal, labializada, difusa, obscura: [pǫ́] — "pó";

[ọ] — vogal sonora, acentuada não-tônica, de grau 3, oral, fechada, posterior, pós-palatal, labializada, difusa obscura: [mǫ́le, mọ̀lẹ́za] — "mole, moleza";

[ọ] — vogal sonora, acentuada tônica, de grau 4, oral, fechada, posterior, pós-palatal, labializada, difusa, obscura: [sọ́pa] — "sopa";

[ọ] — vogal sonora, acentuada não-tônica, de grau 3, oral, fechada, posterior, pós-palatal, labializada, difusa, obscura: [mọ̀stár̄da] — "mostarda";

[ọ] — vogal sonora, inacentuada átona, de grau 2, oral, fechada, posterior, pós-palatal, labializada, difusa, obscura: [kọlár̄] — "colar";

[ǫ́] — vogal sonora, acentuada tônica, de grau 4, oral, aberta, velarizada, pós-palatal, labializada, difusa, obscura: [sǫ́r̄ti] — "sorte";

[ọ] — vogal sonora, acentuada não-tônica, de grau 3, oral, aberta, velarizada, pós-palatal, labializada, difusa, obscura: [sọ̀r̄tẹár̄] — "sortear";

[ọ] — vogal sonora, acentuada tônica, de grau 4, oral, fechada, velarizada, pós-palatal, labializada, difusa, obscura: [dọ́r̄] — "dor";

[ọ] — vogal sonora, acentuada não-tônica, de grau 3, oral, fechada, velarizada, pós-palatal, labializada, difusa, obscura: [mọ̀r̄táw] — "mortal";

[õ] — vogal sonora, acentuada, tônica, de grau 4, nasal, fechada, posterior, pós-palatal, labializada, difusa, obscura: [dṍ] — "dom";

[õ] — vogal sonora, acentuada não-tônica, de grau 3, nasal, fechada, posterior, pós-palatal, labializada, difusa, obscura: [mõtár̄] — "montar";

[u] — vogal sonora, acentuada tônica, de grau 4, oral, muito fechada, posterior, quase-velar, labializada, difusa, obscura: [núka] — "nuca";

[ù] — vogal sonora, acentuada, não-tônica, de grau 3, oral, muito fechada, posterior, quase-velar, labializada, difusa, obscura: [súr̄a, sùr̄áda] — "surra, surrada";

[u] — vogal sonora, inacentuada átona, de grau 2, oral, muito fechada, posterior quase-velar, labializada, difusa, obscura: [muzikáw] — "musical";

[^{u}] — vogal ensurdecida, inacentuada reduzida, de grau 1, oral, posterior, labializada, difusa, obscura: [mutšív^{u}] — "motivo";

[u] — vogal sonora, acentuada tônica, de grau 4, oral, muito fechada, velarizada, quase-velar, labializada, difusa, obscura: [sú̸r̸̄t^{u}] — "surto";

[u] — vogal sonora, acentuada não-tônica, de grau 3, oral, muito fechada, velarizada, quase-velar, labializada, difusa, obscura: [mù̸r̸̄tádu] — "multado";

[ũ] — vogal sonora, acentuada tônica, de grau 4, nasal, muito fechada, posterior, quase-velar, labializada, difusa, obscura: [nṹka] — "nunca";

[ũ] — vogal sonora, acentuada não-tônica, de grau 3, nasal, muito fechada, posterior, quase-velar, labializada, difusa, obscura: [asũtár̄] — "assuntar".

Capítulo 4

Sons consonantais do português falado no Brasil

Denominamos consoantes as articulações lingüísticas produzidas pelo aparelho fonador antes ou após a central silábica que é soante, por essa razão, dizemos CON + SOANTES.

Definimos a sílaba pela composição de dois elementos: estreitamento-abertura. Estes, combinados em diferentes conjuntos, formam os vários padrões silábicos de uma pronúncia. No caso do português brasileiro, encontramos:

- abertura;
- estreitamento-abertura;
- abertura-estreitamento;
- estreitamento-abertura-estreitamento.

Na abertura, temos apenas um nódulo silábico, o central, ocupado pela emissão das vogais. Estas contrastam entre si pelo grau de intensidade das vibrações laríngeas (acentuadas/inacentuadas).

No estreitamento, todavia, há vários nódulos, os marginais. É necessário que tenhamos um critério de descrição e classificação a fim de diferenciarmos as consoantes entre si e de não as confundirmos com as semivogais, já que todas são emitidas no estreitamento silábico.

O critério que adotamos para a descrição e classificação vocálica foi intensidade-abertura. Assim diferenciamos vogal/semivogal. A vogal é mais intensa e tem abertura; a semivogal é menos intensa e tem menor abertura: [saí, sáy] — "saí, sai". O contraste acentual levou-nos a classificar a vogal [i] como quase-alveolar e a semivogal [y] como alveolar. Enquanto a vogal é emitida no elemento abertura, central silábico, a semivogal o será no estreitamento, marginal silábico.

Esse mesmo critério pode ser adotado para diferenciar as consoantes das semivogais. As consoantes caracterizam-se por ter, em relação às semivogais, menor intensidade (menor sonoridade) e maior tensão articulatória (ponto de articulação e modo de articulação). Não podemos dizer que as semivogais tenham ponto e modo de articulação, há apenas menor abertura e menor intensidade, o que as torna marginais vocálicas, mas não consonantais, pois ainda são vozes.

Dentre as consoantes, as que têm maior parentesco vocálico são as líquidas (laterais e vibrantes), porém estas não se opõem articulatoriamente às semivogais e, sim, contrastam com elas, em padrões silábicos, pois há ponto e modo de articulação.

Exemplo: [pryọ́r̄], [ãplyár̄] — "prior, ampliar".

Nesse sentido, para as semivogais, há um ligeiríssimo estreitamento que não chega a formar ponto e modo de articulação, ao passo que, para as líquidas, há um ligeiro estreitamento que resulta em ponto e modo articulatórios, produzindo-se as modificações próprias dos sons contínuos consonantais, que passamos a caracterizar, neste capítulo.

4.1. Descrição e classificação das consoantes do português brasileiro estandardizado, quanto à laringe

4.1.1. Surdas

São surdas as que não têm o tom laríngeo, pois a passagem da corrente de ar pela laringe é livre já que a glote está aberta e as cordas vocais estão separadas. Assim, a corrente de ar não chega a produzir o tom laríngeo, não há o som complexo: fundamental e harmônicos. As consoantes surdas são: [p, t, k, f, s, š, ts, tš].

Exemplo: [pá, tú, akí, fã, sá, šá, pítsa, tšía] — "pá, tu, aqui, fã, Sá, chá, pizza, tia"

4.1.2. Sonoras

As consoantes sonoras são formadas na laringe pela vibração das cordas vocais (movimentos horizontais de abrir e fechar, pela intervenção dos músculos; movimentos verticais de subir e descer, pela passagem da corrente de ar). (Ver capítulo 2.) Com exceção dos seis sons consonantais [p, t, k, f, s, š], as demais consoantes do português são sonoras. Exemplos: [bála, dáma, gurú, džía, várã, žwę̣ḷu, nǫ́, zę́, úṋa] — "bala, dama, guru, dia, varra, joelho, nó, Zé, unha"

Além dessas consoantes surdas e sonoras, há uma variação de /r̄/ e / s /, que é do padrão dialetal caiçara no Brasil, quando em sílaba travada.

Exemplo: [mérhmu] — "mesmo", chamada aspirada e definida articulatoriamente como um sopro em relação à laringe

Normalmente, a aspiração é surda, mas pode produzir-se também em contato com a articulação vocálica, quando o ar passa pela laringe por meio da glote ainda aberta, mas tende a tomar uma posição para vibrar: [rhádyu] — "rádio".

4.2. Descrição e classificação das consoantes do português brasileiro estandardizado, quanto à faringe

Na cavidade supraglótica, dependendo da abertura ou fechamento da passagem rinofaríngea, as consoantes serão orais ou nasais.

4.2.1. Orais

As consoantes orais são articuladas quando a úvula está levantada, fechando a cavidade rinofaríngea e fazendo com que a corrente de ar sai pelo canal bucal. Com exceção das três consoantes nasais [m, n, ɲ], as consoantes do português são orais.

4.2.2. Nasais

As consoantes nasais são articuladas quando a úvula está abaixada e a cavidade rinofaríngea aberta, obtendo-se, assim, três formantes: faríngeo, oral e nasal. As consoantes nasais do português resultam da marca de nasalidade sobre as consoantes sonoras oclusivas [b, d, g] que, ao serem emitidas com o formante nasal, modificam-se em [m, n, ɲ].

Exemplo: [úma, úna, úɲa] — "uma, una, unha".

4.3. Descrição e classificação das consoantes do português brasileiro estandardizado, quanto ao ponto de articulação

No ponto de articulação, situado no canal bucal, definem-se os traços articulatórios específicos de cada consoante, pois é o lugar onde se forma uma obstrução ou estreitamento à passagem da corrente de ar. O efeito acústico é um ruído, uma vez que se formam ondas aperiódicas com amplitudes diferentes.

Como já dissemos anteriormente, as consoantes apresentam variações quanto ao ponto de articulação, dependendo da zona de emissão da vogal com a qual é articulada na sílaba. Isso quer dizer que, ao classificarmos as bases articulatórias das consoantes do português brasileiro, não estamos considerando que haja um único ponto de articulação para elas, identicamente tocado em um mesmo lugar, mas que a consoante é uma articulação produzida pelo toque em certo lugar dos órgãos articulatórios. Da mesma forma que as vogais, em relação à zona de emissão, há uma zona variável para ser tocada, uma vez que, se forem ultrapassados o ponto de articulação consonantal e a zona de emissão vocálica, um outro som será produzido.

Quanto ao ponto de articulação, classificaremos as consoantes do português tendo por critério o apoio na vogal [ẹ], por ela ser a base articulatória mais freqüente e, por esse mesmo motivo, ao dizermos as letras do alfabeto, as consoantes são apoiadas em [ẹ], com raras exceções:

[bẹ́, sẹ́, dẹ́, ẹ́fẹ, žẹ́, ẹ́lẹ, ẹ́mẹ, ẹ́nẹ, pẹ́, kẹ́, ẹ́rẹ, ẹ́sẹ, tẹ́, vẹ́, zẹ́].

A corrente de ar, no ato expiratório, passa pela laringe, depois pela faringe e, finalmente, pela boca. Segundo esse trajeto, classificaremos as bases articulatórias de cada consoante, tendo por critério de apresentação a seqüência: da posterior à anterior, para o ponto de articulação.

4.3.1. Uvular

A corrente de ar, ao atingir o canal bucal, encontra a úvula abaixada e, ao passar por ela, fará com que vibre [r̤̄], geralmente usado pelos cariocas, [pọ́r̤̄] — "pôr". A realização uvular da vibrante não participa da pronúncia estandardizada do português brasileiro.

Na transcrição fonética, assinalam-se dois pontos abaixo da vibrante, a fim de indicar que é a mais posterior. O som uvular é o único som consonantal que é articulado apenas por um órgão articulador: a úvula.

4.3.2. Linguovelares

As consoantes linguovelares são articuladas na parte posterior da boca, tocando o véu palatino e construindo uma obstrução à passagem da corrente de ar. São linguovelares: [k, g, ṝ] em: [kúmẹ, gúla, ṝẹ́w] — "cume, gula, réu". A vibrante linguovelar soa suave, quase sem ruídos, pois tanto o véu palatino quanto o pós-dorso da língua não são soltos para vibrarem. Essa emissão é freqüente na vibrante inicial de palavras, para falantes paulistas: [ṝíw, ṝẹ́tu] — "rio, reto".

4.3.3. Linguopalatais

As articulações linguopalatais compreendem uma ampliação da zona articulatória com o desdobramento da parte média da língua que toca no médio-palato. São linguopalatais: [š, ž, l̮, n̮]

[š] — surda, linguopalatal, chiante: [šávi] — "chave";

[•] — sonora, linguopalatal, chiante: [žẹzús] — "Jesus".

Nas linguopalatais [š, ž], a ponta da língua levanta-se ligeiramente, enquanto a parte média toca o médio-palato, por isso o diacrítico para a transcrição fonética desses sons é situado acima da letra.

Nas linguopalatais [l̬, n̬], a parte média da língua levanta-se ligeiramente. Na articulação de [l̬], a parte média da língua toca o meio do palato, e o ar sai pelos lados. Na articulação de [n̬], a parte média da língua toca o meio do palato sem deixar nenhuma passagem à corrente de ar, que sairá um pouco pelo nariz e um pouco pela boca durante o modo de articulação.

[l̬] — sonora, linguopalatal lateral: [ál̬u] — "alho";

[n̬] — sonora, nasal, linguopalatal, oclusiva: [lín̬a] — "linha".

Como [l̬, n̬], ao serem articulados, têm uma ampliação da zona articulatória com o desdobramento da parte média da língua dirigida para a parte posterior do canal bucal, o diacrítico para a transcrição fonética desses sons é situado abaixo da letra.

4.3.4. Linguoalveolares

As consoantes linguoalveolares são articuladas com o encontro da parte anterior da língua na região alveolar.

São linguoalveolares: [r, r̄, s, z, l].

[r] — consoante sonora e oral, articulada com a ponta da língua tocando os alvéolos superiores uma única vez, vibrante simples: [ę́ra] — "era";

[r̄] — consoante sonora e oral, articulada com a ponta da língua tocando várias vezes seguidas os alvéolos superiores, vibrante múltipla: [ę́r̄a] — "erra".

Em geral, a realização linguoalveolar da vibrante múltipla ocorre em sílaba travada para o padrão estandardizado: [vẹ́r̄, pǫ́r̄ta] — "ver, porta"; porém, em qualquer posição, para o padrão oral radialista, em São Paulo.

[s] — consoante surda e oral, articulada com a ponta da língua tocando os alvéolos superiores, obstruindo a passagem da corrente de ar que sairá sibilando: [sę́] — "Sé";

[z] — consoante sonora e oral, articulada com a ponta da língua tocando os alvéolos superiores, obstruindo a passagem da corrente de ar que sairá sibilando: [zę́ru] — "zero";

[l] — consoante sonora e oral, articulada com a ponta da língua tocando os alvéolos superiores, obstruindo o centro, mas deixando passagem à corrente " de ar pelos lados: [lá] — "lá".

4.3.5. Linguoalveolares dentais

As consoantes linguoalveolares dentais apresentam, para a sua descrição, o encontro da língua na região intermediária entre alvéolos superiores e dentes superiores.

São linguoalveolares dentais: [t, d, n].

[t] — consoante surda e oral, articulada com a ponta da língua tocando entre os alvéolos e os dentes superiores, construindo um obstáculo total, oclusivo: [tę́tu] — "teto";

[d] — consoante sonora e oral, articulada com a ponta da língua tocando entre os alvéolos e os dentes superiores, construindo um obstáculo total, oclusivo: [dá] — "dá";

[n] — consoante sonora e nasal, articulada com a ponta da língua tocando entre os alvéolos e os dentes superiores, construindo um obstáculo total no tubo oral, fazendo com que a corrente de ar saia um pouco pelo nariz e um pouco pela boca, no modo de articulação: [nę́] — "né".

4.3.6. Labiodentais

Para a articulação das consoantes labiodentais, os lábios inferiores encontram-se com os dentes superiores.

São consoantes labiodentais: [f, v]

[f] — consoante surda e oral, articulada com a fricção do lábio inferior aos dentes superiores: [fę́] — "fé";

[v] — consoante sonora e oral, articulada com a fricção do lábio inferior aos dentes superiores: [ví] — "vi".

4.3.7. Bilabiais

As consoantes bilabiais são articuladas com o encontro dos dois lábios: superior e inferior, em um fechamento total (oclusão), impedindo, assim, a saída da corrente de ar.

São bilabiais: [p, b, m].

[p] — consoante surda e oral que resulta do encontro entre o lábio superior e o inferior em um fechamento total: [pá] — "pá";

[b] — consoante sonora e oral que resulta do encontro entre o lábio superior e o inferior, em um fechamento total: [bála] — "bala";

[m] — consoante sonora e nasal que resulta do encontro entre o lábio superior e o inferior, em um fechamento total, mas a corrente de ar sairá, pouco a pouco, pelo nariz e pela boca, no modo de articulação: [má] — "má".

4.4. Descrição e classificação das consoantes do português brasileiro estandardizado, quanto ao modo de articulação

Só há modo de articulação se houver ponto de articulação, isto é, modo de articulação é a maneira pela qual a corrente de ar, vinda da faringe, consegue ultrapassar o obstáculo formado na boca, pelo encontro dos órgãos articuladores.

Dependendo de o obstáculo ser total ou parcial, as consoantes classificam-se em: oclusivas, constritivas e africadas.

4.4.1. Oclusivas

São classificadas como oclusivas as consoantes que, ao serem articuladas, apresentam obstáculo total à passagem da corrente de ar, pelo fechamento completo dos órgãos articuladores ao se encontrarem. As oclusivas podem ser orais e nasais, classificando-se, assim, em oclusivas explosivas e oclusivas durativas.

4.4.1.1 Oclusivas momentâneas ou explosivas

As oclusivas momentâneas ou explosivas são os ruídos, isto é, as consoantes propriamente ditas, pois têm amplitudes aperiódicas e assoantes. Podem ser oclusivas explosivas surdas orais — ruídos puros, assoantes: [p, t, k] e oclusivas explosivas sonoras orais — ruídos assoantes: [b, d, g].

a. [p, t, k] — [pála, tála, kála] — "pala, tala, cala"

A corrente de ar, ao passar pela laringe, encontra a glote aberta, chegando às cavidades supraglóticas sem o som complexo. Esses ruídos puros são formados na cavidade oral e resultam da separação momentânea dos órgãos articuladores, produzindo, assim, o efeito acústico de uma explosão repentina, por isso são chamados, pelos gramáticos, de oclusivos explosivos, momentâneos.

Devido ao ponto de articulação dessas consoantes, a língua dirige-se para regiões diferentes no canal oral e haverá modificação do tamanho entre a caixa faríngea e a bucal.

Podemos estabelecer um paralelo entre as vogais (soantes, ondas periódicas) e as consoantes (assoantes, ondas aperiódicas).

As vogais são sonoras, formadas na laringe e modificadas nas cavidades supraglóticas pelas caixas de ressonância: faríngea, oral e nasal, reforçando ou abafando assim certas vibrações do som complexo.

As consoantes [p, t, k] são surdas: a glote, estando aberta, produzirá uma baixíssima freqüência de vibração e os efeitos acústicos são formados no canal bucal. Essas consoantes são orais, sendo a cavidade rinofaríngea fechada pela separação brusca do encontro total (impedimento total à passagem da corrente de ar) dos órgãos articuladores. Formam-se, assim, ondas aperiódicas, ruídos, causando uma impressão desagradável ao ouvido humano.

As vogais diferenciam-se por serem difusas, como [i, u], ou compacta, como [a], límpida aguda, como [i] e obscura grave, como [u]. Os ruídos podem ser classificados da mesma forma. Assim, o ruído de [t] opõe-se a [p], pois [t] é mais agudo e [p], mais grave. A consoante [k] é neutra, intermediária no que concerne a essa oposição, pois o som agudo tem freqüências altas e o grave, freqüências baixas das ondas aperiódicas dos ruídos.

Dessa forma, [p, t, k] são considerados ruídos puros, uma vez que são formados no modo de articulação (surdos, oclusivos explosivos), em ondas aperiódicas que, entre si, apresentam diferença pela freqüência: alta [t], média [k] e baixa [p].

b. [b, d, g] — [báta, dáta, gáta] — "bata, data, gata"

A corrente de ar, ao entrar na laringe, encontra a glote fechada e as cordas vocais unidas. Forçando a passagem pelos movimentos do fole, produzirá a vibração das cordas vocais, obtendo–se, assim, o som complexo (fundamental e harmônicos). Essas vibrações periódicas passam para as cavidades supraglóticas e saem apenas pela boca (a cavidade rinofaríngea está fechada pelo levantamento da úvula). No canal bucal, os órgãos articuladores estão encontrados, construindo um obstáculo total à saída da corrente de ar.

Os movimentos do fole forçam a passagem e, repentinamente, os órgãos separam-se produzindo o efeito acústico de uma explosão. Nesse momento, as ondas periódicas tornam-se aperiódicas, ruídos. Os sons [p, t, k] opõem-se a [b, d, g] pela surdez/sonoridade, nos demais traços são semelhantes. Assim, [t, d] têm freqüências mais altas, pois são agudos; [k, g], freqüências mais ou menos altas, pois são, mais ou menos, neutros; [p, b], freqüências mais baixas, devido à oclusão total.

Portanto [b, d, g] são ruídos (assoantes), mas não puros, uma vez que sua natureza é vocálica devido à sonoridade.

4.4.1.2 Oclusivas durativas

As oclusivas durativas são as nasais [m, n, ŋ̥]. Essas consoantes são classificadas entre as oclusivas já que, ao serem articuladas no canal bucal, há fechamento total à passagem de ar pelo encontro dos órgãos articuladores. Todavia, a cavidade rinofaríngea está aberta, pelo abaixamento da úvula, possibilitando que o ar seja expelido, pouco a pouco, pelas fossas nasais (durativa), evitando, assim, a explosão momentânea.

O traço fundamental da distinção oclusivas explosivas/oclusivas durativas consiste na passagem da corrente de ar pelas fossas nasais, havendo oclusão total/oclusão + abertura.

[m, n, ŋ̬] — [úma, úna, úŋ̬a] — "uma, una, unha".

Para a articulação desses sons, a corrente de ar expelida pelos movimentos do fole, ao chegar à laringe, encontrará a glote fechada, ou seja, as cordas vocais unidas. Ao passar entre elas, produzirá o som complexo (fundamental e harmônicos). As ondas periódicas, ao chegarem à faringe, encontram a cavidade rinofaríngea aberta e, na boca, o encontro dos órgãos articuladores (análogo a [p, b, t, d, k, g]). O som [m] é bilabial; [n] é linguodental ou alveolar; e [ŋ̬] é linguopalatal, às vezes, velar.

Apesar do fechamento total, os ressoadores de tamanhos diferentes (pontos de articulação diferentes) ampliam ou abafam, diferentemente, as complexas ondas periódicas, que atingem o meio ambiente pelas fossas nasais e, em seguida, pelas fossas nasais e boca. Dessa forma, impedem a explosão momentânea, caracterizando tais articulações como oclusivas durativas.

Por serem articulados com oclusão no canal bucal, os sons [m, n, ŋ̬] são consonantais. Todavia, pela livre passagem da corrente de ar pelas fossas nasais, tais sons assemelham-se às vogais, caracterizando-se como consoantes soantes, pois podem soar sem o auxílio de uma vogal.

4.4.2. Constritivas

Em relação ao encontro de órgãos articuladores, são classificadas como constritivas as consoantes que, ao serem articuladas, apresentam uma obstrução parcial durante a passagem da corrente de ar. Isso significa que há aperto, estreitamento no canal bucal, ou seja, constrição, e não obstrução total. Essa característica (durativas) permite aproximar tais consoantes das vogais, porque podem ser articuladas sozinhas, sem o apoio de uma vogal, tornando-se consoantes soantes.

Dependendo de como a corrente de ar expelida passar pela obstrução parcial, construída pelo encontro dos órgãos articuladores, as constritivas classificam-se em:

- constritivas fricativas [f, v, s, z, š, ž];
- constritivas laterais [l, l̬];
- constritivas vibrantes simples [r] e múltiplas [r̄, ṝ, r̤̄].

4.4.2.1 Constritivas fricativas

As consoantes fricativas são articuladas por uma constrição (estreitamento) no canal bucal sem que haja fechamento total, apesar do encontro dos órgãos articuladores, por isso são durativas contínuas. A corrente de ar passa entre os órgãos articuladores que, por estarem aproximados, produzem uma fricção (esfregamento entre si). Durante a articulação, a úvula está levantada, fechando a cavidade rinofaríngea, portanto todos os sons constritivos fricativos são orais, isto é, a corrente de ar sairá apenas pelo canal bucal.

Dependendo de como são formados na laringe, os sons fricativos classificam-se em surdos e sonoros.

a. [f, s, š] — [fá, sá, šá] — "fá, Sá, chá"

Esses sons são surdos. A corrente de ar, ao passar pela laringe, encontra a glote aberta e as cordas vocais separadas, evitando a formação do som complexo. Devido aos movimentos do fole, a corrente de ar continua sua trajetória passando para o canal bucal (cavidade rinofaríngea fechada).

Dependendo do ponto de articulação, o estreitamento é formado em regiões diferentes. A corrente de ar passa pelos órgãos articuladores, esfregando-os. Desse esfregar, resulta a formação de vibrações, possibilitando soarem sozinhas. Nesse momento, constroem-se as ondas pela vibração dos órgãos esfregados.

[f] — soa sem auxílio da vogal pelo esfregar dos lábios inferiores nos dentes superiores.

[s] — soa sem auxílio da vogal pelo esfregar da ponta da língua na região alveolar, introduzida entre os incisivos superiores e inferiores. Essa fricção produz ao ouvido humano a percepção de um sibilo. Por isso, é chamada constritiva sibilante.

[š] — soa sem auxílio da vogal, pois o ar, ao sair, produz o esfregar da língua na parte média e anterior do palato duro, estando, portanto, a língua em forma côncava da região média para a anterior, produzindo para o ouvido humano a percepção de um chiar. Por isso, é chamada constritiva chiante.

b. [v, z, ž] — [vá, zę̨, žá] — "vá, Zé, já"

Esses sons são sonoros. A corrente de ar, ao passar pela laringe, encontra a glote fechada, as cordas vocais unidas, produzindo o som complexo (fundamental e harmônicos). Continuando sua trajetória, sairá apenas pela boca, pois a cavidade rinofaríngea está fechada pelo levantamento da úvula (sons orais).

Dependendo da região em que está o estreitamento e de como ele é formado, as sonoras fricativas produzirão efeitos acústicos diferentes, pela soma de mais de um vibrador (esfregar dos órgãos articuladores).

[v] — tem o mesmo estreitamento que [f], a oposição é dada pela sonoridade, assim soa por si só, apresentando, para a emissão, a modificação do som complexo laríngeo pelo acréscimo do vibrador bucal, isto é, o esfregar dos lábios inferiores nos dentes superiores.

[z] — tem o mesmo estreitamento que [š], a oposição é dada pela sonoridade, assim soa sem auxílio de vogal, apresentando, para a emissão, modificação do som complexo laríngeo pelo acréscimo do vibrador bucal, isto é, o esfregar na região alveolar, pois esta está introduzida entre os incisivos inferiores e superiores. Essa emissão produz ao ouvido humano a percepção de um sibilo, por isso mesmo é chamada constritiva sibilante.

[ž] — tem o mesmo estreitamento que [š], a oposição é dada pela sonoridade, assim soa por si só, apresentando, para a emissão, modificações do som complexo laríngeo pelo acréscimo de um vibrador bucal, isto é, o esfregar da língua na parte média e anterior do palato duro, estando, portanto, a língua em forma côncava da região média para a anterior e o esfregar resulta da passagem da corrente de ar por este estreitamento. Ao ser emitido, esse som produz ao ouvido humano a percepção de um chiar. Por isso mesmo, essa emissão é também chamada constritiva chiante.

4.4.2.2 Constritivas líquidas

São chamadas líquidas, as consoantes laterais [l, l̯̬] a vibrante simples [r] e as múltiplas [r̄, ṝ, r̤̄].

As laterais e as vibrantes são em verdade os sons intermediários entre as vogais e as consoantes, pois:

a) apresentam a máxima abertura dentre os demais sons consonantais (os que apresentam obstrução à passagem da corrente de ar, no canal bucal), porém não chegam à abertura vocálica (passagem de ar livre);

b) apesar da maior abertura, esta não é suficientemente grande para evitar as modificações próprias dos sons contínuos consonantais;

c) como o fechamento é pequeno, a quantidade de energia empregada para a elevação dos órgãos articuladores é pequena, por isso há mais disponibilidade de se empregar esta energia nas cordas vocais, dando origem a um número maior de vibrações por segundo.

Em síntese, as líquidas são entre as nossas demais consoantes as que têm um tom mais alto e maior abertura entre os órgãos articuladores.

a. Líquidas laterais

As líquidas laterais são: [l, l̯̬] — [álu, ál̯̬u] — "halo, alho". Durante a articulação dessas consoantes, o obstáculo é formado no centro da boca, pelo encontro dos órgãos articuladores, mas os lados estão livres e o ar passa por eles, apresentando assim muita semelhança com as vogais (canal bucal livre).

[l] — a corrente de ar ao passar pela laringe encontra a glote fechada, as cordas vocais unidas, e ao passar por elas produzirá o som complexo (fundamental e harmônicos), com maior

freqüência. Ao entrar nas cavidades supraglóticas, a emissão será oral, pois a cavidade rinofaríngea está fechada. Na boca, o ápice da língua e as bordas anteriores estão aderidas aos alvéolos, possibilitando que as zonas laterais estejam livres, por onde o ar sai.

[l̬] — a corrente de ar, ao passar pela glote fechada produz a sonoridade com maior freqüência (som fundamental e harmônicos), que sairá no trajeto expiratório apenas pela boca, pois a cavidade rinofaríngea está fechada. Na boca, o obstáculo está formado no centro: o ápice da língua e as bordas anteriores estão aderidos aos alvéolos superiores, mas na parte central do tubo oral, a porção média da língua adere-se na parte central do palato, deixando os lados livres por onde o ar escapa.

Não devemos confundir [l̬] com [ly], para [l̬] temos uma articulação com o ponto construído pelo contato da língua com o palato duro; em [ly] são duas articulações. Todavia, por terem parentesco para a percepção acústica, isso causa, em falantes de certas regiões do Brasil, com variedade padrão nativa, o fenômeno fonético conhecido como ieísmo: [mul̬ę́r̄, mulyę́, muyyę́] — "mulher".

b. Líquidas vibrantes

As líquidas vibrantes são diferenciadas entre si por serem simples e múltiplas. As vibrantes múltiplas apresentam grande variedade e variações; delas, descreveremos três.

- [r] — [ę́ra] — "era", vibrante simples

A corrente de ar, ao passar pela laringe, encontra as cordas vocais unidas, produzindo-se assim a sonoridade (som complexo: fundamental e harmônicos); como é oral, a cavidade rinofaríngea está fechada, a corrente sonora sai apenas pela boca onde encontra o obstáculo formado por uma breve oclusão do ápice da língua com os alvéolos superiores, o que produz uma rápida interrupção à saída da corrente de ar, somando-se a ela uma vibração. Em português, este som é encontrado em dois contextos fônicos, apenas:

— intervocálico:

[ára, ę́ra, íra, ọ́ra] — "ara, era, ira, ora ou hora";

[tẹ́rũ, pọrúma] — "ter um, por uma";

— grupos consonantais iniciais da mesma sílaba:

[prá, brútu, trávi, drága, krávu, grávi, fríw, lívri] — "para, bruto, trave, draga, cravo, grave, frio, livre".

• [r̄] — [ę́r̄a] — "erra" — vibrante múltipla alveolar.

A corrente de ar é sonora ao chegar no canal bucal (som complexo, produzido na laringe) e sai apenas por este, pois a cavidade rinofaríngea está fechada (oral). Na boca, diferencia-se da vibrante simples, pois sua articulação é caracterizada pela formação de duas ou mais oclusões do ápice da língua com os alvéolos, produzindo assim as várias interrupções momentâneas durante a saída da corrente de ar sonora que é modificada pela soma de um vibrador oral. Como o ápice da língua é mais livre para vibrar, este som é mais audível em suas vibrações, por isso mesmo a norma oral jornalística em São Paulo dá preferência a esta emissão.

• [ṝ] — [ę́ṝa] — "erra" — vibrante múltipla velar

A diferença entre [r̄ , ṝ] está no ponto de articulação, as demais articulações são análogas (sonoridade, oralidade, vibração múltipla).

Durante a articulação de [ṝ], a formação de dois ou mais toques no ponto de articulação produz várias interrupções momentâneas durante a saída da corrente de ar. O toque é realizado no encontro do pós-dorso da língua com o pós-palato. Como esses órgãos articuladores não são livres para vibrar, a percepção acústica deste som é de uma emissão suave, agradável ao ouvido humano. Por ser posterior, [ṝ] é grave em relação à [r̄], que é agudo (anterior): [ṝ] — [tę́ṝa] — "terra" — vibrante múltipla.

- [r̤̄] — [ę̄r̤̄a] — "erra" — vibrante múltipla uvular

A diferença entre [r̥̄, r̤̄] está no ponto de articulação, as demais articulações são semelhantes (sonoridade, oralidade, vibração múltipla).

A vibrante múltipla uvular é caracterizada pelas interrupções à saída da corrente de ar pelas vibrações da úvula. Como a úvula é o terminal do véu palatino e pode se movimentar, produz vibrações posteriores e desagradáveis à percepção auditiva (parecidas com o ronco e o limpar da garganta). Esse som é freqüente em falantes da variedade dialetal carioca.

4.4.3. Africadas

As emissões africadas resultam da seqüência imediata dos modos oclusivo + constritivo, isto é, de uma explosão momentânea seguida de uma constrição durativa. O modo africado no português brasileiro apresenta-se como uma variação regional e não é traço de fonema. Compreende, portanto, para palavras portuguesas, a realização regional das oclusivas dentais [t, d] em variação contextual, isto é, quando seguidas de sons alveolares vocálicos.

[t] — é realizado pelo africado [tš], isto é, a seqüência da oclusiva surda [t] mais a chiante surda [š]: [tšía] — "tia";

[d] — é realizado pelo africado [dž], isto é, a seqüência da oclusiva sonora [d] mais a chiante sonora [ž]: [džía] — "dia".

Ocorre também, no português falado no Brasil, o africado surdo [ts], isto é, a seqüência da oclusiva surda [t] mais a sibilante surda [s], em palavras de origem italiana: [pítsa, mutsaręla] — "pizza, muzzarela".

4.5. Modelo de descrição consonantal de sons do português falado no Brasil

Buscaremos descrever cada som consonantal pela sua trajetória no ato da expiração, a partir dos traços articulatório-acústicos que o caracterizam. Tendo por critério de apresentação do maior fechamento ao menor fechamento, podemos ter a seguinte descrição:

[p] — consoante surda, oral, bilabial, oclusiva explosiva, assoante, ruído puro: [pá] — "pá";

[b] — consoante sonora, oral, bilabial, oclusiva explosiva, assoante, ruído: [bá] — "bá";

[t] — consoante surda, oral, linguodental ou alveolar, oclusiva explosiva, assoante, ruído puro: [atę] — "até";

[d] — consoante sonora, oral, linguodental ou alveolar, oclusiva explosiva, assoante, ruído: [dá] — "dá";

[k] — consoante surda, oral, linguopalatal ou velar, oclusiva explosiva, assoante, ruído puro: [ká] — "cá";

[g] — consoante sonora, oral, linguopalatal ou velar, oclusiva explosiva, assoante, ruído: [gátu] — "gato";

[m] — consoante sonora, nasal, bilabial, oclusiva durativa, soante: [má] — "má";

[n] — consoante sonora, nasal, linguodental ou alveolar, oclusiva durativa, soante: [na] — "na";

[n̬] — consoante sonora, nasal, linguopalatal ou velar, oclusiva durativa, soante: [ún̬a] — "unha";

[f] — consoante surda, oral, labiodental, constritiva fricativa, soante: [fá] — "fá";

[v] — consoante sonora, oral, labiodental, constritiva fricativa, soante: [ví] — "vi";

[s] — consoante surda, oral, linguodental ou alveolar, fricativa sibilante, soante: [sí] — "si";

[z] — consoante sonora, oral, linguodental ou alveolar, fricativa sibilante, soante: [zazá] — "Zazá";

[š] — consoante surda, oral, linguopalatal ou velar, fricativa, chiante, soante: [šúva] — "chuva";

[ž] — consoante sonora, oral, linguopalatal ou velar, fricativa, chiante, soante: [žẹ́ma] — "gema";

[l] — consoante sonora, oral, linguodental ou alveolar, líquida lateral: [lá] — "lá";

[l̬] — consoante sonora, oral, linguopalatal ou velar, líquida lateral, soante: [fal̬a] — "falha";

[r] — consoante sonora, oral, linguoalveolar, líquida vibrante simples, soante: [ára] — "ara";

[r̄] — consoante sonora, oral, linguoalveolar, líquida vibrante múltipla, soante: [ę́r̄a] — "erra";

[ṝ] — consoante sonora, oral, linguovelar, líquida vibrante múltipla, soante: [ę́ṝa] — "erra";

[r̤̄] — consoante sonora, oral, uvular, líqüida vibrante múltipla, soante: [ę́r̤̄a] — "erra".

Capítulo 5

Encontros vocálicos do português falado no Brasil

Para fazer uma classificação dos encontros vocálicos em ditongos, tritongos e hiatos do português estandardizado no Brasil, é necessário abordarmos, inicialmente, a noção fonética de sílaba, que é complexa na dimensão fonética.

5.1. A sílaba fonética

Há muitas discussões a respeito da sílaba fonética. Alguns estudiosos chegam a negar sua existência, pois, ao examinarmos os gráficos acústicos realizados em laboratórios de sons, verificamos que a saída da corrente de ar do aparelho fonador é contínua, sem revelar fronteiras silábicas. No entanto, esse fato não nega a existência da sílaba fonética, já que não podemos dizer que a cadeia falada é uma seqüência ininterrupta sem transições. O ouvinte recebe um conjunto de sons, percebe que a cadeia falada apresenta-se em transições articulatório-acústicas, uma vez que é capaz de decompor os sons captados pelo ouvido em sílabas.

A natureza fonética da sílaba, segundo Hála (1966: 49-50), compreende que

Dos cosas son indispensables para toda emisión vocal: en primer lugar, Ia vibración de Ias cuerdas vocales y la producción de las ondas aéreas

supralaríngeas (...) Toda emisión vocal separada representa por lo tanto, una transición dei estado de la inacción en el que las cuerdas vocales y los otros órganos fonadores se encuentran en el momento de reposo, al estado de fonación, a saber, al estado en el que las cuerdas vocales se ponen a vibrar mientras que ciertos órganos somáticos participan en esta acción com miras a ayudarla. Dicho de otra manera, aquí se realiza, desde el punto de vista acústico, un paso desde el silencio a la resonancia de la voz, y desde el punto de vista orgánico, un paso desde la estrechez, es decir, desde el acercamiento o cierre de los órganos fonadores, a su abertura o ensanchamiento (...) Toda emisión vocal puede finalizar de dos maneras: bien por la cesación de la vibración de las cuerdas vocales, bien por una nueva estrechez (...)

Teniendo en cuenta las dos operaciones orgánicas que acabam de ser indicadas como indispensables para la emisión vocal, creo que puedo emitir una hipótesis, según la cual, toda emisión aislada de, la voz laríngea, posibilitada por el tránsito de la estrechez a la abertura del canal supraglótico, constituye esta unidad fonética a la que se denomina sílaba.

Uma tradução seria:

"Duas coisas são indispensáveis para qualquer emissão vocal: em primeiro lugar, a vibração das cordas vocais e a produção das ondas aéreas supralaríngeas (...). Toda emissão vocal separada representa portanto uma transição do estado de inação em que as cordas vocais e os outros órgãos fonadores encontram-se em momento de repouso, em relação ao estado de fonação, a saber, ao estado em que as cordas vocais se põem a vibrar enquanto certos órgãos somáticos participam desta ação com o objetivo de ajudá-la. Dito de outra maneira, aqui se realiza, do ponto de vista acústico, um passo que sai do silêncio para a ressonância da voz e, do ponto de vista articulatório, um passo do estreitamento, isto é, da aproximação ou fechamento dos órgãos fonadores, para sua abertura ou fechamento (...) Toda emissão vocal pode ser finalizada de duas maneiras: seja pelo cessar das cordas vocais, seja por um novo estreitamento (...)

Considerando as duas operações articulatórias que acabam de ser indicadas como indispensáveis para a emissão vocal, creio que posso emitir uma hipótese, segundo a qual toda emissão isolada da voz laríngea, possibilitada pelo trânsito do estreitamento à abertura do canal supraglótico, constitui essa unidade fonética a que se denomina sílaba".

Em outros termos, poderíamos dizer que o impulso silábico corresponde ao impulso motriz da emissão vocal, por isso uma expiração fisiológica é capaz de produzir um certo número de sílabas, cada uma delas possuindo seu próprio impulso de expiração — silábica, ainda que seja relativamente forte ou fraco. A sílaba compõe-se de dois elementos fundamentais — estreitamento-abertura, produzindo, assim, o que chamamos impulso silábico. As vogais orais e nasais, descritas no capítulo anterior, são também chamadas pelos gramáticos, principalmente os mais antigos, de vozes. A razão disso é que a voz é formada no nível das cordas vocais e compreende para o padrão estandardizado do português brasileiro, como já foi descrito, quatro graus de força para o impulso silábico.

Assim sendo, a cada vogal articulada, temos uma sílaba. Os sons que não são vozes e que antecedem ou vêm após a vogal agrupam-se com ela como elementos marginais de um cume acentual (forte ou fraco). Dessa forma, a central silábica é a voz mais sonora em relação às que se agrupam a ela, que serão sempre menos sonoras. As sílabas são perceptíveis pelo ouvido humano, decompondo o contínuo da cadeia falada, porque há diferença de sonoridade (intensidade de vibração das cordas vocais).

5.2. As semivogais

As semivogais são: iode [y] e uode [w]. Definem-se a partir das relações articulatório-acústicas com o cume silábico central (vogal), pois ocorrem nas marginais relativas da unidade sílaba. As semivogais têm sonoridade mínima, sua articulação exige um esforço muscular maior, tornando-as próximas das consoantes, isto é, não-soantes por si sós. As semivogais [y, w] tendem, como as vogais [i, u], a formar cavidades semelhantes, o que origina sons com certas características que têm similitude para nossa percepção auditiva. Para melhor compreensão, faremos um paralelo descritivo.

5.2.1. A semivogal [y]

A semivogal [y] tem os seguintes traços sonoros, apresentados pelo confronto entre [i] e [y]:

- quanto à laringe, apresenta sonoridade mínima em relação às vogais [í, i, ĩ] que são soantes e podem ser cumes silábicos;
- quanto à posição ocupada na sílaba é não-soante: [sáy] — "sai" (um cume silábico), diferente de [i] — soante: [saí] — "saí" (dois cumes silábicos);
- quanto à faringe: será oral ou nasalada dependendo de vir após vogal oral ou nasal: [páy, pỹ́y] — "pai, põe";
- antecedendo a vogal, será oral, ainda que a vogal seja oral ou nasal; [pyáda, fyãsa] — "piada, fiança";
- antecedendo vogal nasal, será nasalada se uma consoante nasal for articulada na mesma sílaba, antes da semivogal: [amyãtu] — "amianto";
- quanto à zona de emissão e grau de abertura: o esforço maior articulatório forma uma constrição (fechamento maior que para a vogal [i]) entre os órgãos articulatórios. [í, ĩ, i] — quase-alveolares; [y] — alveolar (devido ao estreitamento maior);
- quanto à posição da língua: [y] — anterior, com efeito acústico difuso límpido; quanto aos lábios: [y] — retráctil.

A semivogal [y] é também chamada iode. Não existe no nosso código escrito uma letra para grafar [y]; assim, ora é escrita com "i" — "pai", ora com "e" — "mãe". Na transcrição fonética, é grafada com [y]-[mỹ́].

5.2.2. A semivogal [w]

a) Quanto à laringe, apresenta sonoridade mínima em relação às vogais [ú, u, ũ, ᵘ], que são soantes e podem ser cumes silábicos: [nú, kur̃tídu, mulátu, pátᵘ] — "nu, curtido, mulato, pato";

[w] — não soante: [pirwá] — "piruá";

[u] — soante: [pirúa] — "perua" (três cumes silábicos).

b) Quanto à faringe:
   — será oral ou nasalada dependendo de vir após vogal oral ou nasal: [nã͂w̃, náw] — "não, nau";
   — será oral, se vier antes da vogal oral ou nasal: [agwẽtár, ágwa] — "agüentar, água";
   — será nasalada quando se situa entre uma consoante nasal e uma vogal nasal: [anwẽsya] — "anuência".

c) Quanto à zona de emissão e grau de abertura: o esforço articulatório forma uma constrição, estreitamento maior que para a vogal [u], entre os órgãos articulatórios [ú,ũ, u] quase-velares; [w] — velar (devido ao fechamento maior)

d) Quanto à posição da língua: [w] — posterior, com efeito acústico difuso obscuro.

e) Quanto aos lábios: [w] — labializada.

A semivogal [w] é também chamada uode, uau, wal. Não temos no nosso código escrito uma letra para grafá-la, assim ora é escrita com "u" — "pau"; ora com "o" — "são", ora com o auxílio do trema sobre "u", quando antecedida de "q, g" e seguida de "e, i" — "conseqüência, Lingüística". Na transcrição fonética, é grafada com [w] — [páw].

5.2.3. Considerações sobre as semivogais

- São apenas duas as semivogais [y, w], pois apenas duas vogais [i, u] são muito fechadas. Ao se fecharem mais, adquirem características consonantais.
- Ao ouvirmos qualquer vogal (soante) antecedida ou seguida dos sons vocálicos alveolar e velar, sabemos se há ou não semivogal, dependendo da percepção auditiva. As semivogais são sempre fracas, pois, ao serem articuladas na laringe, foram produzidas com baixa sonoridade. Assim, cada sílaba tem uma soante (sonoridade: 4, 3, 2, 1), portanto cada sílaba tem uma vogal; quando duas são articuladas em uma mesma sílaba, uma é vogal (a mais forte), a outra é semivogal (a mais fraca).

- Os sons semivocálicos podem manifestar os traços fonológicos das semivogais. Os encontros assim atualizados, dentre várias denominações, chamam-se reais ou perfeitos, dependendo do autor da gramática: [páy] — "pai"; [nãw̃] — "não".
- Os sons semivocálicos podem atualizar outros fonemas que são semivocalizados pelo falante, no ato de fala. Esses encontros vocálicos na mesma sílaba fonética, dentre várias denominações, chamam-se aparentes ou imperfeitos, dependendo do autor: [pǫ́]; pela mudança acentual [póéyra] no ato de fala pode ser realizado por: [pọéyra, péyra] ou semivocalizado [pwéyra], atualizando um tritongo aparente.
- Muitos foneticistas distinguem semiconsoantes de semivogais dependendo de soarem antes ou após a vogal. Segundo tais foneticistas, do ponto de vista articulatório, a semivogal que antecede a vogal não é idêntica à que vem após a vogal: ditongo crescente e decrescente.

No ditongo crescente, a sílaba resulta da passagem do estreitamento para a abertura. Como o estreitamento caracteriza a consoante, sabemos que antecedendo a vogal, no ditongo crescente, a semivogal é bem mais de caráter consonântico (ya, wa) do que no ditongo decrescente [ay, aw].

No ditongo decrescente, a sílaba resulta da passagem da abertura para o estreitamento. Assim, esse ditongo é bem mais de caráter vocálico, pois representa uma simples diminuição da abertura.

Todavia, chamaremos de semivogais as não-soantes vocálicas [y, w] independente de o ditongo ser crescente ou decrescente, uma vez que a descrição fonética aqui apresentada visa apenas aos traços articulatório-acústicos que nos possibilitem a percepção de um som diferente do outro na oposição e contraste de signos-palavras.

5.3. Encontros vocálicos da mesma sílaba

Os encontros vocálicos da mesma sílaba são definidos em relação às semivogais e aos cumes silábicos. São eles: ditongos crescentes = semivogal

+ vogal — [ágwa] — "água"; ditongos decrescentes = vogal + semivogal — [máw] — "mau"; tritongos = semivogal + vogal + semivogal que ocorrem tanto em lexema, como [paragway] — "Paraguai", quanto em flexões, como em [alivyáys] — "aliviais".

5.3.1. Ditongos crescentes

Nem todos os ditongos crescentes que articulamos ou ouvimos são atualização de fonemas semivocálicos ou vocálicos. Quando o forem, serão chamados de reais; quando não o forem, aparentes (fonéticos).

5.3.1.1 Com a semivogal [y]

[yára] — ditongo crescente, real, acentuado tônico, oral: "iara";

[pọlísya] — ditongo crescente, real, acentuado não-tônico, oral: "polícia";

[pyạnu] — ditongo crescente, real, acentuado tônico, oral: "piano";

[syaté] — ditongo crescente, aparente, acentuado não-tônico, oral, formado pela juntura de duas palavras e semivocalização: "se até";

[amyãtu] — ditongo crescente, real, acentuado tônico, nasal: "amianto";

[alivyár] — ditongo crescente, real, acentuado tônico, velarizado oral: "aliviar";

[vyér] — ditongo crescente, aparente /iẹ́r — vir /, acentuado tônico, oral: "vier";

[kyéla] — ditongo crescente, aparente, acentuado tônico, oral, formado pela juntura de duas palavras e semivocalização: /klẹ́la/ "que ela";

[dyẹ́ta] — ditongo crescente, real, acentuado tônico, oral: "dieta";

[fryẹ́za] — ditongo crescente, aparente /fríU, friẹ́za /, formado pela semívocalização de /i /, acentuado tônico, oral: "frieza";

[yẹ́na] — ditongo crescente, real, acentuado tônico, oral: "hiena";

[syẹli] — ditongo crescente, aparente, acentuado tônico, oral, formado pela juntura de duas palavras e semivocalização: "se ele";

[syẽti] — ditongo crescente, real, acentuado tônico, nasal: "ciente";

[syẽtalár] — ditongo crescente, aparente, acentuado não-tônico, nasal, formado pela juntura de duas palavras e semivocalização: "se entalar";

[dyía] — ditongo crescente, aparente, acentuado tônico, oral, formado pela ditongação de /i/ — "dia";

[syístu] — ditongo crescente, aparente, acentuado tônico, oral, formado pela juntura de duas palavras e semivocalização: "se isto";

[élyẽ] — ditongo crescente aparente, acentuado não-tônico, nasal, formado pela juntura de duas palavras e semivocalização: "ele em";

[myítši] — ditongo crescente, real, acentuado tônico, oral: "miite";

[yóga] — ditongo crescente, real, acentuado tônico, oral: "ioga";

[kyọ́lus] — ditongo crescente, aparente, acentuado tônico, oral, formado pela juntura de duas palavras e semivocalização: /kIọ́lUS/ — "que olhos";

[ọfísyọ] — ditongo crescente, real, acentuado não-tônico, oral: "ofício";

[yọ] — ditongo crescente, aparente, acentuado não-tônico, oral, formado pela juntura de duas palavras e semivocalização: "e o";

[džyṍdži] — ditongo crescente, aparente, acentuado tônico, nasal, formado pela juntura de duas palavras e semivocalização: "de onde";

[yus] — ditongo crescente, aparente, acentuado não-tônico, oral, formado pela juntura de duas palavras e semivocalização: "e os";

[rádyu] — ditongo crescente, real, acentuado não-tônico, oral: "rádio";

[dyũ] — ditongo crescente, aparente, acentuado tônico, nasal, formado pela juntura de duas palavras e semivocalização: "de um".

Os casos citados acima multiplicam-se, podendo, assim, todas as vogais descritas e classificadas no capítulo 2 combinarem-se em ditongos crescentes com a semivogal y.

5.3.1.2 Com a semivogal [w]

[kwátru] — ditongo crescente, real, acentuado tônico, oral: "quatro";

[nwátu] — ditongo crescente, aparente, acentuado tônico, oral, formado pela juntura de duas palavras que produz a semivocalização de /U/: "no ato";

[nwą́nu] -ditongo crescente, aparente, acentuado tônico, oral, formado pela juntura de duas palavras que produz a semivocalização de /U/: no "ano";

[lĩ́gwa] — ditongo crescente, real, acentuado não-tônico, "língua";

[kwã́tu] — ditongo crescente, real, acentuado tônico, nasal: "quanto";

[sẹkwę́la] — ditongo crescente, real, acentuado tônico, oral: "seqüela";

[átwę́ra] — ditongo crescente, aparente, acentuado tônico, oral, formado pela juntura de duas palavras e semivocalização: "ato era";

[žwẹ́l̬u] — ditongo crescente, real, acentuado tônico, oral: "joelho";

[ánwẹ́stši] — ditongo crescente, aparente, acentuado tônico, oral, formado pela juntura de duas palavras e semivocalização: "ano este";

[sẹkwẽ́ỹti] — ditongo crescente, real, acentuado tônico, nasal: "seqüente";

[žwís] — ditongo crescente, real, acentuado tônico, oral: "juiz";

[líkwidu] — ditongo crescente, real, acentuado não-tônico, oral: "líquido";

[sápwikǫ́bra] — ditongo crescente, aparente, acentuado não-tônico, oral, formado pela juntura de duas palavras e semivocalização: "sapo e cobra";

[kwǫ́ta] — ditongo crescente, aparente, acentuado tônico, oral, formado pela ditongação de /o/: "quota";

[swǫ́r̄] — ditongo crescente, real, acentuado tônico, oral: "suor";

[wǫ́ži] — ditongo crescente, aparente, acentuado tônico, oral, formado pela juntura de duas palavras e semivocalização: "o hoje";

[vákwo] — ditongo crescente, real, acentuado não-tônico, oral: "vácuo";

[wṍtši] — ditongo crescente, aparente, acentuado tônico, nasal, formado pela juntura de duas palavras e semivocalização: "o ontem";

[wúma] — ditongo crescente, aparente, acentuado tônico, oral, formado pela ditongação de /U/: "uma";

[umẹnínwṹta] — ditongo crescente, aparente, acentuado tônico, nasal, formado pela juntura de duas palavras e semivocalização: "o menino unta".

5.3.2. Ditongos decrescentes

São ditongos decrescentes o contraste vogal + semivogal, na mesma sílaba. Nem todos os ditongos decrescentes que falamos ou ouvimos manifestam expressões de signos-palavras do nosso sistema oral. Por esse motivo, classificam-se, como os crescentes, em reais (fonológicos) e aparentes (fonéticos).

5.3.2.1 Com a semivogal [y]

[sáy] — ditongo decrescente, real, acentuado tônico, oral: "sai";

[pạ́yna] — ditongo decrescente, real, acentuado tônico, oral, formado pela semivogal /y/e/a/ — "paina";

[mã́y] — ditongo decrescente, real, acentuado tônico, nasal: "mãe";

[dẹ́ys] — ditongo decrescente, aparente, acentuado tônico, oral, formado pela ditongação de /e/ — "dez";

[r̄ẹ́ys] — ditongo decrescente, real, acentuado tônico, oral: "réis";

[sẹ́ys] — ditongo decrescente, real, acentuado tônico, oral: "seis";

[trẹ́ys] — ditongo decrescente, aparente, acentuado tônico, oral, formado pela ditongação de /e/ — "três";

[sẽ́y] — ditongo decrescente, aparente, acentuado tônico, nasal, formado pela ditongação de /e/ — "sem, cem";

[víy] — ditongo decrescente, aparente, acentuado tônico, oral, formado pela ditongação de /í/ — "vi";

[síyr̄ku] — ditongo decrescente, aparente, acentuado tônico, oral, velarizado, formado pela ditongação e velarização de /i/ — "circo";

[sĩ́ytu] — ditongo decrescente, aparente, acentuado tônico, nasal, formado pela ditongação de /i/ — "sinto";

[ẹrǫ́y] — ditongo decrescente, real, acentuado tônico, oral: "herói";

[bọ́y] — ditongo decrescente, real, acentuado tônico, oral: "boi";

[pṍy] — ditongo decrescente, real, acentuado tônico, nasal: "põe";

[r̄úy] — ditongo decrescente, real, acentuado tônico, oral: "Rui";

[r̄wĩ́] — ditongo crescente, real, acentuado tônico, nasal, formado pela mudança acentual: "ruim".

5.3.2.2 Com a semivogal [w]

[páw] — ditongo decrescente, real, acentuado tônico, oral: "pau";

[sáw] — ditongo decrescente, aparente, acentuado tônico, oral, formado pela semivocalização de /l/ — "sal";

[sãw] — ditongo decrescente, real, acentuado tônico, nasal: "são";

[séw] — ditongo decrescente, real, acentuado tônico, oral: "céu";

[papéw] — ditongo decrescente, aparente, acentuado tônico, oral, formado pela semivocalização de /l/ — "papel";

[séw] — ditongo decrescente, real, acentuado tônico, oral: "seu";

[amávew] — ditongo decrescente, aparente, acentuado não-tônico, oral, formado pela semivocalização de /l/ — 'amável";

[kíw] — ditongo decrescente, aparente, acentuado não-tônico, oral, formado pela juntura de duas palavras e semivocalização: "que o";

[víw] — ditongo decrescente, real, pela flexão, acentuado tônico, oral: "viu";

[vyṹ] — ditongo decrescente, aparente, acentuado tônico, nasal, formado pela juntura de duas palavras e semivocalização: "vi um";

[sów] — ditongo decrescente, aparente, acentuado tônico, oral, formado pela semivocalização de /l/ — "sol";

[vów] — ditongo decrescente, real, pela flexão, acentuado tônico, oral: "vou";

[bṍw̃] — ditongo decrescente, aparente, acentuado tônico, nasal, formado pela ditongação de /õ/ — "bom";

[azúw] — ditongo decrescente, aparente, acentuado tônico, oral, formado pela semivocalização de /l/ — "azul";

[tṹwba] — ditongo decrescente, aparente, acentuado tônico, nasal, formado pela ditongação de /u/ — "tumba".

5.3.3. Tritongos

Chama-se tritongo a seqüência: semivogal + vogal + semivogal, atualizada na mesma sílaba.

Os tritongos, assim como os ditongos, podem ser reais ou aparentes:

5.3.3.1 Y vogal y

[alivyáys] — tritongo real, resultado da flexão verbal, acentuado tônico, oral: "aliviais";

[tabelyãys] — tritongo real pelo uso, resultado da flexão nominal, acentuado tônico, oral: /tabelyãw, tabelyãys/ — "tabeliães";

[fyéys] — tritongo aparente, acentuado tônico, oral, formado:

a) pela semivocalização de /i/ — fido, fidelidádI;

b) pela semivocalização de /l/ pela variedade padrão gramatical — fidelidádI: fiel, fiéys/ — "fiéis".

[esfryéys] — tritongo aparente, acentuado tônico, oral formado:

a) pela semivocalização de /i/ — friU, friážẽ;

b) pelo ditongo /éy/ da flexão verbal: /esfrieys/ — "esfrieis".

[azẹvyẹyru] — tritongo real, acentuado tônico, oral (é a base da palavra e não resulta de derivação): "azevieiro" = esperto, libertino — substantivo e adjetivo;

[syẽysya] — tritongo aparente, acentuado tônico, nasal, formado pela ditongação de / ẽ /: [syẽysya] — "ciência";

[nyiylísmu] — tritongo aparente, acentuado não-tônico, oral, formado pela tritongação de /i/ — niyiyn, niyiylísmu — "niilismo";

[bátyiy] — tritongo aparente, acentuado não-tônico, nasal, formado por:

a) semivocalização de /i/ — /batI];

b) mudança de zona de emissão da vogal / ẽ /;

c) ditongação de /e/: [ẽy] — /bátIe/ — "bate em".

[ilyóys] — tritongo aparente, acentuado tônico, oral, formado pela tritongação de /ó/: lilósl — "ilhós";

[yóytu] — tritongo aparente, acentuado tônico, oral, formado pela juntura de duas palavras e semivocalização: /ióytU/ — "e oito";

[folyõys] — tritongo aparente, acentuado tônico, nasal, formado por:

a) semivocalização de /i/ — /folía, folyãw/;

b) flexão de plural do uso padrão: /ãw, õy//foliõys/ — "foliões".

[élyuy] — tritongo aparente, acentuado não-tônico, oral, formado por:

a) semivocalização de /i/ — /élI/;

b) mudança de zona de emissão vocálica /o/, pela posição átona;

c) juntura de 2 palavras.

Essa seqüência ocorreu na atualização: "ensinou a ele o hiato".

[vizitéy yuytẹryọr]: tritongo aparente, acentuado não-tônico, nasal, formado por:

a) propagação da semivogal anterior /vizitéy U/;

b) nasalação de /u/ por assimilação da nasalidade posterior /U iteryór/;

c) desnasalização de /i/ e semivocalização de /vizitéy U itérór/ — "visitei o interior".

5.3.3.2 Y vogal w

[myáw] — tritongo real, acentuado tônico, oral (palavra onomatopaica): "miau";

[avyãw] — tritongo aparente, acentuado tônico, nasal (base avI): "avião";

[fyę́w] — tritongo aparente, acentuado tônico, oral, de variação regional (fido, fildelidádI): "fiel";

[yẹ́w] — tritongo aparente, acentuado tônico, oral, formado por juntura que ocasiona, no uso, a semivocalização de /i/: "e eu";

[yę́w] — não ocorreu;

[nyíw] tritongo aparente, acentuado tônico, oral, de variação regional, formado pela semivocalização da átona /i/ e da lateral final /l/: "nihil";

[yíw] — não ocorreu;

[payów] — tritongo aparente, acentuado tônico, oral, de variação regional, formado pelo ieismo e semivocalização da líquida final / pála, payoléyrU /: "paiol";

[karyów] — tritongo real, acentuado tônico, oral, formado pela flexão verbal: "cariou";

[akọřdyõw] — tritongo aparente, acentuado tônico, nasal, de variação grupal, forma paralela de [akọřdyãw] — /akódI, akófdIaw/: "acordeon, acordeão";

[yáw] — tritongo aparente, acentuado tônico, oral, de norma regional, formado pela semivocalização da líquida final [yáwtu] — "e alto";

[yũw] — tritongo aparente, acentuado tônico, nasal, formado por propagação de semivogal anterior, no contexto [skutéy yũw] e pela ditongação da vogal /u/: "escutei um".

5.3.3.3 W vogal y

[paragwáy] — tritongo real, acentuado tônico, oral: "Paraguai";

[trwáys] — tritongo real pela norma em vigor, acentuado tônico, nasal, forma paralela de [trwõys]: "truões";

[manwéys] — tritongo aparente de norma regional, acentuado tônico, oral, formado pela semivocalização da lateral (manwél, manwelismU): "Manuel";

[mĩgwẹys] — tritongo real, acentuado tônico, oral, formado pela flexão verbal (migwa, migwár): "mingueis";

[gwẹyrána] — tritongo real, acentuado tônico, oral: "gueirana";

[dwẽyti] — tritongo aparente, acentuado tônico, nasal, formado pela semivocalização de /U/ e ditongação de /ẽ/ (dóR, /dUẽ́tI/): "doente";

[wiyrapurú] — tritongo aparente, acentuado não-tônico, oral, formado pela ditongação de /i/: "uirapuru";

[r̄wĩ́y] — tritongo aparente, acentuado tônico, nasal, formado pela ditongação de /i/: "ruim";

[mwóy] — tritongo aparente, acentuado tônico, oral, formado pela ditongação de /ó/: "mói";

[wóytu] — tritongo aparente, acentuado tônico, oral, formado pela juntura que ocasiona na norma regional a semivocalização de /U/: "o oito";

[sagwõys] — tritongo real pelo uso, acentuado tônico, nasal: "saguões";

[wúy] — não ocorreu;

5.3.3.4 W vogal w

[wáw] — tritongo real, acentuado tônico, oral (interjeição): "uau";

[sagwãw] — tritongo real, acentuado tônico, nasal: "saguão";

[manwéw] — tritongo aparente, de variação regional, acentuado tônico, oral, formado pela semivocalização de /l/ (manwél, manweylísmo): "Manuel";

[r̄wẹ́w] — tritongo aparente, de variação regional, acentuado tônico, oral, formado pela semivocalização de /U/ /róy, r̄Uẹ́w/: "roeu";

[wew] — não ocorreu;

[ar̄gwíw] — tritongo real pela flexão, acentuado tônico, oral: "argüiu";

[wiw] — não ocorreu;

[awkwọ́w] — tritongo aparente, de variação regional e grupal, acentuado tônico, oral, formado pelas semivocalizações de /U/ e de /L/: "álcool";

[ẽšagwów] — tritongo real pela flexão, acentuado tônico, oral: "enxaguou";

[wố́wtẽy] — tritongo aparente, acentuado tônico, nasal, formado pela juntura e semivocalização de /U/ e pela ditongação de /õ/: "o ontem";

[wúwtimu] — tritongo aparente, acentuado tônico, oral, formado pela juntura e semivocalização de /U/ e a semivocalização de /L/: "o último";

[vẹ́žwũw] — tritongo aparente, acentuado tônico, nasal, formado pela juntura e semivocalização de /U/ e a ditongação de /u/: "vejo um".

5.3.4. *Considerações sobre os encontros vocálicos da mesma sílaba*

Os encontros vocálicos da mesma sílaba merecem algumas considerações.

- Os gramáticos não discutem o ditongo decrescente, porém muitos não aceitam o ditongo crescente. Todavia, na fala, nas múltiplas variabilidades dos sons que atualizam os traços fonológicos, encontramos ditongos crescentes e decrescentes tanto reais quanto aparentes.

- Com a juntura externa de duas palavras, ocorre a semivocalização de uma vogal. No padrão estandardizado do português brasileiro a preferência é pela pronúncia de um ditongo crescente. Semivocaliza-se a vogal anterior como em [ẹ́lyẹ́]: "ele é".
- Os encontros vocálicos podem ter por causa a propagação de uma semivogal, formando:
  a) dois ditongos, um descrescente e um crescente: [mayyọ́r̄, mẹ́yya] — "maior, meia". Esse fenômeno fonético pode ocorrer devido a junturas: [nã́w̃wakí] — "não aqui";
  b) um ditongo decrescente e um tritongo: [nã́w̃wẹ́w] — "não eu".
- A distinção entre encontros vocálicos reais e aparentes é necessária para podermos descrever e classificar os fenômenos fonéticos da fala em relação aos fonemas. Assim:
  a) uma vogal pode ser semivocalizada (desde que ocupe posição átona): /fíU/ /fiár/ [fyár̄] [fyáys] — "fiar, fiais";
  b) uma vogal pode ser ditongada: /bẽ/ [bẽy] — "bem"; /víw/ [vyíw] — "viu";
  c) uma seqüência de vogal + vogal pode ser realizada por:
     — ditongo: [kõpryẽdẹr̄] — "compreender";
     — tritongo: [kõpryẽydẹr̄] — "compreender";
  d) uma seqüência de vogal + /l/, pode ser realizada por:
     — ditongo: [mẹ́w] /mẹ́l, mẹládU/ — "mel";
     — tritongo: [manwẹ́w] /manwẹ́l, manwẹlísmU/ — "Manuel";
  e) atualização de encontros vocálicos devido a junturas e propagações:
     — juntura: [yẹ́w] — "e eu";
     — propagação: [ẹwwi] — "eu e".
- Muitos encontros vocálicos reais têm causas distintas:
  a) fonológicas: neutralizações /amávẹl, amávẹys/;
  b) morfofonológicas: flexão — /alívyU, alivyáys/.

- Os encontros vocálicos reais podem pertencer à expressão do signo palavra ou ser impostos pela variedade padrão gramatical, que os gramáticos denominam regras gerais ou formação irregular.
  a) pertencendo à expressão do signo: /nã́w/ — "não";
  b) impostos pela variedade padrão gramatical: /anẹ́l, anẹ́ys// tabẹlyãw, tabẹlyṍỹs/ — "anéis, tabeliões".
- Para que reconheçamos se o encontro vocálico é real ou aparente, buscamos:
  a) a base sígnica (a palavra em sua forma menor). Não havendo semivogal na base, buscamos as formas derivadas, pois nelas ocorrem mudanças acentuais. Caso ocorra na palavra derivada, o encontro é aparente e resulta de variedades/variações. No padrão estandardizado, atualiza-se o ditongo aparente, como em: /piU, piár̄/ — [pyár̄] — "pio, piar"; /azẹvyéyrU/ — [azẹvyéyru] — "azevieiro";
  b) havendo encontro na base e na flexão, o encontro vocálico é real: /máw, máws/ — "mau, maus";
  c) havendo encontro vocálico na base e na derivação, o encontro vocálico é real: /óytU, ọytẽta, ũytáva/ — "oito, oitenta, oitava";
  d) havendo encontro vocálico em palavra invariável, o encontro vocálico é real: /máys/ — "mais".
- No Brasil, a semivogal /w/ é realizada como velarizador vibrante em regiões do chamado dialeto caipira. Na variedade padrão estandardizada, atualiza-se o encontro vocálico real, já que este participa da expressão do signo:
  a) dialeto caipira — /sawdádI/ [sa̸ɣ̸dádẹ]: "saudade";
  b) padrão estandardizado — /sawdádI/ [sawdádžⁱ]: "saudade".
- Quanto aos tritongos, são de baixa ocorrência em base de signo e, em geral, decorrem de Brasileirismos. Nas flexões e derivações, são mais freqüentes.

5.4 Encontros vocálicos de sílabas diferentes

Os encontros vocálicos de sílabas diferentes são também chamados de hiatos e compreendem a seqüência de dois cumes silábicos, isto é, soante + soante.

M	M	C	M	M	+	M	M	C	M	M	
		|						|			
k		a						a			/kaatĩ́ga/ — "caatinga"
s		a						í			/saí — "saí"

Os hiatos são de baixa ocorrência em bases de signo, pois os usuários do sistema oral do português preferem a sua realização por encontros vocálicos da mesma sílaba, embora os hiatos sejam de sílabas diferentes. No entanto, devido a causas morfológicas de derivação e flexão de palavras, pode ocorrer a manifestação do hiato, como em: /kaí, kaímos/ — [kaí, kaímus] — "caí e caímos".

5.4.1. Hiatos reais e aparentes

Os hiatos também podem ser reais (fonológicos) e aparentes (fonéticos).

São chamados reais os encontros de duas soantes, que manifestam a expressão do signo: /kõpreẽdér/ — "compreender".

São chamados aparentes os encontros de duas soantes que não manifestam a expressão do signo. De forma geral, os hiatos aparentes ocorrem devido a junturas ou síncopes consonantais, como em: juntura externa /éá/ — [éá] — "isto é, há".

5.4.2. Consideraçoes sobre os hiatos

- Quando há hiato na base pela posição acentuada de /i/ ou /u/, nas derivações a mudança acentual levará a uma articulação semivocálica dessas vogais. Exemplo: /lua/, /luár/ — [lwár] — "lua, luar", atualizando-se, assim, um ditongo aparente.

- O nome, em português, é expresso pelo morfema zero /U/ ou pelos marcados: /a/ — feminino; /s/ plural. O morfema /U/ tem posição átona, trata-se, portanto, de um arquifonema, que contrasta com /w/ em: /ríU/ — [ríw] — "rio, riu"
  a) /riu/ é hiato;
  b) /ríw/ (flexão de "rir") é ditongo.
- As flexões verbais podem resultar em hiatos: /dár, daría/ — "dar, daria"; /lér, líamos/ — "ler, líamos".
- Os gramáticos chamam de sinérese, quando um hiato real é realizado por um ditongo: /vía, viážẽ/ — [vyážẽy] — "via, viagem"; no caso de um ditongo real ser realizado por um hiato, eles o denominam diérese: /víw/ — [viu] — "viu".

Capítulo 6

Encontros consonantais do português falado no Brasil

Nos capítulos anteriores, abordamos a descrição de vogais, semivogais e consoantes, tendo por critério a intensidade, ou seja, o grau de abertura do canal bucal. Definimos as consoantes como sendo as que têm menor intensidade e maior estreitamento bucal em relação aos elementos vocálicos da sílaba.

6.1. A sílaba fonética e os encontros consonantais

As consoantes ocupam, na sílaba fonética, a fase estreitamento, enquanto que as vogais, a fase abertura. A sílaba define-se por ser aberta se terminar no elemento vocálico, a saber: estreitamento-abertura [pá] — "pá". Define-se por ser fechada ou travada se terminar em consoante: abertura-estreitamento [ás] — "ás"; estreitamento-abertura-estreitamento: [pás] — "pás ou paz".

Ao descrevermos as consoantes, diferenciamo-las pelo grau de estreitamento: oclusivas/constritivas. As consoantes oclusivas são as que apresentam fechamento total devido ao ponto de articulação, onde os órgãos articuladores se encontram, sendo, portanto, as de maior estreitamento no canal bucal. As consoantes constritivas são de dois tipos: as que apresentam menor estreitamento e as que têm um ligeiro estreitamento, as líquidas.

No estudo da sílaba fonética em português, descrevemos três tipos de estreitamento no canal bucal que caracterizam as consoantes em relação aos sons semivocálicos e vocálicos: maior, menor e ligeiro estreitamento/ligeiríssimo estreitamento e abertura.

Denominamos encontros consonantais aparentes os que não são realizações de seqüências fonológicas de expressões de signos. Tais encontros ocorrem apenas nos atos de fala e compreendem, muitas vezes, outras consoantes além das líquidas (no segundo nódulo marginal).

Esses encontros consonantais aparentes têm causas fonéticas. Citemos algumas:

- a não-realização de elementos vocálicos da sílaba: [pra] /para/ — "para"; [pfavọ́] /pUR favọ́R/ — "por favor", [ẹ́stsábi] /ẹ́StIsábI/ — "este sabe";
- a realização africada das oclusivas /t, d/ quando estiverem antes de sons vocálicos alveolares e da semivogal iode [i, ĩ, y]: [tšía] /tia/ — "tia"; [džyáryu] /diáryu/ — "diário"; [lẹ́ytši] /lẹ́ytI/ — "leite"; [tšĩ́ta] /tĩ́ta/ "tinta";
- a realização africada de fonemas de signos não-portugueses, mas usados por falantes, no Brasil: [pítsa] — "pizza"; [mutsarẹ́la] — "muçarela".

6.2. Encontros consonantais da mesma sílaba

6.2.1. Em marginais finais

As gramáticas não têm uma denominação específica para esses encontros consonantais, que são próprios, como os iniciais. Em geral, quando abordam essas emissões, descrevem como sílaba fechada ou travada, pois tais encontros consonantais estão situados na terceira fase da sílaba: estreitamento final.

O exame de padrões silábicos do português falado no Brasil leva-nos a concluir que esses encontros consonantais são pouco freqüentes e, quando ocorrem, são realizações de seqüências fonológicas apenas encontradas em palavras eruditas, portanto, de pouco uso.

Fonologicamente, há apenas dois encontros consonantais em marginais finais silábicas, a saber:

Mia Mii Mir C Mfr Mfa

R S — /pẹRSpẹktíva/ — "perspectiva"

L S — /sọLStísyU/ — "solstício"

Esses encontros consonantais reais, nos atos de fala, podem ser realizados por variantes de /R, L, S/ já que, em tal posição, são arquifonemas. Citemos algumas:

/S/ — [s, z, š, ž]

/R/ — [r̄, r̥̄, r̤̄]

/L/ — [l, w]

Havendo a semivocalização de /L/, foneticamente em vez de encontro consonantal ocorre encontro vocálico: [sọwstísyu] — "solstício".

Os encontros consonantais /LS, RS/ são próprios, isto é, soam sem vogal intermediária e travadores silábicos, pois a seqüência compreende as articulações das líquidas, que, como já foi indicado (ver capítulo 4), têm características vocálicas e, na marginal final absoluta, as sibilantes ou chiantes, que soam sem apoio vocálico.

Apesar de pouco freqüentes os encontros consonantais de marginais finais silábicas podem ser: reais [ipẹr̄stẹ́nyu, itẹr̄stísyu, pẹr̄skrutár̄] — "hiperstênio, interstício, perscrutar" (quando atualizam encontros fonológicos, como os até aqui citados) e aparentes (quando não realizam encontros fonológicos).

Em [pùr̄stárakí] /pUR IStáR akí/ — "por estar aqui", [rs] é aparente.

6.2.2. Em marginais absolutas: inicial e final

Os encontros consonantais da mesma sílaba resultam da não-manifestação fonológica da central silábica e, portanto, são reais.

Podemos visualizá-los na sílaba fonológica por:

Mia	Mii	Mir	C	Mfr	Mfa
p					s
k					s
b					s
d					s
g					s

Essa seqüência de consoantes apresenta dificuldade articulatória para os falantes, visto que as oclusivas são ruídos que se apóiam na sibilante. Geralmente, tal seqüência é articulada com uma vogal de apoio intermediária, tornando-se, assim, um encontro consonantal impróprio em sílaba travada ou fechada.

Exemplos:

/pS/ — [bísẹpis] — "bíceps";

/kS/ — [tǫrakis, klímakis] — "tórax, clímax";

/bS/ — [subistãtívu, abistẹ́r̄] — "substantivo, abster";

/dS/ — [fẹwdilspátu, adistrĩžéti] — "feldspato, adstringente'";

/gS/ — [tũgistẹ́nyu] — "tungstênio".

Esses encontros consonantais são mais freqüentes em palavras derivadas ("abstrair, substantivo, subscrever, obsceno, obstruir etc."). Talvez, por isso, os gramáticos dificilmente abordem esse tipo de encontro, já que decorre da juntura de duas formas lingüísticas (por vezes mais de duas). No entanto, serão tratados como encontros, pois são articulados na mesma sílaba, no momento da fala.

Como os demais encontros, eles são reais ou aparentes. Denominamos reais os encontros citados acima, pois são as realizações fonéticas da seqüência fonológica: estreitamento-estreitamento, na mesma sílaba, sem a manifestação vocálica. Denominamos aparentes os encontros consonantais impróprios da mesma sílaba que resultam da não-realização fonética da vogal fonológica ou de sua realização reduzida. Por exemplo: [ā́tis] /ā́tIS/ — "antes", [lápis] /lápIS/ — "lápis".

É interessante observar que, mais freqüentemente, a vogal intermediária, no padrão estandardizado, em São Paulo, é a reduzida anterior: [I], porém ainda encontramos outras variantes, tais como: [i, ę, ẹ]. Por exemplo: [abistšinẽ͡ỹ́sya, abęstšinẽ͡ỹ́sya, abẹstšinẽ͡ỹ́sya] — "abstinência". Às vezes, também, há ocorrência desse tipo de encontro sem a articulação vocálica, já que a sibilante é soante: [ā́ts, abstẹ́r̄] — "antes, abster".

6.3. Encontros consonantais de sílabas diferentes

Consideramos, em sílabas diferentes, os encontros consonantais que resultam de duas seqüências de estreitamento, a saber:

a) abertura – estreitamento + estreitamento – abertura;

b) estreitamento (– abertura) + estreitamento – abertura.

6.3.1. Encontros consonantais de sílabas diferentes com travadores silábicos

Os encontros consonantais de sílabas diferentes compreendem as emissões de duas sílabas. A primeira sílaba termina em estreitamento (consoante) e a segunda sílaba inicia em estreitamento (consoante).

Observando a representação abaixo:

Mia	Mii	Mir	C	Mfr	Mfa	+	Mia	Mii	Mir	C	Mfr	Mfa
p			ǫ́	R			t			a		
d			ẹ́		S		d			ẹ		
			á	L			t			ọ		

verificamos a seqüência de dois estreitamentos em sílabas diferentes: na primeira sílaba, na terceira fase; e, na segunda sílaba, na primeira fase.

As sílabas travadas podem apresentar um travador ou um encontro de travadores. Assim, teremos:

- /R/ + estreitamento: [pǫ́r̄ta] — "porta";
- /S/ + estreitamento: [pasta] — "pasta";
- /L/ + estreitamento: [salta] — "salta";
- /LS/ + estreitamento: [sǫ́lstísyu] — "solstício";
- /RS/ + estreitamento: [itẹr̄stísyu] — "interstício".

O segundo estreitamento, como já foi indicado, pode manifestar apenas uma consoante, ou um encontro consonantal próprio ou impróprio. Assim, teremos:

- estreitamento + uma consoante: [asma] — "asma"
- estreitamento + encontro consonantal próprio: [ástru] — "astro"
- estreitamento + encontro consonantal impróprio: [fęldspátu] — "feldspato"

Em síntese:

abertura – estreitamento + estreitamento – abertura

l consoante

r consoante

ls consoante

rs consoante

l encontro consonantal

r encontro consonantal

ls encontro consonantal

rs encontro consonantal

Essas seqüências podem servir de critério para a divisão silábica das sílabas travadas:

- [sọl-dádu] — "soldado", realização pouco freqüente, pois em geral / l / é semivocalizado [w] quando travador silábico: [sọw-dádu];

- [kár-ta] — "carta";
- [sọls-tÍsyu] — "solstício";
- [pẹr̄s-pẹktíva] — "perspectiva".

Como / l / é semivocalizado, quando travador, e / RS / ocorre em palavras eruditas, os encontros consonantais com travador silábico mais freqüentes são:

- vibrante + consoante (encontro consonantal);
- sibilante + consoante (encontro consonantal).

Há regiões, no Brasil, que são caracterizadas pelo uso dos velarizadores: [pár̄ta, kár̄ni] — "parta, carne", além de [sọr̄dádu, sar̄dádi] — "soldado, saudade".

6.3.2. Encontros consonantais de sílabas diferentes com a seqüência de duas marginais iniciais

Os encontros consonantais de sílabas diferentes com a seqüência de duas marginais iniciais são constituídos por dois estreitamentos iniciais silábicos, isto é, duas primeiras fases, pois o elemento vocálico fonológico não é manifestado.

Visualizando, temos:

Mia	Mii	Mir	C	Mfr	Mfa +	Mia	Mii	Mir	C	Mfr	Mfa
p						n		"pneu"			
d						v		"advogado"			

Pela visualização acima, podemos descrever os encontros consonantais de silabas diferentes como a seqüências de duas marginais iniciais por: estreitamento (– abertura) + estreitamento (+ abertura).

Como já foi indicado (ver capítulo 4), nos estreitamentos iniciais, as marginais absolutas caracterizam-se por ter estreitamento maior ou por características acústicas mais próximas do ruído.

Um exame dos padrões silábicos do português leva-nos a indicar para o estreitamento inicial da primeira sílaba: as oclusivas [p, t, k, b, d, g, m] e a fricativa [f].

As seqüências encontradas foram:

p-t: [ápitu] — “apto”;
p-n: [pinẹ́w] — “pneu”;
p-s: [lápisu] — “lapso”;
p-z: [rapizọ́dya] — “rapsódia”;
t-m: [atimọsfẹ́ra] — “atmosfera”;
t-n: [ẹ́tiniku] — “étnico”;
k-p: [ẹk’pyẹ́sma] — “ecpiesma”;
k-t: [nẹ́kitar̄] — “néctar”;
k-b: [ẹ́k’bazi] — “écbase”;
k-d: [ẹkidẹ́miku] — “ecdêmico”;
k-g: [ẹk’gọnína] — “ecgonina”;
k-n: [ák’ni] — “acne”;
k-f: [ẹ́kifọra] — “écfora”;
k-s: [sẹ́kisu] — “sexo”;
k-z: [kizár̄] — “czar”;
b-k: [ọbikọ́niku] — “obcônico”;
b-d: [lãmb’da] — “lambda”;
b-t: [ọbtẹ́r̄] — “obter”;
b-n: [abinẹgár̄] — “abnegar”;
b-m: [subimẹtẹ́r̄] — “submeter”;
b-f: [ọbifir̄már̄] — “obfirmar”;
b-s: [abisur̄du] — “absurdo”;
b-z: [ọbizẹ́kyu] — “obséquio”;

b-•: [ọb'žę̣tu] — "objeto";
d-k: [ad'kirír̄] — "adquirir";
d-m: [ad'mitír̄] — "admitir";
d-n: [adinátu] — "adnato";
d-v: [ad'vír̄] — "advir";
d-z: [d'zẹta] — "dzeta";
d-•: [ad'žṹtu] — "adjunto";
g-m: [zẹ́wgima] — "zeugma";
g-n: [síg'nu] — "signo";
m-n: [am'nę̣zya] — "amnésia";
f-t: [áf'ta] — "afta".

Pelo que pudemos observar, as oclusivas, com exceção das nasais, são ruídos e, para serem emitidas, necessitam do apoio intermediário de uma vogal, fato que também acontece com os demais encontros desse tipo. Foneticamente, portanto, não são encontros consonantais propriamente ditos, por isso são classificados como impróprios.

A vogal intermediária é apenas fonética e não fonológica. Nos exemplos indicados, apresentamos a reduzida anterior [I], que é norma paulista; mas, dependendo da região, ocorrem outras variantes, tais como: [i, ẹ, ę̣]. Por exemplo: [adživọgádu, adẹvọgádu, adę̣vọgádu]: "advogado"

Foneticamente, podemos obter as mesmas bases articulatórias características desses encontros consonantais para seqüências fonológicas diferentes. Por isso, os indicados acima são chamados de reais. Isso não acontece com /mInínU/ — [m'nínu] "menino", em que o encontro impróprio é aparente e resulta da redução vocálica de / I /.

No caso dos aparentes, outras combinatórias consonantais podem ocorrer, além das indicadas.

É interessante observar que o encontro consonantal impróprio de sílabas diferentes, muitas vezes, resulta de junturas. Por exemplo, o prefixo [subi] /sub/ — "sub" pode, por vezes, formar encontros consonantais impróprios de sílabas diferentes, ou grupos consonantais próprios da mesma sílaba: [sub'mẹtẹ́r̄] — "submeter", mas [subliŋár̄] — "sublinhar", dependendo do tipo articulatório da segunda consoante do encontro. Porém, às vezes, os usuários no Brasil articulam o impróprio em vez do próprio: [ad'ligár̄, sub'ligár̄] — "adligar, subligar".

Capítulo 7

Características vocálicas e consonantais da pronúncia estandardizada do português brasileiro

Para este capítulo, foram selecionadas algumas características estandardizadas do português brasileiro, que apresentam constantes dificuldades para falantes de outras línguas em fase de aquisição desse padrão de pronúncia. Apresentamos a realização sonora das vogais tônicas, pré-tônicas e pós-tônicas, sons consonantais durativos, vogais nasais fechadas e da vogal [ạ] fechada.

Como se sabe, embora seja muito importante, a questão de uma pronúncia brasileira estandardizada tem merecido pouca atenção tanto para a pesquisa quanto para o ensino do português brasileiro para falantes de outras línguas. Conseqüentemente, o material existente para o ensino da pronúncia brasileira não tem propiciado minimizar as dificuldades para a desestrangeirização oral dos aprendizes de português brasileiro para falantes de outras línguas.

Este capítulo apresenta uma descrição de aspectos fonéticos lingüísticos que trata da covariação sistemática entre estrutura lingüística do português e estrutura social, no uso efetivo da língua.

7.1. No plano fonológico

Segundo Silveira (1986), a língua portuguesa é de intensidade ou de icto, de forma a diferenciar duas sílabas fonológicas em contraste: acentuada e inacentuada.

Dependendo da posição do acento, o paradigma vocálico para o nódulo central (C) da sílaba modifica.

Em *sílaba acentuada*, o paradigma fonológico vocálico é descrito com doze vogais, sendo sete orais e cinco nasais, como se pode demonstrar com as seguintes comutações:

/pá, pǫ́, pę́, ę́ll, ẹ́ll, bǫ́la, búla/ — "pá, pó, pé; ele (letra), ele; bola, bula";
/sã́ta, sẽ́ta, sĩ́ta, tṍba, tṹba/ — "santa, senta, sinta; tomba, tumba".

Em *sílaba inacentuada*, o paradigma fonológico vocálico é reduzido e é descrito com três vogais orais e três vogais nasais, devido à neutralização de traços distintivos entre os fonemas vocálicos anteriores e posteriores, deixando, assim, de opor signos em português, nessa posição silábica:

a) no caso dos fonemas vocálicos orais anteriores / ę, ẹ, i /, há neutralização dos traços distintivos "grau de abertura e zona de emissão"; assim sendo, tem-se o arquifonema /i/, como em: /pirígU/ — [pirígu, pẹrígu] — "perigo";
b) no caso dos fonemas vocálicos orais posteriores / ǫ, ọ, u /, há, também, neutralização dos traços distintivos "grau de abertura e zona de emissão"; assim sendo, tem-se o arquifonema /U/, como em: /kUlę́žyU/ — [kọlę́žyu, kulę́žyu] — "colégio";
c) no caso dos fonemas vocálicos nasais anteriores, há a mesma neutralização dos fonemas vocálicos anteriores; logo tem-se o arquifonema /Ĩ/: /ĨkṍtRU/ — [ĩkṍtru, ẽkṍtru] — "encontro";
d) no caso dos fonemas vocálicos nasais posteriores, há a mesma neutralização dos fonemas vocálicos posteriores; logo tem-se o arquifonema /Ũ/: /Ũzinísi/ — [ũzinísi, õzinísi] — "onzenice".

Logo, pode-se dizer que os dois paradigmas vocálicos (acentuado e inacentuado) são regidos por uma estruturação sistêmica, relativa a uma língua de icto, que contrasta a sílaba acentuada com a inacentuada, pois há dois paradigmas e a oposição só existe em cada um deles.

7.2. No plano fonético das variações: tônicas, pré-tônicas e pós-tônicas

Há variação sonora para as vogais inacentuadas, em relação às variedades de pronúncia, no Brasil. Isso não ocorre com as acentuadas que são realizadas com uma base articulatória mais fixa, para evitar a comutação sígnica.

7.2.1. As vogais tônicas

Os fonemas vocálicos em sílaba acentuada são manifestados, na pronúncia padrão estandardizada, arquinorma televisiva "o globês", por bases articulatórias correspondentes a doze vocálicos: sete orais e cinco nasais, como em:

/á/	/káza/	[káza]	"casa"
/ę́/	/sę́la/	[sę́la]	"sela"
/ẹ́/	/tẹ́ma/	[tẹ́ma]	"tema"
/í/	/lída/	[lída]	"lida"
/ǫ́/	/kǫ́la/	[kǫ́la]	"cola"
/ọ́/	/bọ́ka/	[bọ́ka]	"boca"
/ú/	/múda/	[múda]	"muda"
/ã́/	/mã́ta/	[mã́ta]	"manta"
/ẽ́/	/mẽ́ta/	[mẽ́ta]	"menta"
/ĩ́/	/mĩ́ta/	[mĩ́ta]	"minta"
/ṍ/	/mṍta/	[mṍta]	"monta"
/ṹ/	/fṹda/	[fṹda]	"funda"

É interessante observar que, em relação à tônica /á/, há uma realização fonética que é de ordem nacional, sendo realizada no Brasil. A realização pela vogal fechada ocorrerá quando [ã́] for seguida de consoante nasal, por exemplo, em: /kạ́ma, lạ́ma, pạ́nU/ — [kạ́ma, lạ́ma, pạ́nu] — "cama, lama, pano".

Logo, pode-se dizer que a pronúncia padrão estandardizada apresenta uma unidade de base articulatória para cada fonema vocálico acentuado. Há, portanto, uma correspondência com a regra de estruturação sistêmica, na medida em que não há modificação dos traços fonológicos na realização dos sons, mesmo porque, na posição acentuada, a modificação de traços distintivos anteriores e posteriores resulta na produção de outros signos, como em:

- anteriores orais: "pelo, pêlo, pilo";
- posteriores orais: "pólo, pôlo, pulo";
- anteriores nasais: "sem, sim";
- posteriores nasais: "compra, cumpra".

Considerações:

a) para os falantes nativos de línguas onde as vogais abertas não são do sistema fonológico, haverá dificuldade para construir as oposições /ẹ́, ę́/ — /ọ́, ǫ́/. Nesse caso, é preciso construir exercícios com pares comutativos, para que os alunos entendam que a troca de abertura produz outro signo;

b) todas as vogais nasais do português são realizadas pelos brasileiros como vogais fechadas. Os falantes nativos de línguas que não têm vogais nasais em seu sistema fonológico apresentam dificuldades para a realização das vogais nasais fechadas. De forma geral, produzem realizações nasais abertas, como em /nã́w/ — [nã́w] ou aberta desanasalada [náw]. A fim de possibilitar que o aluno adquira a base articulatória nasal fechada, é necessário exercitar as diferenças orais entre abertas e fechadas para depois exercitar a nasalação, para que desenvolva o senso muscular pelo exercício articulatório e a percepção auditiva por gravações da pronúncia estandardizada, seguida de transcrições e leituras do que escreveram;

c) o fonema /ẽ́/ em posição final de palavra é pronunciado pelo ditongo [ẽ͡ý], como em [sẽ͡ý, tãbẽ͡ý, nĩgẽ͡ý] — "sem, também, ninguém".

7.2.2. Vogais pré-tônicas em relação à regra de estruturação sistêmica fonológica acentual

Os fonemas vocálicos inacentuados pré-tônicos variam em suas realizações na variedade oral padrão, ou seja, na arquinorma televisiva da Globo. Tais variações podem ser tanto em relação à regra de estruturação sistêmica quanto em relação ao grupo social que as realiza.

A regra sistêmica do icto neutraliza a oposição entre as vogais anteriores /ę, ẹ, i = i/ /ẽ, ĩ = Ĩ/ e a existente entre as posteriores /ǫ, ọ, u = U/, /õ, ũ = Ũ/.

Assim, no plano fonológico, as vogais pré-tônicas são descritas por seis unidades fonológicas: dois fonemas /a, ã/ e quatro arquifonemas /I, U, Ĩ, Ũ/.

A pronúncia brasileira padrão estandardizada, em posição pré-tônica realiza cinco vogais orais e cinco vogais nasais, sendo guiada pela regra sistêmica ortográfica da palavra. Exemplo:

/a/	[a]	[faládª]	"falada"
/I/	[ẹ]	[mẹládª]	"melada"
/I/	[i]	[sináw]	"sinal"
/U/	[ọ]	[mọrádª]	"morada"
/U/	[u]	[furádª]	"furada"
/ã/	[ã]	[kãtádª]	"cantada"
/õ/	[õ]	[kõtádª]	"contada"
/ü/	[ũ]	[kũprídª]	"cumprida"
/Ĩ/	[ẽ]	[sẽtádᵘ]	"sentado"
/Ĩ/	[ĩ]	[sĩpátšikᵘ]	"simpático"

Considerações:

a) é possível haver, ainda, variação para / a, an /, que pode ser realizada tanto pela fechada quanto pela aberta, em posição inacentuada pré-tônica, como em: /a/ — [a, ạ] — [anéw, ạnéw] — "anel";

b) o arquifonema / IS / em posição pré-tônica, quando inicia a palavra, pode ser pronunciado com variação. Exemplo: /I/ — [i, ẹ] —

[istálª, ẹstálª] — “estala”. Essa posição pode ser descrita como sílaba inicial travada e pode também ser realizada pela vogal reduzida inicial [ⁱs] — [istálª] — “estala”. No caso de uma pronúncia com velocidade, ocorre juntura externa entre palavras, em um contínuo fônico; nesse caso, ocorre a realização de uma semivogal [y], por exemplo: /a káza IStá/ — [akázaystá] — “a casa está”.

7.2.3. Vogais pós-tônicas em relação à regra de estruturação sistêmica fonológica acentual

Os fonemas vocálicos inacentuados variam em suas realizações na pronúncia brasileira padrão estandardizada. A regra sistêmica do icto neutraliza as oposições entre as vogais anteriores orais e nasais e as posteriores orais e nasais de forma a ocorrerem dois fonemas, um oral e outro nasal /a, ạ/ e quatro arquifonemas, dois orais /I, U/ e dois nasais /Ĩ, Ũ/.

Na pronúncia brasileira padrão estandardizada, há variação entre a vogal pós-tônica final de palavra e a vogal pós-tônica reduzida em posição não-final de palavra.

Na posição final absoluta de palavra /a, I, U/ são realizadas por três vogais reduzidas /átU, áta, áti/ — [átᵘ, átª, átⁱ] — “ato, ata, ate”.

Na posição não-absoluta de palavra /a, I, U/ são realizadas por [a, i, u] como em /káraS, flọrIS, átUS/ — [káras, flóris, átus] — “caras, flores, atos”.

Os fonemas vocálicos inacentuados nasais apresentam a seguinte variação:

- /ã/ — a variação compreende a realização por [ã] e pela redução e desnasalação vocálica [ª]. Por exemplo: /ímã/ — [ímã, ímª] — “ímã”. A redução e desnasalação vocálica ocorrem em pronúncia veloz;
- /Ĩ/ — a variação compreende a ditongação [ẽy] ou a redução vocálica com desnasalação [ⁱ], como em: /vIážĨ/ — [vyážⁱ] — “viagem;

- /Ũ/ — a realização segue a regra de estruturação sistêmica [ũ], como em: /fọrũ/ — [fọrũ] — "fórum".

7.3. As vogais em relação à regra de estruturação morfofonológica

Tendo em vista a regra de estruturação morfofonológica, este item trata da vogal medial nasal pós-tônica inacentuada / ã / e da mudança acentual em formas derivadas.

7.3.1. A vogal /ã/ em flexão verbal

Em posição final absoluta na flexão verbal o morfema / ã / é realizado pela ditongação [ãw], como no perfeito e imperfeito. Por exemplo:

- /falávã/ — [falávãw] — "falavam";
- /falárã/ — [falárãw] — "falaram".

A oposição mórfica entre o perfeito/futuro para as flexões verbais é realizada pelo contraste acentual:

- no perfeito o acento é selecionado na paroxítona, como em: /kãtárã/ — [kãtárãw] — "cantaram";
- no futuro do presente o acento é selecionado na oxítona, como em: /kãtarã/ — [kãtarã́w] — "cantarão".

7.3.2. A abertura e o fechamento vocálicos em formas derivadas e compostas

No que se refere à formação de palavras, Silveira (1997b) discute a classificação mórfica proposta no texto de nossas gramáticas tradicionais ao diferenciar, derivação de composição, na formação de palavras. Segundo nossos gramáticos a derivação é a formação de uma nova palavra pelo acréscimo de afixação, sem haver a mudança semântica do elemento lexical. Composição é a formação de uma nova palavra, pelo acréscimo de uma outra, com a mudança semântica do elemento lexical composto.

Para a autora, não basta o critério semântico-sintático, é necessário considerar o critério acentual, ou seja, o critério morfofonológico do lugar do acento, pois ele, sistemicamente, é importante para a formação de palavras em português. As palavras derivadas em português definem-se pela juntura interna e a seleção de um único acento de palavra. As palavras compostas em português definem-se pela juntura externa e a manutenção dos dois acentos das palavras selecionadas para a composição. Tal regra é relativa à diferenciação de lexemas e gramemas, em português: no caso do lexema, as palavras do léxico (palavras relativas à designação do que existe no mundo ou à dêixis discursiva) apresentam-se com um acento tônico; já os gramemas são inacentuados.

Logo, no caso da formação de palavras, as formas derivadas são resgatadas do contínuo sonoro como segmentos silábicos, estruturados morfofonologicamente com um único acento que pode ser selecionado ora no prefixo ("metáfora"), ora no lexema ("pacífico"), ora no sufixo ("casamento"). As formas compostas são resgatadas do contínuo sonoro como a seqüência de segmentos mórficos, estruturados sistemicamente cada qual com o seu acento, relativo a cada segmento lexical ("casa-grande, mesa-redonda").

Em ambos os casos, há regras sistêmicas específicas para essa estruturação morfofonológica. De forma geral, a língua portuguesa, embora selecione quatro posições para o lugar do acento ("café, amado, lâmpada, cápsula"), sistemicamente há preferência pela paroxítona.

7.3.2.1 No caso da derivação sufixal

No caso da derivação sufixal, ao se aplicar à regra sistêmica acentual, devido ao aumento de sílabas, pela juntura interna do afixo, a seleção do lugar do acento é, de forma geral, para o sufixo. Todavia, também ocorre no lexema, com sufixos como "-ico, -culo, -ulo" ("oceânico, homúnculo, músculo"); e no prefixo, como os de origem grega ("paráfrase, metástase"). Como a derivação é descrita pela seleção de um único acento, a regra sistêmica, ao ser aplicada na palavra derivada, torna inacentuada a sílaba, anteriormente acentuada, do lexema de base.

Considerações sobre a pronúncia brasileira estandardizada:

a) Os setes fonemas vocálicos orais da sílaba acentuada resultam em três unidades fonológicas vocálicas em sílaba inacentuada, de forma a seguir a regra sistêmica na estruturação morfofonológica.

A pronúncia brasileira padrão estandardizada realiza /I/ por [ẹ, i,], /U/ por [ọ, u], de forma a seguir a ortografia da palavra. Por exemplo:

/bę́lU > blléza/ — [bę́lu, bẹlẹ́zª] — "belo, beleza";
/prímU, prImẹ́yrU/ — [prímᵘ, primẹ́yrᵘ] — "primo, primeiro";
/pǫ́ > pUẹ́yra/ — [pǫ́; pọẹ́yrª] — "pó, poeira";
/ÚmidU > Umidádi / — [úmidᵘ > umidadžⁱ] — "úmido e umidade".

b) No caso dos cinco fonemas vocálicos nasais da sílaba tônica, com a mudança acentual da forma derivada, há neutralização da zona de emissão vocálica, de forma a seguir a regra sistêmica. A pronúncia padrão brasileiro estandardizada realiza os arquifonemas / Ĩ, Ũ / por [õ, ĩ, ũ], pois segue a regra ortográfica da palavra. Por exemplo:

/sẽ́tU > sĨtávU/ — [sẽ́tᵘ, sẽtávᵘ] — "cento, centavo";
/ĩpar > ĩparidádi/ — [ĩpar, ĩparidádžⁱ] — "ímpar, imparidade";
/pṍtU > pŨtUalidádi/ — [pṍtᵘ, põtwalidádžⁱ] — "ponto, pontualidade";
/mũdU > mũdạ́nU/ — [mũdᵘ, mũdạ́nᵘ] — "mundo, mundano".

7.3.2.2 No caso da composição

A composição, como já foi indicado no item 7.3.2, mantém os dois acentos lexicais da palavra composta, por exemplo "guarda-roupa, verde-claro".

Embora nossos gramáticos tradicionais classifiquem entre os sufixos "-mente" e as marcações de graus diminutivo e aumentativo, os falantes nativos do português brasileiro formam palavras com esses elementos por composição, sem haver a escolha de um único acento, pois os dois se mantêm. Nesse caso, as palavras formadas seguem a regra sistêmica da composição e mantêm os traços opositivos fonológicos das vogais acentuadas sem haver neutralização, do grau de abertura. Por exemplo:

- diminutivo com /ę́/ + "-inho" — /kafę́ > kafę́zíŋ̯U/ — [kafę́, kafę́zíŋ̯ᵘ] — "café, cafezinho"; mas, com os demais sufixos, há seleção de um único acento e o fechamento vocálico como em /kafezáL/ [kafẹzaw] — "cafezal";
- aumentativo com /ę́/ + "ão, aço" — / kafę́ > kafę́za͡w̃́, kafẹzásU/ — [kafę́, kafę́za͡w̃, kafẹzásᵘ] — "café, cafezão, cafezaço"; mas, com os demais sufixos, há seleção de um único acento e o fechamento vocálico como em /kaflẹ́yrU/ [kafẹę́yrᵘ] — "cafeeiro";
- circunstância com /ǫ́/ + "-mente" — /pRǫ́pRyU > pRǫ́pRyamẽ́tI/ — [prǫ́pryu, prǫ́pryamẽ́tⁱ] — "próprio, propriamente"; mas, com os demais sufixos, há seleção de um único acento e o fechamento vocálico como em /pRUpRyIdádI/ — [pròpryẹdádžⁱ] — "propriedade";
- /sǫ́ > sǫ́mẽ́tI/ — [sǫ́ > sǫ́mẽ́tⁱ] — "só, somente"; mas, com os demais sufixos, há seleção de um único acento e o fechamento vocálico como em /sọ́lida͡w̃́/ — "solidão";
- circunstância com /ę́/ + "-mente" — /sę́RtU > sę́Rtamẽ́tI/ — [sę́r̃tu > sę́r̃tame͡ỹtⁱ] — "certo, certamente"; mas, com os demais sufixos, há seleção de um único acento e o fechamento vocálico como em /sẹRtę́za/ — [sẹrtę́zᵃ] — "certeza".

Em síntese, frente ao exposto, poderíamos dizer que em línguas de icto, ou seja, de intensidade, faz-se necessário ter o critério acentual. O acento situa-se em um nível mais alto que os fonemas, de forma a projetar para a pronúncia uma estruturação sistêmica das sílabas fonológicas (acentuada/inacentuadas).

Nossos gramáticos tratam as regras do padrão normativo gramatical em partes separadas (Fonética, Morfologia e Sintaxe) e estanques, por essa razão têm problemas classificatórios e descritivos.

7.4. As vogais em relação à variável sociocultural

A pronúncia padrão estandardizada, como foi indicado, realiza cinco vogais orais e cinco vogais nasais em posição pré-tônica, mas apenas três em posição pós-tônica.

Em posição pré-tônica há cinco unidades vocálicas (orais e nasais) que mantêm o traço da zona de emissão e para as orais está neutralizado o traço grau de abertura.

Em síntese, conforme o padrão estandardizado, temos a seguinte pronúncia do português brasileiro.

1. Para as pré-tônicas com a regra sistêmica fonológica

Para as pré-tônicas seguindo a regra sistêmica, neutraliza-se, para as orais, o grau de abertura: aberto = fechado. A pronúncia vocálica segue a regra ortográfica. Por exemplo:

- para os arquifonemas vocálicos orais, seguindo a regra sistêmica de sílaba inacentuada:

  /I/ — [ẹ, i]: a variação segue a regra ortográfica, por exemplo: /pIdásU, pIra͠ẃ/ — [pẹdásu, pira͠ẃ] — "pedaço, pirão";

  /U/ — [ọ, u]: a variação segue a regra ortográfica, por exemplo: /mUrẹ́nU, bUrákU/ — [mọrẹ́nu, buráku] — "moreno, buraco".

- para os arquifonemas nasais, seguindo a regra sistêmica de sílaba inacentuada:

  /Ĩ/ — [ẽ, ĩ]: a variação segue a regra ortográfica, por exemplo: /ĨkṍtRU, ĨpásI/ — [ẽkṍtr^{u}, ĩpás^{i}] — "encontro, impasse";

  /Ũ/ — [õ, ũ]: a variação segue a regra ortográfica, por exemplo: /kŨpRíR, mŨtáR/ — [kũprír, mõtár] — "cumprir, montar".

2. Para as vogais com a regra sistêmica morfofonológica da derivação

Para as vogais que seguem a regra sistêmica morfológica da derivação, há, também, regra sistêmica fonológica, com a neutralização do grau de abertura para as orais. A pronúncia vocálica segue a regra ortográfica. Por exemplo:

- para os arquifonemas orais morfofonologicamente derivados, pela regra sistêmica:

  /I/ — [ẹ, i]: a variação segue a regra ortográfica, por exemplo: /pę́ > pIdáL; fíU > fIlamẽ́tU/ — [pé, p¹dáw; fíw, filamétu] — "pé, pedal; fio, filamento";

  /U/ — [ọ, u]: a variação segue a regra ortográfica, por exemplo: /sǫ́L > sUláR; púlU > pUlávIL/ — [sǫ́w, sọlár̄; púlᵘ, pulávẹw] — "sol, solar; pulo, pulável".

- para os arquifonemas nasais morfofonologicamente derivados, pela regra sistêmica:

  /Ĩ/ — [ẽ, ĩ]: a variação segue a regra ortográfica, por exemplo: /mẽ́tI > mẽtáL; bíkU > ĨbIkamẽ́tU/ — [mẽ́tši, mẽtáw; bíkᵘ, ẽbikamẽ́tᵘ] — "mente, mental; bico, embicamento";

  /Ũ/ — [õ, ũ]: a variação segue a regra ortográfica, por exemplo: /kṍtU > kŨtáveL; fṹdu > fŨdamẽ́tU/ — [kṍtᵘ, kõtávew; fṹdᵘ, fũdamẽ́tᵘ] — "conto, contável, fundo, fundamento".

3. Para os arquifonemas vocálicos pós-tônicos

Para as pós-tônicas seguindo a regra sistêmica, neutraliza-se, para as orais, o grau de abertura: aberto = fechado e a zona de emissão, de forma a ocorrer apenas uma vogal anterior, uma medial e uma posterior. Dessa forma a pronúncia vocálica não segue a regra ortográfica. Por exemplo:

- para os arquifonemas vocálicos orais, seguindo a regra sistêmica de sílaba inacentuada:

  /I/ — [i, ⁱ]: a variação decorre da posição ocupada na palavra: final absoluta (ⁱ) e final relativa [i], ou seja, variação da intensidade, seguindo a pronúncia paulistana de alto nível de escolaridade que tem prestígio social, por exemplo: /kọrIS/, /ę́lI/ — [kọris, ę̣lⁱ] — "cores, ele";

/U/ — [u, ᵘ]: a variação decorre da posição ocupada na palavra: final absoluta (ᵘ) e final relativa [u], ou seja, variação da intensidade, seguindo a pronúncia paulistana de alto nível de escolaridade que tem prestígio social, por exemplo: /tọ́dUS/, /tọ́dU/ — [tọ́dUS, tọ́dU] — "todos, todo";

- Para o fonema / a / vocálico oral:

  /a/ — [a, ᵃ]: a variação decorre da posição ocupada na palavra: final absoluta (ᵃ) e final relativa [a], ou seja, variação da intensidade, seguindo a pronúncia paulistana de alto nível de escolaridade que tem prestígio social, por exemplo: /fálaS/, /fála/ • [fálas, fálᵃ] — "falas, fala".

- para os arquifonemas nasais, seguindo a regra sistêmica de sílaba inacentuada:

  /Ĩ/ — [ẽỹ]: a variação ditongada segue o padrão paulistano de alto nível de escolaridade que tem prestígio social, por exemplo: /arážĨ/ — [arážẽỹ] — "aragem". O mesmo ocorre em flexões verbais, como em: /kálĨ/ — [kážẽỹ] — "calem";

  /Ũ/ — [ũw̃]: a variação segue a regra ortográfica e ocorre com palavras latinas: /fọ́rŨ, kuȓíkulũw̃/ — [fóruw, kuríkuluw] — "fórum, curriculum";

- o fonema /ã/ — [ã]: a realização segue a regra sistêmica, por exemplo: /ímã/ — [ímã] — "ímã". Em flexões verbais, ocorre [ãw̃], como em: /dạ́sãw̃, kalávãw̃/ — [dạ́sãw̃, kalávãw̃] — "dançam, calavam".

Ao se relacionar as variáveis lingüísticas da pronúncia brasileira padrão estandardizada à variável sociocultural, verifica-se uma inter-relação do lingüístico com o nível social e com o de escolaridade desses apresentadores. Além disso, verifica-se, também, o controle de pronúncia por uma variável ideológica, pois é construída e imposta pelo poder da TV Globo, a fim de atender a seus interesses, ou seja, acesso a um grande número de espectadores, devido às estratégias aplicadas para conseguir a aceitabilidade do público.

Nesse sentido, como se pretendeu demonstrar anteriormente, o controle da variação segue a regra sistêmica, o padrão paulistano de alto grau de escolaridade e a regra ortográfica. Esta última é resultado da leitura rápida do texto organizado pelo redator chefe do jornal.

Esse padrão estandardizado de pronúncia brasileira apresenta-se como uma unidade imaginária, defendida pelo cancelamento de outras pronúncias brasileiras. E passa a ser reconhecida, em nossa contemporaneidade, por falantes nativos e estrangeiros como uma identidade padrão da pronúncia do brasileiro, na medida em que é ideologicamente avaliada pelo público como grau ótimo de aceitabilidade.

7.5. Algumas características da pronúncia estandardizada do português brasileiro para as consoantes

Neste item, são apresentadas algumas bases articulatórias consonantais que apresentam muita dificuldade para falantes de outras línguas: as durativas, as vibrantes e as junturas externas.

7.5.1. As durativas

Os fonemas constritivos durativos surdos /f, s, š/ e os sonoros /v, z, ž/ são pronunciados com uma grande duração, ou seja, com uma corrente de ar expelida com maior continuidade pela constrição dos órgãos articuladores. De forma geral, os estrangeiros que aprendem o português brasileiro ao pronunciarem os fonemas constritivos articulam uma pequena duração. Tentamos visualizar essa característica da pronúncia padrão estandardizada para:

1. Os fonemas labiodentais /f, v/

- para estrangeiros: /fáka, váka/ — [fáka, váka] — “faca, vaca”;
- para brasileiros: /fáka, váka/ — [ffffáka, vvvváka] — “faca, vaca”.

2. Os fonemas sibilantes /s, z/

- para estrangeiros: /sábI/ — [sábi] — "sabe"; /zẹbRa/ — [zẹbra] — "zebra";
- para brasileiros: /sábI/ — [ssssssábi] — "sabe"; /zẹbRa/ — [zzzzzẹbra] — "zebra".

3. Os fonemas chiantes: /š, ž/

- para estrangeiros: /šávI/ — [šávi] — "chave"; /žẹlU/ — [žẹlu] — "gelo";
- para brasileiros: /šávI/ — [šššáv^{i}] — "chave"; /žẹlU/ — [žžžẹl^{u}] — "gelo".

4. No caso do arquifonema /S/

em final absoluto de sílaba [s, z], a variação de pronúncia é controlada pelo contexto fônico segue o padrão paulistano de alto nível de escolaridade. Por exemplo:

- em contexto surdo
  - — para estrangeiros: /ẹStI/ — [ẹsti] — "este";
  - — para brasileiros: /ẹStI/ — [ẹssssts̆^{i}] — "este";
- em contexto sonoro
  - — para estrangeiros: /dẹSdI/ — [dẹsdi] — "desde"; /mẹSmU/ — [mẹsmu], mesmo";
  - — para brasileiros: /dẹSdI/ — [dẹssssd ž^{i}] — "desde"; /mẹSmU/ — [mẹsssm^{u}] — "mesmo".

7.5.2. As vibrantes

Fonologicamente, há oposição entre a vibrante simples e múltiplas, em posição intervocálica com em: "caro, carro; era, erra; muro, murro".

Nas demais posições ocorre o arquifonema /R/. Como em qualquer posição arquifonológica, ocorrem muitas variações de pronúncias.

Na pronúncia brasileira estandardizada, a realização para o arquifonema /R/ é:

1. Em encontros consonantais iniciais silábicos, realiza-se /R/ — pela vibrante simples [r], como em: /pRátU, tRávI/ — [prátᵘ, trávⁱ] — "prato, trave".
2. Em inicial absoluta de sílaba, realiza-se /R/ pela vibrante múltipla velar [ṝ], como em: /Rẹ́, Rála/ — [r̄ę́, ṝálᵃ] — "ré, rala".
3. Em final de sílaba, realiza-se /R/ pela vibrante múltipla alveolar [r̄], como em: /pẹ́RtU, pIRSpIktíva/ — [pẹr̄spẹktívᵃ] — "perto, perspectiva".
4. Em arquifonema lateral, realiza-se /L/ por semivogal posterior [w], como em: /sál, sọ́ltU/ — [sáw, sọ́wtᵘ] — "sal, solto".

7.5.3. As junturas externas

As junturas externas são tanto vocálicas quanto consonantais e são definidas pelas seqüências de palavras sem pausa.

7.5.3.1 As junturas vocálicas

Quando o final de uma palavra se junta com o início de outra palavra tem-se:

1. Ditongo + vogal: esta seqüência será realizada por dois ditongos, um descrescente e outro crescente, devido à propagação da semivogal, como em:
   - ditongo nasal: /nã͡ẃ á/ — [nã͡ẃwá] — "não há";
   - ditongo oral: /sẹ́y agọ́ra/ — [sẹ́yyagọ́ra] — "sei agora".
2. A epêntese da consoante palatal nasal /ŋ̬, Ĩ/ em posição final de palavra é realizado por [ẽ] e haverá epêtense se a inicial da outra palavra for vocálica; como em:
   - /tẽ́úma/ — [tẽyŋ̬úmᵃ] — "tem uma";
   - /fálĨ após/ — [fáleyŋ̬após] — "falem após".

3. Encontro de consoantes finais + vogal:

- /L/: em juntura externa é realizado por dois ditongos, um decrescente e um crescente, por exemplo: /sáw amáRgU/ — [sáwwamár̄gᵘ] — "sal amargo";
- /R/: em juntura externa é realizado por uma seqüência de vibrantes múltiplas alveolares, sendo que a última é realizada pela vibrante simples, se a vogal que inicia a segunda palavra. Por exemplo: /pUR í sU/ — [pọr̄r̄r̄r̄ísᵘ] — "por isso";
- /S/: em juntura esterna é realizado por uma seqüência de sibilantes surdas, sendo que a última é realizada pela sibilante sonora: /pọ́yS ẹ́/ — [pọ́ysssẹ́] — "pois é".

Em todas as características de realização do padrão estandardizado para a pronúncia brasileira indicada neste item, a pronúncia é guiada pelo padrão oral paulistano de falantes de alto nível de escolaridade, devido ao prestígio social desse grupo.

7.6. Considerações finais

Tratar da pronúncia estandardizada do brasileiro requer multidisciplinaridade, na medida em que para identificá-la foram examinados vários prismas. Os resultados obtidos apresentados demonstram tal complexidade e podem ser discutidos a partir não só da inter-relação do lingüístico com o social, mas também com o cognitivo, com o ideológico e com o histórico, a fim de se dar conta de uma escala avaliativa em que a pronúncia estandardizada está situada no grau ótimo (Silveira, 1998) de aceitabilidade dos falantes do português brasileiro, nativos ou estrangeiros.

Nesse sentido, em relação à variável sócio-cultural, há o guia ortográfico e o guia do prestígio social de forma a construir um padrão de prestígio (arquinorma) que se torna uma unidade imaginária, na diversidade de variedades/variações lingüísticas de pronúncias brasileiras.

No que se refere ao prisma social, os apresentadores de noticiários da Globo são membros do grupo social, caracterizado pelo alto nível de escolaridade e suas variáveis podem ser explicadas pelo controle do oral, por meio do escrito. Assim, as variáveis das vogais pré-tônicas, de forma geral, seguem a regra ortográfica. Trata-se da variedade padrão normativa que controla a variedade padrão real, nos termos de Heye (1990).

No que se refere ao prisma cognitivo, as bases articulatórias da pronúncia da arquinorma televisiva da Rede Globo constroem, para seus telespectadores, representações mentais sonoras-tipo que ficam armazenadas em suas memórias sociais de longo prazo, que são ativadas para suas memórias de trabalho durante a construção da representação sonora-ocorrente, no momento da identificação sociolingüística daquele que lhes fala.

Logo, dando continuidade à pesquisa que vem sendo realizada, será possível apresentar uma contribuição mais sólida para o ensino da pronúncia do português brasileiro enquanto identidade nacional.

Claro está que é necessário saber qual pronúncia o aluno quer aprender. Todavia, acreditamos que a pronúncia estandardizada sempre deverá ser apresentada em sala de aula, por meio de gravações e de reproduções articulatório-acústicas, a fim de se propiciar ao aluno uma forma de reconhecimento do grupo sociolingüístico em que ele está sendo introduzido pelo professor.

Referências bibliográficas

ABAURRE, M. B. M. Fonologia: a gramática dos sons. *Letras.* Santa Maria, n. 5, UFSM, 1993, p. 9-24.

AGUILERA, V. de A. (org.). *Diversidade fonética no Brasil — pesquisas regionais e estudos aplicados ao ensino.* Londrina: Editora da UEL, 1997.

ALBANO, E. [1988]. *Fazendo sentido do som.* 19. ed. Florianópolis: Editora da UFSC, 1º semestre, 1988.

______. *Da fala à linguagem tocando de ouvido.* São Paulo: Editora Ática 1990.

ALMEIDA FILHO, J. C. P. *Parâmetros atuais para o ensino de português — língua estrangeira.* Campinas: Pontes, 1997.

BAZILLI, C. et al. *Interacionismo simbólico e a teoria dos papéis — uma aproximação para a psicologia social.* São Paulo: Editora EDUC, PUC/SP, 1998.

BECHARA, E. *Moderna gramática portuguesa.* 19. ed. São Paulo: Editora Nacional, 1959.

BELLO-BISSON, A. N. *Um estudos da variação das vogais orais inacentuadas no português brasileiro.* Dissertação de mestrado. PUC/SP, 2001.

BISOL, L. *Harmonização vocálica.* Tese de doutorado. Rio de Janeiro: UFRJ, 1981.

______. *O acento: duas alternativas de análise.* Porto Alegre: UFRS, PUC/RS, 1992.

BISOL, L. (org.). *Introdução a estudos de fonologia do português brasileiro*. Porto Alegre: PUC/RS, 1996.

BUONGERMINO, R. *Um estudo do acento em português*. São Paulo: Dissertação de mestrado. PUC/SP, 1978.

CAGLIARI, L. C. Elementos de fonética do português Brasileiro. Tese de livre-docência. UNICAMP, Instituto de Estudos da Linguagem, 1981.

CAGLIARI, L. C. A regra de atribuição de acento via afixos. In: AGUILERA, V. de A. (org.). *Português no Brasil: estudos fonéticos e fonológicos*. Londrina: Editora da UEL, 1999.

CALLOU, D. M. I. *Variação e distribuição da vibrante na fala urbana culta do Rio de Janeiro*. Rio de Janeiro: Proe/UFRJ, 1987.

CALLOU, D. e LEITE, Y. Variação das vogais pré-tônicas. *Anais do Simpósio Diversidade Lingüística no Brasil*. Bahia: UFBA, Instituto de Letras, CNPq/INEP, 1987.

______. *Introdução à fonética e fonologia*. 7. ed. Rio de Janeiro: Zahar, 2000.

CALVET, L. J. (1993). *Sociolingüística — uma introdução crítica*. Trad. Marcos Marcionilo. São Paulo: Parábola, 2002.

______. *Les politiques linguistiques*. Paris: Presses Universitaires de France, n. 3075, 1996.

CARDONA, G. R. *Dizionario di linguistica*. Roma: Armando, 1988.

COSERIU, E. Fundamentos e tarefas da sócio e da etnolingüística. In: MELLO, L. de A. (org.). *Sociedade, cultura e língua — ensaios de sócio e etnolingüística*. João Pessoa: Shorin,1990.

CURY, V. F. *Um estudo dos encontros consonantais em português*. Dissertação de mestrado. PUC/SP, 1979.

DENHIÈRE, G. & BAUDET, S. *Comprèhension de texte et science cognitive*. Paris: Presses Universitaires de France, 1992.

DIAS, O. F. *Os sentidos do idioma nacional — as bases enunciativas do nacionalismo lingüístico no Brasil*. Campinas: Pontes, 1993.

FERREIRA, A. B. de H. *Novo dicionário Aurélio*. Rio de Janeiro: Nova Fronteira, 1975.

GOLDSMITH, J. Os objetivos da fonologia auto-segmental. In: MATHEUS, M. H. M. & VILALVA, A. (orgs.). *Novas perspectivas em fonologia*. Lisboa: Laboratório de Fonética da Faculdade de Letras de Lisboa, 1985.

HÁLA, B. *La sílaba — su naturaleza, su origen y sus transformaciones*. Madrid: Consejo Superior de Investigaciones Científicas — Instituto Miguel de Cervantes, 1966.

HALLE, M. Phonology. In: OSHERSON, D. & LASNIK, H. *Language — an invitation to cognitive science*. 3. ed. Massachusetts: The MIT Press, 1991, v. 1.

HAYES, B. *Metrical stress theory: principles and case studies*. Chicago: The University of Chicago Press, 1995.

HEYE, J. A importância da sociolingüística no ensino da língua portuguesa. In MELLO, L. A. (org.). *Sociedade, culturas e língua — ensaios de sócio e etnolinguistica*. FUNAPE: UFPb, 1990.

ILARI, R. & BASSO, R. *O português da gente — a língua que estudamos, a língua que falamos*. São Paulo: Contexto, 2006.

IRIGARAY, L. *Speculum del l'autre femme*. Paris: Minuit, 1974.

KENT, R. D. *The speech sciences singular publishing group*. San Diego: University San Diego, 1997.

LABOV, W. Contraction, deletion and inherent variability of the English copula. *Language* 45, 1969.

LAFER, C. *Hannah Arendt: pensamento, persuasão e poder*. Rio de Janeiro: Paz e Terra, 1979.

LENY, J. F. Sémantique psychologique. In: RONDAI, J. A. & THIBAUT, J. P. (orgs.). *Problèmes de psycholinguistique*. Mardaga: Liège, 1987.

LIMA, E. E. O. F. et al. *Falar... ler... escrever... português: um curso para estrangeiros: livro de exercícios*. São Paulo: EPU, 2000.

LINS DA SILVA, C. E. *Muito além do Jardim Botânico: um estudo sobre a audiência do Jornal Nacional da Globo entre trabalhadores*. São Paulo: Summus, 1985.

MACIEL, V. L. A. *Dos domínios da política do idioma no Brasil — uma leitura caleidoscópica.* Dissertação de Mestrado, PUC/SP, 1995.

MAIA, V. L. M. *Vogais pré-tônicas médias na fala de Natal.* Rio de Janeiro, 1986. Mimeografado.

MASSINI-CAGLIARI, G. Sobre o lugar do acento de palavra em uma teoria fonológica. *Cadernos de Estudos Lingüísticos*, Campinas, n. 23, 1992.

______. Sobre a natureza fonética do acento em português. *D.E.L.T.A. 2*. São Paulo: EDUC, 1993, v. 19.

MATEUS, M. H. M. & ANDRADE, E. D. A estrutura da sílaba em português europeu. *D.E.L.T.A. 1*. São Paulo: EDUC, 1998, v. 14.

MATOSO CÂMARA Jr., J. *Dicionário de filologia e gramática — referente à língua portuguesa.* 2. ed. Rio de Janeiro: Ozon, 1964.

MEIRELES, A. R. Variação entonacional na voz cantada e na voz falada. *Anais do VI Congresso Nacional de Fonética e Fonologia*. Niterói: UFF, 2000.

MOLLES, A. & VALLANCIEN, B. *Phonétique et phonation.* Paris: Masson et Cie Édicurs, 1966.

MORAES, J. A. de. *Acentuação lexical e acentuação frasal em português: um estudo acústico-perceptivo.* Comunicação apresentada no II Encontro Nacional de Fonética e Fonologia. Brasília, 1986.

MORAES, M. C. L. de. *Um estudo dos ditongos orais, em português*. Dissertação de mestrado. PUC/SP, 1978.

MOTA, J. *Vogais antes de acento em Ribeirópolis — SE.* Dissertação de mestrado. UFBA, 1979.

NEPOMUCENO, L. de A. Procedimentos perceptuais na segmentação da cadeia da fala. *Psycholinguistics/Psicolingüística*. Florianópolis: Editora da UFSC, 1° semestre, 1988, v. 19.

OLIVEIRA N. J. N. de. A importância da entonação no estudo dos Marcadores conversacionais. In: AGUILERA, V. de A. (org.). *Diversidade fonética no Brasil — pesquisas regionais e estudos aplicados ao ensino*. Londrina: Editora da UEL, 1997.

PENNA, M.; AZEVEDO, J. & ANJOS, N. Variações regionais na fala de telejornais em produções locais de João Pessoa, Natal e Recife. *Investigações*. Recife: Editora da Universidade Federal de Recife, 1994.

PRETI, D. Expectativa e aceitabilidade social das formas lingüísticas: subsídios para uma conceituação de "erro" lingüístico. *Anais do XXIII Seminários do GEL*. São Paulo, 1994.

QUILIS, A. & FERNANDEZ, J. *Curso de fonética y fonología espanolas*. Madrid: CSIC, 1966.

ROOS, L. et al. *Guia prático de fonética — Dicas e modelos para uma boa pronúncia*. Argentina: Sotaque, 2000.

SAITO, B. O lucro da informação. *O Estado de S. Paulo*. São Paulo, 16 jan. 2000.

SANTOS, L. W.; PAULIUKONIS, M. A. & GAVAZZI, S. Jornal televisivo: a construção da credibilidade cotidiana. *Anais 6º Congresso Brasileiro de Língua Portuguesa*. São Paulo: IP-PUC/SP, 1996.

SCHUCHARDT, H. *Gegen die junggrammatiker*. Berlin: Braunshweig, 1885.

SERRA, M. L. de A. & ABREU, R. M. M. *Manual prático de fonética portuguesa: um curso para hispano-falantes*. Argentina: UNR, 2002.

SILVEIRA, R. C. P. da. *Estudos de fonética do idioma português*. São Paulo: Cortez, 1982.

______. *Estudos de fonologia Portuguesa*. Série: A Gramática Portuguesa na pesquisa e no ensino, nº 11, São Paulo: Cortez, 1986.

______. *Estudos de fonética do idioma português*. 2. ed. Série A gramática portuguesa na pesquisa e no ensino. São Paulo: Cortez, n. 6, 1987.

______. *Ritmo e velocidade na expressividade discursiva em português*. Trabalho apresentado no III Encontro Nacional de Fonética e Fonologia para debate do texto Parâmetros fonéticos das estratégias prosódicas, de Maria Helena Mira Mateus. João Pessoa, 1988.

______. Estudos de variabilidades de fala em seqüências vocálicas. *Revue de Phonétique Appliquée*, ns. 91 a 93, Mons: Université de L'Etat, Belgique, 1989.

______. Um exame morfofonológico dos plurais em português. *Letras*. Santa Maria: UFSM, n. 5, 1993.

SILVEIRA, R. C. P. da. Um estudo de padrões silábicos em seqüências vocálicas do português. *Anais do III Encontro Nacional de Fonética e Fonologia*. João Pessoa: UFPa/CNPq/CAPES, 1994a.

______. Ensino de língua materna no Brasil e as pesquisas fonéticas e fonológicas. *Confluência — Boletim do Depto. de Lingüística*. Assis: Faculdade de Ciências e Letras, 1994b.

______. A questão acentual em língua portuguesa. In: AGUILERA, V. de A. (org.). *Diversidade fonética no Brasil — pesquisas regionais e estudos aplicados ao ensino*. Londrina: UEL, 1997a.

______. A questão acentual em língua portuguesa: formas nominais derivadas por sufixação. In: AGUILERA, V. A. *Diversidade fonética no Brasil: pesquisas regionais e estudos aplicados ao ensino*. Londrina: Editora da UEL, 1997b.

______. *Aspectos fonéticos e fonológicos relevantes no ensino de Português para falantes do espanhol*. Mesa-redonda: Coordenada por Lygia Thouche. UFF, 1997c, p. 109-25.

______. Aspectos da identidade cultural brasileira para uma perspectiva interculturalista no ensino/aprendizagem de português língua estrangeira. *Português Língua Estrangeira — Perspectiva*. São Paulo: Cortez, 1998a.

______. Aspectos lingüísticos relevantes no ensino de português para falantes de Espanhol. In: *Anais do I Congresso da Sociedade Internacional de Português-Língua Estrangeira*. Niterói, 24 e 25 de novembro, 1998b.

______. Leitura: produção interacional de conhecimentos. In: BASTOS, N. B. (org.). *Língua portuguesa — história, perspectivas, ensino*. São Paulo: EDUC, 1998c.

______. A pronúncia e a questão da idiomaticidade no ensino do português brasileiro. In: AGUILERA, V. A. (org.). *Português no Brasil: estudos fonéticos e fonológicos*. Londrina: Editora da UEL, 1999.

SIVIERI, Â. M. *O acento e as formas nominais do português*. Dissertação de mestrado. PUC/SP, 1991.

SOMMERSTEIN, A. H. *Fonologia moderna*. Madrid: Cátedra, 1977.

VAN DIJK, T. A. Episodic models in discourse processing. In: HOROWITS, R. & SAMUELS, S. J. (orgs.). *Comprehending oral and written language*. New York: Academic Press, 1987.

VAN DIJK, T. A. O poder e a mídia jornalística. *Revista Palavra*. Rio de Janeiro: Grypho, 1997.

VASCONCELOS, S. I. C. C. de. *Um estudo do tritongo em português — contribuição a uma teoria da sílaba portuguesa.* Dissertação de mestrado. PUC/SP, 1980.

WEINREICH, U.; LABOV, W. & HERZOG, M. I. Empirical foundations for a theory of language change. In: LEHMANN, W. P. & MALKIEL, Y. *Directions from historical linguistics*. Austin: University of Texas Press, 1968.

WETZELS, W. L. Harmonização vocálica, truncamento, abaixamento e neutralização no sistema verbal do Português. *Cadernos de estudos lingüísticos*. Campinas: UNICAMP, 1991.

ZURIF, E. B. Language and the brain. In: OSHERSON, D. & LASNIK, H. *Language — an invitation to cognitive science*. 3. ed. Massachusetts: The MIT Press, 1991, v. 1.

IMPRESSÃO E ACABAMENTO
EDITORA PARMA